ACERTO
DE CONTAS

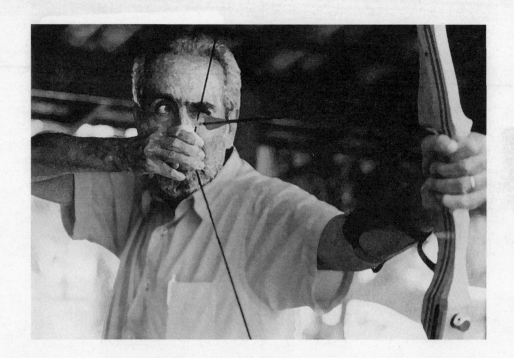

O Arqueiro

GERALDO JORDÃO PEREIRA (1938-2008) começou sua carreira aos 17 anos, quando foi trabalhar com seu pai, o célebre editor José Olympio, publicando obras marcantes como *O menino do dedo verde*, de Maurice Druon, e *Minha vida*, de Charles Chaplin.

Em 1976, fundou a Editora Salamandra com o propósito de formar uma nova geração de leitores e acabou criando um dos catálogos infantis mais premiados do Brasil. Em 1992, fugindo de sua linha editorial, lançou *Muitas vidas, muitos mestres*, de Brian Weiss, livro que deu origem à Editora Sextante.

Fã de histórias de suspense, Geraldo descobriu *O Código Da Vinci* antes mesmo de ele ser lançado nos Estados Unidos. A aposta em ficção, que não era o foco da Sextante, foi certeira: o título se transformou em um dos maiores fenômenos editoriais de todos os tempos.

Mas não foi só aos livros que se dedicou. Com seu desejo de ajudar o próximo, Geraldo desenvolveu diversos projetos sociais que se tornaram sua grande paixão.

Com a missão de publicar histórias empolgantes, tornar os livros cada vez mais acessíveis e despertar o amor pela leitura, a Editora Arqueiro é uma homenagem a esta figura extraordinária, capaz de enxergar mais além, mirar nas coisas verdadeiramente importantes e não perder o idealismo e a esperança diante dos desafios e contratempos da vida.

John Grisham

Acerto de Contas

Título original: *The Reckoning*

Copyright © 2018 por Belfry Holdings, Inc.
Copyright da tradução © 2019 por Editora Arqueiro Ltda.
Todos os direitos reservados. Nenhuma parte deste livro pode ser utilizada ou reproduzida sob quaisquer meios existentes sem autorização por escrito dos editores.

tradução: Bruno Fiuza e Roberta Clapp

preparo de originais: Cristiane Pacanowski | Pipa Conteúdos Editoriais

revisão: Eduardo Carneiro e Rayana Faria

diagramação: Equatorium Design

capa: John Fontana

adaptação de capa: Ana Paula Daudt Brandão e Gustavo Cardozo

imagem de capa: Steve Robinson

impressão e acabamento: Lis Gráfica e Editora Ltda.

CIP-BRASIL. CATALOGAÇÃO NA PUBLICAÇÃO
SINDICATO NACIONAL DOS EDITORES DE LIVROS, RJ

G888a   Grisham, John
            Acerto de contas / John Grisham; tradução de Roberta
         Clapp, Bruno Fiuza. São Paulo: Arqueiro, 2019.
            448 p.; 16 x 23 cm.

            Tradução de: The reckoning
            ISBN 978-85-306-0043-3

            1. Ficção americana. I. Clapp, Roberta. II. Fiuza, Bruno.
         III. Título.

19-59890   CDD: 813
                                                CDU: 82-3(73)

Todos os direitos reservados, no Brasil, por
Editora Arqueiro Ltda.
Rua Funchal, 538 – conjuntos 52 e 54 – Vila Olímpia
04551-060 – São Paulo – SP
Tel.: (11) 3868-4492 – Fax: (11) 3862-5818
E-mail: atendimento@editoraarqueiro.com.br
www.editoraarqueiro.com.br

Parte
Um

O assassinato

1

Em uma manhã fria no início de outubro de 1946, Pete Banning acordou antes do nascer do sol e nem pensou em voltar a dormir. Ficou deitado por um bom tempo, no meio da cama, olhando para o teto escuro, e se perguntou pela milésima vez se teria coragem. Por fim, quando o primeiro raio de sol atravessou a janela, ele aceitou a dura realidade de que tinha chegado a hora. Aquele ímpeto havia se tornado tão arrebatador que não conseguia dar conta de seus afazeres diários. Não poderia continuar sendo ele mesmo até que a tarefa fosse cumprida. Embora fosse um crime difícil de ser imaginado, o planejamento era simples. Os impactos perdurariam por décadas e mudariam a vida de pessoas que Pete amava e de muitas que não amava. A notoriedade de seu ato daria origem a uma lenda, embora definitivamente não fosse sua intenção se tornar famoso. Na verdade, como era de sua natureza, ele desejava evitar chamar atenção, mas isso não seria possível. Não havia escolha. A verdade fora revelada aos poucos e, assim que a compreendera por completo, aquela morte se tornou tão inevitável quanto o nascer do sol.

Vestiu-se devagar, como sempre, sentindo as pernas – lesionadas durante a guerra – inchadas e doloridas após a noite de sono, e cruzou a casa escura até a cozinha, onde acendeu uma luz fraca e passou o café. Enquanto esperava a bebida ficar pronta, de pé ao lado da mesa, cruzou as mãos atrás da cabeça e flexionou os joelhos devagar. Retorceu o rosto à medida que a dor irradiou dos quadris até os tornozelos, mas suportou o agachamento por dez segundos. Relaxou, agachou mais uma, duas vezes, descendo sempre um pouco mais. Havia pinos metálicos em sua perna esquerda e estilhaços na direita.

Pete serviu o café, acrescentou leite e açúcar, foi até a varanda nos fundos da casa, parou no alto da escada e observou sua propriedade. O sol irrompia a leste e uma luz amarelada se projetava sobre aquela imensidão branca. Os campos estavam carregados de algodão e pareciam cobertos de neve, e em qualquer outro dia Pete teria se forçado a sorrir diante do que certamente seria uma colheita abundante. Mas não haveria sorrisos nesse dia; apenas lágrimas, e muitas. No entanto, não cometer aquele assassinato seria um ato de covardia – um conceito que desconhecia. Tomou um gole do café enquanto admirava a plantação e foi consolado pela segurança que ela trazia. Por baixo do manto branco havia uma camada de solo escuro e bastante rico, que pertencia aos Bannings havia mais de cem anos. As autoridades o levariam embora e provavelmente o executariam, mas a propriedade duraria para sempre e sustentaria sua família.

Mack, seu cão de caça, um bluetick coonhound, acordou de seu cochilo e se juntou a ele na varanda. Pete cumprimentou o cão e afagou sua cabeça.

O algodão estourava nos capulhos, implorando para ser colhido, momentos antes de grandes grupos de trabalhadores negros se amontoarem nas caçambas dos tratores para percorrer o longo trajeto até aquelas terras. Quando menino, Pete se juntava a eles nas caçambas e passava doze horas por dia enchendo sacos com algodão. Os Bannings eram fazendeiros e donos de terras, mas também arregaçavam as mangas para trabalhar quando necessário; não eram meros proprietários que levavam suas vidas medíocres à custa do suor alheio.

Tomou um gole do café e, quando o céu se iluminou, observou o tapete branco como neve se tornar ainda mais branco. De longe, dos fundos do estábulo e do galinheiro, vinham as vozes dos negros conforme se reuniam no galpão onde ficavam os tratores, para encarar mais um longo dia. Eram homens e mulheres que ele conhecia desde criança, trabalhadores miseráveis cujos ancestrais tinham lavrado aquelas mesmas terras durante um século. O que aconteceria com eles depois do assassinato? Para ser sincero, nada. Eles sobreviviam com pouco e não conheciam nada além daquilo. No dia seguinte, de maneira surpreendentemente silenciosa, todos se reuniriam ao mesmo tempo, no mesmo lugar, e cochichariam ao redor da fogueira, depois iriam para os campos, sem dúvida preocupados, mas também ansiosos por dar conta do trabalho e receber o pagamento. A colheita continuaria, abundante e sem contratempos.

Pete terminou o café, colocou a xícara no parapeito da varanda e acendeu um cigarro. Pensou nos filhos. Joel era veterano na Universidade Vanderbilt e Stella estava no segundo ano em Hollins. Que bom que os dois estavam longe. Quase podia sentir o medo e a vergonha que teriam ao saberem da prisão do pai, mas estava confiante de que sobreviveriam, assim como os trabalhadores da fazenda. Eram inteligentes e centrados, e no fim das contas as terras sempre pertenceriam a eles. Concluiriam os estudos, arranjariam bons casamentos e seriam bem-sucedidos.

Enquanto fumava, pegou a xícara de café, voltou para a cozinha e foi até o telefone ligar para a irmã, Florry. Era uma quarta-feira, dia em que sempre se encontravam para tomar o café da manhã juntos, e ele confirmou que logo chegaria lá. Despejou o resto do café, acendeu outro cigarro e pegou o casaco que estava pendurado perto da porta. Mack e ele atravessaram o quintal por um caminho que levava ao jardim onde Nineva e Amos cultivavam uma grande quantidade de legumes e verduras para alimentar os Bannings e seus subordinados. Passou pelo estábulo e ouviu Amos conversando com as vacas enquanto se preparava para ordenhá-las. Pete lhe deu bom-dia e eles conversaram sobre um tal porco gordo que seria abatido no sábado seguinte.

Seguiu em frente, sem mancar, embora suas pernas doessem. No galpão dos tratores, os negros estavam reunidos em volta de uma fogueira, batendo papo e bebericando café em copos feitos de lata. Quando o viram, ficaram em silêncio. Vários disseram "Bom dia, seu Banning", e Pete os cumprimentou. Os homens usavam macacões velhos e sujos; as mulheres, vestidos longos e chapéus de palha. Nenhum deles calçava sapatos. As crianças e os adolescentes estavam sentados perto de uma caçamba, encolhidos sob um cobertor, olhos sonolentos e semblante fechado, contrariados diante de mais um longo dia colhendo algodão.

Havia uma escola para negros na propriedade dos Bannings, tornada possível graças à generosidade de um judeu rico de Chicago e ao pai de Pete, que tinha investido uma quantia equivalente para vê-la construída. Os Bannings insistiam para que todas as crianças negras que viviam em sua propriedade estudassem pelo menos até os 13 ou 14 anos. Mas em outubro, quando nada mais importava além da colheita, a escola ficava fechada e os alunos iam trabalhar nos campos.

Pete conversou discretamente com Buford, seu capataz branco. Falaram sobre o clima, quantas toneladas haviam sido colhidas no dia anterior, o preço do algodão na Bolsa de Memphis. Nunca havia mão de obra suficiente durante a alta temporada, e Buford estava à espera de um caminhão cheio de trabalhadores brancos vindos de Tupelo. Ele os tinha aguardado no dia anterior, mas não apareceram. Havia um boato de que um fazendeiro a uns 3 quilômetros de distância oferecia 10 centavos de dólar a mais por quilo, mas sempre se ouvia essa conversa no período das colheitas. Os brancos trabalhavam duro um dia, desapareciam no outro e depois voltavam, conforme os preços oscilavam. Os negros, no entanto, não tinham a vantagem de poder barganhar, e os Bannings eram conhecidos por pagar o mesmo para todos.

Após inúmeras tentativas, os dois tratores John Deere finalmente deram a partida e os trabalhadores se amontoaram nas caçambas. Pete os observou se afastarem sacolejando, até desaparecerem em meio ao tapete cor de neve.

Ele acendeu outro cigarro e, com Mack a seu lado, passou pelo galpão e chegou a uma estrada de terra. Florry morava a pouco mais de 1 quilômetro de distância, em sua parte da propriedade, e em dias como aquele Pete sempre ia até lá a pé. O exercício era extenuante, mas os médicos lhe haviam dito que longas caminhadas acabariam por fortalecer suas pernas e que um dia talvez a dor diminuísse. Ele duvidava disso e aceitara a realidade de que suas pernas iriam arder e doer pelo resto da vida, uma vida que, por sorte, ainda tinha. Certa vez havia sido dado como morto e, de fato, tinha chegado muito perto da morte, então cada dia a mais era uma dádiva.

Até aquele momento. Daquele dia em diante, sua vida nunca mais seria a mesma, e ele tinha aceitado isso. Não havia escolha.

FLORRY MORAVA EM um chalé cor-de-rosa construído depois que a mãe deles morrera e lhes deixara a propriedade. Florry era uma poetisa que não ligava nem um pouco para o cultivo da terra, mas tinha um grande interesse na renda que ela gerava. Sua parte da propriedade, de 260 hectares, era tão fértil quanto a de Pete. Florry a havia arrendado para o irmão por metade dos lucros, em um acordo verbal – tão sólido quanto o mais detalhado dos contratos – pautado em confiança tácita.

Quando ele chegou, ela estava no quintal, dentro do viveiro feito de tela de arame, espalhando ração enquanto conversava com os papagaios, periquitos e tucanos. Ao lado do refúgio dos pássaros havia uma gaiola onde ela mantinha uma dúzia de galinhas. Seus dois golden retrievers estavam sentados na grama, observando a cena sem nenhum interesse por aqueles pássaros exóticos. A casa de Florry era repleta de gatos, criaturas com as quais nem Pete nem os cães se importavam.

Ele apontou para um canto na varanda da frente, mandou que Mack ficasse lá e entrou. Marietta estava ocupada na cozinha e a casa cheirava a bacon frito e bolinhos de milho. Deu-lhe bom-dia e sentou-se à mesa da cozinha. A mulher lhe serviu café e ele começou a ler o jornal matutino de Tupelo. Na antiga vitrola da sala de estar, uma soprano se lamentava em tristeza operística. Muitas vezes Pete se perguntava quem mais no condado de Ford ouviria ópera.

Quando terminou de cuidar dos pássaros, Florry entrou pelos fundos, cumprimentou o irmão e se sentou à frente dele. Não havia abraços nem demonstrações de afeto. Quem conhecia os Bannings os considerava pessoas frias e distantes, desprovidas de ternura e que raramente exteriorizavam suas emoções. Isso de fato acontecia, mas não era por mal; eles simplesmente tinham sido criados daquela maneira.

Florry tinha 48 anos e sobrevivera a um breve e malfadado casamento quando mais nova. Era uma das poucas mulheres divorciadas no condado e, portanto, desprezada pelos outros, como se de alguma forma sua reputação tivesse sido manchada ou como se talvez ela não fosse decente. Não que ela se importasse com isso; de fato não era o caso. Tinha poucos amigos e raramente saía de casa. Na sua ausência, eles frequentemente se referiam a ela como a Mulher dos Passarinhos – e não de forma carinhosa.

Marietta serviu-lhes fartas omeletes de tomate e espinafre, e bolinhos de milho besuntados de manteiga e repletos de bacon e geleia de morango. Com exceção do café, do açúcar e do sal, tudo na mesa era produzido na propriedade.

– Recebi uma carta de Stella ontem – disse Florry. – Parece que ela está indo bem, apesar das dificuldades que tem tido com matemática. Prefere literatura e história. Ela é tão parecida comigo.

Florry escrevia para os sobrinhos pelo menos duas vezes por semana, e esperava que eles lhe respondessem pelo menos uma vez por semana. Pete não era muito de cartas, e tinha dito a eles para nem se darem ao trabalho de lhe escrever. No entanto, escrever para a tia era uma exigência da qual os dois não podiam escapar.

– Não tenho tido notícias de Joel – comentou ela.

– Deve estar ocupado – disse Pete, virando a página do jornal. – Ele ainda está saindo com aquela garota?

– Acredito que sim. Ele é muito novo pra namorar, Pete. Você deveria ter uma conversa com ele.

– Ele não vai me ouvir. – Pete deu uma garfada na omelete. – Só quero que ele termine logo essa faculdade. Estou cansado de gastar dinheiro com isso.

– Acredito que a colheita esteja indo bem – comentou Florry.

Ela mal havia tocado na comida.

– Poderia estar melhor, e o preço caiu de novo ontem. Tem algodão demais esse ano.

– O preço sobe e desce, né? Quando está alto, não tem algodão suficiente, e quando está baixo, tem algodão demais. Azar na fartura, azar na penúria.

– Pois é.

Pete até pensou em avisar a irmã sobre o que estava por vir, mas ela reagiria mal, imploraria a ele que não fizesse aquilo, ficaria furiosa e os dois acabariam brigando, algo que havia anos não acontecia. O assassinato mudaria drasticamente a vida dela e, por um lado, ele sentia pena e também a obrigação de lhe dar uma explicação. Por outro, no entanto, sabia que aquilo não tinha como ser explicado e que não adiantaria nada tentar.

Era difícil aceitar que aquela poderia ser a última refeição que fariam juntos, mas, naquela manhã, a maior parte das coisas estava sendo feita pela última vez.

Foram obrigados a falar sobre o tempo, o que durou alguns minutos. De acordo com o almanaque, as duas semanas seguintes seriam frias e secas, perfeitas para a colheita. Pete apresentou as mesmas preocupações a respeito da falta de trabalhadores, e ela lembrou a ele que essa queixa era comum naquela época do ano. De fato, na semana anterior, durante o café da manhã, ele também havia reclamado da escassez de mão de obra temporária.

Pete não era do tipo que se estendia nas refeições, muito menos em um dia ruim como aquele. Passara fome durante a guerra e sabia de quão pouco uma pessoa precisava para sobreviver. Ter um corpo magro não sobrecarregava suas pernas. Comeu um pedaço de bacon, tomou um gole de café, virou outra página do jornal e ficou ouvindo Florry falar sobre uma prima que tinha acabado de morrer aos 90 anos, cedo demais, na opinião dela. O assunto morte não saía da cabeça de Pete, e ele se perguntou o que o jornal de Tupelo diria a seu respeito nos dias que estavam por vir. Haveria histórias, talvez muitas, mas ele não tinha interesse em chamar atenção. No entanto, isso era inevitável, e ele receava o sensacionalismo.

– Você não comeu nada – disse ela. – E parece um pouco magro.

– Estou sem fome.

– Tem fumado muito?

– Sempre que tenho vontade.

Pete tinha 43 anos, mas, pelo menos na opinião dela, parecia mais velho. Os fios de cabelo, grossos e escuros, estavam ficando grisalhos acima das orelhas, e longas rugas começavam a se formar na testa. O jovem soldado impetuoso que tinha ido para a guerra estava envelhecendo rápido demais. Seus fardos e lembranças eram pesados, mas ele os guardava para si. Os horrores aos quais sobrevivera jamais seriam recontados, pelo menos não por ele.

Uma vez por mês, obrigava-se a perguntar sobre os escritos da irmã, suas poesias. Na última década, alguns poemas tinham sido publicados em revistas literárias sem muito prestígio, mas não com muita frequência. Apesar de não ser bem-sucedida, não havia nada que ela amasse mais do que entediar o irmão, os sobrinhos e seu pequeno círculo de amigos com os mais recentes desdobramentos de sua carreira. Podia tagarelar por horas a fio sobre seus "projetos", ou a respeito de determinados editores que adoravam suas poesias mas simplesmente não conseguiam encontrar um espaço para elas, ou sobre cartas que recebia de fãs do mundo inteiro. Seus seguidores não estavam por toda parte, e Pete suspeitava de que a carta enviada por alguma alma perdida na Nova Zelândia, três anos antes, ainda era a única a ter chegado com um selo estrangeiro.

Ele não gostava de poesia, e depois de ter sido forçado a ler os poemas da irmã tinha desistido de vez. Preferia ficção, principalmente dos escritores do Sul, em especial William Faulkner, um homem que conhecera antes da guerra em um coquetel em Oxford.

Aquela manhã não era o momento de falar sobre isso. Estava diante de uma tarefa desagradável, um ato monstruoso, que não poderia ser evitado ou adiado por mais tempo.

Afastou o prato com a comida pela metade e terminou o café.

– É sempre um prazer – disse, com um sorriso, enquanto se levantava.

Agradeceu a Marietta, vestiu o casaco e deixou o chalé. Mack o aguardava na escada da frente. Da varanda, Florry se despediu enquanto ele se afastava e acenava sem olhar para trás.

De volta à estrada de terra, Pete apertou o passo e se livrou da rigidez nos músculos causada por ter ficado meia hora sentado. O sol estava alto e já secava o orvalho, e por todo lado os grossos capulhos envergavam os galhos e imploravam para serem colhidos. Ele seguiu em frente, um homem solitário cujos dias de liberdade estavam contados.

NINEVA ESTAVA NA cozinha, diante do fogão a gás, cozinhando os últimos tomates a serem enlatados. Pete lhe deu bom-dia, serviu-se de café fresco e foi para o escritório, onde se sentou à escrivaninha e organizou a papelada. Todas as contas estavam pagas. Não havia nada pendente, tudo estava em ordem. Os extratos chegavam e havia dinheiro suficiente à disposição. Escreveu uma carta de uma página para a esposa, pôs em um envelope com selo e endereço. Colocou um talão de cheques e alguns documentos em uma maleta e deixou-a ao lado da escrivaninha. De uma das últimas gavetas, retirou o revólver Colt 45, se certificou de que todas as seis câmaras do tambor estavam carregadas e enfiou a arma no bolso do casaco.

Às oito horas, avisou a Nineva que estava indo à cidade e perguntou se ela precisava de alguma coisa. Ela respondeu que não, e Pete saiu pela varanda da frente, Mack atrás dele. Abriu a porta de sua caminhonete Ford modelo 1946, e Mack pulou para o banco do carona. Mack raramente perdia um passeio até a cidade, e hoje não seria diferente, pelo menos não para o cão.

A residência dos Bannings, uma suntuosa casa de arquitetura neocolonial construída pelos pais de Pete antes da Crise de 1929, ficava na Autoestrada 18, ao sul de Clanton. A estrada principal do condado tinha sido pavimentada no ano anterior com recursos federais do pós-guerra. Os moradores acreditavam que Pete havia se aproveitado de sua influência para garantir o financiamento, mas isso não era verdade.

O centro de Clanton ficava a pouco mais de 6 quilômetros da propriedade dos Bannings e Pete dirigia devagar, como sempre. Não havia trânsito, a não ser por uma ou outra carroça puxada por uma mula, carregada de algodão, com destino aos descaroçadores. Alguns dos maiores fazendeiros do condado, como Pete, tinham tratores, mas a maior parte do transporte ainda era feita por mulas, assim como a aragem e o plantio. Toda a colheita era executada manualmente. As empresas John Deere e International Harvester estavam tentando aperfeiçoar colheitadeiras mecanizadas que um dia supostamente acabariam com a necessidade de tanto trabalho manual, mas Pete tinha lá suas dúvidas a esse respeito. Não que isso importasse. Nada importava além da tarefa que estava prestes a realizar.

O algodão que voava das carroças cobria os acostamentos da estrada. Dois garotos negros de expressão sonolenta vagavam por uma estradinha no meio do campo e acenaram para ele enquanto admiravam sua caminhonete, um dos dois novos veículos Ford no condado. Pete não retribuiu o aceno. Acendeu um cigarro e disse alguma coisa para Mack ao entrarem na cidade.

Próximo à praça em frente ao tribunal de justiça, estacionou em frente aos correios e observou o fluxo de pedestres. Queria evitar as pessoas que conhecia, ou aquelas que pudessem conhecê-lo, porque, depois do crime, qualquer testemunha estaria apta a oferecer informações banais como "Eu o vi e ele parecia completamente normal", enquanto outra poderia dizer "Esbarrei com Pete nos correios e ele tinha um olhar perturbado". Depois de uma tragédia, pessoas que têm a mínima ligação com o ocorrido são as que exageram seu envolvimento e sua importância no caso.

Pete foi até a caixa de correio e depositou o envelope com a carta para a esposa. Ao partir em sua caminhonete, passou pelo tribunal, com seus gramados e gazebos largos e arborizados, e teve uma vaga ideia do espetáculo que seu julgamento poderia ser. Será que ele estaria algemado ao ser conduzido? O júri demonstraria compaixão? Será que seus advogados fariam alguma mágica e o salvariam? Muitas perguntas sem resposta. Passou pela Tea Shoppe, onde advogados e banqueiros falavam sem parar todas as manhãs, regados a café escaldante e biscoitos amanteigados, e se perguntou o que diriam sobre o crime. Ele não frequentava o local porque era agricultor e não tinha tempo para conversa fiada.

Podiam falar à vontade. Não esperava que eles, ou qualquer outra pessoa do condado, demonstrassem alguma compaixão. Não se importava com isso, não buscava ser compreendido, não planejava dar nenhuma explicação sobre seus atos. Naquele momento, ele era um soldado que tinha ordens e uma missão a cumprir.

Estacionou em uma rua tranquila, um quarteirão atrás da igreja metodista. Saiu da caminhonete, alongou as pernas por um instante, fechou o casaco, disse a Mack que voltaria logo e se encaminhou rumo à igreja que o avô ajudara a construir setenta anos antes. Foi uma caminhada curta, e não viu ninguém ao longo do caminho. Mais tarde, ninguém alegaria tê-lo visto.

TRÊS MESES ANTES de Pearl Harbor, o reverendo Dexter Bell já pregava na Igreja Metodista de Clanton. Era sua terceira igreja e ele teria sido remanejado para outras, como ocorre com todos os pastores metodistas, mas antes que isso acontecesse veio a guerra. As baixas nas fileiras levaram à convocação de muitos para o serviço militar, afetando os cronogramas das igrejas. Normalmente, nas congregações metodistas, um pastor permanecia apenas dois anos em uma igreja, às vezes três, antes de ser realocado. O reverendo Bell estava em Clanton havia cinco anos e sabia que era apenas uma questão de tempo até ser convocado a seguir para outro lugar. Infelizmente, a convocação demorou a chegar.

Ele estava sentado diante de uma escrivaninha em sua sala, em um anexo atrás da bela construção, sozinho como de costume em uma manhã de quarta-feira. O secretário da igreja trabalhava apenas três tardes por semana. O reverendo havia terminado suas orações matinais, tinha a Bíblia de estudo aberta à sua frente junto com dois livros para consulta e contemplava seu próximo sermão quando alguém bateu à porta. Antes que pudesse responder, a porta se abriu e Pete Banning entrou, com a expressão fechada e decidida.

– Bom dia para você também, Pete – disse Bell, surpreso com aquela intromissão.

Ele estava prestes a se levantar quando Pete sacou um revólver de cano longo.

– Você sabe por que estou aqui.

Bell ficou paralisado, encarando a arma, apavorado.

– O que está fazendo, Pete? – perguntou com dificuldade.

– Eu matei muitos homens, reverendo, todos soldados corajosos no campo de batalha. Você vai ser o primeiro covarde.

– Não, Pete, não faça isso! – implorou Dexter, levantando as mãos e se recostando na cadeira, os olhos arregalados e a boca aberta. – Se isso tem a ver com a Liza, eu posso explicar. Não, Pete!

Pete deu mais um passo adiante, apontou para Dexter e apertou o gatilho. Tinha sido treinado para atirar com qualquer arma de fogo, as usara em combate para matar mais homens do que gostaria de lembrar e passara a vida na floresta caçando animais, grandes e pequenos. O primeiro tiro atingiu o coração de Dexter, assim como o segundo. O terceiro atravessou o crânio, logo acima do nariz.

Entre as paredes do pequeno escritório, os tiros ressoaram como balas de canhão, mas foram ouvidos por somente duas pessoas. A esposa de Dexter, Jackie, estava do outro lado do terreno da igreja, sozinha em casa limpando a cozinha, quando ouviu o barulho. Mais tarde, ela o descreveu como os sons abafados de alguém batendo palmas três vezes e disse que, na ocasião, não fazia ideia de que se tratasse de tiros. Jamais poderia imaginar que o marido tinha acabado de ser assassinado.

Hop Purdue limpava a igreja havia vinte anos. Estava no anexo quando ouviu os tiros, que deram a impressão de ter sacudido o prédio. Estava em pé no corredor do lado de fora do escritório do pastor quando a porta se abriu e Pete saiu, ainda segurando o revólver. Ele levantou a arma, apontou-a para Hop e pareceu pronto para atirar. Hop caiu de joelhos.

– Por favor, seu Banning. Eu não fiz nada. Eu tenho filhos, seu Banning.

Pete baixou a arma.

– Você é um bom homem, Hop. Vá avisar o xerife.

17

2

De pé na porta lateral do anexo, Hop observou Pete ir embora, guardando o revólver calmamente no bolso do casaco enquanto caminhava. Quando Pete sumiu de vista, Hop foi mancando para a sala do reverendo – sua perna direita era 5 centímetros mais curta que a esquerda –, espiou pela porta aberta e deu uma olhada em Bell. Estava de olhos fechados e a cabeça caída para o lado, o sangue escorrendo pelo nariz. Atrás da cabeça, no encosto da cadeira, havia uma mistura de sangue e miolos espalhados. Sua camisa branca ia se tornando vermelha ao redor do peito, que não se mexia. Hop ficou lá por alguns segundos, talvez um minuto, talvez mais, para se certificar de que ele não se movia. Percebeu que não havia nada que pudesse fazer para ajudá-lo. O odor penetrante de pólvora pesava na sala, e Hop achou que fosse vomitar.

Como ele era a pessoa negra mais próxima da cena do crime, achou que acabaria sendo acusado de alguma coisa. Acometido pelo medo, não tocou em nada e conseguiu sair lentamente da sala. Fechou a porta e começou a soluçar. O reverendo Bell era um homem gentil que o tratava com respeito e demonstrava preocupação para com sua família. Um homem bom, um homem de família, um homem amoroso, adorado por sua congregação. O que quer que tivesse feito contra Pete Banning certamente não valia sua vida.

Então Hop se deu conta de que mais alguém poderia ter ouvido os tiros. E se a Sra. Bell viesse correndo e visse o marido ensanguentado e morto?

Hop esperou um tempo e tentou se recompor. Sabia que não teria coragem de ir atrás dela e lhe dar a notícia. Os brancos que fizessem isso. Não havia mais ninguém na igreja e, conforme os minutos passavam, ele foi percebendo que a situação estava em suas mãos. Mas não por muito tempo. Se alguém o visse fugindo dali, ele sem dúvida seria o principal suspeito. Então saiu do anexo o mais calmamente possível e desceu correndo a mesma rua pela qual o Sr. Banning havia seguido. Apertou o passo, contornou a praça e logo adiante viu a cadeia.

Roy Lester, um dos assistentes do xerife, estava saindo de uma viatura.

– Bom dia, Hop – disse ele, notando em seguida seus olhos vermelhos e as lágrimas em seu rosto.

– O reverendo Bell foi baleado – desandou a falar Hop. – Ele morreu.

COM HOP SENTADO no banco da frente e ainda enxugando as lágrimas, Lester acelerou pelas ruas calmas de Clanton e minutos depois entrou derrapando no estacionamento de cascalho em frente ao anexo da igreja, onde parou em uma vaga poeirenta. A porta se abriu diante deles e Jackie Bell saiu correndo, gritando. Suas mãos estavam vermelhas de sangue, o vestido de algodão também manchado, e ela havia tocado e sujado o rosto. Jackie urrava, berrava, não sendo possível compreender uma palavra sequer do que dizia, apenas um grito agudo de desespero, a expressão desfigurada em razão do choque. Lester a segurou, tentou contê-la, mas ela se sacudiu soltando-se e gritou:

– Ele está morto! Ele está morto! Alguém matou meu marido.

Lester a agarrou novamente, tentou consolá-la e impedi-la de voltar ao escritório do reverendo. Hop assistia a tudo aquilo e não tinha ideia do que fazer. Ainda temia acabar sendo acusado e queria se envolver o mínimo possível.

Do outro lado da rua, a Sra. Vanlandingham ouviu a gritaria e saiu correndo em direção à igreja, ainda segurando um pano de prato. Ela chegou exatamente no momento em que o carro do xerife, Nix Gridley, entrava pelo estacionamento derrapando no cascalho. Nix desceu do veículo e, ao vê-lo, Jackie berrou:

– Ele está morto, Nix! Dexter está morto! Alguém atirou nele! Meu Deus, me ajude!

Nix, Lester e a Sra. Vanlandingham levaram Jackie até a varanda do outro lado da rua, e ela desabou em uma cadeira de balanço. A Sra. Vanlandingham tentou limpar o rosto e as mãos de Jackie, mas ela recusou a ajuda. Enfiou o rosto nas mãos, soluçando dolorosamente enquanto gemia, quase golfando.

Nix pediu a Lester que ficasse com ela. Atravessou a rua e foi em direção a Red Arnett, outro de seus assistentes, que o esperava. Entraram no anexo e depois, lentamente, no escritório, onde encontraram o corpo do reverendo Bell caído no chão ao lado da cadeira. Nix cuidadosamente tocou seu pulso direito e depois de alguns segundos anunciou:

– Sem batimentos.

– Eu já imaginava – disse Arnett. – Acho que não precisamos de uma ambulância.

– Acho que não. Ligue para a agência funerária.

– Seu Pete Banning atirou nele – disse Hop ao entrar no escritório. – Eu ouvi quando ele fez isso. Vi a arma.

Nix se levantou, franziu a testa e disse:

– Pete Banning?

– Sim, senhor. Eu estava lá fora, no corredor. Ele apontou a arma para mim e me disse para ir atrás do senhor.

– O que mais ele disse?

– Disse que eu era um bom homem. Só isso. Depois foi embora.

Nix cruzou os braços diante do peito e olhou para Red, que balançou a cabeça incrédulo e murmurou:

– Pete Banning?

Ambos olharam para Hop como se não acreditassem nele.

– Isso mesmo. Vi ele com meus próprios olhos, segurando um revólver de cano longo. Mirou bem aqui – disse ele, apontando para o meio da testa. – Pensei que ia morrer também.

Nix empurrou o chapéu para trás e esfregou o rosto. Olhou para o chão e notou a poça de sangue se espalhando para longe do corpo. Observou os olhos fechados de Dexter e se perguntou pela primeira vez, a primeira de muitas, o que poderia ter causado aquilo.

– Bem, acho que esse crime está resolvido – disse Red.

– Acredito que sim – concordou Nix. – Mas vamos tirar algumas fotos e ver se encontramos algum projétil.

– E a família? – perguntou Red.

– Estou pensando nisso. Vamos trazer a Sra. Bell em casa e pedir a algumas vizinhas que venham ficar com ela. Eu vou até a escola pra falar com o diretor. Eles têm três filhos, é isso?

– Acho que sim.

– Isso mesmo – confirmou Hop. – Duas garotas e um garoto.

– E você não abra a boca, ok, Hop? – disse Nix. – É sério, nem uma palavra. Não diga a absolutamente ninguém o que aconteceu aqui. Se você falar, eu juro que te jogo na cadeia.

– Não, seu xerife. Não vou falar nada.

Eles deixaram o escritório, fecharam a porta e saíram. Do outro lado da rua, mais vizinhos se reuniam próximo à varanda da Sra. Vanlandingham. A maior parte eram donas de casa incrédulas, com os olhos arregalados e as mãos sobre a boca, todas no gramado na frente da casa.

O CONDADO DE Ford não testemunhava o assassinato de um branco havia mais de dez anos. Em 1936, dois meeiros entraram em guerra por um pedaço de terra sem valor. O que tinha melhor mira ficou com o terreno, alegou legítima defesa durante o julgamento e voltou para casa. Dois anos depois, um menino negro foi linchado perto do assentamento de Box Hill, onde teria dito alguma indecência para uma mulher branca. Em 1938, porém, linchamento não era considerado assassinato ou crime de qualquer tipo em nenhuma parte do Sul, muito menos no Mississippi. No entanto, uma palavra inapropriada dita a uma mulher branca poderia ser punida com a morte.

Naquele momento, nem Nix Gridley, nem Red Arnett, nem Roy Lester, nem ninguém com menos de 70 anos em Clanton se lembrava do assassinato de um cidadão tão renomado. E o fato de o principal suspeito ser ainda mais conhecido chocou a cidade inteira. No tribunal, escrivães, advogados e juízes deixaram o serviço de lado, só falavam sobre o assunto e balançavam a cabeça, incrédulos. Nas lojas e nos escritórios ao redor da praça, secretárias, proprietários e clientes passavam adiante a notícia e olhavam uns para os outros em estado de choque. Nas escolas, professores interromperam as aulas, largaram os alunos nas salas e se amontoaram nos corredores. Nas ruas arborizadas ao redor da praça, vizinhos se reuniam próximo a caixas de correio e se esforçavam muito para pensar em maneiras diferentes de dizer "Isso não pode ser verdade".

Mas era. Uma multidão se aglomerava no jardim da Sra. Vanlandingham, com os olhos assustados fixos no estacionamento do outro lado da rua, onde estavam três viaturas – toda a frota do condado –, junto com o carro da Funerária Magargel. Jackie Bell havia sido levada de volta para casa, onde estava com um amigo médico e algumas frequentadoras da igreja. As ruas logo estariam cheias de carros e caminhonetes guiados por curiosos. Alguns motoristas passavam bem devagar, olhando boquiabertos. Outros estacionavam de qualquer jeito, o mais próximo possível da igreja.

A presença do carro da funerária era como um ímã, atraindo as pessoas em direção ao estacionamento. Roy Lester lhes pediu que recuassem. A porta traseira do veículo estava parcialmente aberta, o que significava, é claro, que logo um corpo seria trazido e faria a curta viagem até a funerária. Como em qualquer tragédia – fosse crime ou acidente –, o que os curiosos realmente queriam era ver um cadáver. Impressionados e chocados, aproximaram-se em silêncio profundo e perceberam que tinham sido privilegiados. Foram testemunhas de um ato dramático de uma história inimaginável, e pelo resto da vida poderiam falar sobre como foi estar lá quando o corpo do reverendo Bell foi levado.

O xerife Gridley saiu pela porta do anexo, olhou para a multidão e tirou o chapéu. Atrás dele, a maca surgiu, com o velho Magargel segurando uma ponta e o filho dele, a outra. O cadáver estava coberto por uma manta preta, apenas os sapatos marrons de Dexter eram visíveis. Todos os homens imediatamente tiraram chapéus e boinas, e todas as mulheres baixaram a cabeça, mas não fecharam os olhos. Algumas pessoas choravam baixinho. Quando o corpo foi devidamente colocado no carro e a porta traseira, fechada, o velho Magargel assumiu o volante e foi embora. Não sendo do tipo que perdia a oportunidade de provocar um pouco mais de drama, transitou pelas ruas transversais até chegar à praça e, em seguida, deu duas voltas lentas ao redor do tribunal para que a cidade inteira pudesse dar uma olhada.

Uma hora depois, o xerife Gridley telefonou ordenando que o corpo fosse transportado até Jackson a fim de que fosse realizada uma autópsia.

NINEVA NÃO SE lembrava da última vez que o Sr. Pete lhe pedira que se sentasse com ele na varanda da frente da casa. Ela tinha coisas mais importantes para fazer. Amos estava no celeiro batendo leite para fazer manteiga e precisava de ajuda. Depois disso, ela tinha um monte de ervilhas e feijões para enlatar. Havia ainda um pouco de roupa suja para lavar. Mas se o patrão dissera para que se sentasse na cadeira de balanço e esticasse as pernas, quem era ela para discutir? Tomou chá gelado enquanto ele fumou vários cigarros – mais que de costume, ela se lembraria mais tarde, quando contasse a Amos. Ele parecia preocupado com os veículos que passavam na autoestrada, a quase meio quilômetro da entrada. Alguns carros e caminhonetes deslocavam-se devagar, passando pelas carroças cheias de algodão que se dirigiam ao descaroçador da cidade.

Quando avistou o carro do xerife, Pete disse:

– Lá vem ele.

– Quem? – perguntou ela.

– O xerife Gridley.

– O que ele quer?

– Ele está vindo me prender, Nineva. Por homicídio. Acabei de matar Dexter Bell, o pastor da igreja metodista.

– Tá de brincadeira! Você fez o quê?

– É isso mesmo que você ouviu. – Pete se levantou e deu alguns passos até onde ela estava sentada. Inclinou-se e apontou o dedo na cara dela. – E você nunca vai dizer uma palavra pra ninguém, Nineva. Está ouvindo?

Seus olhos se arregalaram, a boca se escancarou, mas ela não conseguiu falar. Ele tirou um pequeno envelope do bolso do casaco e entregou a ela.

– Entre em casa agora e, assim que eu sair, leve isso pra Florry.

Ele pegou a mão dela, ajudou-a a ficar de pé e abriu a porta de tela. Quando Nineva já estava lá dentro, soltou um grito excruciante que o assustou. Ele fechou a porta da frente e se virou para assistir à chegada do xerife. Gridley não estava com pressa. Estacionou ao lado da caminhonete de Pete, saiu da viatura junto com Red e Roy e caminhou em direção à varanda, parando antes de subir os degraus. Olhou para Pete, que parecia indiferente.

– É melhor você vir conosco, Pete – disse Nix.

Pete apontou para sua caminhonete e disse:

– O revólver está no banco da frente.

Nix olhou para Red e pediu que o pegasse.

Pete desceu a escada lentamente e caminhou até o carro do xerife. Roy abriu a porta traseira, e quando Pete se curvou para entrar ouviu o choro de Nineva nos fundos da casa. Ergueu a cabeça e a viu correndo em direção ao celeiro, segurando a carta.

– Vamos – disse Nix ao abrir a porta e se sentar ao volante.

Red se acomodou no banco do carona e ficou encarregado de segurar a arma. No banco de trás, Roy e Pete estavam lado a lado, os ombros quase se tocando. Ninguém disse uma palavra. Na verdade, ninguém pareceu respirar enquanto saíam da fazenda e pegavam a estrada. Os agentes da lei apenas seguiam o protocolo, descrentes e chocados como todo mundo. Um conhecido reverendo assassinado a sangue-frio pelo queridinho da cidade, um lendário herói de guerra. Tinha que haver uma razão muito boa para aquilo, e era apenas questão de tempo até que a verdade viesse à tona. Mas, naquele momento, o tempo havia parado e os acontecimentos não pareciam reais.

No meio do caminho, Nix olhou pelo retrovisor e disse:

– Eu não vou perguntar por que você fez isso, Pete. Só quero confirmar que foi você, só isso.

Pete respirou fundo, olhou para os campos de algodão do lado de fora e respondeu:

– Não tenho nada a declarar.

A CADEIA DO condado de Ford fora construída um século antes e mal servia para habitação humana. Originalmente um pequeno depósito, tivera diversos propósitos, até por fim ser comprado pelo condado e dividido em dois por um muro. Na metade da frente, seis celas eram destinadas aos prisioneiros brancos, enquanto nos fundos foram espremidas oito celas para os negros. A prisão raramente ficava lotada, pelo menos na parte da frente. Na lateral havia uma pequena ala de escritórios que o condado construíra posteriormente para o xerife e o departamento de polícia de Clanton. A cadeia se localizava a apenas dois quarteirões da praça, e da porta da frente era possível ver o topo do edifício do tribunal. Em audiências criminais, que eram raras, o réu geralmente era escoltado da cadeia ao tribunal por um ou mais assistentes do xerife.

Uma multidão se aglomerou em frente à prisão para espiar o assassino. Ainda era inconcebível que Pete Banning tivesse feito o que fez, e havia também uma descrença geral de que ele seria jogado na prisão. Certamente, para alguém tão conhecido quanto o Sr. Banning, as regras seriam diferentes. No entanto, caso Nix realmente tivesse a coragem de prendê-lo, havia uma quantidade considerável de curiosos que iriam querer ver com os próprios olhos.

– Acho que a notícia se espalhou – murmurou Nix virando-se para o pequeno estacionamento de cascalho perto da cadeia. – Ninguém fala nada – ordenou.

O carro parou e as quatro portas se abriram. Nix pegou Banning pelo cotovelo e o conduziu até a porta da frente, seguido por Red e Roy. A multidão, boquiaberta, ficou imóvel e calada até que um repórter do *Ford County Times* se aproximou com uma câmera e tirou uma foto, com um flash que assustou até mesmo Pete.

No momento em que ele cruzava a porta, alguém gritou:

– Você vai queimar no inferno, Banning!

– Vai mesmo, vai mesmo! – acrescentou alguém.

O suspeito não se intimidou e parecia indiferente à multidão. Em pouco tempo ele já havia entrado e estava fora de alcance.

Esperando lá dentro, em uma sala apertada onde todos os suspeitos e criminosos eram registrados e passavam pelos procedimentos de praxe, estava John Wilbanks, um advogado conhecido na cidade e amigo de longa data dos Bannings.

– E a que devemos o prazer? – perguntou Nix a Wilbanks, claramente incomodado em vê-lo ali.

– O Sr. Banning é meu cliente e estou aqui para representá-lo – respondeu Wilbanks. Ele deu um passo à frente e cumprimentou Pete sem trocarem uma palavra.

– Vamos fazer nosso trabalho primeiro, depois você pode fazer o seu – disse Nix.

– Já liguei pro juiz Oswalt, responsável pelo tribunal do júri, e acertamos a fiança – informou Wilbanks.

– Ótimo. Se vocês discutiram o assunto o suficiente pra que ele chegasse a conceder fiança, com certeza ele vai entrar em contato comigo. Até lá, Dr. Wilbanks, esse homem é suspeito em um caso de homicídio e vai ser tratado como tal. Agora, você poderia fazer a gentileza de se retirar?

– Eu gostaria de falar com meu cliente.

– Ele não vai a lugar algum. Volte daqui a uma hora.

– Nada de interrogatórios, entendeu?

– Não tenho nada a declarar – disse Banning.

FLORRY LEU O bilhete em sua varanda sob os olhares de Nineva e Amos. Ainda estavam ofegantes depois de correrem da casa principal até lá, estarrecidos com o que estava acontecendo.

Quando terminou, abaixou o papel, olhou para eles e perguntou:

– Ele foi embora, então?

– A polícia levou ele, dona Florry – disse Nineva. – Pete sabia que estavam vindo pegar ele.

– Ele disse alguma coisa?

– Disse que matou mesmo o reverendo – respondeu Nineva, enxugando as lágrimas.

O bilhete instruía Florry a ligar para Joel, em Vanderbilt, e para Stella, em Hollins, e explicar-lhes que o pai havia sido preso pelo assassinato do reverendo Dexter Bell. Os dois não deveriam falar com ninguém sobre aquilo, muito menos com repórteres, e deveriam permanecer onde estavam até que fosse feito um novo contato. Pete sentia muito por aquela trágica reviravolta, mas esperava que um dia eles entendessem. Ele pedia a Florry que o visitasse na prisão no dia seguinte para que pudessem discutir alguns assuntos.

Ela achou que fosse desmaiar, mas não podia demonstrar fraqueza na frente dos empregados. Dobrou o bilhete, enfiou-o no bolso e dispensou Nineva e Amos. Eles recuaram, mais assustados e confusos do que antes, e lentamente cruzaram o jardim até chegar à trilha. Florry os observou até os dois sumirem de vista, e então se sentou em uma das cadeiras de balanço com um de seus gatos, lutando para controlar as emoções.

O irmão definitivamente parecia preocupado no café da manhã, apenas algumas horas antes, mas aquilo era algo comum desde que havia voltado da guerra. Por que ele não a avisou? Como pôde fazer algo tão inacreditavelmente cruel? O que aconteceria com ele, com os filhos, a esposa? Com ela, sua única irmã? E com as terras da família?

Florry estava longe de ser uma metodista devota, mas fora criada na igreja e ia ao culto de vez em quando. Havia aprendido a manter distância dos reverendos, porque iam embora sempre que as pessoas se acostumavam com eles, mas Bell era um dos melhores.

Pensou na linda esposa de Pete e em seus filhos, e acabou desabando. Marietta passou pela porta de tela e ficou ao seu lado enquanto ela soluçava.

3

A cidade se reuniu espontaneamente em frente à igreja metodista. Diante da crescente multidão, um diácono pediu a Hop que a entrada da igreja fosse desbloqueada. Um após outro, os moradores enlutados ocuparam todos os bancos, enquanto cochichavam sobre as últimas notícias, fossem lá quais fossem. Oravam, choravam, enxugavam as lágrimas e balançavam a cabeça, incrédulos. Os membros mais fiéis, aqueles que conheciam bem Dexter e o amavam profundamente, juntaram-se em pequenos grupos e choraram sua perda. Para os menos envolvidos, aqueles que apareciam uma vez por mês e não toda semana, a igreja era um ímã que os atraía para o mais próximo possível da tragédia. Mesmo alguns dos que negligenciavam a prática religiosa chegaram para compartilhar do sofrimento. Naquele momento terrível, todos eram metodistas e bem-vindos na igreja do reverendo Bell.

O assassinato do reverendo foi um acontecimento emocional e fisicamente arrebatador. O fato de ele ter sido morto por um dos seus era, a princípio, surpreendente demais para que pudessem acreditar. Joshua Banning, o avô de Pete, ajudara a construir aquela igreja. Seu pai tinha sido diácono durante toda a vida adulta. A maioria dos que estavam ali agora havia se sentado naqueles mesmos bancos e dedicado inúmeras orações a Pete durante a guerra. Ficaram arrasados quando receberam um comunicado do Departamento de Guerra informando que Pete tinha sido dado como morto. Haviam realizado vigílias à luz de velas para aguardar sua chegada. Choraram de alegria quando ele e Liza retornaram à cidade uma semana após a rendição dos japoneses. Todas as manhãs de domingo, durante a guerra, o reverendo Bell mencionara os nomes dos soldados do condado de Ford e destinara a eles uma oração especial. O primeiro da lista era Pete Banning, herói da cidade e fonte de imenso orgulho local. Por tudo isso, o boato de que ele assassinara o reverendo era simplesmente inacreditável demais para se aceitar.

Contudo, à medida que as pessoas foram entendendo o que se passava, os cochichos aumentaram, pelo menos em alguns grupinhos, e a grande pergunta – "Por quê?" – foi feita milhares de vezes. Apenas alguns dos mais corajosos ousaram sugerir que a esposa de Pete tinha algo a ver com aquilo.

O que os inconsoláveis moradores realmente queriam era se aproximar de Jackie e das crianças, abraçá-los e cair no choro, como se isso de alguma forma pudesse amenizar o choque. Mas, segundo boatos, Jackie estava ali ao lado, em sua casa, reclusa no quarto com os três filhos, sem receber ninguém. O local estava lotado por seus amigos mais próximos, e a multidão havia se espalhado pelas varandas e por todo o jardim, onde homens de expressão fúnebre fumavam e resmungavam. Sempre que algum dos amigos saía para respirar um pouco de ar fresco, outro entrava para ocupar seu lugar. Algumas pessoas cruzavam a porta que dava direto no corpo principal da igreja.

Os aflitos e os curiosos continuaram a rumar para o local, e as ruas ao redor da igreja ficaram repletas de carros e caminhonetes. Pessoas se dirigiam para a igreja em pequenos grupos, caminhando devagar como se não soubessem exatamente o que poderiam fazer quando chegassem lá, mas acreditando que mesmo assim seriam necessárias.

Quando os bancos estavam todos tomados, Hop abriu a porta da sacada. Ele se escondeu nas sombras abaixo do campanário e evitou todos os presentes. O xerife Gridley o ameaçara e ele tinha ficado calado. No entanto, estava impressionado com a capacidade dos brancos de manter a compostura. A maioria deles, pelo menos. O assassinato de um popular reverendo negro teria causado um impacto muito maior nos fiéis.

Um diácono sugeriu à Srta. Emma Faye Riddle que um pouco de música seria bom. Havia décadas que ela tocava órgão, mas não tinha certeza se aquele momento era apropriado. Contudo, logo concordou, e quando tocou as primeiras notas de "The Old Rugged Cross" a choradeira aumentou.

Do lado de fora, sob as árvores, um homem se aproximou de um grupo de fumantes e anunciou:

– Pete Banning foi levado pra cadeia. Pegaram a arma dele também.

A informação foi recebida com aprovação, debatida e repassada até chegar à igreja, onde foi se espalhando de um banco para outro.

Pete Banning, preso pelo assassinato do reverendo.

QUANDO FICOU CLARO que o suspeito de fato não tinha nada a dizer, o xerife Gridley o conduziu por uma porta que dava em um corredor estreito mal iluminado. Barras de ferro se alinhavam em ambos os lados. Havia três celas à direita, três à esquerda, cada uma do tamanho de um armário. Não havia janelas, e a prisão parecia uma masmorra escura e úmida, um lugar onde os homens eram esquecidos e o tempo passava sem que pudessem perceber. E, evidentemente, um lugar onde todos fumavam. Gridley enfiou uma enorme chave na porta, abriu-a e indicou com a cabeça para que o suspeito entrasse. Havia um catre de lona vagabundo na parede oposta à entrada e nenhuma outra mobília.

– Não é muito espaçoso, Pete – disse Gridley –, mas, afinal de contas, é uma prisão.

Pete entrou, olhou ao redor e disse:

– Já vi piores.

Ele foi até o catre e se sentou.

– O banheiro é no fim do corredor – disse Gridley. – Se precisar usá-lo, basta gritar.

Pete encarava o chão. Deu de ombros e não disse nada. Gridley bateu a porta e voltou para sua sala. Pete se alongou e ocupou toda a extensão do catre. Ele media quase 1,90 metro, mas o catre não tinha comprimento suficiente para acomodá-lo. A cela tinha mofo e era fria, e havia um cobertor totalmente puído dobrado; ele o pegou, porém não ajudaria muito durante a noite. Não se importava. Estar preso não era novidade, e ele sobrevivera a condições que naquele momento, mesmo quatro anos depois, ainda eram difíceis de se imaginar.

QUANDO JOHN WILBANKS retornou, menos de uma hora depois, ele e o xerife trataram brevemente a respeito de onde poderia se reunir com seu cliente. Não havia um local apropriado para conversas tão importantes. Os advogados geralmente entravam no bloco de celas e, separados por uma fileira de barras de ferro e na presença de todos os outros prisioneiros que se esforçavam para escutar as conversas, debatiam as estratégias de defesa com seus clientes. De vez em quando, um advogado dava a sorte de encontrar com seu cliente no pátio externo e lhe passava recomendações através dos gradis. Na maioria das vezes, porém, os advogados nem se davam ao trabalho de visitar os clientes na prisão. Esperavam até que os presos fossem levados ao tribunal e conversavam com eles lá.

Mas John Wilbanks se achava superior a qualquer outro advogado do condado de Ford, se não de todo o estado, e seu novo cliente estava definitivamente um nível acima do restante dos prisioneiros de Gridley. Esses fatores garantiam a eles um lugar adequado para se reunirem, e a sala do xerife seria suficiente. Gridley acabou cedendo – poucas pessoas ganhavam discussões com John Wilbanks, que, a propósito, sempre apoiava o xerife em época de eleição –, e depois de resmungar e praguejar um pouco e listar algumas regras pouco importantes, saiu para buscar Pete. Ele o trouxe sem algemas e disse que teriam meia hora para conversar.

Quando ficaram a sós, Wilbanks deu início à conversa dizendo:

– Ok, Pete, vamos falar sobre o crime. Se foi você que matou o reverendo, me diga. Se não, então me diga quem foi.

– Não tenho nada a declarar – respondeu Pete antes de acender um cigarro.

– Isso não é suficiente.

– Não tenho nada a declarar.

– Interessante. Você tem alguma intenção de colaborar com seu advogado? Pete deu de ombros, soprou a fumaça e só.

Wilbanks esboçou um sorriso com ar profissional e disse:

– Ok, o que vai acontecer é o seguinte: nos próximos dois dias, você vai ser levado ao tribunal pra uma audiência preliminar com o juiz Oswalt. Suponho que vá se declarar inocente, então eles vão te trazer de volta pra cá. Em mais ou menos um mês, o grande júri vai se reunir e indiciar você por homicídio qualificado. Eu chutaria que lá pra fevereiro ou março o Oswalt vai estar pronto pro julgamento, e eu também, se você quiser.

– John, você sempre foi meu advogado.

– Ótimo. Então você precisa cooperar.

– Cooperar?

– Sim, Pete, cooperar. De cara, isso parece ter sido um assassinato a sangue-frio. Me dê algo com que eu possa começar a trabalhar, Pete. Com certeza você teve um motivo.

– Isso é entre mim e Dexter Bell.

– Não, agora isso é entre você e o estado do Mississippi, que, como todos os estados, não vê com bons olhos assassinatos a sangue-frio.

– Não tenho nada a declarar.

– Isso não é uma justificativa, Pete.

– Talvez eu não tenha uma justificativa. Não uma que as pessoas entendam.

– Bem, alguma coisa os membros do júri vão ter que entender. A primeira opção que passou pela minha cabeça, na verdade a única até agora, foi alegar insanidade.

Pete balançou a cabeça.

– De jeito nenhum. Eu tenho tanto juízo quanto você.

– Mas eu não estou prestes a encarar a cadeira elétrica, Pete.

Pete soprou uma nuvem de fumaça e disse:

– Eu não vou alegar insanidade.

– Excelente, então me dê um motivo, uma razão. Me conte alguma coisa, Pete.

– Não tenho nada a declarar.

JOEL BANNING ESTAVA descendo as escadas da entrada do edifício Benson quando alguém o chamou. Outro estudante, um calouro de quem já ouvira falar, mas ao qual não havia sido apresentado, lhe entregou um envelope, dizendo:

– O reitor Mulrooney precisa ver você imediatamente na sala dele. É urgente.

– Obrigado – respondeu Joel ao calouro, que logo se afastou.

Dentro do envelope havia um bilhete escrito à mão em um papel timbrado da universidade que o instruía a ir o mais rápido possível até a sala do reitor no edifício Kirkland, o prédio da administração.

Joel tinha uma aula de literatura dali a quinze minutos, e o professor não gostava que faltassem. Se corresse, poderia dar uma passada na sala do reitor e chegar atrasado à aula, torcendo para que o professor estivesse de bom humor. Atravessou às pressas o pátio em direção ao edifício Kirkland e subiu de dois em dois degraus até o terceiro andar, onde a secretária explicou que ele deveria esperar até as onze horas em ponto, quando sua tia Florry ligaria de casa. Ela não sabia do que se tratava. Falara com Florry Banning, que havia ligado da linha comunitária e, portanto, sem privacidade. Florry iria até Clanton para usar o telefone da casa de uma amiga.

Enquanto esperava, Joel imaginou que alguém tivesse morrido, e não pôde deixar de pensar quais parentes e amigos preferia perder antes. A família Banning era pequena: apenas seus pais, Pete e Liza, sua irmã, Stella, e sua tia, Florry. Os avós já estavam mortos. Florry não teve filhos, então ele e Stella não tinham primos de primeiro grau por parte dos Bannings. Os parentes de sua mãe eram de Memphis, mas haviam se dispersado depois da guerra.

Joel ficou andando em círculos pela sala, ignorando os olhares da secretária, e chegou à conclusão de que provavelmente tinha sido sua mãe. Ela fora internada meses antes e a família ainda estava abalada. Ele e Stella não a tinham visto desde então e as cartas que os dois tinham enviado não tiveram resposta. O pai se recusou a falar sobre o tratamento da esposa e, bem, havia muitas incógnitas naquela situação. Era possível que ela melhorasse? Ela voltaria para casa? Eles conseguiriam voltar a ser uma família de verdade? Joel e Stella tinham perguntas, mas o pai preferia tratar de outros assuntos nas poucas ocasiões em que decidia falar. Sua tia Florry também não ajudava muito.

Florry ligou pontualmente às onze. A secretária passou o telefone para Joel e foi para o outro lado da sala, embora – ele imaginou – provavelmente conseguisse ouvir mesmo dali. Joel disse alô, depois passou uma eternidade só escutando. Florry começou explicando que estava na cidade, na casa da Srta. Mildred Highlander, uma mulher que Joel conhecia desde pequeno, porque a ligação precisava ser particular e não havia privacidade na linha comunitária, como ele bem sabia. E, na verdade, não havia mais privacidade na cidade naquele momento, porque o pai dele havia dirigido até a igreja metodista poucas horas antes, matado o reverendo Dexter Bell e agora estava preso, e, bem, como qualquer um poderia imaginar, a cidade estava na maior agitação e completamente paralisada. Não pergunte por que e não diga nada que possa acabar sendo ouvido por mais alguém, onde quer que você esteja, Joel, mas isso tudo é terrível, que Deus nos ajude.

Joel se escorou na mesa da secretária em busca de apoio ao sentir as pernas falharem. Fechou os olhos, respirou fundo e escutou. Florry avisou que tinha acabado de falar com Stella e que ela não havia recebido bem a notícia. Ela estava na sala do presidente da universidade, acompanhada de uma enfermeira. Florry explicou que Pete lhe orientara – por escrito e em detalhes – que os dois, Joel e Stella, deveriam ficar onde estavam, longe de casa e de Clanton, até segunda ordem. Eles deveriam se programar para passar o feriado de Ação de Graças com amigos, o mais longe possível do condado de Ford. E, caso fossem contatados por repórteres, investigadores, policiais ou qualquer outra pessoa, não deveriam falar absolutamente nada. Nem uma única palavra para ninguém sobre o pai ou a família. Nenhuma palavra, ponto final. Encerrou dizendo a Joel que o amava muito, que lhe escreveria uma longa carta o mais rápido possível e que gostaria de poder estar lá com ele naquele momento terrível.

Joel desligou o telefone em silêncio e saiu do prédio. Atravessou o campus sem rumo até encontrar um banco vazio parcialmente escondido por arbustos. Ficou lá sentado, tentando conter as lágrimas, determinado a encontrar o estoicismo que seu pai lhe havia ensinado. Coitada da Stella, pensou. Ela era intensa e passional como a mãe, e ele tinha certeza de que estava devastada.

Assustado, desnorteado e confuso, Joel observou as folhas caírem e se espalharem com o vento. Sentiu um ímpeto de voltar imediatamente para casa, de pegar um trem e chegar a Clanton antes do anoitecer, e, assim que estivesse lá, seria possível entender o que estava acontecendo. No entanto, o impulso passou, e ele ficou se perguntando se algum dia poderia voltar lá. O reverendo Bell era talentoso e popular, e naquele momento provavelmente haveria grande hostilidade em relação aos Bannings. Além disso, o pai tinha dado ordens expressas para que ele e Stella ficassem longe. Joel, aos 20 anos, não se lembrava de uma única ocasião em que tivesse desobedecido ao pai. Com a idade, havia aprendido a discordar dele de forma respeitosa, mas jamais o desobedecera. Seu pai era um soldado honrado, uma pessoa que prezava a disciplina, falava pouco e valorizava a autoridade.

Era simplesmente impossível que seu pai tivesse matado alguém.

4

O tribunal, as lojas e os escritórios ao redor da praça fechavam às cinco da tarde nos dias de semana. Normalmente, àquela altura, todas as portas já estariam trancadas, todas as luzes apagadas, as calçadas vazias, todos teriam ido embora. No entanto, naquele dia o povo da cidade se demorou um pouco mais, esperando que surgissem mais fatos ou fofocas sobre o assassinato. Não se falava de outra coisa desde as nove da manhã. Primeiro se chocaram com os relatos iniciais, depois foram se aprofundando com o desenrolar da história. Haviam se postado em solene respeito enquanto o velho Magargel desfilou com o carro fúnebre ao redor da praça, para oferecer um vislumbre do cadáver delineado sob uma manta preta. Alguns se aventuraram na igreja metodista, montaram vigília e fizeram orações, depois retornaram a seus lugares no entorno da praça dando descrições de tirar o fôlego do que estava acontecendo na linha de frente. Batistas, presbiterianos e pentecostais estavam em desvantagem, uma vez que não podiam reivindicar nenhuma conexão real com a vítima ou com o assassino. Os metodistas, por sua vez, estavam no centro das atenções, todos ansiosos por descrever relações que pareciam ficar cada vez mais sólidas conforme as horas se passavam. A Igreja Metodista de Clanton jamais vira tantos membros como naquele dia inesquecível.

Para a maioria das pessoas em Clanton, ou pelo menos entre os brancos, pairava uma sensação de traição. Dexter Bell era popular e bem-conceituado. Pete Banning era uma figura quase mítica. O fato de um ter matado o outro era uma perda tão absurda que afetava praticamente todo mundo. O motivo parecia tão incompreensível que não surgiu nenhum rumor consistente que buscasse explicá-lo.

E não que faltassem rumores, definitivamente não. Banning seria levado ao tribunal no dia seguinte. Ele se recusava a dizer qualquer coisa. Ele ia alegar insanidade. John Wilbanks jamais havia perdido um caso e não estava disposto a perder aquele. O juiz Oswalt era amigo próximo dos Bannings, ou talvez fosse amigo próximo da família de Dexter Bell. O julgamento seria transferido para Tupelo. Pete não batia bem desde que voltara da guerra. Jackie Bell tinha sido medicada com fortes sedativos. Seus filhos estavam profundamente abalados. Pete daria suas terras como garantia para a fiança e voltaria para casa no dia seguinte.

Para evitar encontrar com qualquer pessoa, Florry estacionou em uma rua lateral e correu para o escritório de John Wilbanks. O advogado tinha ficado trabalhando até tarde e a esperava na recepção, no primeiro andar.

EM 1946, HAVIA doze advogados no condado de Ford, e metade deles trabalhava no escritório Wilbanks & Wilbanks. Eram todos da família. Por mais de cem anos, os Wilbanks se destacavam no direito, na política, nas finanças, no mercado imobiliário e na agricultura. John e seu irmão Russell tinham se formado em Direito no norte do país e comandavam o escritório, que parecia estar à frente da maioria das disputas comerciais no condado. Um outro irmão era o presidente do maior banco do condado, além de ser dono de vários outros negócios. Um primo era responsável pelo cultivo de 800 hectares de terra. Outro tinha negócios no ramo imobiliário e também era deputado, com ambições maiores. Corriam boatos de que todos os anos a família se reunia secretamente na primeira semana de janeiro para calcular e repartir os lucros das diferentes transações. Parecia haver dinheiro de sobra.

Florry conhecia John Wilbanks desde o ensino médio, embora fosse três anos mais velha. O escritório dele sempre havia cuidado dos assuntos legais dos Bannings, nenhum tão complicado quanto aquele de agora. Houvera a delicada questão de enviar Liza para um sanatório, mas John tinha discretamente mexido os pauzinhos para que isso fosse possível. O antigo divórcio de Florry também fora varrido para debaixo do tapete por John e seu irmão, sem que restasse quase nenhum registro nos livros do condado.

Ele a recebeu com um abraço formal e ela o acompanhou escada acima até seu enorme escritório, o melhor da cidade, com uma varanda de onde se via a praça em frente ao tribunal. As paredes eram cobertas de sombrios retratos de seus falecidos antepassados. A morte estava por toda parte. Ele apontou para um opulento sofá de couro, e ela se sentou.

– Eu encontrei com ele – começou John enquanto riscava um fósforo e acendia um charuto curto e escuro. – Ele não falou muito. Na verdade, ele se recusa a falar qualquer coisa.

– Meu Deus, John, por quê? – perguntou Florry enquanto seus olhos se enchiam d'água.

– Que inferno, juro que também queria saber. Você não percebeu nada estranho?

– Claro que não. Você conhece o Pete. Ele quase não fala, principalmente sobre assuntos íntimos. Conversa um pouco sobre os filhos, depois, como todo fazendeiro faz, fala sobre o clima, o preço das sementes e todas essas bobagens. Mas não dá pra arrancar nada pessoal. E uma coisa tão horrível quanto essa, bem, não, ele jamais diria uma palavra.

John puxou a fumaça do charuto e soprou uma nuvem azulada em direção ao teto.

– Então você não faz ideia do que está por trás disso?

Ela enxugou o rosto com um lenço.

– Estou muito abalada pra encontrar qualquer sentido nisso, John. Mal consigo respirar direito neste momento, que dirá pensar com clareza. Talvez amanhã, talvez depois de amanhã, mas não agora. É tudo um borrão.

– E Joel e Stella?

– Falei com os dois. Coitadas dessas crianças, lá longe, estudando, aproveitando a vida na faculdade, sem nada com que se preocupar, e aí recebem a notícia de que o pai acabou de matar o reverendo, um homem que eles admiravam. E sem poderem voltar para casa, porque Pete deu ordens rigorosas, por escrito, pra que ficassem longe até que ele dissesse o contrário. – Ela soluçou por um tempo enquanto John fumava o charuto, depois contraiu a mandíbula e enxugou novamente o rosto. – Sinto muito.

– Ah, fique à vontade, Florry, chore quanto quiser. Quem dera eu conseguisse chorar assim. Bote tudo pra fora, é natural. Não é hora de ser forte. O momento é de comoção. Hoje foi um dia horrível e que ainda vai nos assombrar por muitos anos.

– O que vai acontecer, John?

– Nada de bom, isso eu garanto. Falei com o juiz Oswalt hoje à tarde e ele não vai sequer considerar conceder fiança. Eu entendo perfeitamente. Foi um homicídio, no fim das contas. Eu me encontrei com Pete à tarde, mas ele não está colaborando. Então, por um lado, ele não vai se declarar culpado, mas, por outro, não vai colaborar em nada com a defesa. Isso pode mudar, é claro, mas nós dois o conhecemos bem e ele não costuma mudar de ideia depois que toma uma decisão.

– Em que a defesa vai se basear?

– Nossas opções parecem bastante restritas. Legítima defesa, emoção violenta, um álibi, quem sabe. Nada disso se encaixa aqui, Florry. – Ele tragou novamente o charuto e soprou outra nuvem de fumaça. – E tem mais. Me passaram uma informação hoje à tarde e fui até o cartório de registro de imóveis conferir. Três semanas atrás, Pete assinou um documento transferindo a propriedade das terras dele para Joel e Stella. Ele não tinha nenhum motivo razoável pra fazer isso, e, definitivamente, não queria que eu tomasse conhecimento. Ele contratou os serviços de um advogado de Tupelo, com poucos contatos em Clanton.

– E o que isso quer dizer? Desculpa, John, me ajude a entender.

– Isso quer dizer que Pete estava planejando tudo havia algum tempo, e, pra proteger a propriedade de possíveis processos movidos pela família de Dexter Bell, ele transferiu as terras pros filhos e retirou o nome dele da escritura.

– Isso vai funcionar?

– Eu duvido, mas aí já é uma outra questão, pra discutirmos outro dia. A sua parte da propriedade, naturalmente, está no seu nome, e não vai ser afetada por nada disso.

– Obrigada, John, mas eu nem tinha pensado nisso.

– Supondo que ele vá a julgamento, e não consigo imaginar por que não iria, a transação envolvendo a propriedade vai ser usada como prova contra ele, pra atestar que o crime foi premeditado. Foi tudo planejado cuidadosamente, Florry. O Pete estava pensando nisso havia muito tempo.

Florry levou o lenço à boca e olhou para o chão. Minutos se passaram. O escritório estava totalmente calmo e sem barulhos; todos os sons da rua lá embaixo tinham silenciado. John se levantou e apagou o charuto em um pesado cinzeiro de cristal, depois foi até sua mesa e acendeu outro. Andou até a porta da varanda e observou o tribunal do outro lado da rua através do vidro. O sol começava a se pôr e as sombras se projetavam no gramado.

– Quanto tempo o Pete passou no hospital depois que voltou? – perguntou ele sem se virar.

– Muitos meses. Não sei, um ano, talvez. Ele tinha inúmeros ferimentos e estava pesando menos de 60 quilos. Levou tempo.

– E no aspecto psicológico? Houve algum problema?

– Bem, como você pode imaginar, ele jamais falou sobre qualquer problema, se é que existiu algum. Mas quem não ficaria um pouco ruim da cabeça depois de passar pelo que ele passou?

– E houve algum diagnóstico?

– Não faço ideia. Ele nunca mais foi o mesmo depois da guerra, mas como poderia ser? Tenho certeza de que muitos desses rapazes ficam marcados pra sempre.

– O que mudou nele?

Ela enfiou o lenço na bolsa, como que para dizer que as lágrimas tinham acabado por ora.

– A Liza disse que no começo ele tinha pesadelos, passava muitas noites em claro. Hoje em dia ele está mais melancólico, e tende a passar longos períodos em silêncio; parece que ele gosta. No entanto, é um homem que nunca foi de falar muito. Eu me lembro de achar Pete muito feliz e relaxado quando voltou para casa. Ele ainda estava convalescendo e recuperando o peso, mas sorria bastante, simplesmente feliz por estar vivo e com o fim da guerra. Mas isso não durou muito. Tenho certeza de que as coisas estavam tensas entre ele e a Liza. A Nineva disse que eles não estavam se dando bem. Foi muito estranho, porque parece que quanto mais forte ele foi ficando, quanto mais recobrava a saúde, mais rápido ela foi decaindo.

– Por que eles brigavam tanto?

– Não sei. A Nineva vê e ouve tudo, então eles tomavam cuidado. Ela disse pra Marietta que muitas vezes eles mandavam ela sair da casa pra que pudessem falar. A saúde de Liza estava em uma espiral descendente. Eu me lembro de vê-la uma vez, não muito antes de ela ser internada, e ela parecia magra, frágil e meio ausente. Não é segredo nenhum que nós duas nunca fomos próximas, então ela jamais confiou em mim. Acho que ele também não.

John soprou fumaça do charuto e se sentou novamente perto de Florry.

Olhou para ela com um sorriso afetuoso, que denotava uma longa amizade, e disse:

– A única conexão possível entre o reverendo Bell, seu irmão e um assassinato sem sentido é Liza Banning. Concorda?

– Não estou em posição de concordar com nada.

– Vamos lá, Florry, me ajude. Eu sou a única pessoa que pode salvar a vida do Pete, e isso parece bastante improvável agora. Quanto tempo Dexter Bell passou com a Liza quando a gente achava que o Pete tinha morrido?

– Meu Deus, John, não sei. Aqueles primeiros dias e semanas foram terríveis. A Liza estava devastada. As crianças estavam traumatizadas. Era um entra e sai na casa, todos os moradores do condado indo até lá com um pedaço de presunto ou um pernil e um ombro amigo pra oferecer, e mais dezenas de perguntas. Claro, o Dexter estava lá, e me lembro da esposa dele também. Eles eram muito próximos do Pete e da Liza.

– Mas nada fora do comum?

– Fora do comum? Você está sugerindo que houve alguma coisa entre a Liza e Dexter Bell? Isso é ultrajante, John.

– É ultrajante, sim, assim como esse assassinato, e no momento eu sou responsável pela defesa do seu irmão. Se é que vai haver uma. Existe uma razão pro Peter ter matado o reverendo. Se ele não vai esclarecer as coisas, então cabe a mim encontrar o motivo.

Florry levantou as mãos e disse:

– Chega. Foi um dia estressante, John, e eu não tenho como continuar com isso. Talvez outra hora.

Ela se levantou e se dirigiu à porta da sala, que ele rapidamente abriu. Deu o braço a ela enquanto desciam as escadas. Eles se despediram com um abraço diante da porta de entrada do edifício e prometeram se falar em breve.

A PRIMEIRA REFEIÇÃO de Pete na cadeia foi sopa de feijão com uma fatia de pão de milho velho, ambos frios. Enquanto estava sentado na beira do catre segurando a tigela, ficou pensando se seria tão difícil assim manter o feijão quente até que fosse servido aos prisioneiros. Sem dúvida aquilo podia ser feito, embora não fosse fazer essa reclamação a ninguém. Não iria reclamar, pois aprendera da maneira mais difícil que queixas muitas vezes pioravam as coisas.

Do outro lado daquele corredor escuro, outro prisioneiro estava sentado em seu catre e jantava sob a luz fraca de uma lâmpada solitária pendurada em um fio. Seu nome era Leon Colliver, membro de uma família conhecida por produzir um bom destilado, do qual ele tinha um pequeno cantil escondido debaixo do catre. Duas vezes naquela tarde, Colliver oferecera um trago a Pete, que recusou. Colliver disse que seria mandado para a penitenciária estadual em Parchman, onde deveria passar alguns anos. Seria sua segunda passagem por lá, e ele estava ansioso. Qualquer lugar era melhor que aquela masmorra. Em Parchman, os presos passavam a maior parte do tempo ao ar livre.

Colliver queria conversar e estava curioso para saber por que Pete estava na cadeia. Com o passar do dia, a fofoca se espalhou, até mesmo para os outros quatro presos brancos, e ao anoitecer todos sabiam que Pete havia matado o pastor metodista. Colliver tinha tempo de sobra para conversar e queria saber detalhes. Mas não conseguiu nada. O que Colliver não sabia era que Pete Banning havia sido baleado, espancado, privado de comida, torturado, detido por cercas de arame farpado, estado em cascos de navios, em vagões de carga e em campos de prisioneiros, e uma das muitas lições de sobrevivência que aprendera durante sua provação foi nunca falar demais com desconhecidos. Colliver não conseguiu arrancar nada dele.

Depois do jantar, Nix Gridley apareceu e parou em frente à cela de Pete, que se levantou e deu três passos em direção à grade. Em uma voz que era quase um sussurro, Gridley disse:

– Olha, Pete, tem alguns repórteres intrometidos nos importunando, andando pela cadeia, querendo falar com você, comigo, com qualquer um que dê atenção a eles. Só queria confirmar que você não tem interesse em dar uma declaração.

– Não tenho interesse – disse Pete.

– Eles vieram de todos os cantos, Tupelo, Jackson, Memphis.

– Não tenho interesse.

– Foi o que eu pensei. Está tudo bem com você por aqui?

– Tudo bem. Já estive pior.

– Eu sei. Olha, Pete, só pra você saber, fui conversar com Jackie Bell hoje à tarde, na casa dela junto à igreja. Ela está aguentando firme, eu acho. Mas as crianças estão muito mal.

Pete olhou para ele sem nenhum sinal de compaixão, embora pensasse em dizer algo inteligente como "Por favor, mande meus cumprimentos a ela". Ou "Ah, que droga, diga a ela que eu sinto muito". Mas só franziu a testa para o xerife como se ele fosse um idiota. "Por que está me contando essas coisas?"

Quando ficou claro que Pete não ia responder, Gridley se virou para ir embora.

– Se precisar de alguma coisa, me avise – disse.

– Obrigado.

5

À s quatro da manhã, Florry finalmente desistiu de tentar dormir e foi fazer um café. Marietta, que morava no porão, ouviu o barulho e logo apareceu, de camisola. Florry lhe disse que não conseguia pegar no sono, mas que não precisava de nada, e a mandou voltar para o quarto. Depois de tomar duas xícaras de café com açúcar e derramar mais lágrimas, Florry engoliu o choro e chegou à conclusão de que aquele terrível pesadelo poderia aflorar sua criatividade. Ficou uma hora rabiscando um poema, mas o descartou assim que amanheceu. Passou para a não ficção e começou a escrever um diário dedicado à tragédia em tempo real. Não tomou banho nem café da manhã, e às sete horas estava em Clanton, na casa de Mildred Highlander, uma viúva que morava sozinha e era, até onde Florry sabia, a única pessoa na cidade que entendia seus poemas. Tomando chá e comendo biscoitos de queijo, as duas não conversaram sobre outra coisa a não ser o pesadelo.

Mildred pegou os jornais matutinos de Tupelo e de Memphis, e elas não estavam exagerando em esperar pelo pior. O caso era matéria de capa do jornal de Tupelo e tinha a manchete "Herói de guerra preso por assassinato". O de Memphis, visivelmente menos interessado pelo que acontecia em outras localidades do Mississippi, publicou a matéria na primeira página, mas no bloco de notícias locais, com o título "Famoso reverendo morto a tiros na igreja". Os acontecimentos variavam pouco de um artigo para o outro. Não havia nenhuma palavra do advogado do suspeito nem das autoridades. A cidade inteira estava em choque.

O jornal local, *The Ford County Times*, chegava cedo às bancas nas manhãs de quarta-feira, portanto acabou perdendo o alvoroço por um dia e teria que esperar até a semana seguinte. No entanto, o fotógrafo do jornal havia captado uma imagem de Pete Banning entrando na cadeia, e a mesma foto havia sido usada tanto pelo jornal de Memphis quanto pelo de Tupelo. Mostrava Pete – junto a três policiais matutos, cada um trajando um uniforme e um chapéu diferente – sendo levado para a prisão com uma expressão de total indiferença.

Como parecia que Clanton sofria de um caso de mutismo coletivo, os repórteres se limitaram a falar sobre o glorioso passado de Pete como herói de guerra. Recorrendo amplamente a seus arquivos, os dois jornais detalharam a carreira do suspeito e suas façanhas como um lendário soldado no Pacífico Sul. Publicaram fotografias menores de Pete tiradas no ano anterior, em seu retorno a Clanton. O jornal de Tupelo usou até uma imagem de Pete e Liza durante uma cerimônia no gramado do tribunal de justiça.

Vic Dixon morava em frente a Mildred e era uma das poucas pessoas em Clanton que assinavam o jornal matutino de Jackson, o maior do estado mas com poucos leitores nos condados do Norte. Depois de ler a edição daquela manhã enquanto tomava seu café, ele atravessou a rua e a levou a Mildred, como ela havia pedido. Aproveitando o momento de privacidade, falou com Florry e lhe prestou condolências, ou solidariedade, ou fosse lá que diabo se deveria prestar à irmã de um homem acusado de assassinato e que, ao que tudo indicava, era mesmo culpado. Mildred enxotou Vic de lá, mas só depois de fazê-lo prometer que guardaria o jornal para ela todos os dias.

Florry queria tudo o que pudesse compor seu arquivo, álbum de recortes ou relato não ficcional daquele pesadelo. Queria guardar, registrar e preservar tudo. Não estava inteiramente certa sobre o propósito daquilo, mas uma história longa, triste e singular estava se desenrolando, e ela não perderia nenhum detalhe. Quando Joel e Stella finalmente voltassem para casa, queria poder responder ao maior número possível de perguntas.

No entanto, ficou decepcionada quando percebeu que o jornal de Jackson, que ficava ainda mais distante de Clanton do que Tupelo ou Memphis, tinha ainda menos detalhes e também menos fotos. Trazia uma manchete bastante sucinta: "Respeitado fazendeiro preso em Clanton". Mesmo assim, Florry recortou um formulário de assinatura e pensou em enviá-lo com um cheque.

Do telefone da casa de Mildred, ligou para Joel e Stella e tentou lhes assegurar que a situação em casa não estava tão catastrófica quanto parecia. Falhou miseravelmente e, quando por fim desligou, tanto a sobrinha quanto o sobrinho estavam aos prantos. O pai estava preso, porra, acusado de um assassinato medonho. E eles queriam voltar para casa.

Às nove, Florry se recompôs e seguiu até a cadeia em seu Lincoln modelo 1939. O hodômetro do carro marcava pouco mais de 30 mil quilômetros rodados e era raro ele sair do condado, principalmente porque sua dona não tinha carteira de motorista. Reprovada duas vezes no exame de direção, fora parada pela polícia diversas vezes, sem sofrer qualquer punição, e continuara a dirigir graças a um acordo verbal com Nix Gridley de que faria apenas o trajeto entre sua casa e a cidade, nunca à noite.

Entrou no prédio da cadeia, foi até a sala do xerife, cumprimentou Nix e Red e informou que queria ver o irmão. Em uma pesada sacola de palha, havia colocado três romances de William Faulkner, três pacotes de café da marca Standard Coffee, encomendados a uma distribuidora de Baltimore, uma caneca, dez maços de cigarros, fósforos, escova e pasta de dentes, dois sabonetes, dois frascos de aspirina, outros dois de analgésicos e uma caixa de bombons. Todos os itens tinham sido solicitados pelo irmão.

Depois de uma troca de palavras constrangedora, Nix finalmente perguntou o que havia na bolsa. Sem entregá-la, ela explicou que estava levando alguns itens inofensivos para o irmão, coisas que ele havia pedido.

Os dois policiais registraram mentalmente a informação para depois anotá-la e passá-la ao promotor. O prisioneiro planejara seu crime tão cuidadosamente que havia feito uma lista de coisas que a irmã deveria levar para ele na cadeia. Evidência clara de um crime premeditado. Um erro potencialmente prejudicial de Florry, ainda que não intencional.

– Quando ele pediu essas coisas? – perguntou Nix, indiferente, como se aquilo não fosse importante.

– Ah, ele deixou um bilhete com a Nineva, pediu que ela me entregasse depois que ele fosse preso – respondeu Florry, ansiosa por cooperar.

– Entendi – disse Nix. – Me diz uma coisa, Florry, você tinha conhecimento do que ele estava planejando?

– Eu não sabia de nada. Juro. Não fazia ideia. Estou tão chocada quanto você, ainda mais porque ele é meu irmão e não consigo imaginar que ele seja capaz de fazer algo assim.

Nix olhou de relance para Red com uma expressão de dúvida. Dúvida de que ela não soubesse de nada de antemão. Dúvida de que ela não soubesse nada sobre a motivação. Dúvida de que ela estivesse contando tudo o que sabia. A troca de olhares entre os dois policiais assustou Florry, e ela se deu conta de que não deveria ter falado nada.

– Será que eu posso ver meu irmão, por gentileza? – perguntou ela, praticamente exigindo.

– Claro – disse Nix. – Vá buscar o prisioneiro, Red.

Quando Red saiu, Nix pegou a bolsa e examinou seu conteúdo.

– O que está procurando, Nix? Armas e facas? – perguntou Florry, irritada.

– O que ele vai fazer com esse café? – perguntou Nix.

– Beber.

– Nós temos café aqui, Florry.

– Eu sei disso, mas Pete é chato com o café dele. Por causa da época em que ele estava na guerra e não tinha nenhum. Tem que ser o da Standard Coffee de Nova Orleans. É o mínimo que você pode fazer.

– Se nós servirmos o da Standard pra ele, então teremos que servir também pros outros prisioneiros, pelo menos pros brancos. Aqui não existe tratamento preferencial. Entendeu, Florry? As pessoas já estão suspeitando de que vão oferecer um acordo especial pra ele.

– Por mim tudo bem. Eu trago quanto café você quiser.

Nix retirou a caneca da bolsa. Era feita de cerâmica bege-claro, com algumas manchas marrons, evidentemente bastante usada. Antes que ele pudesse falar qualquer coisa, Florry disse:

– Essa é a caneca favorita do Pete. Ele ganhou quando estava no hospital do exército se recuperando das cirurgias. Tenho certeza de que você não vai negar a um herói de guerra a gentileza de tomar café na sua caneca preferida, não é, Nix?

– Acho que não – murmurou Nix enquanto guardava os itens de volta na sacola.

– Ele não é um prisioneiro como os outros, Nix, não se esqueça disso. Você trancou ele ali com Deus sabe quem, provavelmente um bando de ladrões e traficantes de bebida, mas tem que se lembrar de que ele é Pete Banning.

– Ele está preso porque matou o pastor da igreja metodista, Florry. E, nesse momento, Pete é o único assassino lá dentro. Ele não vai receber nenhum tratamento especial.

A porta se abriu e Pete entrou, com Red logo atrás. Lançou um olhar inexpressivo para a irmã e ficou parado no meio da sala, olhando para Nix.

– Imagino que você queira usar minha sala outra vez – disse Nix.

– Obrigado, Nix, é muito gentil da sua parte – respondeu Pete.

Nix se levantou contrariado, pegou o chapéu e se retirou junto com Red. Sua arma estava no coldre, pendurado em uma estante no canto da sala, à vista de todos.

Pete puxou uma cadeira, sentou-se e olhou para a irmã, que começou a conversa dizendo:

– Seu idiota. Como você foi capaz de ser tão burro, egoísta, irresponsável e completamente imbecil? Como pôde fazer isso com a sua família? Esquecer de mim, da nossa fazenda e das pessoas que dependem de você. Dos seus amigos. Como foi capaz de fazer isso com seus filhos? Eles estão destruídos, Pete, mais assustados do que você pode imaginar e completamente desesperados. Me diz, como pôde?

– Eu não tive escolha.

– Jura? Você poderia fazer o favor de me explicar, Pete?

– Não, eu não vou te explicar nada, e abaixe esse tom de voz. Não pense que eles não estão ouvindo.

– Não estou nem aí se eles estão ouvindo.

Com o olhar vidrado, Pete pôs o dedo na cara dela e disse:

– Acalme-se, Florry. Eu não estou com saco pras suas cenas e não estou aqui pra ser ofendido. Fiz o que fiz por um motivo e talvez um dia você entenda. Mas, por enquanto, não tenho nada a dizer sobre esse assunto e, já que você não é capaz de entender isso, sugiro que meça suas palavras.

Imediatamente, os olhos de Florry se encheram de lágrimas e seus lábios tremeram. Ela baixou o queixo em direção ao peito e murmurou:

– Então nem comigo você vai falar?

– Com ninguém, nem com você.

Ela ficou olhando para o chão por bastante tempo enquanto assimilava as palavras do irmão. No dia anterior, os dois tinham tomado café da manhã juntos, como toda quarta-feira, sem que Florry suspeitasse do que estava por vir. Pete tinha passado a ser assim: indiferente, distante, a maior parte do tempo em outro planeta.

– Eu preciso te perguntar o motivo – disse Florry.

– E eu não tenho nada a declarar.

– O que Dexter Bell fez pra merecer isso?

– Não tenho nada a declarar.

– Tem alguma coisa a ver com a Liza?

Pete hesitou por um segundo, e Florry percebeu que havia tocado em um ponto delicado. Ele repetiu que não tinha nada a declarar e então se concentrou na minuciosa tarefa de tirar um cigarro do maço, batê-lo de leve no relógio de pulso por algum motivo insondável, como sempre, e depois acendê-lo com um fósforo.

– Você sente algum remorso? Ou pena da família dele? – perguntou Florry.

– Eu tento não pensar neles. Sim, eu lamento que isso tenha sido necessário, mas não era algo que eu quisesse fazer. Eles, assim como todos nós, simplesmente vão ter que aprender a conviver com o que aconteceu.

– É isso, então? Acabou. Ele está morto. Que pena. Apenas lidem com isso porque a vida continua. Eu queria ver você repetir esse raciocínio medíocre na frente dos três filhos dele.

– Se quiser ir embora, fique à vontade.

Florry não se mexeu, exceto pelo leve toque do lenço no rosto. Pete soprou um pouco de fumaça, que pairou como uma névoa não muito acima de suas cabeças. Eles podiam ouvir vozes à distância, as risadas do xerife e de seus assistentes enquanto cuidavam de seus afazeres.

– Quais são as condições lá na cela? – perguntou ela, por fim.

– É uma prisão. Já passei por coisa pior.

– Eles estão te dando comida?

– A comida é razoável. Já passei por coisa pior.

– Joel e Stella querem voltar pra casa pra ver você. Eles estão assustados, Pete, totalmente apavorados, e bastante confusos, o que é compreensível.

– Eu deixei bem claro que eles não devem voltar pra casa até que eu diga que podem voltar. Ponto final. Lembre isso a eles, por gentileza. Eu sei o que é melhor pra eles.

– Duvido muito. O melhor seria que o pai deles estivesse em casa cuidando dos negócios e tentando manter unida uma família despedaçada, em vez de trancafiado em uma cela acusado de um assassinato sem sentido.

Ignorando o que ela disse, Pete falou:

– Eu me preocupo com eles, mas os dois são fortes e inteligentes, e vão sobreviver.

– Não tenho tanta certeza disso. É fácil achar que eles são tão fortes quanto você, levando em conta o que você já passou, mas talvez não seja assim, Pete. Você não pode simplesmente presumir que seus filhos vão sobreviver a isso sem sofrerem consequências.

– Não estou aqui pra ouvir sermão. Suas visitas serão bem-vindas, ficarei grato por elas, mas não se você sentir a necessidade de me repreender toda vez que vier. Vamos manter as coisas mais leves, está bem, Florry? Meus dias já estão contados. Não faça com que sejam ainda piores.

6

Havia dezessete anos que o Excelentíssimo Rafe Oswalt era juiz dos tribunais dos condados de Ford, Tyler, Milburn, Polk e Van Buren. Por morar em Smithfield, uma cidade vizinha e sede do condado de Polk, nunca fora apresentado ao réu nem à vítima. Como todo mundo, porém, estava intrigado com o ocorrido e ansioso por assumir o caso. Durante sua desinteressante trajetória no sistema judiciário, julgara pouco mais de uma dezena de homicídios de baixa complexidade – discussões entre bêbados, brigas com facas em bares frequentados pelos negros, conflitos domésticos –, todos motivados por raiva ou paixões que costumavam culminar em julgamentos rápidos seguidos de longas sentenças. Jamais um assassinato envolvera uma pessoa tão proeminente na comunidade local.

O juiz Oswalt havia lido as matérias de jornal e ouvido algumas das fofocas. Falara duas vezes ao telefone com John Wilbanks, advogado por quem tinha grande admiração. Também havia falado ao telefone com o promotor do distrito, Miles Truitt, um advogado que ele não admirava tanto. Na manhã de sexta-feira, o oficial de justiça irrompeu no gabinete do juiz, nos fundos da sala de audiência, e informou que uma multidão estava à sua espera.

E de fato estava. Sexta-feira costumava ser o dia em que eram realizadas sessões preliminares sem grande relevância, tanto de casos civis quanto criminais. Havia meses que não era marcada nenhuma audiência no tribunal do júri do condado de Ford, e normalmente uma agenda tão sem graça como as de sexta-feira não atraía quase nenhum espectador. No entanto, de repente foi despertada a curiosidade, e a entrada era gratuita. Essa curiosidade não se limitava aos poucos frequentadores assíduos do tribunal, que costumavam ficar no gramado, à sombra dos velhos carvalhos, fazendo entalhes nos troncos e cheirando rapé enquanto esperavam que alguma coisa interessante acontecesse lá dentro. O condado de Ford foi tomado pelo interesse e, às nove da manhã, o tribunal do júri estava repleto de pessoas querendo ver Pete Banning de perto. Havia repórteres de vários jornais, um deles vindo até mesmo de um lugar distante como Atlanta. Havia uma enorme quantidade de metodistas, que se transformara em um grupo comprometido de antagonistas de Banning e que se apinhava em um canto atrás da mesa do promotor. Do outro lado do corredor estavam vários amigos de Pete e de Dexter Bell, além dos frequentadores assíduos do tribunal, bem como muitos moradores da cidade que conseguiram escapar do trabalho para acompanhar a audiência. Acima deles, nas galerias, estavam sentados alguns negros, segregados em razão da cor da pele. Ao contrário da maioria dos edifícios da cidade, o tribunal permitia que eles entrassem e saíssem pela porta da frente, mas, uma vez lá dentro, eram obrigados a se encaminhar para as galerias superiores. Eles também queriam dar uma olhada no réu.

Nenhum membro das famílias Bell ou Banning estava presente. Os Bells estavam de luto e se preparando para o velório a ser realizado no dia seguinte. Os Bannings queriam se manter o mais longe possível.

Por serem autoridades do tribunal, os procuradores do condado podiam circular além da área reservada ao público, incluindo a tribuna, a mesa destinada aos advogados e a bancada do júri. Todos os doze procuradores estavam presentes, usando seus melhores ternos escuros e fingindo tratar de assuntos jurídicos muito importantes enquanto a multidão observava. Os escrivães, normalmente um grupo apático, até mesmo letárgico, embaralhavam sua inútil papelada com afinco.

Nix Gridley contava com dois assistentes em tempo integral – Roy Lester e Red Arnett – e três em meio período, além de dois voluntários. Naquele belo dia, os oito integrantes do contingente estavam presentes, todos trajando uniformes limpos, bem engomados e quase padronizados, em uma inusitada demonstração de força. Nix, por sua vez, parecia bastante à vontade – rindo com os advogados, brincando com os escrivães, conversando com moradores. Faltava apenas um ano para concorrer à reeleição, e ele não podia deixar passar a oportunidade de parecer importante diante de tantos possíveis eleitores.

E assim se desenrolou o espetáculo, conforme a multidão aumentava e o relógio ia passando das nove. O juiz Oswalt finalmente surgiu de detrás da tribuna em sua toga e assumiu seu posto. Agindo como se não tivesse notado a presença do público, olhou para Nix e disse:

– Xerife, traga os prisioneiros.

Nix já estava de pé ao lado da porta contígua ao júri. Ele a abriu, sumiu por um instante e então reapareceu trazendo Pete Banning, algemado e vestindo um grosso macacão cinza com a palavra "prisioneiro" estampada no peito. Depois de Pete veio Chuck Manley, acusado de roubo de veículos, e que teve a infelicidade de ser preso alguns dias antes de Pete atirar no pastor. Em circunstâncias normais, Chuck teria sido arrancado da cadeia, levado com as mãos algemadas para trás até o juiz, que designaria um advogado para representá-lo e o mandaria de volta à prisão sem que vivalma ficasse sabendo do que ele havia feito. O destino, no entanto, interveio, e o suposto crime de Manley agora seria conhecido por muitos.

Pete caminhava como em um desfile militar, mantendo a postura ereta, um ar de confiança e um olhar de indiferença. Nix o conduziu até uma cadeira em frente à bancada do júri, ora vazia, e Manley sentou-se ao lado dele. Ambos permaneceram algemados. Os advogados também se sentaram, e por um instante tudo ficou em silêncio, enquanto o juiz Oswalt examinava cuidadosamente alguns papéis. Por fim, ele disse:

– O caso do estado do Mississippi contra Chuck Manley.

Um advogado chamado Nance se levantou imediatamente e fez sinal para que seu cliente se juntasse a ele diante do juiz. Manley se aproximou e olhou para o juiz, que perguntou:

– Você é Chuck Manley?

– Sim, senhor.

– E o Dr. Nance aqui presente é seu advogado?

– Acho que sim. Minha mãe contratou ele.

– Você quer que ele seja seu advogado?

– Acho que sim. Mas eu não sou culpado; tudo isso é só um mal-entendido.

Nance agarrou seu cotovelo e o mandou calar a boca.

– Você foi preso na última segunda-feira acusado de roubar o Buick modelo 1938 do Sr. Earl Caldwell da frente da casa dele em Karraway. Como você se declara?

– Inocente, senhor. Eu posso explicar – disse Manley.

– Hoje não, filho. Mais tarde, talvez. Sua fiança está fixada em 100 dólares. Você dispõe dessa quantia?

– Acho que não.

Nance, ansioso para falar qualquer coisa diante daquela multidão, bradou:

– Excelência, sugiro que a corte conceda liberdade a este jovem sem o pagamento de fiança. Ele não tem antecedentes criminais, tem emprego fixo e vai se apresentar ao tribunal quando determinado.

– É verdade isso, filho? Você tem um emprego?

– Sim, senhor. Eu dirijo um caminhão para o Sr. J. P. Leatherwood.

– Ele está presente no tribunal?

– Ah, eu duvido. Ele é muito ocupado.

Nance emendou de pronto:

– Excelência, eu falei com o Sr. Leatherwood, e ele está disposto a assinar um termo de compromisso, garantindo que meu cliente vai se apresentar ao tribunal quando assim instruído. Se o senhor quiser falar com o Sr. Leatherwood, posso tomar as providências necessárias.

– Muito bem. Levem-no de volta à prisão. Vou ligar pro chefe dele hoje à tarde.

Manley foi escoltado para fora do tribunal menos de cinco minutos depois de ter entrado. O juiz Oswalt assinou e revisou alguns documentos enquanto todos aguardavam. Por fim, disse:

– O caso do estado do Mississippi contra Pete Banning.

John Wilbanks se levantou e andou a passos largos até a tribuna. Pete ficou de pé, fez uma leve careta e caminhou até chegar ao lado de seu advogado. O juiz Oswalt perguntou:

– Você é Pete Banning?

– Sim. – Pete assentiu.

– E está sendo representado pelo Ilustríssimo Dr. John Wilbanks?

– Sim. – Assentiu de novo.

– E você foi preso e acusado pelo homicídio qualificado do reverendo Dexter Bell. Você está ciente disso?

Após uma breve pausa, o juiz Oswalt prosseguiu:

– E está ciente de que o homicídio qualificado está associado à premeditação, podendo levar à pena de morte, enquanto o homicídio simples é punível com uma longa pena de reclusão?

– Sim, estou.

– E como você se declara?

– Inocente.

– O tribunal alega o recebimento da sua declaração e ela constará dos autos. Mais alguma coisa, Dr. Wilbanks?

O advogado respondeu:

– Bem, sim, Excelência, peço respeitosamente ao tribunal que avalie definir uma fiança razoável para meu cliente. Veja, estou ciente da gravidade da acusação e não a subestimo, mas é cabível o estabelecimento de fiança neste caso. A fiança nada mais é do que uma garantia de que o réu não vai fugir, pelo contrário, e que vai comparecer ao tribunal na data estabelecida. Banning é dono de 260 hectares de terra, sem embargos nem dívidas, e está disposto a oferecer a escritura dessa propriedade como garantia de sua fiança. Sua irmã é proprietária da área adjacente e fará o mesmo. Eu poderia acrescentar, Excelência, que essa propriedade pertence à família Banning há mais de um século e que nem meu cliente nem sua irmã fariam algo que a colocasse em risco.

O juiz Oswalt o interrompeu:

– Trata-se de um caso de homicídio qualificado, Dr. Wilbanks.

– Compreendo, Excelência, mas meu cliente é inocente até que se prove o contrário. Que benefício teria o estado ou qualquer pessoa em mantê-lo na prisão quando ele pode apresentar sua propriedade como fiança e permanecer livre até a data do julgamento? Ele não vai a lugar algum.

– Nunca ouvi falar de pagamento de fiança diante de uma acusação tão grave.

– Nem eu, mas as leis do estado do Mississippi não a proíbem. Se o tribunal desejar, terei prazer em apresentar uma petição sobre este assunto.

Enquanto ficavam naquela ladainha, Pete continuou de pé, rígido e imóvel como uma sentinela. Olhava fixo para a frente, como se não estivesse prestando atenção em nada, mas no fundo ouvia tudo.

O juiz Oswalt pensou por um momento e falou:

– Muito bem. Lerei sua petição, mas vai ter que ser muito convincente pra que eu mude de ideia. Enquanto isso, o preso permanecerá sob a custódia do xerife.

Nix segurou Pete delicadamente pelo cotovelo e o conduziu até a saída, com John Wilbanks em seu encalço. Do lado de fora do tribunal, perto do carro do xerife, dois fotógrafos estavam à espera, e rapidamente tiraram as mesmas fotos de quando o réu entrava no tribunal. Um repórter gritou uma pergunta para Pete, que o ignorou enquanto se abaixava para entrar no banco de trás da viatura. Poucos minutos depois ele estava de volta à cela, sem algemas nem sapatos, lendo *Desça, Moisés* e fumando um cigarro.

O ENTERRO DE Dexter Bell se transformou em um grande acontecimento. Teve início na quinta-feira, o dia seguinte ao do assassinato, quando o velho Magargel abriu as portas de sua funerária às seis da tarde e a turba irrompeu. Meia hora antes, Jackie Bell e seus três filhos haviam tido a oportunidade de ver o corpo a sós. Como era o costume naquela época e naquele canto do mundo, o caixão estava aberto. Dexter repousava em paz em uma cama de tecido brilhante, o terno preto à mostra da cintura para cima. Jackie desmaiou quando seus filhos começaram a gritar, espernear e se debater. O Sr. Magargel e seu filho eram os únicos no recinto além deles, e tentaram prestar alguma assistência, mas isso se mostrou impossível.

Não havia razão para que o caixão estivesse aberto. Nenhuma lei ou versículo da Sagrada Escritura ordenava tal prática. As pessoas faziam aquilo simplesmente para tornar a situação o mais dramática possível. Comoção em demasia era sinônimo de maior amor pelo falecido. Jackie comparecera a dezenas de funerais conduzidos pelo marido, todos com o caixão aberto.

Os Magargels tinham pouca experiência com ferimentos de bala no rosto. A maioria de seus clientes eram pessoas idosas cujos corpos frágeis eram fáceis de preparar. No processo de embalsamamento do reverendo Bell, não levou muito tempo para que percebessem que precisavam de ajuda e chamassem um colega mais experiente, de Memphis. Um grande pedaço da parte de trás do crânio havia sido arrancado no ponto pelo qual saíra o terceiro projétil, mas aquilo não fazia diferença. Ninguém jamais veria aquela parte do cadáver. No ponto de entrada, contudo, logo acima do nariz, havia um buraco considerável que exigira horas de hábil reconstrução e modelagem com todos os tipos de massas, cola e corantes. O resultado tinha ficado bom, mas longe de poder ser considerado ótimo. A testa de Dexter permanecia franzida, como se ele estivesse eternamente olhando para a arma, horrorizado.

Depois de meia hora a sós com o corpo, uma fração de tempo tão angustiante que até mesmo os experientes e empedernidos Magargels ficaram à beira das lágrimas, Jackie e seus filhos foram acomodados em assentos perto do caixão, as portas foram abertas e a multidão invadiu o local. E então se seguiram três horas de agonia, luto e sofrimento desenfreados.

O velório foi retomado na tarde do dia seguinte, quando Dexter foi levado pelo corredor de sua igreja até chegar diante do púlpito. Jackie, que já tinha visto o suficiente, pediu que o caixão não fosse aberto. O velho Magargel franziu a testa, mas acatou o pedido sem dizer nada. Odiava perder uma oportunidade tão preciosa de ver pessoas aflitas diante do luto. Por mais três horas, Jackie e os filhos ficaram em pé ao lado do caixão e cumprimentaram muitas das mesmas pessoas que haviam cumprimentado na véspera. Centenas de pessoas apareceram, incluindo todos os metodistas do condado que tiveram condições de chegar até o local e muitos de outras congregações, além de amigos da família, acompanhados de crianças pequenas demais para passar por uma tristeza como aquela, mas atraídas para o velório em razão da amizade com os filhos do reverendo. Dezenas de completos estranhos que simplesmente não queriam perder a oportunidade de se inserirem naquela história também prestaram suas homenagens. Os bancos estavam repletos de pessoas que esperavam pacientemente para passar pelo caixão e dizer alguma coisa banal para a família e que, durante essa espera, oravam e cochichavam, passando adiante as últimas notícias. A igreja sofria com o peso daquela inconsolável perda, e a situação ficou ainda pior ao som do órgão. A Srta. Emma Faye Riddle se remexia, executando uma sequência de lamentosos hinos fúnebres.

Hop assistia de um canto da sacada, mais uma vez incomodado diante do estranho comportamento dos brancos.

Depois daqueles dois dias de preliminares, a multidão cansada se reuniu pela última vez na igreja na tarde de sábado, para o velório. Um pastor amigo de Dexter conduziu a cerimônia, que contou com um coro completo, dois solos, uma longa homilia, além da Srta. Emma Faye e seu órgão, leituras das Escrituras, três elogios fúnebres, lágrimas a rodo e, sim, um caixão aberto. Embora tenha tentado bravamente, o pastor não conseguiu dar sentido àquela morte. Ele citou muitas vezes o argumento de que "os desígnios de Deus são insondáveis", mas não obteve muito sucesso. Por fim, ele se rendeu e o coro se levantou para cantar.

Após duas horas exaustivas, não havia mais nada a dizer, e Dexter foi colocado no carro fúnebre, que desfilou pela cidade em direção ao cemitério público, onde finalmente pôde repousar em meio a um mar de flores e um turbilhão de pura comoção. Muito depois de o pastor lhes ter dado as cadeiras dobráveis, Jackie e as crianças se sentaram nelas sob o dossel e ficaram olhando para o caixão e para a pilha de terra preta ao lado dele.

A Sra. Gloria Grange era uma metodista devota que não havia perdido nenhuma das cerimônias. Depois do enterro, ela foi até a casa de Mildred Highlander para um chá. Mildred era presbiteriana e não conhecia o reverendo Bell; desta forma, não comparecera ao velório nem ao velório. Mas independentemente disso ela queria saber de todos os detalhes, e Gloria os despejou.

Ao fim da tarde de sábado, Florry foi até a cidade, também para tomar chá com Mildred. Estava ansiosa para ouvir os detalhes do sofrimento provocado pelo irmão, e Mildred estava igualmente ansiosa para contá-los.

7

Pela primeira vez em seus poucos anos de vida, Joel Banning desobedeceu ao pai. Saiu de Nashville no sábado de manhã e pegou o trem para Memphis, uma viagem de quatro horas que lhe deu bastante tempo para refletir sobre seu ato de desobediência. Quando chegou a seu destino, estava convencido de que sua atitude era totalmente justificada. Na verdade, ele poderia até mesmo elencar seus motivos: precisava verificar como Florry estava lidando com tudo aquilo; precisava se encontrar com Buford, o administrador da fazenda, e se certificar de que a colheita ia bem; talvez se encontrasse com John Wilbanks para falar sobre a defesa do pai, talvez não. Sua pequena família estava desmoronando, e alguém precisava dar o primeiro passo para tentar salvá-la. Além do mais, seu pai estava preso, de modo que se chegasse e fosse embora como estava planejando, sua breve visita não seria descoberta e seu ato de desobediência não seria detectado.

O trem que ia de Memphis para Clanton parou seis vezes, e já era noite quando Joel pisou na plataforma e abaixou a aba do chapéu sobre os olhos. Algumas pessoas desembarcaram, mas ninguém pareceu reconhecê-lo. Havia dois táxis na cidade e ambos estavam livres, estacionados do lado de fora da estação, com os motoristas encostados na lateral de um dos carros, mascando tabaco e fumando cigarros enrolados à mão.

– Ainda existe aquela cabine telefônica junto à farmácia? – perguntou Joel ao motorista mais próximo.

– Sim.

– Pode me levar lá?

– Entra aí.

A praça estava tomada pelo público habitual de fim de sábado. Mesmo sendo época de colheita, os fazendeiros e seus empregados tomavam banho depois do almoço e seguiam para a cidade. As lojas estavam lotadas, as calçadas entupidas, o filme *Romance inacabado*, com Bing Crosby, estava em cartaz no Atrium e uma enorme fila dobrava a esquina. Um grupo entretinha uma multidão tocando *bluegrass* no gramado do tribunal. Joel preferiu evitar as multidões e pediu ao motorista que parasse em uma rua transversal. A cabine telefônica em frente à farmácia dos Gainwright estava ocupada. Joel ficou parado do lado de fora, inquieto, porque havia uma jovem usando o telefone, e tentou ao máximo evitar contato visual com inúmeras pessoas que passavam. Quando finalmente entrou na cabine, enfiou uma moeda e ligou para sua tia Florry. Depois de chamar algumas vezes, ela atendeu.

Presumindo, como sempre, que alguém estava ouvindo do outro lado, uma vez que se tratava de uma linha comunitária, ele disse rapidamente:

– Florry, sou eu. Estarei aí em vinte minutos.

– Quê? Quem é?

– Seu sobrinho preferido. Tchau.

Como era seu único sobrinho, estava certo de que ela havia entendido a mensagem. Aparecer sem avisar a deixaria desconcertada. Além disso, ele estava morrendo de fome e pensou que ligar um pouco antes poderia garantir alguma comida quente no prato. De volta ao táxi, pediu ao motorista que cortasse caminho pela igreja metodista. Ao saírem da movimentada praça, passaram pelo Cal's Game Room, um salão de bilhar conhecido pela cerveja contrabandeada e pelos jogos de azar que rolavam nos fundos. Quando Joel era adolescente, recebera sérias advertências de seu pai, exatamente como todos os demais jovens de família, para ficar longe dali. Era um lugar barulhento nos fins de semana, com uma clientela encrenqueira, e onde ocorriam brigas com frequência. Como se tratava de algo proibido, na época da escola Joel se sentia tentado a entrar lá escondido. Seus amigos se gabavam de frequentar o Cal's, e até existia uma história de que havia umas garotas no andar de cima. Agora, contudo, com três anos de faculdade nas costas e a experiência de viver em uma cidade grande, Joel ria sozinho da ideia de ter se sentido seduzido por algo tão medíocre. Ele conhecia os melhores bares de Nashville e todos os prazeres que podiam oferecer. Voltar a morar em

Clanton, uma cidade onde cerveja e bebidas destiladas eram ilegais (assim como quase tudo o mais), era impensável.

As luzes estavam acesas no corpo principal da igreja, e, ao passarem por ela, o motorista perguntou:

– Você é daqui?

– Na verdade, não.

– Então você não ficou sabendo da grande notícia da semana, sobre o pastor?

– Ah, sim, li sobre isso. História esquisita.

– Atiraram nele bem ali – disse o motorista, apontando para o anexo atrás da igreja. – Foi enterrado hoje à tarde. Prenderam o cara, mas ele não diz nada.

Joel não respondeu; não queria dar seguimento a uma conversa que não havia iniciado. Olhou fixamente para a igreja ao passarem e se lembrou com imenso carinho das manhãs de domingo, quando ele e Stella vestiam suas melhores roupas, ele de gravata-borboleta, ela de chapéu, e entravam ali de mãos dadas com os pais, que também exibiam seus trajes dominicais. Desde muito cedo, Joel sabia que os ternos do pai e os vestidos da mãe eram um pouco melhores do que os da maioria dos metodistas, que os carros e as caminhonetes de sua família eram sempre os modelos mais novos e que eles falavam sobre terminar a faculdade e não apenas a escola. Desde criança já tinha se dado conta de muita coisa, mas, sendo um Banning, fora ensinado a ser humilde e a dizer o mínimo possível.

Joel havia sido batizado naquela igreja quando tinha 10 anos; Stella, aos 9. A família participava devotadamente dos cultos semanais, dos encontros revivalistas de outono e de primavera, dos churrascos ao ar livre, das festas e dos piqueniques, dos funerais, casamentos e de uma agenda interminável de eventos sociais porque, para eles e para muitos na cidade, a igreja era o núcleo da sociedade. Lembrou-se de todos os pastores que haviam passado por ali. O pastor Wardall havia enterrado seu avô, Jacob Banning. Depois viera Ron Cooper, que o batizara, e o filho dele havia sido seu melhor amigo na escola quando tinham uns 9 anos. E assim por diante. Os pastores iam e vinham, até que Dexter Bell chegou, pouco antes da guerra.

Como se podia notar, ele ficou por tempo demais.

– Siga pela Autoestrada 18. Vou te mostrar onde parar – avisou Joel.

– Pra onde você vai? – perguntou o taxista. – Sempre gosto de saber pra onde estou indo.

– Próximo à propriedade dos Bannings.

– Você é parente dos Bannings?

Não havia nada pior que um taxista intrometido. Joel o ignorou e olhou para a igreja pelo vidro traseiro enquanto ela desaparecia na esquina. Ele gostava de Dexter Bell, embora no início da adolescência tivesse começado a questionar seus ríspidos sermões. Foi o pastor Bell quem estivera junto de sua família naquela noite terrível, quando foram informados de que o tenente Pete Banning estava desaparecido e tinha sido dado como morto nas Filipinas. Durante aqueles dias sombrios, o pastor Bell tomou a frente da situação, coordenando as devotas e a interminável quantidade de comida que traziam, organizando vigílias de oração na igreja, expulsando as pessoas da casa quando eles precisavam de privacidade e aconselhando a família quase diariamente, ao que parecia. Joel e Stella cochicharam sobre estarem cansados de seus conselhos. Queriam mesmo era passar um tempo a sós com a mãe, mas o reverendo estava sempre por perto. Muitas vezes ele levara sua esposa, Jackie; outras, não. À medida que Joel ficou mais velho, passou a achar Jackie Bell fria e distante, e Stella também não gostava dela.

Joel fechou os olhos e balançou a cabeça novamente. Aquilo era mesmo verdade? Seu pai tinha matado Dexter Bell e agora estava preso?

As plantações de algodão começavam nos limites da cidade, e, sob a lua cheia, ficava fácil identificar quais campos haviam sido colhidos. Embora Joel não tivesse planos de se tornar fazendeiro como seus antepassados, todos os dias acompanhava a situação do mercado na Bolsa de Algodão de Memphis pelo jornal *The Nashville Tennessean*. Isso era essencial. A propriedade um dia pertenceria a ele e a Stella, e a colheita anual seria fundamental.

– A safra vai ser boa este ano – comentou o taxista.

– É o que tenho ouvido por aí. Mais 1 quilômetro mais ou menos e vou descer.

Minutos depois, Joel disse:

– Ali na estrada Pace está ótimo.

– No meio do nada?

– Isso mesmo.

O motorista reduziu a velocidade, entrou em uma estrada de cascalho e parou.

– Um dólar – disse o taxista.

Joel lhe deu quatro moedas de 25 centavos, agradeceu pela corrida e desceu com sua pequena bolsa de lona. Depois que o táxi fez o retorno e rumou de volta para a cidade, ele caminhou ainda quase meio quilômetro até a estradinha de acesso à sua casa.

A residência estava escura e destrancada, e Joel, ao passar por ela, presumiu que Mack, o bluetick coonhound, estaria na casa de Nineva ou na de Florry. Caso contrário, o cachorro teria começado a latir assim que Joel se aproximou do caminho de cascalho. Em um passado não muito distante haveria agitação na casa, com as vozes de seus pais ecoando, música no rádio e talvez amigos chegando para jantar em um sábado à noite. Mas naquela noite estava como uma tumba, escura e silenciosa, impregnada de cheiro de cigarro.

Agora ambos estavam confinados: a mãe em um sanatório público, o pai na cadeia.

Joel saiu pelos fundos, dando a volta para não passar pela casa de Nineva e Amos, e pegou a trilha próxima aos celeiros e ao galpão dos tratores. Aquela propriedade pertencia a Joel, e ele conhecia cada centímetro. A uns 100 metros de distância, uma luz brilhava na janela do chalé de Buford. Desde antes da guerra, era o administrador da fazenda, ou capataz, como preferia ser chamado, e havia acabado de se tornar ainda mais importante para a família.

Todas as luzes estavam acesas no chalé de Florry, que o esperava à porta. Primeiro ela o abraçou, depois o repreendeu por ter ido até lá, então o abraçou novamente. Marietta havia preparado um ensopado com carne de veado dois dias antes, e Florry estava esquentando a panela no fogão. Um cheiro denso de carne tomava conta da casa.

– Finalmente você está engordando – disse Florry ao se sentarem à mesa na sala de jantar. Ela lhe serviu café de uma jarra de cerâmica.

– Não vamos falar sobre o nosso peso – sugeriu Joel.

– Combinado. – Florry também estava engordando, embora não fosse intencional.

– É tão bom ver você, Joel.

– É bom estar em casa, mesmo nessa situação.

– Por que você veio?

– Porque aqui é a minha casa, tia Florry. Porque meu pai está preso e a coitada da minha mãe está internada. Ou seja, que merda é essa que está acontecendo com a gente?

– Olha a boca, garoto.

– Ah, por favor. Tenho 20 anos e não sou nenhum garoto. Vou xingar, fumar e beber a hora que eu quiser.

– Misericórdia! – exclamou Marietta ao entrar na sala.

– Pode ir, Marietta – rebateu Florry. – Eu cuido do ensopado. Por hoje é só. Nos vemos amanhã de manhã.

Marietta arrancou o avental, jogou-o no balcão, vestiu seu casaco e saiu em direção ao porão.

Os dois respiraram fundo, deram alguns goles no café e ficaram um tempo em silêncio. Calmamente, Joel perguntou:

– Por que ele fez isso?

Florry balançou a cabeça.

– Ninguém sabe além dele, mas ele se recusa a dar qualquer explicação. Eu estive com ele uma vez, no dia seguinte, e parece em outro planeta.

– Tem que ter um motivo, tia Florry. Ele jamais faria uma coisa tão aleatória, tão ruim como essa, sem ter uma razão.

– Sim, eu concordo, mas ele não vai falar sobre o assunto, Joel. Eu vi a expressão dele, já vi aquela cara muitas vezes e sei o que ela significa. É um segredo que ele vai levar pro túmulo.

– Ele deve uma explicação pra gente.

– Bem, isso não vai acontecer, posso te garantir.

– Você tem bourbon aí?

– Você é muito novo pra tomar bourbon, Joel.

– Tenho 20 anos – retrucou ele, se levantando. – Vou me formar na Vanderbilt no semestre que vem, depois vou fazer faculdade de Direito. – Ele andou até o sofá onde havia deixado sua bolsa. – E vou fazer Direito porque não tenho planos de ser fazendeiro, não importa o que ele acha melhor. – Ele enfiou a mão na bolsa e tirou um pequeno cantil. – Não pretendo morar aqui, tia Florry, e acho que você sabe disso há um bom tempo. – Ele voltou para a mesa, abriu a tampa do cantil e deu um gole. – Jack Daniel's. Quer um pouco?

– Não.

Ele deu outro gole.

– E mesmo se eu estivesse pensando em voltar aqui pra Ford, eu diria que essa possibilidade foi chutada pra bem longe agora que meu pai se tornou o assassino mais famoso da história do condado. Não dá pra colocar a culpa em mim, né?

62

– Acho que não. Você nunca tinha falado sobre estudar Direito.

– Comecei a pensar nisso esse ano.

– É uma ótima ideia. Onde pretende estudar?

– Não sei ainda. Em Vanderbilt, não. Eu gosto de Nashville, mas preciso de novidade. Talvez Tulane ou Texas. Pensei na Ole Miss, mas agora estou sentindo uma vontade imensa de ficar o mais longe possível do Mississippi.

– Está com fome?

– Muita.

Florry foi até a cozinha e encheu uma tigela grande com o ensopado da panela em cima do fogão. Serviu-o com restos de pão de milho e um copo d'água. Antes de se sentar, tirou uma garrafa de gim do fundo do armário. Misturou uma dose generosa a um pouco de água tônica e se sentou diante do sobrinho.

Ele sorriu.

– Stella e eu encontramos seu gim uma vez. Você sabia?

– Não! Vocês beberam?

– Tentamos. Eu tinha uns 16 anos e a gente sabia que ficava escondido no armário. Coloquei um pouco em um copo e dei um gole. Quase vomitei. Senti tudo queimando por dentro até o dedão do pé e tinha gosto de tônico capilar. Como é que você bebe esse troço?

– Costume. Qual foi a reação de Stella?

– A mesma. Acredito que ela não tenha chegado perto de bebida desde então.

– Aposto que chegou, sim. Você parece ter tomado gosto pela coisa.

– Eu sou universitário, tia Florry. Faz parte da minha educação. – Ele deu uma bela colherada no ensopado, e mais outra. Depois de quatro ou cinco, largou a colher e fez uma pausa para esperar a comida descer. Deu um gole no cantil para ajudar, depois sorriu para a tia e disse: – Quero falar da minha mãe, tia Florry. Sei que existem vários segredos em relação a isso, e você sabe de muita coisa que não contou pra gente.

Florry balançou a cabeça e desviou o olhar.

– Sei que ela desabou quando disseram que ele tinha morrido, ou tinha sido dado como morto – prosseguiu Joel. – Merda, todos nós desabamos, não foi, tia Florry? Eu fiquei uma semana sem sair de casa. Lembra disso?

– Como eu poderia esquecer? Foi horrível.

– Parecíamos fantasmas, nos arrastávamos feito sonâmbulos durante o dia e passávamos a noite apavorados. Mas de alguma maneira conseguimos reunir forças pra seguir em frente, e acho que a mamãe também, não? Ela meio que ergueu a cabeça e tentou ser forte, não foi?

– Sim, ela tentou. Todos nós tentamos. Mas não foi fácil.

– Não, não foi. Foi o inferno na Terra, mas sobrevivemos. Eu estava em Vanderbilt quando ela me ligou naquela noite dizendo que ele não estava morto afinal, que tinha sido encontrado e resgatado. Disseram que ele estava muito ferido, mas isso não importava. Ele estava vivo! Eu corri pra casa, a gente comemorou, e me lembro da mamãe muito feliz. Não foi isso que aconteceu, tia Florry?

– Sim, é como eu me lembro. Ficamos muito felizes, eufóricos até, e isso durou alguns dias. Só o fato de ele estar vivo já era um milagre. Então começamos a ler histórias sobre o que faziam com os prisioneiros de guerra por lá e ficamos preocupados com o estado dele.

– Exato, agora sobre a minha mãe. Ficamos empolgados quando ele foi liberado, e depois que ele chegou em casa como um herói minha mãe se tornou a mulher mais orgulhosa do mundo. Não tinha como eles estarem mais felizes, porra, estávamos todos em êxtase, e isso foi só um ano atrás, tia Florry. Então, o que foi que aconteceu?

– Não fique achando que eu sei o que aconteceu, porque não sei. Nas primeiras semanas estava tudo bem. Pete ainda estava se recuperando e melhorando conforme o tempo passava. Eles estavam felizes e as coisas pareciam estar bem. De repente não estavam mais. Só fui tomar conhecimento dos problemas que eles tinham muito depois de terem começado. A Nineva contou pra Marietta que os dois estavam sempre brigando, que a Liza agia de um jeito estranho, que vivia de mau humor e passava o tempo todo sozinha no quarto. Não dormiam mais juntos e seu pai passou a dormir no seu quarto. Não era pra eu saber dessas coisas, então eu não tinha como ficar fazendo perguntas. E você sabe que é uma perda de tempo perguntar ao seu pai sobre assuntos pessoais. Eu nunca fui próxima da Liza, por isso ela nunca se abriria comigo. Então eu não sabia o que fazer, mas, honestamente, nem sempre isso é ruim.

Joel deu uma golada no uísque e disse:

– E aí levaram ela daqui.

– E aí levaram ela daqui.

– Por quê, tia Florry? Por que a minha mãe foi internada no sanatório público?

Florry entornou mais gim no copo e ficou um tempo olhando para a bebida. Depois deu um gole, fez uma cara feia, como se o gosto fosse muito ruim, e pôs o copo na mesa.

– Seu pai chegou à conclusão de que ela precisava de ajuda, e não tinha ninguém que pudesse fazer isso por aqui. Os profissionais estão em Whitfield, então ele mandou ela pra lá.

– Assim? Ela simplesmente foi despachada pra lá?

– Não, houve uma série de procedimentos. Mas vamos ser francos, Joel, seu pai conhece as pessoas certas e tem os Wilbanks na palma da mão. Eles conversaram com um juiz, e ele assinou a autorização. E sua mãe consentiu. Ela não se opôs ao pedido de internação, não que ela tivesse escolha. Se seu pai insistiu, o que com certeza aconteceu, ela não pôde se opor a ele.

– Qual é o diagnóstico dela?

– Não faço a menor ideia. Ser mulher, eu acho. Joel, bota uma coisa na sua cabeça, o mundo é dos homens. Se um marido bem-relacionado começa a achar que a esposa está sentindo calores, deprimida, com oscilações constantes de humor, bem, ele pode mandá-la embora por um tempo.

– Acho difícil acreditar que meu pai internaria minha mãe em um sanatório porque ela está entrando na menopausa. Ela parece meio jovem para isso. Tem coisa aí, tia Florry.

– Com certeza tem, mas eu não estava a par das brigas nem das desavenças entre eles.

Joel voltou a comer o ensopado e engoliu alguns pedaços, junto com mais uns goles de uísque.

Em uma tentativa vã de mudar de assunto, Florry perguntou:

– Você ainda está saindo com aquela garota?

– Que garota?

– Bem, acho que isso responde à pergunta. Tem alguma garota na sua vida atualmente?

– Na verdade, não. Sou muito novo pra isso e tenho um curso de Direito pela frente. Você disse no telefone que tinha falado com John Wilbanks. Presumo que ele esteja encarregado da defesa.

– Sim, na medida do possível. Seu pai não está colaborando. O Wilbanks quer alegar insanidade, diz que é o único jeito de salvar a vida dele, mas seu pai não aceita. Diz ele que tem mais juízo do que o Wilbanks ou qualquer outro advogado, e eu concordo.

– Mais uma prova de que está maluco. Ele não tem escolha a não ser alegar insanidade, não tem outra opção. Eu mesmo pesquisei isso na faculdade ontem.

– Então você pode ajudar o Wilbanks. Ele vai precisar.

– Eu já tinha escrito uma carta pra ele e pensei em nos encontrarmos amanhã.

– Péssima ideia, Joel. Duvido que ele trabalhe aos domingos, e ninguém pode ver você na cidade. Seu pai ficaria contrariado se soubesse que você esteve aqui. O conselho que eu te dou é deixar a cidade exatamente como chegou, sem ser notado, e não voltar até que o Pete autorize.

– Queria falar com Buford e saber como anda a colheita.

– Não tem nada que você possa fazer pra ajudar na colheita. Você não é fazendeiro, lembra? Além disso, o Buford tem tudo sob controle. Ele se reporta a mim; depois eu vou até a cadeia e passo as informações pro Pete. Estamos no meio de uma boa safra, então não tente estragar as coisas. Além disso, o Buford contaria pro seu pai que você esteve aqui. Péssima ideia.

Joel deu uma gargalhada, a primeira desde que havia chegado, e virou mais um pouco de uísque. Ele afastou a tigela, e Florry rebateu:

– Metade da tigela. Você deveria comer mais, Joel. Você finalmente está engordando, mas ainda falta muito. Ainda está muito magro.

– Ando sem fome esses dias, tia Florry, vai saber por quê. Se importa se eu fumar?

Ela assentiu e disse:

– Na varanda.

Joel saiu com um cigarro na mão. Enquanto isso Florry limpou a mesa, depois encheu o copo novamente, colocou mais um pedaço de lenha na lareira da saleta de estar e se jogou em sua poltrona favorita para esperá-lo. Quando ele voltou, pegou o cantil e se juntou a ela, se sentando no sofá de couro gasto.

Florry pigarreou.

– Já que estávamos falando sobre o algodão, tem uma coisa que você precisa saber. Não é de fato um segredo, uma vez que já é inclusive de conhecimento do tribunal. Há mais ou menos um mês, seu pai contratou um advogado em Tupelo para redigir uma escritura transferindo a parte dele da fazenda pra você e pra Stella. A minha parte, é claro, pertence a mim e ficou de fora. John Wilbanks me contou essa história na quarta-feira passada no escritório dele. Você e a Stella um dia iam herdar essas terras de qualquer jeito mesmo.

Joel refletiu por alguns minutos, surpreso e confuso, como era de se esperar.

– E por que ele fez isso?

– Pelo mesmo motivo que faz qualquer coisa. Porque pode. De acordo com o Wilbanks, isso não foi muito inteligente da parte dele. Seu pai queria proteger os bens da família do homem que ele estava planejando matar, por isso a transferência. É isso. Mas agindo dessa maneira ele acabou se entregando. O promotor pode provar em juízo que o homicídio foi premeditado. O Pete planejou tudo.

– A fazenda está protegida?

– Wilbanks acha que não, mas não nos aprofundamos no assunto. Isso foi no dia seguinte, a gente ainda estava atordoado. Ainda está, eu acho.

– Todos nós, né? O Wilbanks acha que a família do reverendo Bell vai vir atrás da fazenda?

– Ele deu a entender que sim, mas não disse explicitamente. Pode ser um bom ponto de partida pras suas pesquisas, agora que você descobriu a biblioteca de direito.

– Essa família precisa de um advogado em tempo integral.

Joel deu mais um gole no uísque e dessa vez esvaziou o cantil. Florry o observava com atenção e amava cada centímetro de seu ser. Ele tinha puxado a família dela, os Bannings, alto, olhos escuros e cabelos grossos, enquanto Stella era uma cópia de Liza, tanto na aparência quanto no temperamento. Ele estava sofrendo e Florry compartilhava de sua dor. Sua vida feliz e privilegiada estava passando por uma reviravolta dramática para pior, e não havia nada que ele pudesse fazer para mudar aquilo.

Calmamente, ele perguntou:

– Alguém comentou sobre a mamãe sair de lá? Existe essa possibilidade? Foi o papai que mandou interná-la, então será que, agora que a influência dele é bem limitada, existe alguma chance de ela voltar para casa?

– Eu não sei, Joel, mas não ouvi nada sobre esse assunto. Antes disso, seu pai ia pra Whitfield uma vez por mês pra vê-la. Ele nunca contou muita coisa, mas em algumas ocasiões mencionou as visitas, disse que ela não estava melhorando.

– Como que alguém pode melhorar dentro de um sanatório?

– Você está perguntando à pessoa errada.

– E por que eu não posso visitá-la?

– Porque seu pai proibiu.

– Eu não posso ver meu pai e não posso visitar minha mãe. Acho que tudo bem se eu disser que sinto falta dos meus pais, né, Florry?

– Claro que sim, querido. Eu sinto muito.

Eles ficaram olhando o fogo na lareira por um bom tempo, sem dizer nada. O fogo sibilou e crepitou, e por fim começou a morrer. Um dos gatos pulou no sofá de couro e olhou para Joel como se ele estivesse invadindo seu espaço. Até que Joel disse baixinho:

– Eu não sei o que fazer, Florry. Nada faz sentido.

Suas palavras passaram a não sair claras, sua língua começou a enrolar.

– Bem, ter voltado pra casa essa noite não vai te ajudar a saber – disse Florry após tomar outro gole. – O trem pra Memphis sai às nove e meia da manhã e você vai estar nele. Não tem nada pra você fazer aqui além de se preocupar.

– Acho que posso me preocupar na faculdade.

– Acho que sim.

8

O grande júri do condado de Ford se reunia na terceira segunda-feira de cada mês para ser informado das provas relacionadas aos últimos crimes. Na pauta do dia 21 de outubro, a lista era a mesma de sempre: uma briga doméstica que se transformara em uma surra violenta; Chuck Manley e seu suposto furto de veículo; um negro que havia atirado contra outro, errara o tiro, mas quebrara a vidraça de uma igreja de brancos na zona rural, o que aumentava a gravidade do incidente, transformando-o em crime; um golpista de Tupelo que passara cheques sem fundos por todo o condado; um homem branco e uma mulher negra apanhados em flagrante violando, entusiasmados, as leis antimiscigenação do estado; e assim por diante. A lista totalizava dez crimes, todos graves, o que estava dentro da média em uma comunidade pacífica. No fim da lista estava o caso de Pete Banning e sua acusação de homicídio.

Miles Truitt era o promotor do distrito havia sete anos, desde que fora eleito. Na condição de chefe da promotoria, era quem lidava com o grande júri, que funcionava basicamente como uma marionete com a qual podia fazer o que bem entendesse. Truitt tinha selecionado as dezoito pessoas que o compunham, decidia quais crimes seriam investigados, arrolava testemunhas que forneciam provas favoráveis apenas à acusação, apoiava-se intensamente no júri quando as evidências pareciam um pouco frágeis e garantia que as acusações fossem, por fim, imputadas aos réus. Além disso, Truitt controlava a fila dos processos e decidia em que ordem os casos seriam julgados, do primeiro ao último. Quase nenhum ia de fato a julgamento. Eram resolvidos com um acordo no qual o réu se declarava culpado em troca da pena mais branda possível.

Depois de sete anos lidando com delitos banais, Miles Truitt foi seduzido por uma tarefa mais inglória, a de botar na cadeia contrabandistas, espancadores de esposas e ladrões de carro. Sua jurisdição abrangia os cinco condados do Vigésimo Segundo Distrito Judicial, e no ano anterior levara apenas quatro casos a julgamento. Todos os demais indiciados haviam optado pelo acordo. Seu trabalho tinha perdido a graça, em grande parte pelo simples fato de que quase não se cometiam crimes instigantes naquele canto do norte do Mississippi.

Pete Banning quebrou aquela monotonia, e de forma espetacular. Todo promotor sonha participar do julgamento de um homicídio de enorme repercussão, com um réu notável, uma vítima famosa, um tribunal lotado, muita imprensa e, é claro, um resultado favorável ao promotor e a todos os cidadãos de bem que nele votaram. O sonho de Truitt estava se tornando realidade, e ele tentava conter a ansiedade de pôr as mãos no processo de Pete Banning.

O grande júri se reunia na mesma sala do tribunal utilizada pelos pequenos júris, os que participavam dos julgamentos em si. Era um espaço apertado, cujas dimensões mal comportavam os doze membros do pequeno júri, com cadeiras espremidas ao redor de uma mesa comprida e estreita. Dos dezoito, apenas dezesseis estavam presentes, todos homens e brancos. O Sr. Jock Fedison, de Karraway, alegara problemas de saúde, embora todos acreditassem que na verdade ele estava ocupado demais em seus campos de algodão para se importar com questões judiciais insignificantes. O Sr. Wade Burrell nem se dera ao trabalho de telefonar, e não recebiam notícias dele havia semanas. Ele não tinha uma fazenda para cuidar, mas corriam rumores de que estaria tendo problemas com a esposa. Ela disse, em tom indiferente, que o vagabundo saíra de casa bêbado para nunca mais voltar.

Dezesseis pessoas era o suficiente para compor o quórum, e Truitt deu início aos trabalhos. O xerife Gridley foi apresentado como a primeira testemunha e prestou o juramento. Truitt começou pelo caso de Chuck Manley, e Gridley apresentou os fatos. A votação foi dezesseis a zero pelo indiciamento por furto qualificado, sem necessidade de debate entre os jurados. O caso do golpista veio a seguir, e o xerife apresentou cópias dos cheques sem fundos e depoimentos de alguns dos comerciantes enganados. Dezesseis a zero novamente, e o mesmo se deu no caso do lenhador que quebrou o nariz da esposa, além de provocar outros ferimentos.

A justiça seguia bem o seu rumo, até o caso de miscigenação. Os dois amantes haviam sido pegos em flagrante fazendo sexo na caçamba de uma caminhonete, estacionada em uma área conhecida por tais atividades. Roy Lester, um dos assistentes do xerife, havia recebido uma denúncia anônima por telefone de que os dois estavam planejando o encontro, e chegou antes ao local. A identidade do informante era desconhecida. Lester se escondeu na escuridão e ficou satisfeito ao perceber que a pista estava certa. O homem branco, que posteriormente admitiu ter esposa e filho, conduziu sua caminhonete até um ponto bem próximo de onde Lester estava escondido e começou a se despir, enquanto a garota negra, de 18 anos e solteira, fazia o mesmo. Como a área estava deserta naquele momento, eles resolveram consumar o ato na caçamba da caminhonete.

Testemunhando perante o grande júri, Lester afirmou que assistira a tudo tranquilamente atrás de algumas árvores. No entanto, a verdade é que ele tinha achado o encontro bastante erótico e estava qualquer coisa menos tranquilo. Os membros do grande júri prestavam atenção a cada palavra, e Lester era discreto e às vezes até pouco preciso em sua descrição. Contou que quando o homem estava chegando ao clímax, Lester irrompeu de seu esconderijo, sacou a arma e gritou "Parado aí!", o que provavelmente era a ordem errada, porque, afinal, quem de fato conseguiria parar em um momento tão crítico? Enquanto se vestiam apressadamente, Lester os aguardava com as algemas nas mãos. Ele os conduziu até a viatura escondida em uma trilha de terra e os levou para a cadeia. Ao longo do caminho, o homem começou a chorar e implorar por misericórdia. Sua esposa sem dúvida pediria o divórcio, e ele a amava muito.

Quando ele terminou seu depoimento, o silêncio caiu na sala, como se os jurados tivessem ficado perdidos na própria imaginação e quisessem saber mais da história. Finalmente, o Sr. Phil Hobard, professor de ciências de uma escola em Clanton, que viera de Ohio, no norte do país, perguntou:

– Se ele tem 26 anos e ela tem 18, por que é crime eles terem relações sexuais?

Truitt se apressou em assumir o controle da discussão:

– Porque o sexo entre caucasianos e negros é crime, e isso é crime porque a legislação estadual o tornou ilegal muitos anos atrás.

O Sr. Hobard não se deu por satisfeito. Ele ignorou as caras feias de seus colegas e insistiu:

– Adultério é crime?

Alguns dos homens baixaram os olhos e ficaram encarando os papéis sobre a mesa. Dois inclusive se remexeram na cadeira, mas os zelotes pareceram ter ficado ainda mais furiosos, como se dissessem "Se não é, sem dúvida deveria ser".

– Não, não é. Foi durante um tempo, mas as autoridades acharam muito difícil fazer cumprir a lei – respondeu Truitt.

– Então, deixe-me ver se eu entendi. Hoje, no Mississippi, não é crime ter relações sexuais com uma mulher que não é sua esposa, desde que ela seja da mesma raça que você – retrucou Hobard. – Raças diferentes, e você pode ser preso e julgado, certo?

– É o que diz a lei – respondeu Truitt.

Hobard, que evidentemente era o único membro do grande júri com a coragem de cavar mais fundo, perguntou:

– Não temos coisa melhor a fazer do que processar dois adultos responsáveis que estavam claramente se divertindo, seja na cama, na caçamba de uma caminhonete ou onde quer que seja?

– Eu não escrevi a lei, Sr. Hobard. Se você quiser mudá-la, leve o assunto ao senador estadual do distrito – respondeu Truitt.

– Nosso senador é um idiota.

– Talvez, mas isso foge ao escopo da nossa competência. Todos prontos pra votar nesta acusação? – perguntou Truitt.

– Não – disse Hobard bruscamente. – Você está tentando apressar as coisas. Tudo bem. Mas antes de votar eu gostaria de saber dos meus colegas deste grande júri quantos deles já tiveram relações sexuais com uma mulher negra. Se alguém já teve, então em hipótese alguma pode votar a favor da condenação dessas duas pessoas.

Foi como se um aspirador invisível tivesse sugado todo o ar da sala. Vários dos jurados ficaram pálidos. Vários ficaram vermelhos de raiva. Um dos zelotes deixou escapar:

– Nunca!

Outros falaram:

– Por favor, isso é ridículo.

– Você está louco. Andem, vamos votar!

– Isso é crime, não temos escolha.

Nix Gridley, que estava de pé em um canto, olhou para os jurados e deu um sorriso discreto. Dunn Ludlow era frequentador assíduo do bordel de mulheres negras em Lowtown. Milt Muncie tinha uma amante negra pelo menos desde que Nix era xerife. Neville Wray vinha de uma antiga família de donos de fazendas de algodão que se miscigenara ao longo de gerações em razão das relações mantidas com os negros. Entretanto, naquele momento, todos os quinze, em diferentes graus, estavam posando de inocentes de forma constrangedora.

A lei antimiscigenação do estado era semelhante a outras em todo o Sul dos Estados Unidos e pouco tinha a ver com sexo entre homens brancos e mulheres negras; tais relações raramente eram reprovadas. O propósito da lei era proteger a pureza das mulheres brancas e manter os negros longe delas. Mas, como a história muitas vezes havia demonstrado, se duas pessoas queriam fazer sexo, não perdiam tempo pensando no código penal. A lei não impedia nada, mas eventualmente era utilizada para impor punições após o fato consumado.

Truitt esperou até que todos os comentários cessassem e então falou:

– Precisamos seguir em frente. Podemos votar logo? Todos que forem a favor do indiciamento destes dois, levantem as mãos.

Todos levantaram a mão, com exceção de Hobard.

Não era preciso unanimidade do júri para determinar um indiciamento. Dois terços bastavam, e Truitt jamais havia perdido uma votação. O grande júri despachou rapidamente os outros casos.

– Agora chegamos ao caso do Sr. Pete Banning – disse Truitt. – Homicídio qualificado. Tenho certeza de que todos aqui conhecem o caso tão bem quanto eu. Xerife Gridley.

Nix teve que pisar em algumas botas e sapatos para conseguir voltar ao seu lugar na extremidade da mesa. Metade dos homens estava fumando, e Nix pediu a Roy Lester que abrisse uma janela. Truitt acendeu um cigarro e soprou fumaça para cima.

Nix começou pela cena do crime e fez passar entre todos duas fotos de Dexter Bell morto em sua sala. Ele descreveu a cena, relatou o depoimento de Hop Purdue e falou sobre o momento da prisão de Pete, que lhe disse onde estava a arma. Nix coletara a arma e três projéteis, e disse que não havia dúvida de que eles haviam causado a morte do reverendo. A polícia do estado elaborara um relatório. Desde a prisão, Pete Banning tinha se recusado a falar sobre o caso. Estava sendo representado pelo Dr. John Wilbanks. Se indiciado, tudo levava a crer que haveria um julgamento em um futuro próximo.

– Obrigado, xerife – disse Truitt. – Alguém tem alguma pergunta?

Milt Muncie levantou a mão na mesma hora e perguntou em voz alta:

– Temos mesmo que votar? Porque, bem, eu conheço o Pete Banning, e eu conhecia o Dexter Bell, e não queria mesmo me envolver nisso.

– Nem eu – disse Tyus Sutton. – Eu cresci com o Pete Banning e não me sinto à vontade pra julgá-lo.

– Isso mesmo – acrescentou Paul Carlin. – Eu não vou me meter nesse caso, e se você tentar me forçar eu renuncio. Podemos renunciar ao júri, não podemos? Eu prefiro renunciar a ter que lidar com esse assunto.

– Não, vocês não podem renunciar – retrucou Truitt bruscamente enquanto via sua marionete se desmantelar.

– E se nos abstivermos? – perguntou Joe Fisher. – Faz sentido que tenhamos o direito de nos abster de um caso em que temos uma relação próxima com os envolvidos, não? Que parte da lei diz que não podemos nos abster se quisermos?

Todos os olhos estavam voltados para Truitt, que, no que tangia aos procedimentos do grande júri, costumava elaborar as regras conforme sua necessidade, assim como todos os promotores distritais do estado. Ele não conseguia se lembrar de qualquer referência a abstenções em situações como aquela, embora, para falar a verdade, não consultasse a legislação havia anos. Tinha ficado tão acostumado com a dinâmica das marionetes que negligenciara as complexidades processuais.

Enquanto ele enrolava, tentando elaborar uma resposta, seus pensamentos se voltaram não para aquele júri, mas para o do dia do julgamento. Se os homens do condado de Ford estavam tão divididos e tão ansiosos para se esquivar do caso, de que forma ele conseguiria convencer doze deles de que o réu deveria ser considerado culpado? O maior caso de sua carreira estava indo por água abaixo bem diante de seus olhos. Então ele pigarreou e falou:

– Se me permitem lembrá-los, vocês prestaram um juramento se comprometendo a analisar as provas de forma adequada e não tendenciosa, e a decidir se é grande a probabilidade de que o suposto crime tenha sido cometido. Vocês não estão aqui pra julgar a culpa ou a inocência do Sr. Banning; essa não é a tarefa de vocês. A tarefa de vocês é decidir se ele deve ou não ser indiciado por homicídio. O tribunal é que vai determinar o destino dele. Neste momento, xerife Gridley, o senhor tem alguma dúvida de que Pete Banning assassinou Dexter Bell?

– Nenhuma.

– E isso, senhores, é tudo o que basta para ocorrer o indiciamento. Mais alguma dúvida?

– Eu não vou votar – declarou Tyus Sutton em um tom desafiador. – Pete teve algum motivo pra fazer o que fez e eu não vou julgá-lo.

– Você não está julgando Pete – rebateu Truitt. – E se ele teve um motivo e tiver direito a defesa, tudo será esclarecido no tribunal. Alguém mais tem dúvidas?

Truitt estava furioso, e olhou para os jurados como se estivesse pronto para brigar. Ele conhecia a lei. Eles, não.

Tyus Sutton não se intimidou facilmente. Ele se levantou e apontou o dedo para Truitt, do outro lado da mesa.

– Eu cheguei a um ponto da vida em que não tolero ninguém gritando comigo. Vou embora, e se você quiser fazer queixa pro juiz e tentar me prejudicar, eu vou me lembrar disso nas próximas eleições pra promotor. E sei onde encontrar um advogado. – Ele se levantou e, pisando forte, saiu da sala batendo a porta.

Restavam quinze. Eram necessários dois terços do total de jurados para que o indiciamento fosse aprovado, e pelo menos três dos restantes não queriam votar. Subitamente, Truitt começou a suar e ofegar, queimando a mufa para tentar improvisar um plano. Poderia dispensá-los e reapresentar o caso Banning no mês seguinte. Poderia dispensá-los e pedir ao juiz para compor um novo júri. Poderia fazer pressão para que a votação ocorresse, torcer por um resultado favorável e, se não conseguisse dez votos, poderia reapresentar o caso em novembro. Poderia mesmo? Será que a lei também impedia que decisões do grande júri fossem revistas? Ele achava que não, mas e se desse um passo errado? Nunca tinha estado naquela posição.

Decidiu ir adiante, como se já tivesse passado por uma situação como aquela muitas vezes.

– Mais alguma dúvida?

Alguns olhares de ansiedade foram trocados ao redor da mesa, mas ninguém parecia ávido por se juntar a Tyus Sutton.

– Muito bem – continuou Truitt. – Todos aqueles a favor do indiciamento de Pete Banning pelo homicídio qualificado do reverendo Dexter Bell levantem as mãos.

Sem nenhum entusiasmo, cinco mãos foram erguidas lentamente. Mais cinco se ergueram. Todas as demais permaneceram debaixo da mesa.

– Você não pode se abster – disparou Truitt para Milt Muncie.

– E você não pode me obrigar a votar – retrucou Muncie com raiva, pronto para dar um soco ou levar um.

Truitt passou os olhos pela sala, contou rapidamente e anunciou:

– Na minha contagem, temos dez. São dois terços, o suficiente para indiciamento do réu. Obrigado, xerife. Estão todos dispensados.

CONFORME OS DIAS passavam, Pete se ocupava em melhorar as condições da prisão. O café foi seu primeiro alvo, e, ao fim de seu terceiro dia, a cadeia inteira – prisioneiros, agentes e policiais – estava tomando café da Standard Coffee de Nova Orleans. Florry o entregava em sacas de 4 quilos e, durante sua segunda visita, perguntou a Nix o que os prisioneiros negros bebiam. Ele respondeu que a eles não era servido café, o que a irritou. Ela lhe passou um sermão, ameaçando suspender o café até que fosse servido a todos.

Em casa, deu ordens a Marietta e Nineva para trabalharem com força total, e elas começaram a cozinhar e assar com sangue nos olhos. Quase todos os dias, Florry chegava à prisão levando bolos, tortas, biscoitos, brownies e panelas de ensopado – ora de carne de boi, ora de veado –, de couve, de arroz com feijão, de ervilhas e pão de milho. A qualidade da comida da prisão melhorou drasticamente para todos os presos, a maioria deles estava comendo muito melhor do que fora dali. Quando Amos abateu um porco, a cadeia inteira se empanturrou de costeletas defumadas. Nix e seus rapazes também se refestelaram e economizaram alguns dólares no almoço. Ele nunca havia lidado com a detenção de um rico proprietário de terras, que tinha espaço de sobra para produzir comida e empregados para prepará-la.

Depois da primeira semana, Pete convenceu Nix a nomeá-lo encarregado da carceragem, o que significava que sua cela não ficaria trancada durante o dia e que ele poderia circular à vontade, desde que não saísse do prédio. Nix ficava um pouco preocupado com os possíveis rumores de que Pete estaria recebendo tratamento especial e, a princípio, não gostou da ideia de tê-lo como encarregado. Mas toda cadeia digna tinha pelo menos um encarregado e, naquele momento, Nix não tinha nenhum. O último, Homer Galax, servira fielmente ao condado por seis anos, e faltavam ainda três a cumprir de sua condenação por lesão corporal quando fugiu com uma viúva que, diziam, tinha algum dinheiro. Eles não eram vistos desde então, e Nix não tinha tempo, interesse nem energia para ir atrás deles.

Outra regra, que evidentemente também não era obrigatória, era a de que um encarregado precisava já ter sido condenado e sentenciado a cumprir pena na cadeia do condado, em vez de na penitenciária estadual. Nix também deixou isso de lado, e Pete se tornou encarregado. Enquanto tal, ele servia refeições bem melhores para os outros quatro prisioneiros brancos e para os seis ou sete negros nos fundos da prisão. Como todos os prisioneiros logo descobriram de onde estava vindo a comida, Pete se tornou um encarregado popular. Ele organizou uma força-tarefa para limpar a cadeia e pagou a um encanador para modernizar as instalações de ambos os banheiros. Gastando alguns poucos dólares, projetou um sistema de ventilação para renovar o ar denso de fumaça, e todos, até mesmo os fumantes, passaram a respirar melhor. Ele e um prisioneiro negro fizeram uma revisão na caldeira, e as celas ficavam quase aconchegantes à noite. Ele dormia bastante, tirava muitos cochilos, se exercitava de hora em hora e incentivava seus novos companheiros a fazer o mesmo. Quando estava entediado, lia romances, quase tão rápido quanto o ritmo com que Florry os levava. Não havia prateleiras em sua pequena cela, portanto levava os livros lidos de volta para o escritório dele, cuja biblioteca estava na casa dos milhares de volumes. Também lia pilhas de jornais e revistas que ela lhe entregava.

Pete oferecia seu material de leitura para os demais, mas poucos se interessavam. Suspeitava de que eles fossem total ou parcialmente analfabetos. Para passar o tempo, jogava pôquer com Leon Colliver, o fabricante de destilados do outro lado do corredor. Leon não era particularmente brilhante, mas era habilidoso como o diabo com o baralho nas mãos, e para Pete, que tinha dominado todos os jogos de cartas nos tempos de exército, isso era um prato cheio. O preferido dele era *cribbage*, e Florry lhe levara seu tabuleiro. Leon nunca ouvira falar daquele jogo, mas entendeu seu funcionamento com facilidade, e uma hora depois já queria jogar a dinheiro. Eles apostavam 1 centavo por partida. Notas promissórias eram aceitas, mas nenhum dos dois esperava realmente trocá-las por dinheiro.

No fim da tarde, depois de todas as tarefas cumpridas e com a prisão impecável, Pete abria a cela de Leon e eles arrastavam suas frágeis cadeiras para o corredor, bloqueando-o completamente. O tabuleiro de *cribbage* era colocado sobre uma pequena placa de compensado que Pete guardava em sua cela. Ela ficava equilibrada sobre um barril de madeira que outrora servira para armazenar pregos. A jogatina começava. Leon conseguia ter sempre um cantil cheio de uísque de milho, destilado, é claro, por sua família, e a princípio Pete não demonstrou interesse nele. No entanto, conforme os dias se arrastavam e ele começava a aceitar a realidade de que seria executado ou trancafiado para sempre na prisão, se perguntou por que não. No calor de uma tensa partida de *cribbage*, Leon olhava em volta, para os dois lados do corredor, tirava o cantil do bolso da frente da calça, desatarraxava a tampa, tomava um gole e o passava para Pete. Ele olhava em volta, tomava um gole e o devolvia. Não eram egoístas; simplesmente não havia o suficiente para sair distribuindo. E, além disso, toda cadeia tinha um dedo-duro, e o xerife Gridley reprovaria o consumo de álcool.

Os dois estavam curvados sobre o tabuleiro, sem falar sobre nada além do placar, quando a porta se abriu e Nix adentrou o estreito corredor. Estava segurando alguns papéis.

– Boa noite, rapazes – disse o xerife. Eles assentiram educadamente. Nix estendeu os papéis para Pete. – O grande júri se reuniu hoje e você foi indiciado. Homicídio qualificado.

Pete se endireitou e pegou os papéis.

– Nenhuma grande surpresa, eu acho.

– Foi uma decisão fácil. O julgamento está marcado para 6 de janeiro.

– Não tem como ser um pouco antes?

– Você vai ter que falar com o seu advogado sobre isso.

Nix lhe deu as costas e foi embora.

9

Um mês após a morte do marido, Jackie Bell se mudou com os três filhos para a casa dos pais em Rome, Geórgia. Levou consigo os poucos móveis que não pertenciam à unidade residencial da igreja. Levou uma tonelada de belíssimas lembranças dos cinco anos passados em Clanton. Levou os sofridos adeuses de uma congregação inteira, que havia acolhido a ela e à família. E levou também o marido. Em meio ao caos instaurado depois do assassinato, ela concordou que ele fosse enterrado em Clanton, porque era mais fácil. No entanto, eles não eram do Mississippi, não tinham parentes nem raízes lá, e ela queria voltar para casa. Por que deixá-lo para trás? Ir ao cemitério colocar flores para ele e derramar umas boas lágrimas era uma tarefa diária, um ritual que ela planejava cumprir para sempre, e que não seria possível estando na Geórgia. Dexter também era de Rome, então ela providenciou que ele fosse transferido para um pequeno cemitério atrás de uma igreja metodista.

Haviam se casado quando ele estava no seminário em Atlanta. A jornada nômade do casal começou após a formatura, quando ele foi designado para o cargo de pastor associado de uma igreja na Flórida. De lá, ziguezaguearam pelo Sul, tiveram três filhos, todos nascidos em lugares diferentes, e por fim ele foi enviado para Clanton, alguns meses antes de Pearl Harbor.

Jackie amou a cidade de Clanton até o dia em que Dexter morreu, mas logo depois do velório ela se deu conta de que não conseguiria ficar ali. O motivo mais urgente foi o fato de a igreja ter pedido que a unidade residencial fosse desocupada. Um novo pastor seria designado e sua família precisava de um lugar para morar. O alto escalão da igreja generosamente se ofereceu para lhes fornecer moradia por um ano, sem qualquer custo, mas ela recusou. Outro motivo, na verdade o mais significativo, foi o sofrimento dos filhos. Eles adoravam o pai e não conseguiam aceitar sua ausência. E, em uma cidade tão pequena, carregariam para sempre o estigma das crianças que tiveram o pai executado sob circunstâncias misteriosas. A fim de protegê-los, Jackie se mudou para um lugar que eles conheciam apenas como a casa dos avós.

Assim que chegaram a Rome e as crianças retomaram a rotina escolar, ela se deu conta de que tudo aquilo era provisório. A casa de seus pais era muito simples e, definitivamente, não tinha espaço suficiente para três crianças. Ela havia recebido 10 mil dólares referentes ao seguro de vida do marido e começou a procurar uma casa para alugar. Para a preocupação dos pais, Jackie parou de ir à igreja. Eles eram metodistas devotos que jamais faltavam aos cultos de domingo. Na verdade, poucas pessoas do meio deles faltavam à igreja, e quem não ia acabava malfalado. Jackie não estava a fim de se explicar, mas deixou claro para os pais que estava tendo questões com sua fé e precisava de tempo para reavaliar suas crenças. Internamente, ela se fazia uma pergunta óbvia: seu marido, um servo fiel e seguidor de Cristo, estava lendo a Bíblia e preparando seu sermão, na igreja, no instante em que foi assassinado. Por que Deus, antes de qualquer um, não fora capaz de protegê-lo? Refletir sobre isso muitas vezes a levava a uma pergunta ainda mais complicada, que ela nunca se fizera em voz alta: Deus realmente existe? Jackie ficava assustada com esse pensamento, mas, ainda que passageiro, não podia negá-lo.

De acordo com sua mãe, em pouco tempo as pessoas começaram a fazer comentários a seu respeito, mas ela não se importava com isso. A dor que sentia era infinitamente maior que qualquer coisa que umas fofocas locais pudessem lhe causar. Seus filhos estavam tendo dificuldades na escola nova. A vida cotidiana era um desafio.

Depois de passar apenas duas semanas com os pais, ela se mudou para uma casa alugada do outro lado da cidade. O proprietário era um advogado chamado Errol McLeish, um solteirão de 39 anos que ela conhecera na escola em Rome quando eram adolescentes. McLeish e Dexter eram da mesma turma, embora de círculos diferentes. Como todo mundo em uma cidade tão pequena, McLeish conhecia a história por trás da morte de Dexter e quis ajudar a jovem viúva.

Depois de semanas comendo apenas o mínimo suficiente para se manter de pé, Jackie finalmente perdeu os quilos que ganhara seis anos antes, durante a última gravidez. Era um método de emagrecimento que ela não recomendaria a ninguém, mas precisava admitir que se olhar no espelho e se ver mais magra do que estivera em tantos anos era, até agora, a única parte minimamente boa naquele pesadelo terrível. Agora, aos 38 anos, pesava o mesmo que no dia do casamento, e estava encantada com os ossos que voltavam a apontar nos quadris. Seus olhos estavam inchados e vermelhos de tanto chorar, e ela jurou que aquilo chegaria ao fim.

McLeish passava por lá duas vezes por semana para ver como estavam as coisas, e Jackie começou a usar maquiagem leve e vestidos mais justos quando ele estava por perto. No começo ela se sentiu culpada, já que o cadáver de Dexter ainda nem tinha esfriado, mas aquilo não podia ser considerado um flerte. Dizia a si mesma que não estava em busca de alguém para viver um amor para o resto da vida, mas sem dúvida não havia muitos homens solteiros e cultos em Rome. No fim das contas, agora ela era uma mulher solteira, e não havia nada de errado em cuidar da aparência.

Ele a considerava atraente, mas com uma bagagem um tanto pesada. O fato de Jackie ser viúva era relevante, e algo com que poderia aprender a lidar com o tempo, mas não queria se envolver com uma família que não era sua. Sendo filho único, McLeish havia passado pouco tempo próximo a crianças, por isso não gostava nada da ideia. Mesmo assim, ele a seduziu aos poucos, tirando proveito da dor e da solidão que a assolavam, e o que era apenas uma vontade de ser notada passou a ser de fato algo além.

O verdadeiro interesse dele era na indenização que ela poderia vir a ganhar. McLeish era dono de vários imóveis, todos hipotecados, tinha dívidas resultantes de diversos negócios, e, depois de exercer a advocacia por dez anos, percebeu que a profissão não lhe renderia tanto dinheiro. Assim que Jackie voltou para Rome, McLeish começou a preparar armadilhas. Viajou para Clanton e passou um bom tempo bisbilhotando pelo tribunal para conhecer melhor os Bannings. Passou horas vasculhando os registros da propriedade da família e, quando inevitavelmente lhe perguntaram por que tinha tanto interesse no assunto, disse que trabalhava para "uma grande empresa de petróleo e gás" como agente de leasing. Conforme esperava, a notícia se espalhou no tribunal, chegando à praça e aos escritórios de advocacia, e rapidamente a cidade de Clanton pôde testemunhar sua primeira e única corrida do petróleo. Os advogados e seus assistentes se debruçaram sobre antigos livros cartográficos cheios de poeira, enquanto mantinham os ouvidos atentos aos boatos e os olhos vigiando o tal agente. No entanto, McLeish logo desapareceu, tão sorrateiramente quanto havia chegado, e deixou a cidade se perguntando quando seria o *boom* do petróleo. De volta à Geórgia, vivia em contato com a viúva do reverendo Bell, tomando o cuidado de manter uma regularidade respeitosa, nunca parecendo ansioso ou interessado, mas sempre atencioso, quase subserviente, como se entendesse quão complicada era sua vida e não quisesse se intrometer.

EM 1946, 375 alunos se matricularam na Universidade Hollins, todos do sexo feminino. A faculdade tinha 100 anos e uma reputação impecável, principalmente entre as mulheres de alta classe do Sul. Foi a escolhida de Stella Banning porque muitos dos amigos abastados de sua mãe nascidos em Memphis haviam estudado lá. Liza não tinha estudado, e a razão principal era porque sua família não podia pagar.

As amigas de Stella fizeram uma redoma à sua volta, protegendo-a de situações invasivas ou negativas. Para elas, era difícil acreditar que uma pessoa tão bonita e doce como Stella pudesse estar vivendo um drama familiar tão trágico, mas com certeza não era culpa dela. Nenhuma delas jamais estivera em Clanton. Algumas sabiam que seu pai era um herói de guerra, mas para a maioria das garotas isso importava muito pouco. Ninguém conhecia seus pais, embora seu irmão, Joel, tivesse chamado bastante atenção recentemente durante um encontro de estudantes.

Nos dias que se seguiram ao do assassinato, Stella nunca ficou sozinha. Suas duas colegas de quarto estavam com ela nas noites em que acordou com pesadelos e crises de choro. Durante o dia, as amigas ficavam sempre por perto, mantendo-a ocupada. Os professores entenderam que se tratava de um momento delicado, e ela teve autorização para não ir às aulas e para entregar com atraso as tarefas de casa e os trabalhos acadêmicos. Orientadores educacionais ficavam diariamente de olho nela. O presidente da universidade monitorava o caso e duas vezes por semana o chefe da reitoria lhe passava informações atualizadas sobre a situação. Logo se tomou conhecimento de que Stella não iria para casa no feriado de Ação de Graças. Seu pai ordenara que ela ficasse longe. Isso gerou uma enxurrada de convites, alguns de amigas e professores, alguns de garotas que ela mal conhecia.

Stella quase chorou de emoção e agradeceu a todos, depois deixou Roanoke de trem, acompanhada de Ginger Reed, talvez sua melhor amiga, e foi para Alexandria, no norte do estado, para uma semana de festa na capital do país. Já tinha ido lá uma vez com Ginger e ficou fascinada com a metrópole. Embora não tivesse contado aos pais nem a Joel, planejava se formar o mais rápido possível e se mudar para uma cidade grande. Nova York era sua primeira opção; Washington, a segunda. Nova Orleans ocupava um distante terceiro lugar. Muito antes do assassinato do reverendo ela já sabia que nunca mais moraria em Ford. Agora, queria ficar o mais longe possível do condado.

Embora seus sonhos tivessem sido interrompidos, ainda estava decidida a se tornar escritora. Adorava os contos de Eudora Welty e os personagens insólitos e excêntricos de Carson McCullers. Ambas eram mulheres fortes, que escreviam com propriedade sobre família, disputas, terras e a conflituosa história do Sul do país – região onde nasceram –, e foram escritoras bem-sucedidas em uma época em que os homens dominavam a ficção americana. Stella leu todos eles, homens e mulheres, e estava convencida de que existia espaço para ela. Poderia começar com histórias sobre a própria família – havia pensado nisso muitas vezes, agora mais ainda –, mas sabia que isso não aconteceria.

Arrumaria um emprego em uma revista em Nova York, dividiria com amigos um apartamento barato no Brooklyn e começaria a escrever seu primeiro romance assim que se instalasse e a inspiração aparecesse. Tinha quase certeza de que seus pais e sua tia Florry arcariam com as despesas, se necessário. Como todos os Bannings, crescera com a convicção de que as terras pertenceriam sempre à família e seriam sua fonte de sustento.

Aproveitar a vida em Nova York, trabalhar em uma revista, escrever um romance; tudo isso sabendo que o dinheiro da família não faltaria. Era um sonho eletrizante e que tinha sido real, até o pai assassinar o reverendo. Agora sua casa estava distante e não havia mais certezas.

A família de Ginger morava no bairro de Old Town, em uma mansão do século XVIII na rua Duke. Seus pais e sua irmã mais nova tinham tomado conhecimento dos detalhes do pesadelo vivido pela família Banning e aquilo jamais foi mencionado. Stella foi recebida com uma semana de festas, longos jantares, caminhadas ao longo do rio Potomac e visitas a diversos estabelecimentos frequentados por estudantes, onde fumavam cigarros, bebiam demais e ouviam grupos de swing, um estilo de jazz que os fazia dançar a noite toda.

No Dia de Ação de Graças, Stella ligou para sua tia Florry, e durante dez minutos conversaram como se nada estivesse acontecendo. Joel tinha ido para o Kentucky, convidado pela família de um companheiro da fraternidade da qual fazia parte, e Florry lhe contou que ele passava o tempo todo caçando e que estava aproveitando o feriado. Ela lhe prometeu que os três passariam o Natal juntos.

NO FIM DA tarde, Florry arrumou uma vasilha contendo dois perus assados, batatas, cenouras, beterrabas e nabos, uma panela de molho de carne com miúdos, pãezinhos e duas tortas de noz-pecã. Levou o banquete para a cadeia, onde ficou responsável por supervisionar o irmão enquanto ele fatiava os perus. A comida era destinada a todos os prisioneiros e a Tick Poley, um antigo guarda da prisão que trabalhava durante a noite e na maioria dos feriados para que Nix e seus homens pudessem tirar o dia de folga. Florry e Pete jantaram a sós na sala de Nix, onde sua arma mais uma vez estava à vista de todos. Ninguém tomava conta da porta que dava para o estacionamento com chão de cascalho. Tick se contentou em comer sozinho no saguão da prisão enquanto vigiava a entrada.

Pete deu algumas garfadas e acendeu um cigarro. Apesar dos esforços da irmã, ele continuava a comer pouco, estava bem magro e, visto que nunca saía, muito pálido. Como de costume, ela tentou falar sobre o assunto. Como de costume, ele a ignorou. Chegou a se animar um pouco quando ela lhe contou que havia falado com Stella e Joel. Na versão de Florry, eles estavam muito bem, aproveitando o feriado. Pete sorriu enquanto fumava. Seu olhar foi se voltando para o teto e depois se perdeu completamente.

10

Quando chegou o Dia de Ação de Graças, o algodão já havia sido colhido pela terceira e última vez, e Pete estava satisfeito com a safra. Ele acompanhava os mercados e conferia a contabilidade toda semana, nas idas de Buford à prisão. Assinava cheques, pagava contas, conferia depósitos e cálculos e controlava a venda de seu algodão de acordo com a cotação da Bolsa de Memphis. Ordenou a reabertura da escola para negros em sua propriedade, aprovou aumentos de salário para os professores e a instalação de novas lareiras para aquecimento no inverno. Buford estava ansioso para comprar o mais recente modelo de trator da John Deere. Muitos dos maiores fazendeiros agora tinham um daqueles, mas Pete disse que ainda não era a hora. Diante de um futuro tão incerto, ele estava relutante em gastar muito dinheiro.

O preço do algodão também era acompanhado de perto por Errol McLeish. A Geórgia produzia quase tanto algodão quanto o Mississippi, portanto ele não ficava alheio à economia do estado. À medida que o preço à vista aumentava na Bolsa de Algodão de Memphis, aumentava também seu compromisso com o bem-estar de Jackie Bell.

APÓS SEMANAS DE discussão e pesquisas, John Wilbanks e seu irmão Russell finalmente decidiram que o julgamento de Pete Banning não deveria ser realizado em Clanton. Eles solicitariam uma mudança de foro e tentariam transferi-lo para algum lugar bem distante.

De início, foram encorajados pelos rumores que circulavam no tribunal de que Miles Truitt havia chegado perto de enfrentar um motim de seu grande júri. Evidentemente, Pete tinha alguns amigos e admiradores simpáticos a ele, e o voto pelo indiciamento quase não fora aprovado. Eram apenas rumores, claro, e já que os procedimentos do grande júri não eram registrados de nenhuma forma, e eram supostamente confidenciais, os dois não tinham como saber ao certo o que realmente acontecera. Com o tempo, porém, se tornaram céticos quanto à capacidade de garantir a imparcialidade no júri do julgamento. Eles e seus funcionários conversaram com inúmeros amigos em todo o condado, em um esforço para medir o sentimento do público. Consultaram alguns dos outros advogados da cidade, dois juízes aposentados, um punhado de ex-assistentes e dois antigos xerifes. Como o júri era formado apenas por homens brancos, e praticamente todos afirmavam ser membros de alguma igreja, eles falaram com os pregadores que conheciam, homens de todas as denominações cristãs. Suas esposas conversavam com outras esposas, em outras igrejas, em clubes de jardinagem e clubes de bridge, e em quase qualquer lugar onde o assunto pudesse ser abordado sem constrangimento.

Ficou claro, pelo menos para John Wilbanks, que as opiniões eram radicalmente desfavoráveis a seu cliente. Em diversas ocasiões, ele, sua equipe e seus amigos ouviram pessoas dizerem algo semelhante a "Qualquer que fosse o conflito entre os dois, poderia ter sido resolvido sem derramamento de sangue". E o fato de que Pete Banning não declarara nada para se defender só aumentava a possibilidade de condenação. Ele sempre seria um lendário herói de guerra, mas ninguém tinha o direito de matar sem uma boa razão.

Sob a orientação de John, o escritório elaborou uma pesquisa minuciosa sobre todos os casos de mudança de foro na legislação americana, e ele escreveu uma petição magistral de cinquenta páginas para embasar o pedido. A empreitada levou horas e horas e acabou provocando uma discussão acalorada entre John e Russell sobre a questão, urgente, de seus honorários. Desde a prisão de Pete, John estava relutante em abordar o assunto. Agora, porém, era inevitável.

Outro assunto premente era a questão nada insignificante da estratégia de defesa. Pete foi inflexível quando John cogitou uma alegação de insanidade, porém não havia mais nada que pudesse ser apresentado diante do júri. É óbvio que um ser humano perfeitamente normal que atira em outro três vezes à queima-roupa não poderia estar de posse completa de suas faculdades mentais, mas, para estruturar uma defesa como essa, seria necessário que os advogados apresentassem uma petição ao tribunal. John escreveu uma, citando também jurisprudência sobre o tema, e estava preparado para dar entrada nela ao mesmo tempo que apresentasse o pedido de desaforamento.

Para isso, no entanto, precisava da aprovação de seu cliente. Teve de barganhar com Nix Gridley até conseguir o que queria, e dias depois, uma semana antes do Natal, Nix e Roy Lester deixaram a cadeia com Pete Banning em uma tarde e o levaram até a praça em uma viatura. Se ele apreciou seu primeiro sopro de ar fresco, não demonstrou. Não admirou as decorações festivas nas fachadas das lojas, não parecia interessado no movimento da cidade, nem aparentava estar grato por ter sido autorizado a encontrar seu advogado no escritório dele, em vez de na cadeia. Sentou-se encurvado no banco traseiro, de chapéu e algemas, e ficou olhando para os pés durante o breve percurso. Nix estacionou atrás do edifício Wilbanks, e ninguém viu Pete entrar, escoltado por um policial de cada lado. Lá dentro, as algemas foram retiradas e ele seguiu John Wilbanks até o escritório, no segundo andar. Na recepção, a secretária serviu café e docinhos a Nix e Roy.

Russell se sentou em uma cadeira, John em outra e Pete no sofá de couro do outro lado de uma mesinha. Eles tentaram conversar sobre amenidades, mas foi constrangedor. Como falar sobre o tempo ou sobre as festas de fim de ano com um homem que está preso acusado de homicídio?

– Como vão as coisas na cadeia? – perguntou John.

– Bem – respondeu Pete, com uma expressão entediada. – Já passei por coisas piores.

– Ouvi dizer que você está praticamente mandando naquilo lá.

Pete deu um leve sorriso, mas só.

– Nix me nomeou encarregado, então não fico confinado o tempo todo.

Russell sorriu e comentou:

– Ouvi dizer que os prisioneiros estão engordando, graças à Florry.

– A comida melhorou – disse Pete enquanto pegava um cigarro.

John e Russell trocaram um olhar. Russell foi tratar de acender um cigarro, deixando para John a parte desagradável. Ele pigarreou e falou:

– É, bem, veja só, Pete, nunca tivemos uma conversa sobre os honorários. Nosso escritório tem investido muitas horas nesse caso. O julgamento é daqui a três semanas, e falta pouca coisa pra fazer até lá. Precisamos receber, Pete.

Pete deu de ombros e perguntou:

– Você alguma vez já me enviou uma cobrança que não foi paga?

– Não, mas você também nunca tinha sido acusado de homicídio.

– De quanto estamos falando?

– Precisamos de 5 mil dólares, Pete, e isso fazendo uma estimativa pra baixo.

Ele encheu os pulmões, soprou uma nuvem de fumaça, olhou para o teto.

– Prefiro nem saber a estimativa pra cima. Por que é que isso é tão caro?

Russell decidiu entrar em cena.

– Horas, Pete, horas e mais horas. Tempo é tudo o que temos pra vender, e não estamos lucrando em cima de você. Sua família é cliente do nosso escritório desde sempre, somos amigos de longa data e estamos aqui pra protegê-lo. Mas também temos despesas e contas a pagar.

Pete bateu as cinzas em um cinzeiro e deu uma tragada rápida. Não estava aborrecido nem surpreso. Sua expressão não transmitia nada. Por fim, ele falou:

– Ok, vou ver o que posso fazer.

"Bem, você podia é fazer um maldito cheque", John teve vontade de dizer, mas deixou para lá. A questão havia sido colocada em pauta e Pete não se esqueceria dela. Tratariam disso mais adiante.

Russell pegou alguns papéis e disse:

– Temos algumas coisas que você precisa ler, Pete. São pedidos preliminares relacionados ao julgamento e, antes de darmos entrada neles, você tem que ler e assinar.

Pete pegou a papelada e, depois de olhar para ela, disse:

– É bastante coisa. Por que em vez de me fazer ler isso você não resume pra mim, de preferência em termos leigos?

John deu um sorriso, assentiu e tomou a iniciativa.

– Claro, Pete. O primeiro é um pedido ao tribunal de mudança de foro, pra transferir o julgamento pra outro lugar, o mais distante possível. Chegamos à conclusão de que a opinião do público a seu respeito é muito desfavorável e sabemos que vai ser difícil encontrar jurados simpáticos a você.

– Onde você quer que seja o julgamento?

– De acordo com a jurisprudência, o juiz tem total autonomia nessa questão. Conhecendo o juiz Oswalt, ele vai querer manter a ingerência sobre o julgamento sem ter que ir pra muito longe. Então, se ele deferir nosso pedido, o que, a propósito, Pete, mesmo em um bom dia não seria muito provável, ele provavelmente vai mantê-lo neste mesmo distrito judicial. Vamos tentar contra-argumentar, mas, honestamente, qualquer lugar é melhor do que aqui.

– E por que você acha isso?

– Porque Dexter Bell era um pastor popular, com uma congregação considerável, e há outras oito igrejas metodistas aqui no condado. Em números, é a segunda maior denominação religiosa, depois dos batistas, o que representa outro problema. Batistas e metodistas são primos de primeiro grau, Pete, e costumam se unir diante de questões complicadas. Política, bebida, conselhos escolares. Pode apostar que esses dois clãs vão estar sempre em sintonia.

– Sei disso. Mas eu também sou metodista.

– Sim, e você tem algumas pessoas do seu lado, velhos amigos e tal. Mas a maioria das pessoas vê você como um assassino a sangue-frio. Não sei se você tem ideia disso. As pessoas aqui no condado veem Pete Banning como um herói de guerra que, por razões que só ele sabe, entrou na igreja e matou um pastor desarmado.

– Pete, você não tem a menor chance – acrescentou Russell para reforçar.

Pete deu de ombros, como se, por ele, estivesse tudo bem. Tinha feito o que precisava fazer; que se danassem as consequências. Deu uma longa tragada enquanto a fumaça rodopiava pela sala.

– E por que você acha que as coisas vão ser diferentes em um outro condado?

– Você conhece os pastores das igrejas metodistas de Polk, Tyler ou Milburn? – perguntou John. – Claro que não. Esses condados ficam bem aqui perto, mas conhecemos pouquíssimos moradores de lá. Assim como eles não conhecem nem você, nem Dexter Bell.

– Estamos tentando evitar as relações pessoais, Pete – explicou Russell. – Tenho certeza de que muitas dessas pessoas leram os jornais, mas jamais viram você nem Dexter Bell. Descartando essas relações, temos mais chances de fugir de convicções passionais e conseguir gerar dúvida.

– Dúvida? Fale mais sobre isso – pediu Pete, ligeiramente surpreso.

– Vamos chegar lá em um instante – disse John. – Você concorda que precisamos pedir a mudança de foro?

– Não. Se eu tiver que passar por isso, quero que meu julgamento seja aqui mesmo.

– Você vai ter que passar por isso, Pete. A única maneira de evitar um julgamento é se declarar culpado.

– Você está pedindo que eu me declare culpado?

– Não.

– Ótimo, porque eu não vou fazer isso, e também não vou pedir a mudança de foro. Aqui é a minha casa, sempre foi, como foi também a dos meus antepassados, e se as pessoas do condado de Ford quiserem me condenar, então isso vai acontecer do outro lado da rua, no tribunal.

John e Russell se entreolharam, frustrados. Pete colocou os papéis sobre a mesinha sem ter lido nem a primeira palavra. Acendeu mais um cigarro, cruzou as pernas tranquilamente, como se tivesse todo o tempo do mundo, e olhou para John como se dissesse "E o que mais?".

John pegou sua cópia da petição e a deixou cair pesadamente sobre a mesinha.

– Bom, lá se vai um mês de minuciosa pesquisa e redação jurídicas.

– E tenho a impressão de que vou ter que pagar por isso – respondeu Pete. – Se você tivesse me perguntado antes, eu poderia ter te poupado todo esse trabalho. Não me admira que seus honorários sejam tão caros.

John espumou de raiva e Russell fumegou, enquanto Pete tragava seu cigarro. Depois de uma pausa, Pete prosseguiu:

– Olha, rapazes, eu não me importo de pagar honorários, principalmente diante da confusão em que estou metido, mas 5 mil dólares? Quer dizer, eu cultivo mais de 400 hectares, que exigem oito meses de trabalho duro de trinta homens, e se eu tiver sorte, o tempo cooperar, o preço à vista se mantiver alto, o fertilizante funcionar, as pragas ficarem longe do algodão e aparecer mão de obra suficiente pra colheita, então a cada três ou quatro anos eu consigo uma safra decente e talvez eu fique, depois de cobrir as despesas, com 20 mil. Cinquenta por cento é da Florry. Me sobram 10, e vocês querem metade disso.

– Você está jogando seus números pra baixo – retrucou John, sem hesitar. A família dele tinha uma lavoura de algodão maior que a dos Bannings. – Nosso primo teve uma safra muito boa, e você também.

– Se você não concorda com os nossos honorários, Pete, tem sempre a opção de contratar outra pessoa – disse Russell. – Existem outros advogados na cidade. Estamos apenas fazendo o melhor pra defender você.

– Vamos lá, rapazes – disse Pete. – Vocês sempre cuidaram de mim e da minha família. Eu não tenho nenhuma objeção ao que vocês pediram, mas pode levar algum tempo até juntar esse dinheiro todo.

Tanto John quanto Russell tinham fortes suspeitas de que Pete podia preencher um cheque daquele valor sem problemas, mas, bem, ele era fazendeiro, e esse pessoal gostava de regatear cada centavo. Ao mesmo tempo, os advogados se compadeciam, porque muito provavelmente ele nunca mais cultivaria nada e em breve morreria na cadeira elétrica, ou muito futuramente em algum hospital penitenciário horroroso. O futuro dele era mais do que sombrio, e não podiam culpá-lo por tentar economizar o máximo possível.

Uma secretária bateu à porta e trouxe uma elegante bandeja com café. Ela serviu três xícaras de porcelana e ofereceu creme e açúcar. Pete fez questão de preparar o seu, tomou um gole e apagou o cigarro.

Depois que ela saiu, John disse:

– Bem, continuando. Temos outra petição que precisamos discutir. Nossa única defesa possível seria baseada na insanidade temporária. Pra que você seja inocentado, e isso é altamente improvável, precisamos convencer o júri de que você não estava pensando direito quando puxou o gatilho.

– Eu já disse que não quero fazer isso.

– E eu ouvi, Pete, mas não se trata só do que você quer. Tem mais a ver com o que está ao nosso alcance no julgamento. Alegar insanidade é o único recurso que a gente tem. Ponto final. Eliminando isso, tudo o que a gente pode fazer é se sentar no tribunal e ficar assistindo enquanto o promotor coloca a corda no seu pescoço. É isso que você quer?

Pete deu de ombros, como se não se importasse.

– Faça o que tiver que fazer, mas eu não vou me fingir de maluco.

– Achamos um psiquiatra em Memphis que está disposto a examinar você e testemunhar a seu favor no julgamento – disse Russell. – Ele é bem conhecido e bastante eficiente em situações como essa.

– Bem, pra ele dizer que eu sou maluco ele mesmo deve ser um biruta de alta categoria – disse Pete, sorrindo, como se quisesse fazer uma graça.

Nenhum dos advogados retribuiu o sorriso. John tomou um gole de café, enquanto Russell acendeu outro cigarro. O ar não estava denso apenas de fumaça, mas de tensão. Os advogados estavam fazendo o melhor que podiam, mas o cliente parecia não reconhecer nem o trabalho deles nem a situação em que se encontrava.

John pigarreou novamente e se ajeitou na cadeira.

– Então, pra resumir onde estamos, Pete, não temos defesa, justificativas nem explicação pro que aconteceu, e nenhuma possibilidade de transferir o julgamento pra um ambiente menos hostil. Tudo bem por você?

Pete deu de ombros sem dizer nada.

John começou a massagear a testa, como se estivesse com dor. Fez-se um longo silêncio. Por fim, Russell disse:

– Tem uma outra coisa que você precisa saber, Pete. Demos uma fuçada no passado de Dexter Bell e achamos uma questão interessante. Aconteceu uma coisa oito anos atrás, quando ele era pastor de uma igreja em uma pequena cidade da Louisiana. A igreja tinha uma secretária bem nova, de 20 anos, recém-casada, e parece ter havido algum tipo de relacionamento entre a moça e o pastor. Muitos rumores, poucos fatos, mas Bell foi prontamente transferido. A secretária e o marido se mudaram pro Texas.

– Não fuçamos tanto assim, claro, e pode ser impossível provar qualquer coisa relevante – acrescentou John. – Parece que o assunto foi mantido debaixo dos panos.

– Alguma chance de isso ser mencionado no julgamento? – perguntou Pete.

– Não sem alguma evidência adicional. Você quer que a gente corra atrás disso?

– Não, não em minha defesa. Isso não deve ser citado.

– Posso perguntar por que não, Pete? – perguntou John franzindo a testa. – Você não está dando pra gente absolutamente nada com que trabalhar.

Russell revirou os olhos e parecia prestes a sair da sala.

– Eu disse que não – repetiu Pete. – E não toque nesse assunto de novo.

Evidências de que Dexter Bell era um mulherengo provavelmente seriam descartadas no julgamento, mas sem dúvida ajudariam a explicar o motivo de seu assassinato. Se ele era dado à infidelidade conjugal, e se Liza Banning percebera isso quando estava de luto pelo marido, então o grande enigma havia sido solucionado. Mas agora era evidente que Pete não tinha interesse em chegar a uma solução. Levaria seus segredos para o túmulo.

– Bem, Pete, será um julgamento bastante rápido – declarou John. – Não temos defesa, não há testemunhas para arrolar, nenhum argumento para apresentar ao júri. Deve levar um dia ou dois.

– Se tanto – disse Russell.

– Que seja – disse Pete.

11

Três dias antes do Natal, Joel pegou um trem na Union Station, no centro de Nashville; sua adorável e elegante irmã o aguardava no vagão--restaurante. Stella estava com 19 anos, era apenas um ano e meio mais nova que o irmão, mas ao longo do semestre anterior havia deixado de ser uma adolescente para se tornar uma jovem e bela mulher. Parecia mais alta, e seu corpo esguio tinha ganhado algumas curvas harmoniosas impossíveis de não serem notadas. Parecia também mais velha, mais segura e mais equilibrada, e, ao acender um cigarro, fez Joel se sentir diante de uma atriz de cinema.

– Desde quando você fuma? – perguntou ele.

O trem estava deixando a cidade em direção ao sul. Estavam sentados diante de uma mesa grande, com xícaras de café na frente deles. Garçons se apressavam em anotar os pedidos de almoço.

– Desde os 16, escondido – respondeu ela. – Igual a você. Na faculdade, a maioria das garotas assume que fuma quando faz 20 anos, mesmo tendo que aguentar cara feia. Eu ia parar, mas o Pete saiu atirando por aí. Agora estou fumando mais do que nunca, pra segurar a ansiedade.

– Você devia parar.

– E você não?

– Eu preciso parar também. É muito bom te ver, mana. Não vamos começar nossa viagem falando sobre o Pete.

– Começar? Eu estou nesse trem há seis horas. Saímos de Roanoke às cinco da manhã.

Pediram o almoço e chá gelado e conversaram por uma hora sobre a vida na universidade – cursos, professores preferidos, amigos, planos para o futuro – e o desafio de viver como se nada estivesse acontecendo, enquanto tanto o pai quanto a mãe estão confinados. Quando perceberam que estavam se estendendo muito no tópico família, imediatamente mudaram de assunto e falaram sobre o ano seguinte. Joel tinha sido aceito na faculdade de Direito em Vanderbilt, mas queria mudar de ares. Também havia sido aceito na Ole Miss, a apenas uma hora de Clanton, mas que, dadas as circunstâncias, parecia perto demais de casa.

Stella estava na metade do segundo ano e ansiosa para seguir em frente. Amava Hollins, mas sonhava com o anonimato de uma cidade grande. Na faculdade, todos a conheciam e agora sabiam sobre seu pai. Ela queria pessoas novas na sua vida, que não soubessem de onde ela era ou não se importassem com isso. No quesito relacionamentos, sua vida não era muito movimentada. Durante o feriado de Ação de Graças, ela conheceu um rapaz em Washington e eles saíram três vezes – duas para dançar e uma para ir ao cinema. Ele era estudante da Universidade de Georgetown, vinha de uma boa família e tudo, parecia ter sido bem educado e ter boas maneiras; tinha até escrito umas cartas para ela, mas não havia química. Ela o enrolaria por mais um mês ou coisa assim, então partiria o coração dele. Joel relatou uma vida amorosa ainda mais sem graça. Alguns encontros aqui e ali, mas nenhum sobre o qual valesse a pena falar. Alegou que realmente não estava disponível, com três anos de faculdade de Direito pela frente. Ele sempre dissera que permaneceria solteiro até os 30 anos.

Por mais que tentassem, não conseguiam evitar o assunto mais óbvio. Joel enfim contou a Stella que o pai havia transferido as terras para eles três semanas antes do assassinato. Provavelmente achou que estava sendo esperto, mas foi uma péssima decisão. A acusação usaria a escritura como prova de que ele planejara cuidadosamente o crime, adotando medidas para proteger sua propriedade. Joel vinha passando bastante tempo na biblioteca da faculdade e, quanto mais pesquisava, mais sombrio o futuro parecia. De acordo com um amigo cujo pai era advogado, havia uma enorme chance de que Jackie Bell desse entrada em um pedido de indenização contra Pete Banning. Isso fez com que Joel passasse horas pesquisando ações judiciais. Ele também estava investigando a respeito de transferências fraudulentas, um assunto delicado. A escritura registrada por seu pai poderia ser contestada pelos advogados da família Bell. A legislação era convergente no país inteiro: uma pessoa que está sendo processada por danos materiais e morais não podia esconder ou transferir propriedades para tentar se esquivar do pagamento da reparação.

No entanto, Joel tinha fé no escritório de Wilbanks, não apenas por sua força jurídica, mas também por sua habilidade política. Dava para ver que Stella estava alarmada com a possibilidade de perder as terras. Ela já havia sido consumida pelo medo de perder o pai. Não tinha ideia do que iria acontecer com a mãe. E agora isso – a perspectiva de perder tudo. Em determinado momento, seus olhos se encheram d'água e ela lutou contra as lágrimas. Joel deu um jeito de acalmá-la, explicando que, em qualquer ação judicial, sempre era possível chegar a um acordo favorável. Além disso, eles tinham assuntos bem mais urgentes para resolver. O pai seria levado a julgamento em duas semanas. E, conforme tinha ordenado, os filhos não estavam autorizados a se aproximar do tribunal.

Quando terminaram de almoçar, se acomodaram em uma cabine particular e fecharam a porta. Naquele momento, estavam no Mississippi, parando em cidades como Corinth e Ripley. Stella acabou pegando no sono e dormiu por uma hora.

Eles estavam indo para casa porque o pai finalmente os havia convocado. Por carta, ele resumiu as regras para a visita de Natal: chegar em casa no dia 22 de dezembro, passar no máximo três noites lá, ficar longe do centro da cidade, não ir à igreja em nenhuma hipótese, ter contato limitado com amigos, não falar com ninguém a respeito dos assuntos da família, fazer companhia a Florry. Além disso, ele daria um jeito de passar algum tempo com eles, mas não muito.

Florry também escrevera, como sempre, e disse que tinha planos para eles, com uma grande surpresa a caminho. Estava esperando na estação em Clanton quando eles chegaram, no fim da tarde. Em clima de Natal, ela usava um vestido verde brilhante solto ao redor do corpo, como se fosse uma tenda projetada para esconder sua barriga protuberante. Esvoaçante, ia até os tornozelos e cintilava nas luzes escuras da plataforma. Usava um chapéu de feltro vermelho que apenas um palhaço de circo cogitaria ostentar, além de uma penca de colares espalhafatosos que soavam como chocalhos quando ela se mexia. Ao ver Stella, gritou e se jogou em cima dela, quase a derrubando no chão. Nesse momento, Joel deu uma olhada ao redor, e quando Florry o agarrou tinha os olhos cheios d'água. Stella estava chorando. Os três se abraçaram enquanto outros passageiros passavam apressados.

As crianças estavam em casa. A família estava indo para o buraco. Eles se abraçavam em busca de apoio. Pelo amor de Deus, o que Pete tinha feito com eles?

Joel carregava as malas enquanto as mulheres andavam de braços dados, ambas falando animadas ao mesmo tempo. Sentaram-se discretamente no banco de trás do Lincoln modelo 1939 da tia, sem parar de falar, exceto por uma breve pausa quando Florry disse a Joel que ele iria dirigir. Por ele, tudo bem. Já havia andado de carro com a tia vezes suficientes para conhecer os riscos. Ele pisou fundo no acelerador e foram embora de Clanton, ultrapassando todos os limites de velocidade.

Enquanto voavam pela Autoestrada 18, sem nenhum outro veículo à vista, Florry lhes disse que ficariam com ela no chalé cor-de-rosa e não na casa deles. O chalé estava todo decorado para o Natal, aquecido por uma lareira, e cheirava à comida de Marietta. A casa deles estava praticamente deserta, fria e escura, sem clima nem decorações natalinas, e além disso Nineva estava deprimida e não fazia nada além de andar pela casa se lamentando, falando sozinha e chorando. Pelo menos era o que dizia Marietta.

Quando Joel virou no portão de entrada, a conversa parou à medida que se aproximaram do único lar que ele e Stella conheciam. A casa estava de fato escura, sem vida, como se as pessoas que tinham vivido ali estivessem todas mortas e o lugar tivesse sido abandonado. Ele parou o carro com os faróis iluminando as janelas da frente. Desligou o motor, e por um momento ninguém disse nada.

– Não vamos entrar, está bem? – disse Florry baixinho.

– Um ano atrás, estávamos todos juntos no Natal – disse Joel. – Papai tinha voltado da guerra. Mamãe estava feliz, linda, andando de um lado para outro pela casa, animadíssima por estarmos todos juntos. Lembram do jantar da noite de Natal?

– Sim, a casa estava cheia de convidados, incluindo Dexter e Jackie Bell – destacou Stella.

– O que foi que aconteceu com a gente?

Como não havia resposta para essa pergunta, ninguém sequer tentou oferecer uma. A caminhonete de Pete estava estacionada na lateral da casa, ao lado do sedã da família, um Pontiac comprado antes da guerra. Os veículos estavam onde deveriam, como se seus donos estivessem dentro de casa, preparando-se para dormir, como se tudo estivesse bem na casa dos Bannings.

– Ok, agora chega – disse Florry. – Não vamos perder nosso tempo chafurdando na lama. Ligue o carro e vamos embora. Marietta está com uma panela de *chili* no fogão e uma torta de caramelo no forno.

Joel se afastou da casa e seguiu por uma estrada de cascalho que se estendia ao redor dos celeiros e dos galpões da propriedade dos Bannings. Eles passaram pela pequena casa branca onde Nineva e Amos viviam havia décadas. Uma luz estava acesa e Mack, o cachorro de Pete, os observava da varanda da frente.

– Como a Nineva está? – perguntou Stella.

– Rabugenta como sempre – disse Florry. Suas brigas com a empregada de Pete haviam sido resolvidas anos antes, quando ambas simplesmente passaram a se ignorar. – Na verdade, ela está preocupada, como todo mundo. Ninguém sabe o que nos aguarda.

– Quem é que não está preocupado, né? – resmungou Stella.

Eles seguiam lentamente por uma estradinha estreita e escura, cercados por infinitos campos de algodão. Joel parou de repente e desligou o motor e os faróis.

– Tudo bem, tia Florry – disse ele sem virar para trás –, estamos aqui no meio do nada, sem ninguém para escutar nossa conversa. Só nós três, sozinhos, juntos pela primeira vez. Você sempre sabe mais do que ninguém, então vamos lá. Por que o Pete matou Dexter Bell? Precisa haver uma razão muito boa pra isso e você sabe qual é.

Ela não falou nada por um bom tempo e quanto mais permanecia em silêncio, mais deixava Stella e Joel ansiosos. Até que por fim ela revelaria o grande segredo e aquela loucura faria sentido. Mas, em vez disso, ela disse:

– Eu não sei, Deus é testemunha. Eu simplesmente não sei e não tenho certeza se algum dia vamos entender o que aconteceu. Seu pai é totalmente capaz de levar os segredos dele pro túmulo.

– O papai estava com raiva do Dexter, eles tinham algum tipo de desavença ou discordância em relação a algum assunto da igreja?

– Não que eu saiba.

– Eles tinham negócios em comum? Sei que parece uma pergunta sem sentido, mas tente acompanhar meu raciocínio. Precisamos eliminar possíveis conflitos.

– Dexter era um pastor – disse Florry. – Não tenho conhecimento de nenhum negócio no qual estivesse envolvido.

– Então estamos diante do óbvio, né? A mamãe era a única conexão entre o papai e Dexter Bell. Eu me lembro daqueles primeiros dias, quando pensamos que papai tivesse morrido. A casa cheia de gente, era tanta gente que eu precisei sair, e fiquei dando voltas e voltas pela fazenda. E lembro que o Dexter veio muito aqui para ficar com a mamãe. Eles oravam e liam a Bíblia, e às vezes eu ficava lá com eles. Era horrível e todo mundo estava em choque, mas eu me lembro do Dexter como uma pessoa tranquila e acolhedora. Você lembra disso, Stella?

– Sim, lembro, ele foi incrível. Ficou lá o tempo todo. A esposa vinha com ele às vezes, mas ela nunca foi tão calorosa quanto ele. Depois do choque inicial da notícia, as pessoas pararam de vir até aqui e nós meio que retomamos a rotina.

– O país estava em guerra – disse Florry. – Homens morriam em todos os lugares. Conseguimos seguir em frente, ainda com esperança, ainda orando muito, mas tocando o barco. A vida continuava.

– A questão é: quanto tempo Dexter esteve por perto, Florry? – perguntou Joel. – É isso que eu quero saber.

– Não faço ideia, Joel, e não estou gostando nada desse seu tom acusatório. Eu não fiz nada de errado nem estou escondendo nada.

– Nós só queremos respostas – disse ele.

– E talvez elas não existam. A vida é cheia de mistérios e nada garante que teremos respostas pra eles. Nunca suspeitei de nada entre o Dexter e a sua mãe. Na verdade, o fato de você sequer sugerir qualquer coisa é chocante pra mim. Eu nunca ouvi um pio da Marietta, da Nineva ou de qualquer outra pessoa, nem notei o menor indício de que alguma coisa estivesse acontecendo.

Houve uma longa pausa enquanto Florry recuperava o fôlego.

– Joel, ligue o carro, por favor. Estou ficando com frio – pediu Stella.

Ele não moveu um músculo em direção à ignição.

– Ao mesmo tempo, sempre mantive distância da Liza e, definitivamente, da Nineva – disse Florry. – Não consigo imaginar Pete morando na mesma casa que elas, mas isso nunca foi problema meu.

Joel pensou em responder à tia, dizendo que a casa na verdade era muito agradável. Antes da guerra, é claro, quando a vida deles era normal. E Stella pensou, embora fosse algo que jamais teria coragem de dizer, que sempre lhe pareceu ser Florry a responsável por causar problemas na família. Mas isso também havia sido antes da guerra, quando tanto o pai quanto a mãe estavam mais ou menos intactos.

Joel pressionou a ponte do nariz com o polegar e o indicador, bem entre os olhos, e disse:

– Não estou acusando minha mãe de nada, ok? Não tenho absolutamente nenhuma prova, mas as circunstâncias exigem essas perguntas.

– Você parece até um advogado, falando desse jeito – disse Stella.

– Meu Deus, Joel – retrucou Florry –, está quase zero grau lá fora, estou congelando. Vamos logo.

AO MEIO-DIA DE 24 de dezembro, enquanto Nineva andava de um lado para outro pela cozinha, preparando pelo menos cinco pratos ao mesmo tempo, e Joel e Stella se esforçavam ao máximo para perturbá-la e fazê-la rir, o telefone tocou. Joel foi o primeiro a chegar ao aparelho e disse alô para Nix Gridley. A ligação já era esperada. Quando desligou, informou a Stella que o pai estaria em casa dentro de uma hora. Então saiu para buscar tia Florry.

Dez semanas de prisão acabariam com qualquer homem, mas Pete Banning parecia estar envelhecendo mais rápido que a maioria. Seu cabelo estava mais grisalho e as rugas se espalhavam nos cantos dos olhos. Apesar de Florry ter assumido o controle da cozinha da prisão, de alguma forma ele conseguia parecer ainda mais magro. Claro, para alguns presos, dez semanas na cadeia significava estar mais próximo da liberdade. Para homens como Pete, no entanto, não haveria liberdade e, portanto, nenhuma esperança, nenhuma razão para manter o ânimo. De um jeito ou de outro, ele morreria no cárcere, longe de casa. Para Pete Banning, a morte tinha algumas vantagens. Uma delas era física; ele passaria o resto da vida sentindo dores – às vezes, severas –, uma perspectiva nada agradável. Outra era emocional; constantemente lhe vinham à cabeça imagens de indescritível sofrimento humano, e às vezes esse fardo o levava à beira da loucura. Passava a maior parte do dia travando uma batalha consigo mesmo, tentando de maneira incansável expulsá-las de sua mente. Poucas vezes conseguia.

Ao olhar para o futuro, Pete se deu conta de que aquele poderia ser seu último Natal. Após convencer Nix disso, conseguiu que ele lhe concedesse uma rápida visita à fazenda. Fazia meses que não via os filhos e provavelmente não os veria por muito tempo. Nix foi compreensivo, mas só até certo ponto; não conseguiu evitar pensar que os filhos do reverendo Bell jamais veriam o pai de novo. À medida que as semanas se arrastavam e o julgamento se aproximava, Nix se convencia de que a população do condado se opunha cada vez mais a Pete Banning. A admiração de que ele havia desfrutado apenas um ano antes, conquistada a um preço tão alto, desaparecera em questão de segundos. Seu julgamento, da mesma forma, não seria muito demorado.

Apesar disso, Nix concordou com uma visita breve – uma hora, no máximo. Nenhum outro prisioneiro recebeu tal indulgência e Pete não deveria contar a ninguém dentro da prisão para onde estava indo. Vestindo roupas comuns, sentou-se no banco da frente ao lado de Nix, sem dizer nada – como de costume – e olhando para os campos vazios. Quando estacionaram atrás de sua caminhonete, Nix, a princípio, insistiu em esperar no carro, mas Pete não lhe deu ouvidos. Fazia muito frio e havia café quente em casa.

Durante meia hora, Pete ficou sentado à mesa da cozinha, com Joel de um lado e Stella e Florry do outro. Nineva estava ao lado do fogão, secando a louça, cuidando de tudo, mas sem se meter na conversa. Pete estava relaxado, feliz por ver os filhos, e fez centenas de perguntas sobre as faculdades e os planos que eles tinham.

O xerife Gridley ficou sentado sozinho na sala de estar, tomando café e folheando uma revista sobre agricultura, de olho no relógio. Afinal, era véspera de Natal e ele tinha umas compras a fazer.

Pete e os filhos saíram da cozinha e foram para seu pequeno escritório, onde ele fechou a porta a fim de ter um pouco de privacidade. Ele e Stella se sentaram lado a lado em um pequeno sofá e Joel puxou uma cadeira de madeira para perto dos dois. Mal ele começou a falar sobre o julgamento e Stella já estava segurando o choro. Ele não tinha nada a dizer para tentar se defender e acreditava que seria condenado facilmente. O que era impossível dizer era se o júri o condenaria à pena de morte ou à prisão perpétua. Tanto fazia para ele. Aceitara seu destino e enfrentaria a punição.

Stella chorou ainda mais, mas Joel tinha perguntas a fazer. No entanto, Pete os advertiu de que a única coisa que eles jamais poderiam perguntar era por que ele tinha feito aquilo. Tinha suas razões, mas aquilo era entre ele e Dexter Bell. Mais de uma vez pediu desculpas por lhes causar vergonha, constrangimento e sofrimento, pelo dano irreparável ao nome da família.

Pediu-lhes perdão, mas eles não estavam prontos para perdoar. Até que ele pudesse dar alguma explicação sobre o que estava acontecendo, eles não podiam cogitar uma absolvição. Pete era o pai deles. Quem eram eles para perdoá-lo? E por que perdoar quando o pecador ainda não confessara seus motivos? Foi confuso e extremamente comovente, e, por fim, até Pete derramou umas lágrimas.

Após uma hora, Nix bateu à porta e pôs fim à pequena reunião. Pete o seguiu até a viatura para ser levado de volta à cadeia.

PELO BEM DOS filhos, Jackie Bell foi à igreja para o culto da noite de Natal. As crianças se sentaram com os avós, que sorriam orgulhosos da adorável família, ainda que sem o pai. Jackie estava sentada na extremidade do banco, e duas fileiras atrás dela sentou-se Errol McLeish, um metodista bastante rebelde que ia à igreja ocasionalmente. Ela havia mencionado que levaria os filhos ao culto, e calhou de Errol também aparecer por lá. Ele não a estava perseguindo, apenas ficava de olho, tentando manter alguma distância. Ela estava extremamente fragilizada, com razão, e ele era esperto o suficiente para respeitar seu luto. Acabaria passando em algum momento.

Depois do culto, Jackie e as crianças foram para a casa de seus pais para um longo jantar de Natal, seguido de histórias ao pé da lareira. Cada criança ganhou um presente e Jackie tirou fotos. Já era tarde quando voltaram para o pequeno apartamento em que estavam morando. Ela os colocou na cama e matou tempo ao lado da árvore de Natal, tomando chocolate quente, ouvindo canções natalinas na vitrola e lutando contra seus sentimentos. Era para Dexter estar lá, colocando os brinquedos em silêncio e participando daquele momento especial. Como ela poderia ser viúva aos 38 anos? E, ainda pior, como criaria sozinha aquelas três preciosas crianças que dormiam logo ali no final do corredor?

Durante os últimos dez anos, pelo menos, ela havia duvidado muitas vezes de que seu casamento fosse durar. Dexter era mulherengo e estava sempre flertando. Valia-se de sua boa aparência e de seu carisma, bem como de suas obrigações enquanto pastor, para manipular as mulheres mais jovens de suas igrejas. Jamais fora pego no flagra, e definitivamente nunca havia confessado, mas tinha deixado um rastro de suspeitas. Clanton era sua quarta igreja, a segunda como pastor sênior, e Jackie o estava vigiando mais de perto do que nunca. Como não tinha provas concretas, teria que confrontá-lo, mas esse dia ia chegar. Ou será que não? Ela teria coragem de jogar a família para o alto e submeter todos eles a um terrível processo de divórcio? Sempre soube que colocariam a culpa nela. Seria mais fácil sofrer em silêncio para proteger as crianças e a carreira dele? Em seus momentos mais íntimos, ela padecia diante desses conflitos.

E agora eram irrelevantes. Ela estava solteira, sem o estigma de um divórcio. Seus filhos estariam marcados para sempre, mas o país estava saindo de uma guerra na qual meio milhão de homens americanos havia sido morto. Por todos os lados, famílias estavam marcadas, feridas, tentando lidar com aquilo tudo e se recompor.

Parecia que Dexter finalmente havia mexido com a mulher errada, embora Jackie não tivesse suspeitado de Liza Banning. Ela era muito bonita, sem dúvida, e estava vulnerável. Jackie estivera alerta e não vira nada fora do normal, mas, tendo um marido propenso a traições, todas as mulheres bonitas eram um alvo em potencial.

Jackie enxugou uma lágrima enquanto lamentava a morte do marido. Sempre o amaria, e seu amor profundo tornava as suspeitas ainda mais dolorosas. Odiava isso, e o odiava por isso, e às vezes odiava a si mesma por não ter sido forte o suficiente para abandoná-lo. Mas aqueles dias tinham ficado para trás, certo? Nunca mais precisaria ver o marido sair de casa dizendo que ia visitar os doentes e se perguntar para onde ele estaria indo de verdade. Nunca mais ficaria desconfiada enquanto ele dava conselhos a portas fechadas em sua sala. Nunca mais notaria a bunda de uma jovem na igreja e se perguntaria se Dexter também a estava admirando.

As lágrimas se transformaram em soluços e ela não conseguiu contê-los. Estaria chorando pela perda, por tristeza, raiva ou alívio? Não sabia e não conseguia chegar a uma conclusão. A música acabou e ela foi até a cozinha para pegar mais alguma coisa para beber. Na bancada havia um bolo alto com cobertura vermelha, uma lembrança de Natal que Errol McLeish havia deixado para as crianças. Ela cortou uma fatia, serviu-se de um copo de leite e voltou para a sala.

Era um homem muito atencioso.

12

Depois de um grande brunch de Natal com bacon, omeletes e biscoitos amanteigados, eles se despediram de Marietta no chalé cor-de-rosa e de todos os pássaros, gatos e cachorros, e se enfiaram no carro juntamente com as malas para pegar a estrada. Joel ficou encarregado de dirigir mais uma vez, evidentemente uma tarefa que só cabia a ele, porque nenhuma das duas mulheres no banco de trás ofereceu qualquer ajuda. Ambas ficaram falando sem parar, gargalhando e fazendo graça para o motorista. A estação WHBQ de Memphis não tocava nada além de canções natalinas, mas, para conseguir ouvir, Joel foi forçado a aumentar o volume do rádio. Elas reclamaram. Ele reclamou da barulheira incessante delas. Todos riram, e a viagem começou bem. Deixar o condado de Ford para trás era um alívio.

Três horas depois, estavam diante do imponente portão do Hospital Estadual do Mississippi, em Whitfield, e o clima no carro mudou drasticamente. Liza havia sido internada ali sete meses antes, e não se soube praticamente nada a respeito de seu tratamento. Eles lhe escreveram cartas, mas não receberam resposta. Sabiam que Pete falara com os médicos dela, mas, claro, ele não tinha lhes contado nada sobre essas conversas. Florry, Joel e Stella supunham que Liza sabia do assassinato de Dexter Bell, mas não tinham como ter certeza até se encontrarem com os médicos. Seria perfeitamente possível que não a tivessem informado de uma notícia tão terrível, para protegê-la. Como sempre, Pete não havia lhes dito nada.

Um guarda uniformizado os fez assinar uns papéis, depois deu algumas orientações e por fim o portão se abriu. Aquele era o único hospital psiquiátrico do estado, um enorme conjunto de edifícios espalhados por milhares de hectares. Referiam-se a ele como um campus, sendo mais semelhante a uma propriedade grande e antiga, cercada por prados, bosques e florestas. Mais de 3 mil pacientes viviam ali, junto com quinhentos funcionários. O espaço era segregado, com instalações distintas para brancos e negros. Joel continuou dirigindo e passou por uma agência dos correios, um hospital para tuberculosos, uma padaria, um lago, um campo de golfe e pela ala para onde enviavam os alcoólatras. Com muita ajuda vinda do banco traseiro, finalmente encontrou o prédio onde a mãe estava alojada e estacionou ali perto.

Por um momento, todos permaneceram sentados dentro no carro parado, observando aquela estrutura imponente.

– Temos alguma pista sobre o diagnóstico dela? É depressão, esquizofrenia ou colapso nervoso? Ela é suicida? Ela ouve vozes? Ou Pete só queria ela fora de casa? – perguntou Stella.

Florry balançou a cabeça.

– Eu não sei ao certo. Ela decaiu muito rápido, e Pete me disse para ficar longe da casa. Foi tudo que falamos sobre o assunto.

Os problemas começaram logo na entrada, quando uma funcionária antipática quis saber se eles haviam agendado uma visita. Sim, explicou Florry, ela telefonara dois dias antes e falara com a Sra. Fortenberry, administradora do Edifício 41, justamente onde estavam. A funcionária disse que a Sra. Fortenberry estava de folga naquele dia porque, afinal de contas, era Natal. Florry respondeu que sabia exatamente que dia era, e os dois jovens com ela eram filhos de Liza Banning e queriam ver a mãe no Natal.

A funcionária se ausentou por um bom tempo. Quando voltou, trazia consigo um senhor que se apresentou como Dr. Hilsabeck. Ele fez um convite relutante e os três o seguiram pelo corredor até um pequeno escritório com apenas duas cadeiras para visitantes. Joel ficou em pé junto à porta. Apesar do jaleco branco, Hilsabeck não parecia um médico – mas eles também não tinham muita experiência com psiquiatras. Ele tinha uma careca lustrosa, voz estridente e um olhar dissimulado, e não inspirava confiança. Assim que se sentou, pegou uma pasta, colocou no centro de sua mesa e começou:

– Receio que tenhamos um problema.

Ele falava com um sotaque desagradável do Norte, com um visível ar de superioridade. E o sobrenome Hilsabeck certamente não era de lugar nenhum do Sul.

– Que tipo de problema? – questionou Florry. Ela já havia percebido que não gostava do Edifício 41 nem das pessoas que o administravam.

Hilsabeck ergueu as sobrancelhas sem mexer os olhos, como se preferisse evitar o contato direto.

– Não posso conversar sobre essa paciente com vocês. O tutor dela, o Sr. Pete Banning, orientou a mim e aos outros médicos para não falar nada com ninguém além dele.

– Ela é minha mãe! – disse Joel, com raiva. – E eu quero saber como ela está.

Em vez de reagir à raiva, Hilsabeck simplesmente ergueu uma folha de papel como se fosse uma Bíblia.

– Isso aqui é o pedido de internação assinado pelo juiz do condado de Ford. – Ele falava olhando para o papel, mais uma vez preferindo evitar o contato visual. – Esse documento nomeia Pete Banning como tutor e Liza Banning como tutelada, e determina claramente que em todos os assuntos relacionados ao tratamento dela, nós, os médicos, não devemos nos reportar a ninguém além dele. Todas as visitas de familiares e amigos devem primeiro ser aprovadas por Pete Banning. Acontece que o Sr. Banning ligou ontem à tarde. Falei com ele por alguns minutos, e ele me lembrou de que não havia aprovado visitas à sua tutelada. Sinto muito, mas não há nada que eu possa fazer.

Os três se entreolharam, incrédulos. Eles tinham estado com Pete por uma hora no dia anterior, na casa dos Bannings. Joel e Stella tinham perguntado sobre a mãe, não obtiveram nenhuma resposta do pai e não mencionaram essa visita.

Joel olhou para Florry e perguntou:

– Você contou pra ele que viríamos aqui?

– Eu, não. Você contou?

– Não. A gente tinha falado sobre isso e decidiu manter em segredo.

Hilsabeck fechou a pasta e disse:

– Eu sinto muito, mesmo. Está fora da minha alçada.

Stella enfiou o rosto entre as mãos e começou a chorar. Florry fez um afago no joelho dela e rosnou para Hilsabeck:

– Eles não veem a mãe há sete meses. Estão doentes de preocupação.

– Eu sinto muito.

– Você pode pelo menos dizer pra gente como ela está? – perguntou Joel. – Tem hombridade pra isso, pelo menos?

Hilsabeck se levantou com a pasta na mão e respondeu:

– Eu não vou tolerar insultos. A Sra. Banning está melhorando. É tudo o que posso dizer. Agora, se me dão licença... – Ele contornou a mesa e se espremeu porta afora sem pedir licença a Joel.

Stella enxugou as lágrimas e respirou fundo. Florry a observava, segurando a mão dela. Em um tom quase inaudível, Joel praguejou:

– Que filho da puta.

– Qual dos dois? – perguntou Florry.

– Seu irmão. Ele sabia que a gente ia vir aqui.

– Por que ele fez isso? – perguntou Stella.

Como ninguém respondeu, eles deixaram a questão pairar por um bom tempo. Por quê? Porque ele estava escondendo alguma coisa? Talvez Liza não estivesse mentalmente desequilibrada e tivesse sido internada porque o marido estava furioso com ela? Não seria algo inédito. Uma amiga de infância de Florry tinha sido internada em decorrência de sintomas graves de menopausa.

Ou talvez Liza estivesse mesmo doente. Ela tivera um grave colapso com a notícia de que Pete estava desaparecido e tinha sido dado como morto, e talvez jamais tivesse se recuperado por completo. Mas por que a afastar dos próprios filhos?

Ou quem sabe o louco fosse Pete? Talvez a guerra tivesse mexido com ele, e o assassinato de Dexter Bell fosse o momento em que perdera a cabeça de vez. E, portanto, seria inútil tentar compreender suas atitudes.

Uma leve batida à porta os assustou. Eles saíram da sala e depararam com dois seguranças de uniforme, desarmados. Um deles sorriu e apontou para o corredor, sem muita convicção. Foram acompanhados até a saída do prédio e partiram sob o olhar dos seguranças.

Ao passar pelo lago, Joel notou um pequeno parque com bancos e um gazebo. Fez uma volta e foi dirigindo até lá. Sem dizer uma palavra, parou o carro, saiu e fechou a porta, acendeu um cigarro e caminhou até uma mesa de piquenique sob um carvalho sem folhas. Olhou para as águas paradas e a fileira de edifícios além. Stella logo se aproximou e pediu um cigarro.

Eles se debruçaram sobre a mesa, fumando, sem falar nada. Florry chegou pouco depois, e os três enfrentaram o frio enquanto pensavam no que fazer.

– Deveríamos voltar para Clanton, ir até a cadeia e confrontá-lo, exigir que ele permita que a gente veja a mamãe – disse Joel.

– E você acha que isso vai funcionar? – respondeu Florry.

– Talvez sim, talvez não. Não sei.

– Não seja ridículo – disse Stella. – Ele está sempre um passo à nossa frente. De alguma forma, ele sabia que viríamos. E aqui estamos nós, olhando para um lago, em vez de visitar a mamãe. Eu não quero voltar para Clanton agora.

– Nem eu – disse Florry. – Temos reservas no French Quarter e é para lá que eu vou. O carro é meu.

– Mas você não tem carteira – retrucou Joel.

– Isso nunca me impediu. Inclusive, uma vez eu dirigi até Nova Orleans. Fui e voltei sem problema nenhum.

– Vamos lá, a gente merece um pouco de diversão – disse Stella.

CINCO HORAS DEPOIS, Joel cruzou a rua do Canal em direção à rua Royal. O French Quarter fervilhava com as festas de fim de ano, e suas calçadas estreitas estavam apinhadas de moradores e turistas apressados em direção aos restaurantes e às boates. Edifícios e postes de luz estavam decorados com iluminação festiva. Na esquina da rua Iberville, Joel parou em frente ao majestoso hotel Monteleone, o mais grandioso do bairro. Um carregador pegou as malas, enquanto o manobrista desaparecia com o carro de Florry. Eles deslizaram pelo elegante saguão e adentraram um outro mundo.

Três anos antes, durante o pior momento da guerra, quando a família tinha certeza de que Pete morrera mas ainda fazia suas orações esperando um milagre, Florry havia convencido Liza a permitir que ela levasse as crianças para uma viagem de ano-novo. Na verdade Liza também fora convidada, mas recusou, dizendo que simplesmente não tinha vontade de comemorar. Florry esperava mesmo que ela dissesse não e ficou aliviada quando recebeu a resposta. Assim, eles embarcaram no trem sem ela, viajaram seis horas de Clanton até Nova Orleans e passaram três dias inesquecíveis vagando pelo French Quarter, um lugar que Florry adorava e conhecia bem. Ficaram hospedados no hotel Monteleone. Uma noite, no famoso bar do hotel, enquanto ela bebia gim, Joel tomava uísque e Stella comia chocolates, Florry

107

lhes contara sobre seu grande sonho de morar naquele bairro, bem longe do condado de Ford, em um outro universo, onde escritores, poetas e dramaturgos trabalhavam, viviam e ofereciam jantares. Ela ansiava por transformar aquele sonho em realidade, mas na manhã seguinte pediu desculpas por ter bebido demais e falado tanta bobagem.

Naquela noite de Natal, a gerente apareceu assim que ela chegou acompanhada dos sobrinhos. Foram recebidos de maneira calorosa, primeiro com saudações, depois com uma taça de champanhe. Confirmaram a reserva para o jantar às nove, depois correram para os quartos a fim de se arrumar.

Enquanto bebericavam, Florry estabeleceu as regras básicas da estada deles ali, que consistia em nada além da promessa de não falar sobre Pete nem Liza pelos dias seguintes. Joel e Stella prontamente concordaram. Florry consultara o concierge para descobrir o que estava acontecendo na cidade, e havia muita coisa a explorar: um novo clube de jazz na rua Dauphine, uma produção da Broadway no Moondance e vários restaurantes novos e promissores. Além de passear pelo bairro, admirar antiguidades francesas na rua Royal, assistir às performances de rua na praça Jackson, beber café de raiz de chicória e comer *beignets* em qualquer um das dezenas de aconchegantes cafés, caminhar ao longo do dique repleto de passantes e fazer compras na Maison Blanche, havia, como sempre, algo novo a se fazer na cidade.

É claro que haveria também um longo jantar na casa da rua Chartres, onde a Srta. Twyla estaria esperando por eles. Era uma velha e querida amiga do tempo em que Florry vivera em Memphis. Assim como Florry, também era uma poeta que escrevia muito e publicava pouco. Twyla, porém, tivera a sorte de um bom casamento. Quando o marido morreu, ainda jovem, ela se tornou uma viúva rica, que preferia a companhia das mulheres à dos homens. Deixou Memphis mais ou menos na mesma época em que Florry construiu o chalé cor-de-rosa e voltou para casa.

Para o jantar, foram acomodados em uma das melhores mesas no elegante salão, rodeados por uma multidão bem-vestida, no espírito natalino. Garçons de paletó branco chegaram com travessas de ostras cruas e serviram Sancerre gelado. Quando o vinho os deixou mais relaxados, zombaram dos outros comensais e riram bastante. Florry avisou que havia estendido a reserva deles por uma semana inteira. Se quisessem, poderiam celebrar o ano-novo em uma festa animada no grande salão de baile do hotel.

O condado de Ford tinha ficado para trás.

13

À s cinco horas da manhã de segunda-feira, 6 de janeiro de 1947, Ernie
Dowdle deixou seu casebre em Lowtown e caminhou em direção aos
trilhos da ferrovia Illinois Central. A temperatura estava próxima de
zero grau, algo comum naquela estação, de acordo com o almanaque que
Ernie mantinha na cozinha. O tempo, principalmente no auge do inverno,
era uma parte importante de seu trabalho.

O vento vinha do noroeste e, quando chegou ao tribunal, vinte minutos
depois, suas mãos e seus pés estavam congelando. Como sempre fazia, ele
parou e admirou o prédio antigo e majestoso, a maior construção do condado, e se permitiu sentir um pouco de orgulho. Era sua responsabilidade
mantê-lo aquecido, função que vinha cumprindo havia quinze anos, e ele,
Ernie Dowdle, era muito bom naquilo.

Aquele não seria um dia qualquer. Estava prestes a começar o maior julgamento entre todos os que era capaz de se lembrar, e a sala de audiência no
segundo andar logo estaria repleta de gente. Ele abriu a porta de serviço da
ala norte do prédio, entrou e a fechou de novo, acendeu uma luz e desceu
as escadas até o porão. Na sala da caldeira, seguiu o ritual de inverno, verifi-
cando os quatro queimadores, dos quais apenas um tinha sido deixado ligado
durante o fim de semana. Isso manteve a temperatura em todo o edifício em
cerca de 5 graus, o suficiente para evitar que a água congelasse nos canos. Em
seguida, verificou os mostradores dos dois tanques de óleo do aquecedor,
de 1.500 litros cada um. Ele os havia completado na sexta-feira anterior, já

pensando no dia do julgamento. Removeu uma chapa de metal e olhou por dentro da saída de ar. Quando o sistema estava funcionando exatamente do jeito que ele queria, ligou os outros três queimadores e aguardou até que a temperatura da caldeira logo acima deles subisse.

Enquanto esperava, empilhou três engradados de refrigerante, montando uma mesa improvisada, sentou-se – atento aos mostradores e medidores – e começou a comer o pudim de pão que sua esposa havia feito na noite anterior. A mesa era frequentemente usada durante o café da manhã e o almoço, e quando o dia estava calmo ele e Penrod, o zelador, abriam um tabuleiro de xadrez e jogavam uma ou duas partidas. Serviu-se de café puro de uma velha garrafa térmica e, enquanto bebia, pensou em Pete Banning. Ele nunca o conhecera pessoalmente, mas um primo seu morava na fazenda dos Bannings e trabalhava na colheita. Durante anos, décadas até, os familiares de Ernie haviam sido trabalhadores rurais, e a maioria estava enterrada perto da propriedade dos Bannings. Ernie se considerava um homem de sorte por ter escapado da vida na lavoura. Batalhara para trocar o campo pela cidade e trabalhar em algo melhor, que não tivesse nada a ver com a colheita de algodão.

Ernie, como a maioria dos negros do condado de Ford, ficou fascinado pelo assassinato de Dexter Bell. De início, acreditava-se piamente que um homem tão importante quanto Pete Banning jamais seria levado a julgamento. Se ele tivesse atirado em um homem negro, por qualquer motivo que fosse, provavelmente não teria sido preso. Se um homem negro matasse outro homem negro, a justiça teria sido feita de forma autoritária e apenas por homens brancos. Questões como motivo, reputação, possível estado de embriaguez e antecedentes criminais eram importantes, mas, em geral, o elemento primordial era para quem o réu trabalhava. Quem tivesse um patrão tolerante poderia passar alguns meses na cadeia do condado. Quem não tivesse patrão poderia ir parar na cadeia elétrica.

Embora estivesse claro que Pete Banning de fato enfrentaria um júri popular, ninguém, pelo menos em Lowtown, acreditava que ele seria condenado e punido. Ele tinha dinheiro, e dinheiro podia comprar advogados habilidosos. Dinheiro podia subornar os jurados. Dinheiro podia influenciar o juiz. Pessoas brancas sabiam como usar o dinheiro para conseguir tudo o que quisessem.

O que tornou o caso tão curioso para Ernie foi o fato de não haver nenhum negro envolvido. Não havia culpa que pudesse recair sobre nenhum deles.

Não havia negros servindo de bode expiatório. Um crime grave contra uma vítima branca sempre levava à detenção de alguns negros como suspeitos, mas não naquele caso. Era apenas uma boa e velha briga de brancos, e Ernie planejava assistir ao máximo que conseguisse do julgamento. Assim como todo mundo, ele queria saber por que Banning fizera aquilo. Tinha certeza de que havia uma mulher na história.

Ele terminou o pudim e conferiu os medidores. A caldeira já estava a todo o vapor, pronta para ser aberta. Quando a temperatura subiu para 80 graus, ele puxou lentamente as alavancas e liberou o vapor, que percorreu um labirinto de canos até os aquecedores instalados em cada sala do tribunal. Ele ajustou as configurações nos queimadores, mantendo o olho na regulagem. Satisfeito, subiu as escadas de serviço até o segundo andar e entrou pela porta ao lado da bancada do júri. A sala de audiência estava escura e fria. Ele acendeu uma luz; as demais esperariam até as sete da manhã. Caminhou pela sala de audiência, pelos bancos e em direção a uma parede onde um aquecedor preto de ferro fundido se sacudia e ganhava vida. O vapor que vinha de baixo era bombeado através dele e emanava a primeira onda de ar quente para quebrar o frio. Ernie sorriu, serenamente orgulhoso do sistema do qual cuidava tão bem.

Eram seis e meia, e, dado o tamanho da sala de audiência – com seu pé-direito de quase 10 metros, incluindo a galeria – e as velhas janelas gotejantes que ainda estavam congeladas, Ernie imaginou que levaria mais de uma hora para os seis aquecedores elevarem a temperatura para algo em torno dos 20 graus. A porta da frente do tribunal seria aberta às oito, mas Ernie suspeitava que o público, os escrivães e os funcionários, e provavelmente até mesmo alguns dos advogados, começariam a se infiltrar pelas entradas laterais antes disso, todos ansiosos para assistir à abertura do julgamento.

O JUIZ RAFE Oswalt chegou às 7h45 e encontrou Penrod varrendo o chão de seu gabinete nos fundos da sala de audiência. Eles trocaram gentilezas, mas Penrod sabia que o juiz não estava com disposição para conversa fiada. Um momento depois, Ernie Dowdle parou para dar um oi e perguntar a Sua Excelência sobre a temperatura. Estava perfeita, como sempre.

John Wilbanks e seu irmão Russell chegaram para a defesa. Ocuparam a mesa que lhes cabia, a mais distante da bancada do júri, e sobre ela começaram a empilhar calhamaços jurídicos, pastas e outros apetrechos típicos de advogado. Vestiam ternos bem alinhados de cor escura e gravatas de seda, fazendo a linha de advogados ricos e bem-sucedidos, que era a que todos na cidade esperavam deles. O promotor Miles Truitt estava lá para representar o estado, junto com seu assessor, Maylon Post, novato da faculdade de Direito da Ole Miss. Truitt e John Wilbanks se cumprimentaram com um aperto de mão e deram início a uma conversa amigável enquanto observavam a multidão entrar.

Nix Gridley chegou com seus homens, Roy Lester e Red Arnett, todos com uniformes idênticos, limpos e bem passados, e botas cobertas com uma espessa camada de graxa preta brilhante. Para a ocasião, Nix havia delegado a dois voluntários a tarefa de manter a ordem no tribunal, dando-lhes armas, uniformes e instruções bastante claras. O xerife circulou pelo tribunal conversando com os escrivães, rindo com os advogados e acenando para os conhecidos dentre os possíveis jurados.

O público foi conduzido para o lado esquerdo, ou sul, do tribunal, e os bancos foram rapidamente ocupados, pouco depois de as portas se abrirem. Entre os curiosos estavam alguns repórteres, aos quais foram reservados assentos na primeira fila.

Do lado direito, o oficial de justiça, Walter Willy, acomodou aqueles que haviam sido convocados. Setenta eleitores registrados tinham sido selecionados pelo juiz Oswalt e pelo escrivão do tribunal, e comunicados por correio duas semanas antes. Catorze foram eliminados por inúmeras razões. Os que restaram olhavam tensos ao redor, sem saber se deveriam se sentir honrados por terem sido escolhidos ou apavorados por estarem participando de um caso tão importante. Embora as cartas não dessem nenhum indício de quem estaria sendo julgado, o condado inteiro sabia que era Pete Banning. Dos 56 pré-selecionados, apenas um já havia feito parte de um júri antes. Julgamentos desse tipo eram raros na zona rural do Mississippi. Todos os pré-selecionados eram brancos; apenas três eram mulheres.

Acima deles, as galerias começavam a se encher de negros, e apenas negros. Os avisos afixados nos corredores do tribunal mantinham os espaços segregados – os banheiros, os bebedouros, as entradas dos gabinetes e a sala de audiência. Penrod, um homem de status, varria o chão da galeria e explicava aos outros como o sistema judiciário funcionava. Ele entendia do assunto. Havia assistido a julgamentos anteriormente e estava bem informado. Ernie subiu e desceu a escada, parando na galeria para flertar com algumas moças. Hop, da Igreja Metodista, era o homem mais importante na galeria, porque seria chamado para depor. Era a testemunha mais importante da acusação e fizera questão de que seu povo soubesse disso. Eles torciam para que corresse tudo bem.

Exatamente às nove horas, Walter Willy, que trabalhava como oficial de justiça voluntário havia mais tempo do que qualquer um era capaz de recordar, assumiu seu lugar diante do juiz, fez posição de sentido, ou algo próximo disso, e bradou:

– Todos de pé!

Seu grito estridente assustou aqueles que nunca o tinham ouvido, e todos se levantaram quando o juiz Oswalt surgiu pela porta atrás da tribuna.

Walter Willy inclinou a cabeça para trás, os olhos fixos no teto, e continuou entoando:

– Atenção, atenção, a corte do Vigésimo Segundo Distrito Judicial do nobre estado do Mississippi é convocada a julgamento. O Excelentíssimo juiz Rafe Oswalt presidirá a sessão. Que se apresentem todos aqueles cujos interesses estejam sendo tratados aqui hoje. Deus abençoe os Estados Unidos da América. Deus abençoe o Mississippi.

Esse linguajar não era exigido e não seria encontrado em nenhum código, estatuto, ordem judicial ou regulamentação local. Desde que de alguma forma assumira o cargo anos antes, e ninguém se lembrava exatamente de como ele havia se tornado oficial de justiça permanente do tribunal, Walter Willy passara muito tempo aperfeiçoando aquela chamada – que agora fazia parte da abertura da sessão. O juiz Oswalt não dava a mínima; os advogados, por outro lado, a desprezavam. Independentemente da importância da audiência, Walter estava lá para dar seu grito ensurdecedor solicitando que todos se levantassem.

Outra parte daquela encenação era seu uniforme feito à mão. A camisa e a calça verde-oliva combinando não se pareciam em nada com a roupa que os policiais de verdade estavam usando, e sua mãe havia bordado o nome dele acima do bolso, em letras amarelas. Ela também tinha acrescentado às mangas alguns emblemas de tecido aleatórios, sem nenhum significado. Ele usava um distintivo dourado brilhante que encontrara em um mercado de pulgas em Memphis, e um cinto de munição preto com uma fileira de cartuchos brilhantes que dava a impressão de que Walter era o tipo de pessoa que seria capaz de simplesmente atirar primeiro e perguntar depois. Mas não podia, porque não tinha uma arma. Nix Gridley se recusou terminantemente a tê-lo em sua equipe e não queria se envolver com Walter Willy nem com seus afazeres.

O juiz Oswalt fazia vista grossa, por considerar algo inofensivo e que acrescentava um pouco de vida ao tédio típico do tribunal e dos procedimentos.

– Podem se sentar – disse ele acomodando-se e ajeitando a volumosa toga.

Olhou para toda aquela gente. Tanto os bancos à sua frente quanto a galeria no andar superior estavam lotados. Em seus dezessete anos de tribunal, ele nunca tinha visto tantas pessoas naquela sala de audiência. Pigarreou e disse:

– Bom dia, sejam bem-vindos. Há apenas um caso na pauta desta semana. Xerife, você poderia, por favor, trazer o réu?

Nix aguardava próximo a uma porta lateral. Ele assentiu, abriu a porta e, segundos depois, apareceu trazendo Pete Banning, que entrou lentamente, sem algemas, com os ombros erguidos, a expressão despreocupada, mas os olhos voltados para o chão. Parecia não notar que a multidão observava cada movimento seu. Pete odiava usar gravata e vestia um paletó escuro por cima de uma camisa branca. John Wilbanks achava importante que ele estivesse de terno para demonstrar o devido respeito pela ocasião. Pete havia lhe perguntado quantos homens do júri estariam de terno, e quando o advogado respondeu que provavelmente nenhum, o assunto morreu. A verdade era que Pete não se importava com o que ele vestia, com o que os jurados vestiam, com o que qualquer um vestia.

Sem sequer olhar para o público, sentou-se à mesa da defesa, cruzou os braços e olhou para o juiz Oswalt.

Florry estava sentada três fileiras para trás, na ponta de um banco. Ao lado dela estava Mildred Highlander, a melhor amiga que tinha na cidade e a única que se oferecera para acompanhá-la durante o julgamento. Florry e Pete haviam tido uma discussão sobre a presença dela. Ele era totalmente contra. Ela estava decidida a ir. Queria saber o que estaria acontecendo não só por si mesma, mas também para poder relatar a Joel e Stella. Além disso, imaginou que Pete não teria praticamente mais ninguém lá torcendo por ele. E tinha razão. Em todos os lugares por onde ela passara, havia recebido olhares ameaçadores de metodistas furiosos.

– No caso do estado do Mississippi contra Pete Banning, o que o estado tem a dizer? – perguntou o juiz Oswalt.

Miles Truitt se levantou com determinação.

– Excelência, o estado está pronto para o julgamento.

– E o que a defesa tem a dizer?

John Wilbanks levantou-se.

– Igualmente pronta.

Quando ambos se sentaram, o juiz Oswalt olhou para os jurados pré-selecionados e disse:

– Convocamos setenta possíveis jurados. Um faleceu, três não foram encontrados e dez foram dispensados, após serem recusados. Então agora temos uma comissão de 56. Fui informado pelo oficial de justiça de que todos os 56 estão presentes, têm mais de 18 anos e menos de 65 e não apresentam problemas de saúde que os impeçam de cumprir o dever de júri. Vocês foram organizados em ordem numérica e serão tratados por esses números.

Não era necessário explicar que os dez que haviam sido eliminados eram praticamente analfabetos e não conseguiram preencher um questionário rudimentar.

O juiz Oswalt remexeu alguns papéis, encontrou o termo de indiciamento e leu em voz alta. Sob a lei do Mississippi, os fatos supostamente consistiam em homicídio qualificado, crime punível com prisão perpétua ou pena de morte por eletrocussão. Ele apresentou os quatro advogados e pediu que se levantassem. Oswalt apresentou o réu, mas, quando pediu que se levantasse, Pete se recusou. Ele não se moveu e pareceu não ter ouvido. O juiz Oswalt ficou irritado, mas decidiu ignorar seu desprezo.

Não era uma coisa sensata a se fazer, e John Wilbanks daria uma bronca em seu cliente durante o primeiro recesso. O que Pete esperava conseguir sendo desrespeitoso?

Dando sequência, o juiz iniciou uma narrativa arrastada na qual descreveu tanto a suposta vítima de assassinato quanto o suposto assassino. Na ocasião de sua morte, Dexter Bell era pastor da Igreja Metodista de Clanton havia cinco anos e, nessa condição, era membro ativo da comunidade. Era bastante conhecido, assim como o réu. Pete Banning nascera em uma família conhecida no condado de Ford, e assim por diante.

Quando a apresentação do caso chegou ao fim, o juiz Oswalt perguntou aos possíveis jurados se algum deles tinha laços sanguíneos ou matrimoniais com Dexter Bell ou Pete Banning. Ninguém se moveu. Em seguida, perguntou se algum deles se considerava amigo pessoal de Pete Banning. Dois homens se levantaram. Ambos disseram que eram amigos dele de longa data e não podiam julgá-lo, independentemente do que as evidências comprovassem. Ambos foram dispensados e deixaram o tribunal. Em seguida, ele perguntou quantos eram amigos de algum membro da família direta de Pete, e citou Liza, Florry, Joel e Stella. Seis pessoas se levantaram. Um jovem disse que havia concluído o ensino médio com Joel. Um deles disse que a irmã e Stella eram amigas e que a conhecia bem. Outro conhecia Florry havia anos. O juiz Oswalt os questionou individualmente por um bom tempo e perguntou se seriam capazes de ser justos e imparciais. Todos os seis asseguraram que sim e foram mantidos. Três disseram que eram amigos da família Bell, mas afirmaram que eram capazes de ser imparciais. John Wilbanks duvidou disso e os recusaria mais adiante.

Com a guerra tão recente e suas memórias ainda tão vívidas, o juiz Oswalt sabia que não tinha escolha senão abordá-la sem rodeios. Sem dar muitos detalhes, ele descreveu Pete Banning como um oficial do exército altamente condecorado que tinha sido prisioneiro de guerra. Ele perguntou quantos veteranos de guerra havia entre os pré-selecionados. Sete homens se levantaram; ele os chamou pelo nome e os interpelou. Todos os sete garantiram que seriam capazes de deixar de lado qualquer inclinação ou favoritismo e seguir a lei e as orientações do tribunal.

Como onze homens do condado de Ford tinham sido mortos na guerra, o juiz Oswalt e o escrivão do tribunal haviam diligentemente se esforçado para que membros dessas famílias não fizessem parte do grupo de jurados pré-selecionados.

Passando para o outro lado da questão, o juiz Oswalt perguntou se alguém ali era membro da igreja de Dexter Bell. Três homens e uma mulher se levantaram, e foram dispensados de imediato. O número de candidatos caiu para cinquenta. E quantos eram membros de outras igrejas metodistas espalhadas pelo condado? Mais cinco ficaram de pé. Três disseram que haviam conhecido Dexter Bell; dois, não. O juiz Oswalt manteve todos na comissão.

Ele concedeu a cada lado cinco recusas peremptórias a serem utilizadas no fim do dia. Se John Wilbanks não gostasse da aparência ou da linguagem corporal de determinado metodista, poderia dispensá-lo sem apresentar justificativa. Se Miles Truitt suspeitasse que um conhecido da família

Banning seria capaz de protegê-los, poderia se utilizar de uma recusa e a pessoa iria embora. Os quatro advogados estavam ansiosos com o que estava por vir e observavam cada movimento, sorriso e cara feia dos possíveis jurados.

O juiz Oswalt achou melhor assumir o controle da seleção dos jurados. Outros juízes davam aos advogados mais liberdade de ação, mas geralmente falavam demais e estavam em busca de favores. Depois de uma hora de interrogatório hábil, Oswalt reduziu a comissão para 45 e passou a palavra a Miles Truitt, que se levantou, abriu um grande sorriso e tentou parecer tranquilo. Ele começou repetindo e enfatizando algo que o juiz já havia informado: se o estado provasse cada elemento da acusação de homicídio qualificado, o júri seria então solicitado a impor a pena de morte. Você é realmente capaz de fazer isso? Você realmente é capaz de condenar Pete Banning à cadeira elétrica? Se for para seguir a lei, não haverá outra escolha. Não vai ser fácil, mas às vezes seguir a lei exige muita coragem. Você tem essa coragem?

Truitt desfilava em frente à bancada e estava sendo bastante eficaz em forçar cada jurado a refletir sobre a gravidade da tarefa que teria em mãos. Alguns provavelmente tinham dúvidas, mas naquele momento ninguém assumiria isso. Truitt estava preocupado com os veteranos e suspeitava de que eles seriam mais tendenciosos do que estavam dispostos a admitir. Chamou um deles, pediu que se levantasse, agradeceu-lhe por ter servido nas Forças Armadas e o questionou por alguns minutos. Quando pareceu ter ficado satisfeito, passou para outro veterano.

O processo de seleção avançou e, às dez e meia, o juiz precisou de uma pausa e de um cigarro. Metade do tribunal também aproveitou para fumar, enquanto as pessoas se levantavam, se esticavam e discretamente trocavam opiniões. Alguns deixaram a sala para ir ao banheiro; outros voltaram ao trabalho. Todos procuraram evitar falar com os jurados, de acordo com as instruções do juiz.

ÀS ONZE HORAS, John Wilbanks se levantou e olhou para os possíveis jurados. Grande parte do que ele queria dizer tinha sido proibida por seu próprio cliente. Seu plano era plantar a semente da insanidade no início do processo de seleção do júri e complementá-la com testemunhos que seriam chocantes, tristes, confiáveis e convincentes. Mas Pete não concordou com nada daquilo. Pete não tinha feito nada para ajudar a salvar a própria pele, e John não conseguia decidir se seu cliente carregava algum tipo de vontade perversa de morrer ou simplesmente era tão arrogante a ponto de acreditar que nenhum júri o condenaria. De qualquer forma, a defesa não tinha muitas esperanças.

John já tinha visto o suficiente e sabia quais jurados queria. Ele tentaria evitar todos os metodistas e mirar nos veteranos. Mas ele era um advogado, e nenhum advogado no palco com um público cativo consegue resistir a dizer algumas palavras. Ele sorria e parecia caloroso e absolutamente honrado por estar lá fazendo o que estava fazendo, defendendo um homem de bem que havia defendido seu país. Fez algumas perguntas à comissão como um todo, depois as direcionou a alguns metodistas, mas na maioria das vezes seus comentários eram feitos não para tentar revelar alguma inclinação oculta, mas para transmitir receptividade, confiança e simpatia.

Após o discurso de Wilbanks, o juiz Oswalt determinou um recesso até as duas da tarde e pediu a todos que deixassem a sala. Demorou alguns minutos para que a multidão se dissipasse e, enquanto esperavam, o juiz informou os escrivães e outros curiosos de plantão de que seria uma boa hora para almoçar. Quando o tribunal estava praticamente vazio, ele disse:

– Dr. Wilbanks, acho que você tem um assunto que gostaria de tratar oficialmente.

John Wilbanks ficou de pé e disse:

– Sim, Excelência, mas prefiro que seja no seu gabinete.

– Vamos tratar disso aqui mesmo. Está um pouco lotado lá atrás. Além disso, se estamos falando oficialmente, não é um assunto confidencial, é?

– Acho que não.

O juiz Oswalt acenou para o taquígrafo e disse:

– Agora é oficial. Por favor, prossiga, Dr. Wilbanks.

– Obrigado, Excelência. Isso não é de fato um pedido formal ao tribunal, porque a defesa não está solicitando nenhum tipo de benefício. No entanto, sou obrigado a declarar oficialmente o seguinte, para que nunca haja qualquer dúvida sobre a defesa do meu cliente. Eu tinha planejado seguir duas estratégias destinadas a garantir um julgamento justo para o meu cliente. Em primeiro lugar, considerei pedir ao tribunal que alterasse o foro. Eu estava convencido na época, assim como estou agora, de que é impossível que meu cliente receba um julgamento justo neste condado. Passei minha vida inteira aqui, assim como o meu pai e o pai dele, e conheço este condado. Como vimos hoje de manhã, os fatos relacionados a este caso são de conhecimento de amigos e vizinhos de Pete Banning e Dexter Bell. Vai ser impossível encontrar doze pessoas que tenham a mente aberta e sejam imparciais. Depois de assistir e estudar os possíveis jurados hoje de manhã, estou convencido de que muitos não estão sendo totalmente honestos em relação a seus verdadeiros sentimentos. É simplesmente injusto realizar este julgamento neste tribunal. No entanto, quando sugeri a mudança de foro a meu cliente, ele se opôs veementemente, e ainda se opõe. Eu gostaria que a vontade dele constasse dos autos.

O juiz Oswalt olhou para Pete e perguntou:

– Sr. Banning, isso é verdade? Você se opõe a um pedido de desaforamento?

Pete se levantou e respondeu:

– Sim, é verdade. Eu quero que meu julgamento seja aqui mesmo.

– Então você escolheu ignorar o conselho do seu advogado, certo?

– Não estou ignorando meu advogado. Só não concordo com ele.

– Muito bem. Pode se sentar. Continue, Dr. Wilbanks.

John revirou os olhos frustrado e pigarreou.

– Em segundo lugar, e ainda mais importante, pelo menos na minha opinião, é a dificuldade de elaborar uma defesa consistente. Eu tinha decidido notificar o tribunal de que a defesa alegaria insanidade, mas meu cliente se recusa a aceitar isso. Eu planejava apresentar um extenso depoimento das condições desumanas e, honestamente, indescritíveis às quais ele foi submetido e resistiu durante a guerra. Encontrei dois peritos em psiquiatria e estava preparado para acioná-los a fim de avaliar meu cliente e testemunhar diante deste tribunal. No entanto, mais uma vez meu cliente se recusou a cooperar e me instruiu a não prosseguir com essa linha de defesa.

O juiz Oswalt perguntou a Pete:

– Isso é verdade, Sr. Banning?

– Eu não sou maluco, Excelência – disse Pete sem se levantar –, e, na minha opinião, tentar parecer maluco seria desonesto.

O juiz assentiu. O taquígrafo rabiscou o papel. Aquelas palavras estavam sendo registradas para a história. Para a defesa, elas já eram condenatórias o suficiente, mas inesquecível mesmo foi sua última declaração. Quase como uma reflexão tardia, Pete, que pesava cada uma de suas palavras em qualquer situação, disse:

– Eu sabia o que estava fazendo.

John Wilbanks olhou para o juiz e deu de ombros, como se tivesse desistido.

14

O jurado número um era uma incógnita. James Lindsey, 53 anos, casado; emprego: nenhum; endereço: uma estrada rural a alguma distância do remoto assentamento de Box Hill, quase no condado de Tyler. Seu formulário informava que ele era da Igreja Batista. Não havia se manifestado em momento algum durante a sessão da manhã, e ninguém parecia saber nada sobre ele. Nem John Wilbanks nem Miles Truitt queriam usar uma recusa peremptória à toa, e assim James Lindsey se tornou o primeiro jurado selecionado para o julgamento.

O juiz Oswalt anunciou o nome do jurado número dois, Sr. Delbert Mooney, um dos muitos membros do clã Mooney, de Karraway, a única outra cidade no condado de Ford que contava com governo municipal próprio. Delbert tinha 27 anos, passara dois no exército, combatendo na Europa, e havia sido ferido duas vezes. John Wilbanks o queria desesperadamente. Miles Truitt não, e fez uso de sua primeira recusa.

Não havia mais ninguém no tribunal, apenas o juiz Oswalt e os advogados. O réu havia sido levado de volta à cadeia para o almoço e lá ficaria até segunda ordem. O oficial de justiça, o taquígrafo, os escrivães e os assistentes do xerife haviam sido dispensados. A seleção final do júri era assunto confidencial, que envolvia apenas o juiz e os advogados e não constava dos registros. Eles beliscaram uns sanduíches e tomaram chá gelado, mas estavam preocupados demais para aproveitar o almoço.

O juiz leu o nome do jurado número três, uma das duas mulheres restantes. Algumas regras estavam escritas, outras eram apenas implícitas. Para crimes graves, os júris sempre eram compostos por doze homens brancos. Não havia discussão sobre o porquê daquilo, nem sobre como aquilo se dava; era dado, simplesmente. John Wilbanks disse:

– Deveríamos excluí-la por "justa causa", você não acha, Miles?

Miles logo concordou. A recusa por "justa causa" significava que o indivíduo era obviamente inadequado para o dever do júri e que, em vez de envergonhá-lo em pleno tribunal com o desligamento em público, o recurso à "justa causa" era reservado a deliberações privadas. E, mais importante, não contava como uma recusa peremptória. O juiz simplesmente determinava que a pessoa não integraria o júri, e esse poder jamais era debatido.

Não havia urgência naquela tarefa. Com pouquíssimas testemunhas de acusação e talvez nenhuma de defesa, o julgamento, uma vez iniciado, não duraria muito. Então eles prosseguiram com os nomes restantes, aceitando alguns, excluindo outros, às vezes discutindo, de forma profissional, mas sempre progredindo em ritmo constante. Às três da tarde o juiz Oswalt precisou de mais um cigarro e decidiu comunicar à multidão que aguardava de pé nos corredores, sentada na escada e perambulando do lado de fora no frio que o julgamento começaria às nove da manhã do dia seguinte. Aqueles que comporiam o júri deveriam permanecer por ali. Às quatro e meia, as portas foram abertas. Algumas pessoas entraram, juntamente com os jurados; os negros tiveram que retornar para as galerias. Depois que o réu foi levado de volta e conduzido até a mesa da defesa, o juiz Oswalt anunciou que o júri havia sido selecionado. Ele chamou o nome de doze pessoas, que se dirigiram até a bancada do júri e se sentaram.

Doze homens brancos. Quatro batistas; dois metodistas; dois pentecostais; um presbiteriano; um da Igreja de Cristo. E dois que declararam não ser membros de nenhuma igreja e que provavelmente iriam direto para o inferno.

Todos levantaram a mão direita em juramento e se comprometeram a cumprir com seus deveres; depois disso, foram mandados para casa com ordens expressas para evitar falar sobre o caso. O juiz Oswalt suspendeu a sessão e saiu rapidamente. Quando o tribunal estava vazio, John Wilbanks perguntou ao xerife Gridley se poderia ficar alguns minutos a sós com seu cliente. Era muito mais fácil conversar à mesa da defesa do que na prisão, e Nix deu permissão.

Enquanto Penrod varria o chão em torno dos bancos do público e Ernie Dowdle mexia nos aquecedores, a equipe de defesa se reunia com o cliente. Russell disse:

– Não estou gostando do seu comportamento no tribunal, Pete.

John rapidamente acrescentou:

– Você parece arrogante e indiferente, e o júri vai reparar nisso. Além do mais, você foi desrespeitoso com o juiz Oswalt. Isso não pode se repetir.

– Quando o julgamento começar, amanhã, esses jurados vão passar metade do tempo olhando para você – explicou Russell.

– Por quê? – perguntou Pete.

– Porque estão curiosos. Porque o trabalho deles é julgar você. Eles nunca fizeram isso antes e estão maravilhados com esse ambiente. Eles vão estar atentos a tudo, e é importante que você pareça pelo menos um pouco simpático.

– Não sei se eu consigo – disse Pete.

– Pois tente, ok? – disse John. – Faça algumas anotações e folheie uns papéis. Faça parecer que você está interessado no próprio caso.

– Quem escolheu o júri? – perguntou Pete.

– Nós. Os advogados e o juiz.

– Não estou muito confiante. Tenho a impressão de que eles já tomaram suas decisões. Não vi muitas caras amigáveis.

– Bem, faça você uma cara amigável, ok, Pete? – John desviou o olhar, frustrado. – Lembre-se, aquelas pessoas vão decidir como você vai passar o resto da sua vida.

– Isso já está decidido.

OS AQUECEDORES DE Ernie estavam zumbindo às nove e meia da manhã de terça-feira quando Miles Truitt se levantou para dirigir ao júri suas alegações iniciais. O tribunal estava aquecido e, mais uma vez, tomado de gente, e Ernie e Penrod se agacharam em um canto da galeria lotada e ficaram observando com grande expectativa.

Todos estavam imóveis e em silêncio. Truitt usava um terno de lã marrom-escuro e uma corrente de ouro pendendo do bolso do colete. Era um terno novo, comprado para a ocasião, o maior julgamento de sua carreira. Ele se posicionou diante do júri, deu um sorriso caloroso e lhes agradeceu por servirem ao estado do Mississippi, seu cliente. Todos tinham sido cuidadosamente escolhidos para analisar as provas e avaliar as testemunhas à luz da lei e, ao fim, decidir pela condenação ou pela absolvição do réu. Era uma grande responsabilidade, e ele lhes agradeceu mais uma vez.

Homicídio qualificado era o crime mais grave na legislação do Mississippi. Truitt leu sua definição diretamente do código:

– O assassinato intencional, deliberado e premeditado de outro ser humano sem o respaldo da lei, por qualquer meio ou de qualquer forma. – Ele a leu uma segunda vez, devagar e em voz alta, cada palavra ecoando pelo tribunal. E a pena: – Diante da condenação por homicídio qualificado, o júri deve decidir entre a pena de morte na cadeira elétrica ou a prisão perpétua sem direito a liberdade condicional.

Truitt se virou, apontou para o réu e disse:

– Cavalheiros do júri, o reverendo Dexter Bell foi vítima de homicídio qualificado cometido por Pete Banning, que agora merece morrer. – Era uma declaração esperada, de certa forma, mas que não deixou de ser pungente.

Truitt falou sobre Dexter: sua infância na Geórgia, a vocação para a pregação, o casamento com Jackie, as primeiras igrejas, os filhos, os sermões contundentes, a compaixão por todos, a liderança na comunidade, a popularidade em Clanton. Dexter não tinha manchas em seu caráter, nenhum passo em falso dado ao longo do caminho. Um bom e jovem reverendo dedicado à sua vocação e à sua fé, executado na igreja por um atirador de elite do exército. Que perda terrível. Um pai amoroso foi levado em apenas um instante, deixando órfãos três lindos filhos.

O estado do Mississippi comprovaria que Pete Banning era culpado para além de qualquer dúvida razoável, e, depois que todas as testemunhas prestassem seus depoimentos, ele, Miles Truitt, retornaria àquele mesmo espaço e clamaria por justiça. Justiça para Dexter Bell e sua família. Justiça para a cidade de Clanton. Justiça para a humanidade.

John Wilbanks assistiu àquela performance admirado. É verdade que Miles Truitt tinha os fatos a seu favor e que aquilo sempre fora uma grande vantagem. Mas Truitt havia sido sutil em sua abordagem, dando pouca ênfase a determinados acontecimentos que poderiam ser utilizados para destruir qualquer argumento da defesa. O assassinato era tão monstruoso por si só que não era preciso fazer nenhum drama extra. Ao observar a expressão dos jurados, Wilbanks teve a confirmação do que sabia havia muito tempo.

Não haveria piedade por seu cliente. E, carente de provas, a defesa estava morta, assim como o réu.

O tribunal ficou em silêncio enquanto Miles Truitt se sentava. O juiz Oswalt olhou para John Wilbanks, fez um aceno com a cabeça e disse:

– Agora, a defesa.

Wilbanks se levantou e brincou nervosamente com o nó de sua fina gravata de seda enquanto se dirigia à bancada do júri. Não tinha nada a dizer, e não estava prestes nem a irromper com alguma absurda alegação de erro sobre a pessoa nem a invocar um álibi falso. Portanto, deu um sorriso e disse:

– Senhores do júri, o estatuto permite que em julgamentos como este a defesa adie suas alegações iniciais para um momento posterior, quando a acusação tiver concluído sua parte. A defesa escolhe exercer esse direito. – Ele se virou e deu um aceno de cabeça para a tribuna.

O juiz Oswalt deu de ombros e disse:

– Por mim, tudo bem. Dr. Truitt, por favor, chame sua primeira testemunha.

Truitt ficou de pé e bradou:

– O estado do Mississippi convoca a Sra. Jackie Bell para depor.

Da segunda fila atrás da mesa da promotoria, Jackie se levantou e andou até a ponta do banco. Ela estava sentada com Errol McLeish, que a trouxera de carro de Rome na tarde de domingo. Seus filhos haviam ficado com os avós. O pai de Jackie insistira em acompanhá-la ao julgamento, mas ela o fez mudar de ideia. Errol se ofereceu e estava ansioso para a viagem. Ela estava hospedada na casa de uma amiga da igreja, e Errol ficou em um quarto no hotel Bedford, na praça Clanton.

Todos os olhares se voltaram para Jackie, e ela estava pronta para aquele momento. Sua silhueta franzina estava envolvida em um terninho preto ajustado ao corpo, preso com um cinto. Ela usava sapatos de camurça preta, um pequeno chapéu de veludo também preto e um discreto colar de pérolas. A ênfase no preto funcionou perfeitamente, e ela emanava uma aura de luto e sofrimento, ou quase. Ela sem dúvida era uma viúva, mas também era jovem e atraente.

Os doze homens observaram cada passo conforme ela se aproximava, assim como os advogados, o juiz e praticamente todos os demais. Pete, no entanto, não se mostrou impressionado e manteve o olhar voltado para o chão. O taquígrafo conduziu o juramento, e Jackie se sentou no banco de testemunhas e olhou para a multidão. Ela cruzou as pernas cuidadosamente, e a multidão observou cada movimento.

De detrás de um púlpito, Miles Truitt sorriu para ela e perguntou seu nome e endereço. Ele havia praticado bastante com Jackie, que olhava para os jurados com uma expressão autêntica enquanto falava. Outras informações essenciais vieram em seguida: ela tinha 38 anos, três filhos, havia morado em Clanton por cinco anos, mas se mudara para a Geórgia após a morte do marido.

– Eu fiquei viúva – disse ela tristemente.

– Bem, na manhã de 9 de outubro do ano passado, aproximadamente às nove horas da manhã, onde a senhora estava?

– Em casa. Nós morávamos na casa ao lado da igreja metodista.

– Onde estava seu marido?

– Dexter estava no escritório, na igreja, sentado à mesa, escrevendo seu sermão.

– Diga ao júri o que aconteceu.

– Bem, eu estava na cozinha, guardando a louça, e ouvi uns sons que nunca tinha ouvido antes. Foram três, um seguido do outro, como se alguém na varanda tivesse batido palmas três vezes. Não dei atenção a princípio, mas fiquei curiosa. Então, algo me disse para ir ver se Dexter estava bem. Peguei o telefone e liguei para o escritório dele. Como ele não respondeu, saí de casa, dei a volta pela frente da igreja e entrei no anexo onde ficava o escritório dele. – A voz de Jackie vacilou e seus olhos se encheram d'água. Ela tocou os lábios com as costas da mão e olhou para Miles. Ela estava segurando um lenço que carregara consigo para o banco.

– E a senhora encontrou seu marido? – perguntou Miles.

Ela engoliu em seco, pareceu cerrar os dentes e continuou:

– Dexter estava à mesa dele, imóvel na cadeira. Ele havia sido baleado e estava sangrando; havia sangue por toda parte. – Sua voz vacilou novamente, então ela fez uma pausa, respirou fundo, enxugou os olhos e se preparou para seguir em frente.

O único som na sala do tribunal era o leve zumbido dos aquecedores de Ernie Dowdle. Ninguém se mexia nem dava um pio. Todos olhavam para Jackie e esperavam pacientemente enquanto ela se recompunha e contava sua terrível história. Ninguém tinha pressa. Havia três meses que a cidade estava esperando para ouvir os detalhes do que acontecera naquela manhã.

– A senhora falou com ele? – perguntou Miles.

– Não tenho certeza. Eu me lembro de gritar e contornar a mesa até a cadeira, agarrar e sacudir Dexter, e, bem, não tenho certeza de tudo. Foi horrível demais.

Ela fechou os olhos, baixou a cabeça e chorou. Suas lágrimas deram origem a outras, e muitas das mulheres que a conheciam e conheceram Dexter enxugavam os olhos também.

Seu testemunho era desnecessário. A defesa e a acusação já tinham chegado a um consenso em relação ao fato de que Dexter Bell estava morto e de que sua morte havia sido causada por três balas disparadas de um revólver Colt calibre 45, de modo que o assunto não precisava mais ser tratado em juízo. A empatia não era relevante para os fatos, e qualquer prova considerada irrelevante era inadmissível por lei. No entanto, o juiz Oswalt, assim como todos os demais juízes do estado e do país, sempre permitia que a promotoria convocasse um ou dois parentes da vítima para comprovar a morte. Mas o verdadeiro propósito era atiçar os jurados.

Jackie cerrou os dentes mais uma vez e prosseguiu, ou pelo menos tentou. Dexter estava deitado no chão, ela estava falando com ele, mas ele não respondia. Ela se lembrava de ter saído correndo do escritório dele, coberta de sangue, aos berros, e foi então que o policial apareceu com Hop e, bem, depois disso ela simplesmente não se lembrava de mais nada com clareza.

Houve outra pausa quando Jackie desabou, e depois de uma dolorosa interrupção ela parecia incapaz de continuar. O juiz Oswalt olhou para Miles e disse:

– Dr. Truitt, acho que já ouvimos o suficiente dessa testemunha.

– Sim, Excelência.

– Alguma pergunta de sua parte, Dr. Wilbanks?

– De jeito algum, Excelência – respondeu John Wilbanks, com grande simpatia.

– Obrigado, Sra. Bell, está dispensada – disse o juiz.

Walter Willy levantou-se de um pulo, deu a mão a ela e a conduziu para além dos jurados e advogados, para dentro da área do público e de volta a seu banco. O juiz Oswalt precisava de um cigarro e determinou um recesso. Walter conduziu os jurados para fora da sala antes de todo mundo e, assim que eles saíram, a multidão relaxou e começou a conversar. Muitas pessoas da igreja fizeram fila para dar um abraço em Jackie, todas ansiosas para tocá-la. Errol McLeish se afastou da multidão e a observou de longe. Além de Jackie, ele não conhecia uma só alma no tribunal, e ninguém o conhecia.

HOP FOI MANCANDO até o banco das testemunhas e jurou dizer a verdade. Mencionou seu nome verdadeiro, Chester Purdue, e depois explicou que era chamado de Hop desde a infância. Hop estava mais que nervoso. Ele estava aterrorizado, e olhava repetidamente para a galeria em busca de apoio de seus pares. Vendo do alto, testemunhar parecia muito mais fácil. Lá embaixo, no entanto, com todo mundo olhando para ele, todos aqueles brancos – os advogados, o juiz, os jurados e os escrivães, sem contar a multidão –, bem, ele ficou nervoso de imediato e teve dificuldade para falar. Miles Truitt havia praticado com ele por horas em seu gabinete no final do corredor. Eles haviam repassado várias vezes o testemunho dele, com Truitt repetidamente lhe dizendo para relaxar e contar sua história. Dois dias antes e no dia anterior ele estava relaxado no gabinete de Truitt, mas agora era a hora do grande show, com todo mundo assistindo e ninguém sorrindo para ele.

"Olhe apenas para mim, para mais ninguém", dissera o Dr. Truitt repetidas vezes.

Hop então olhou para o promotor e contou sua história. Era uma manhã de quarta-feira e ele estava limpando os vitrais da nave principal, tarefa que executava uma vez por mês e que tomava três dias praticamente inteiros. Ele deixou a nave da igreja e entrou no anexo, em direção a um depósito onde guardava seu material. Passou em frente à porta do escritório do reverendo Bell. Estava fechada, e Hop sabia que não devia incomodar o pastor pela manhã. Hop não ouviu vozes. Não viu ninguém entrar no anexo. Até onde ele sabia, havia apenas duas pessoas na igreja – ele e o pastor. Ele estava pegando um frasco de detergente quando ouviu três estampidos altos. Todos os três idênticos e que praticamente sacudiram o edifício. Ele ficou assustado e correu para o corredor, onde ouviu uma porta se abrir. O Sr. Pete Banning saiu do escritório do pastor segurando uma arma.

– Há quanto tempo você conhece Pete Banning? – perguntou Truitt.

– Muito tempo. Ele é membro da igreja.

– Você poderia apontar para o homem que estava segurando a arma?

– Se você está mandando...

Hop apontou para o réu. Ele descreveu como Seu Banning apontou a arma para a cabeça dele, como ele caiu de joelhos, implorando, e como Seu Banning disse que ele era um bom homem; e lhe disse para avisar o xerife.

Hop o observou ir embora, então entrou no escritório, embora no fundo não quisesse. O reverendo Bell estava em sua cadeira, sangrando na cabeça e no peito, com os olhos fechados. Hop não sabia ao certo quanto tempo ficou lá dentro; estava aterrorizado demais para pensar com clareza. Por fim, recuou sem tocar em nada e correu para buscar o xerife.

Nenhum advogado conseguiria marcar pontos por contestar Hop ou por lançar dúvidas sobre a veracidade de seu testemunho. Não havia nada a ser contestado. Que razões Hop teria para faltar com a verdade? Ele viu o que viu e não enfeitou nada em seu depoimento. John Wilbanks se levantou e disse baixinho que não tinha perguntas para a testemunha. Na verdade, ele não tinha nada para perguntar a nenhuma das testemunhas do estado.

Enquanto estava lá sentado, escutando e fervendo de raiva, John se perguntou, e não pela primeira vez, por que havia sido tão rápido em assumir a defesa de Pete. O homem era culpado e não tinha vontade de demonstrar o contrário. Por que não poderia ter sido outro advogado a se sentar benevolente à mesa da defesa e comandar aquele navio que naufragava? Do ponto de vista de um experiente advogado criminalista, aquilo era angustiante, quase constrangedor.

A testemunha seguinte do estado era um homem que todos conheciam. Slim Fargason era escrivão do Tribunal da Chancelaria havia décadas, e uma de suas funções era o registro e a preservação de todas as transações de propriedades do condado. Sem se estender muito, ele olhou para uma cópia autenticada de uma escritura e explicou ao júri que em 16 de setembro do ano anterior o Sr. Pete Banning tinha transferido uma seção de terra de 260 hectares para seus dois filhos, Joel e Stella Banning. A terra era propriedade de Pete desde 1932, quando sua mãe morreu e a legou a ele em testamento.

Ao interrogar a testemunha da acusação, John Wilbanks se debruçou sobre a questão da sucessão e enfatizou o fato de que a propriedade pertencia à família Banning havia mais de cem anos. Não era de conhecimento geral no condado de Ford que os Bannings mantinham suas propriedades? Slim declarou que não podia atestar o que era de conhecimento geral, só podia falar por si mesmo, mas que, sim, imaginava que as terras acabariam pertencendo à geração seguinte.

Quando as perguntas acabaram, Slim deixou o banco e retornou ao seu gabinete.

Roy Lester, um dos assistentes do xerife, foi chamado para depor. Seguindo a legislação do Mississippi, ele se desfez do revólver utilizado em serviço, do coldre e do cinto antes de se sentar no banco das testemunhas. Conforme Truitt foi fazendo perguntas, Lester partiu da narrativa de Hop e descreveu o momento em que os dois chegaram. Primeiro, tentaram acalmar a Sra. Bell, que estava desesperada, e com razão. Ele estava com a esposa do reverendo quando o xerife Gridley chegou ao local, e ele a acompanhou até a varanda da casa da Sra. Vanlandingham, do outro lado da rua. Depois, voltou para a igreja e ajudou na investigação.

John Wilbanks não tinha perguntas.

Miles Truitt tinha os fatos a seu favor, o que costumava ser o caso com promotores, e por essa razão era ponderado e metódico. Não era preciso criatividade. Ele lentamente construiria a narrativa e conduziria os jurados passo a passo ao longo do crime e de suas consequências. Sua testemunha seguinte foi o xerife Nix Gridley, que se despiu de suas armas e ocupou o banco.

Nix apresentou a cena do crime e, por meio de uma série de fotos coloridas ampliadas, os jurados finalmente viram o cadáver e todo o sangue. As fotos eram horríveis, incitadoras e tendenciosas, mas os juízes do Mississippi sempre permitiram que esse tipo de material fosse exibido. A verdade era que os assassinatos sempre provocavam um estrago, e tanto o júri quanto o juiz tinham o direito de ver o dano causado pelo réu. Felizmente, as fotos não eram grandes o suficiente para serem vistas pelo público ao fundo nem nas galerias. Jackie Bell foi poupada da visão de seu falecido marido, mas não deixou de ficar incomodada ao descobrir que tal prova existia. Ninguém havia lhe contado que Dexter fora fotografado enquanto seu sangue se espalhava pelo chão. O que aconteceria com as fotografias depois do julgamento?

Quando as fotos circularam pela bancada do júri, vários dos jurados olharam fixamente para Pete, que folheava um calhamaço de legislação. Em raras ocasiões ele levantava a cabeça, jamais olhava em volta, e durante a maior parte do tempo parecia apartado de seu próprio julgamento.

Nix contou sobre sua conversa com Hop, que identificou o assassino. Ele, Roy Lester e Red Arnett saíram para prender Pete Banning, que aguardava na varanda de casa. Pete disse a eles que a arma estava em sua caminhonete, e eles a recolheram. Ele não falou nada enquanto se dirigiam para a cadeia, onde John Wilbanks estava esperando. O Dr. Wilbanks insistiu que não haveria interrogatório sem a presença dele, portanto Nix nunca teve a chance de falar com o réu, que, até hoje, jamais disse uma palavra sobre por que matou o reverendo.

– Então você não tem nenhuma ideia do motivo? – perguntou Truitt.

John Wilbanks estava ansioso para fazer algo típico de advogado. Ficou de pé em um salto e disse:

– Protesto, Excelência. Especulação. Esta testemunha não está em posição de dar sua "ideia" ou opinião quanto ao motivo.

– Aceito.

Indiferente, Truitt caminhou até uma pequena mesa em frente à tribuna, enfiou a mão em uma caixa de papelão, retirou um revólver e o entregou a Nix.

– Esta é a arma que você recolheu na caminhonete de Pete Banning?

Nix a pegou com ambas as mãos e assentiu. Sim, era.

– Você a descreveria para o júri?

– Claro. É fabricada pela Colt para o exército, calibre 45, revólver de ação única, com seis câmaras no tambor. Cano de 5,5 polegadas. Uma arma muito boa. Eu diria que é uma lenda entre os conhecedores.

– Você sabe onde o réu comprou essa arma?

– Não. Como eu falei, nunca conversei com o réu sobre o episódio.

– Você sabe quantos projéteis foram disparados pelo réu contra a vítima?

– Foram três. Hop disse que escutou três tiros e, como vocês ouviram, a Sra. Bell declarou que ouviu três sons. De acordo com a autópsia, a vítima foi atingida duas vezes no peito e uma vez no rosto.

– Você conseguiu recuperar algum dos projéteis?

– Sim, dois deles. Um atravessou a cabeça e se alojou no encosto de espuma da cadeira em que a vítima estava sentada. Outro passou pelo tronco e se alojou na parte inferior da cadeira. O terceiro foi removido pelo legista durante a autópsia.

Jackie Bell irrompeu em um choro e começou a soluçar. Errol McLeish se levantou e a ajudou a ficar de pé. Ela saiu do tribunal com as mãos no rosto enquanto todos olhavam, ansiosos. Quando a porta se fechou, Miles Truitt olhou para o juiz Oswalt, que assentiu como se dissesse: "Vá em frente."

Truitt foi até a mesa, retirou um pequeno pacote da caixa e o entregou à testemunha.

– Você poderia descrever isso?

– Claro. São os três projéteis que mataram o reverendo.

– E como você sabe disso?

– Bem, eu enviei a arma e os projéteis para o laboratório de criminalística. Eles fizeram os testes de balística e me enviaram um relatório.

Truitt foi até sua mesa, pegou alguns papéis e meio que os sacudiu para o juiz Oswalt.

– Excelência, tenho os dois relatórios do laboratório. O primeiro é do perito em balística; o segundo é do médico que realizou a autópsia. Solicito que sejam incluídos nos autos como provas.

– Alguma objeção, Dr. Wilbanks?

– Sim, Excelência, a mesma que fiz na semana passada. Prefiro que esses dois especialistas venham aqui ao tribunal, para que eu possa interrogá-los. Não tenho como interrogar relatórios escritos. Não existe nenhuma razão para que esses dois homens não sejam intimados aqui para testemunhar. Isso é prejudicial para a defesa.

– Negado. Os relatórios serão incluídos entre as provas. Prossiga, Dr. Truitt.

– Bem, xerife Gridley, o júri vai ter acesso aos dois relatórios, mas você poderia resumir o que o perito em balística atestou?

– Claro. Os três cartuchos usados ainda estavam nas câmaras do revólver, o que facilitou a análise. O perito os examinou, junto com os três projéteis, e a arma foi testada. Na opinião dele, sem dúvida o revólver Colt que coletamos na caminhonete do réu efetuou os três disparos fatais. Não resta dúvida.

– E você pode resumir as conclusões do médico que realizou a autópsia?

– Nenhuma surpresa nesse ponto. As três balas disparadas do revólver de Pete Banning entraram no corpo da vítima e provocaram sua morte. Está tudo bem aqui, no relatório.

– Obrigado, xerife. Sem mais perguntas.

John Wilbanks ficou de pé e olhou para Gridley como se fosse jogar uma pedra nele. Então subiu ao púlpito e refletiu sobre sua primeira pergunta. Havia semanas, já, que cada vivalma do condado de Ford County sabia que Pete Banning tinha matado Dexter Bell a tiros. Se Wilbanks ousasse sugerir o contrário, arriscaria perder qualquer credibilidade que tivesse. Também corria o risco de ser ridicularizado, algo que seu orgulho não poderia tolerar.

Ele decidiu cutucar um pouco aqui e ali, talvez suscitar alguma dúvida, mas, acima de tudo, manter seu prestígio.

– Xerife, quem é o seu perito em balística?

– Um homem chamado Doug Cranwell, que trabalha em Jackson.

– E você acha que ele é um perito qualificado em seu campo de atuação?

– Parece que sim. Ele é requisitado por muita gente do meio jurídico.

– Bem, me perdoe por perguntar, mas não posso questioná-lo pessoalmente sobre as qualificações dele. Por que ele não está aqui para testemunhar ao vivo ante este júri?

– Eu acho que você vai ter que perguntar ao Dr. Truitt. Eu não sou encarregado dos julgamentos.

Nix sorriu para os jurados e aproveitou seu momento de leveza.

– Entendo. E a qual médico você solicitou a autópsia?

– Ao Dr. Fred Briley, também de Jackson. Ele é requisitado por muitos xerifes.

– E por que ele não está aqui para testemunhar diante deste júri?

– Acho que ele cobra muito caro.

– Entendo. Esta é uma investigação de baixo orçamento? Um crime sem muita importância?

– Isso sai do orçamento do Dr. Truitt, não do meu. Então você vai ter que perguntar pra ele.

– Você não acha estranho, xerife, que nenhum desses peritos compareça aqui e se sujeite a um rigoroso interrogatório da defesa?

Truitt se levantou e disse:

– Protesto, Excelência. A testemunha não está à frente da acusação neste caso.

– Aceito.

Nix, que estava gostando de sua breve visita ao banco das testemunhas, continuou:

– É sem dúvida um caso bastante óbvio, e acho que o Dr. Truitt não viu a necessidade de convocar muitos especialistas.

– Basta, xerife – vociferou Oswalt.

– Quantos homicídios você já investigou, xerife?

– Não muitos. As coisas são bem tranquilas por aqui. Não vemos muitos crimes.

– Quantos homicídios?

132

Quando ficou claro que seria necessário dar uma resposta, Gridley se ajeitou na cadeira, pensou por um segundo e perguntou:

– Envolvendo negros ou brancos?

Wilbanks olhou para o vazio, frustrado, e perguntou:

– Você os investiga de forma diferente?

– Não, acho que não. Eu vi três ou quatro esfaqueamentos em Lowtown, e aquele menino, Dulaney, que foi enforcado em Box Hill. Fora isso, do nosso lado da cidade, encontramos Jesse Green boiando no rio, mas nunca foi possível afirmar se ele havia sido assassinado. O corpo estava em estado avançado de decomposição. Então eu acho que só teve um assassinato antes desse.

– E há quanto tempo você é xerife?

– Já se vão oito anos.

– Obrigado, xerife – disse Wilbanks, e voltou para a mesa.

O juiz Oswalt estava tremendo por falta de nicotina. Ele bateu o martelo e anunciou:

– Vamos fazer um recesso para o almoço e voltaremos às duas da tarde.

15

Depois do intervalo para fumar e comer, o juiz se reuniu com os advogados em particular. Truitt disse que não tinha outras testemunhas e sentia que havia concluído seu argumento de forma satisfatória. Oswalt concordava. Wilbanks também não tinha como negar isso e elogiou o promotor sobre quão bem suas provas haviam sido apresentadas. Por parte da defesa, ainda havia dúvidas quanto à possibilidade de Pete Banning depor. Um dia ele queria falar em juízo e apresentar seu caso ao júri. No outro, mal falava com o próprio advogado. Wilbanks confidenciou que de fato acreditava que naquele momento Pete estava mentalmente desequilibrado, mas não haveria declaração de insanidade. Pete ainda se opunha veementemente, e o prazo de apresentação já havia passado.

– Quem é sua primeira testemunha? – perguntou o juiz Oswalt.

– O major Rusconi, do exército americano.

– E qual o ponto principal do depoimento dele?

– Quero provar que, na época em que estava na ativa e lutando contra os japoneses nas Filipinas, meu cliente foi capturado e dado como morto. Foi a mensagem que enviaram à família dele em maio de 1942.

– Eu não vejo a relevância disso pra esse crime, John – retrucou Truitt.

– Não me surpreende que você diga isso. Vou tentar preparar as bases para o depoimento do meu cliente, para o caso de ele decidir depor.

– Também não sei se isso é relevante, John – disse o juiz Oswalt, bastante cético. – Você vai provar que a família acreditava que ele tinha morrido ou desaparecido, ou as duas coisas, e nesse contexto o reverendo, durante o exercício de suas funções, acabou passando dos limites, dando então ao réu uma motivação para o crime. É essa a sua ideia?

Truitt balançava a cabeça em reprovação.

– Excelência, eu não tenho mais nada – disse Wilbanks –, nada além do próprio réu. Você precisa permitir que eu elabore uma defesa, por mais inconsistente que pareça.

– Traga ele ao tribunal. Miles, faça suas objeções, se desejar. Eu vou deixar que ele fale por um tempo e vamos ver aonde isso vai chegar, mas estou descrente.

– Obrigado, Excelência – disse Wilbanks.

Quando os jurados voltaram ao tribunal após a pausa para o almoço, o juiz Oswalt os informou de que o estado havia concluído sua argumentação e que a defesa estava renunciando ao seu direito de fazer as alegações iniciais. O major Anthony Rusconi foi chamado ao banco das testemunhas e marchou até lá, vestindo um traje militar completo. Ele era de Nova Orleans, tinha um sotaque forte e inconfundível e um sorriso verdadeiro. Era um oficial de carreira que servira no Pacífico.

Depois de algumas perguntas iniciais, Miles Truitt se levantou e educadamente disse:

– Excelência, com todo o respeito à testemunha, seu depoimento é e continuará sendo irrelevante para os fatos e assuntos envolvidos neste caso. Portanto, eu gostaria de apresentar uma objeção ao prosseguimento da oitiva.

– Anotado. Prossiga, Dr. Wilbanks.

Antes da guerra, Rusconi estava lotado em Manila e trabalhava no centro de comando do general Douglas MacArthur, comandante das forças americanas nas Filipinas. Um dia depois do ataque a Pearl Harbor, os japoneses bombardearam as bases aéreas americanas nas Filipinas e a guerra começou.

Naquela época, o tenente Pete Banning era oficial do Vigésimo Sexto Regimento de Cavalaria e estava lotado em Fort Stotsenburg, próximo à base aérea de Clark Field, aproximadamente 100 quilômetros ao norte de Manila.

Os japoneses rapidamente destruíram as forças aéreas e navais americanas e invadiram com 50 mil soldados experientes e bem equipados. Os americanos e seus aliados, os membros da Philippine Scouts e o exército filipino regular, organizaram uma defesa heroica, mas quando os japoneses se fortaleceram e apertaram o cerco ao redor das ilhas, eles ficaram sem comida, remédios, combustível e munição. Sem apoio das forças aéreas para protegê-los e sem a marinha para fornecer suprimentos e ajudá-los a fugir, os americanos foram forçados a recuar para a península de Bataan, uma faixa de terra hostil e selvagem que se projeta no mar da China Meridional.

Rusconi era um grande contador de histórias e parecia apreciar a oportunidade de falar sobre a guerra. Miles Truitt balançou a cabeça e tentou fazer contato visual com o juiz Oswalt, que o evitou. Os jurados estavam fascinados. O público não tirava os olhos da testemunha e todos estavam praticamente imóveis.

O cerco durou quatro meses e, quando se viram obrigados a se render a uma força infinitamente superior, configurou-se a maior derrota da história do exército americano. Mas os soldados não tiveram escolha. Estavam passando fome, doentes, haviam emagrecido e morriam tão depressa que não havia nem como enterrar os corpos. O aumento dos casos de malária, dengue, disenteria, escorbuto e beribéri era galopante, além das doenças tropicais das quais os médicos americanos nunca tinham ouvido falar. E tudo estava prestes a piorar.

O próprio Rusconi se rendeu em Manila, em fevereiro de 1942. O general MacArthur partiu em março e se instalou na Austrália junto com seu destacamento. Rusconi e sua guarnição foram jogados em um campo de prisioneiros perto de Manila, mas foram autorizados a manter muitos dos registros que os japoneses não consideraram importantes. Eles eram razoavelmente bem tratados, mas estavam sempre com fome. As coisas seriam muito diferentes em Bataan.

De acordo com os escassos registros que Rusconi conseguiu manter e reunir, o tenente Banning e sua unidade se renderam em 10 de abril de 1942, no extremo sul da península de Bataan. Ele era um dos cerca de 70 mil prisioneiros de guerra que foram forçados a marchar por dias sem comida e água. Milhares sucumbiram e morreram sob o sol escaldante e seus corpos foram simplesmente jogados em valas na beira da estrada.

Entre os cativos estavam centenas de oficiais e, por mais terríveis que fossem as condições nas quais se encontravam, tentaram manter algum resquício de hierarquia. Foi dada a ordem de que os nomes daqueles que morreram deviam ser lembrados e depois registrados, para que as famílias fossem notificadas. Sob aquelas circunstâncias extremas, essa tarefa se mostrou difícil. Rusconi fugiu um pouco do assunto e explicou ao júri que naquela data, 7 de janeiro de 1947, o exército americano ainda estava cumprindo a difícil tarefa de encontrar e tentar identificar os soldados mortos nas Filipinas.

Miles Truitt ficou de pé, levantou as duas mãos e disse:

– Excelência, por favor, isto é um tribunal do júri. Essa história é trágica e envolvente, mas não tem nada a ver com o que estamos tratando aqui.

O juiz Oswalt estava claramente dividido. Era óbvio que o depoimento era irrelevante. Ele perguntou para John Wilbanks:

– Aonde você quer chegar, doutor?

Mas Wilbanks conseguiu passar a impressão de que sabia exatamente o que estava fazendo.

– Por favor, Excelência, me dê mais uns minutos – disse. – Garanto que tudo vai fazer sentido.

O juiz não pareceu muito convencido, mas pediu a Rusconi que prosseguisse.

Depois de vários dias marchando, o tenente Banning se feriu e foi deixado para trás. Nenhum esforço foi feito para ajudá-lo porque, como os prisioneiros haviam aprendido rapidamente, tal esforço logo atraía a baioneta de algum guarda japonês. Mais tarde, durante um intervalo, alguns dos homens de sua unidade ouviram os soldados japoneses matarem os retardatários. Não havia dúvida de que o tenente Banning estava entre as vítimas dos soldados japoneses.

Pete estava ouvindo, porque era impossível não ouvir, mas continuava sentado com o semblante impassível, olhando para o chão como se não tivesse escutado nada. Não reagiu nem olhou para a testemunha uma única vez.

Rusconi afirmou que pelo menos 10 mil soldados americanos e filipinos sucumbiram durante a marcha. Morreram de fome, desidratação, exaustão, insolação, executados a tiros, em decorrência de espancamentos, baionetas e decapitações. Aqueles que sobreviveram foram apinhados em miseráveis campos de extermínio, onde sobreviver era ainda mais desafiador do que a marcha da morte. Os oficiais tentaram organizar várias maneiras de registrar os nomes dos mortos, e durante o fim da primavera e o início do verão de 1942 listas de vítimas começaram a chegar aos poucos ao gabinete de Rusconi, em Manila. Em 19 de maio, a família de Pete Banning foi oficialmente notificada de que ele havia sido capturado, estava desaparecido e havia sido dado como morto. A partir de então, não houve notícias suas até a libertação das Filipinas, quando ele surgiu do meio da selva junto com um grupo de comandos. Por mais de dois anos, ele guiara seus homens em uma audaciosa, heroica e quase suicida campanha de terror contra o exército japonês. Por sua bravura e liderança, recebeu o Coração Púrpura, a Estrela de Prata, a Estrela de Bronze e a Cruz de Serviço Distinto em razão do heroísmo demonstrado em combate.

Naquele momento, era impossível encarar Pete Banning e pensar nele como o homem que assassinara Dexter Bell. O juiz Oswalt percebeu isso e decidiu intervir.

– Vamos fazer um recesso – disse ele, pegando um cigarro.

Em seu gabinete, ele tirou a toga e acendeu um cigarro. Olhou para John Wilbanks e disse:

– Já chega daquilo. Isto aqui é um julgamento, não uma cerimônia de condecoração. Quero saber agora mesmo se o seu cliente vai depor e como você pretende tornar isso tudo relevante.

Truitt ficou irritado e disse:

– O mal está feito, Excelência. Nada disso é relevante e não deveria ter sido apresentado ao júri.

– Ele vai depor? – indagou o juiz.

– Receio que não – respondeu Wilbanks baixinho, em tom de derrota. – Ele acabou de me dizer que não tem nada a declarar.

– Você tem mais alguma testemunha?

Wilbanks hesitou e disse:

– Sim, um dos soldados americanos que serviram com Pete.

– Um dos comandos que estiveram com ele na selva?

– Sim, mas isso não é importante. Meu cliente acaba de me informar que vai se opor a qualquer outro depoimento que relate o período da guerra, Excelência.

Oswalt deu um longo trago no cigarro e foi até uma janela.

– Há mais testemunhas?

– A acusação encerrou as oitivas, Excelência – disse Truitt.

– Não tenho mais ninguém, Excelência – informou Wilbanks.

Oswalt se virou e ficou de pé atrás da mesa.

– Tudo bem. Vou dispensar o júri por hoje. Vamos elaborar a lista de regras a serem seguidas pelo júri aqui mesmo, depois vocês vão descansar um pouco. Vocês farão as declarações finais pela manhã, e a partir daí o caso vai ser passado pro júri.

CLAY WAMPLER ERA um caubói do Colorado. Alistou-se no exército em 1940 e foi enviado para as Filipinas no fim daquele ano, como integrante da Trigésima Primeira Divisão de Infantaria. Ele se rendeu em Bataan, sobreviveu à marcha da morte e conheceu Pete Banning em um campo de prisioneiros de guerra. Sua vida foi salva quando um guarda japonês lhe vendeu quinino suficiente para curar sua malária. Durante a transferência para um campo de trabalhos forçados no Japão, ele e Pete escaparam. Como já se consideravam homens mortos, se arriscaram na selva, onde passaram os primeiros três dias e noites perdidos no meio do mato. Quando já estavam muito fracos para andar e começaram a pensar em maneiras de cometer suicídio, mataram um soldado japonês ferido que eles pegaram cochilando no bosque. Na mochila dele encontraram comida e água, e, depois de se empanturrarem, esconderam seu corpo e escaparam por pouco da patrulha. Armados com uma pistola, uma faca, um fuzil e uma baioneta, acabaram encontrando guerrilheiros americanos e filipinos. Eles viviam nas regiões montanhosas da selva e se tornaram bastante hábeis em matar soldados inimigos. Suas façanhas poderiam encher um calhamaço.

Clay entrou em contato com John Wilbanks e se ofereceu para ajudar de alguma maneira. Viajou até Clanton e estava preparado para se sentar no banco das testemunhas e dizer o que fosse preciso para salvar o amigo. Ao ser comunicado pelo advogado de que ele não seria autorizado a testemunhar, Clay decidiu visitar Pete na prisão na tarde de terça-feira.

O xerife Gridley deixou a prisão às cinco da tarde e, como havia se tornado costume, entregou sua sala para o encarregado e para Tick Poley. Florry serviu ao irmão e a Clay um belo jantar e ficou ouvindo durante horas os dois contarem histórias que ela jamais havia escutado. Foi a única vez que Pete falou sobre a guerra. Conforme um episódio narrado levava a outro, Florry ouvia, incrédula, as descrições do sofrimento pelo qual haviam passado. Sobreviver parecia ter sido um milagre.

Clay ficou perplexo com a possibilidade de seu amigo ser condenado à morte pelo estado do Mississippi. Quando Pete lhe assegurou que isso era algo provável, ele jurou reunir a velha gangue e montar um cerco a Clanton. Os assistentes gorduchos do xerife que ele tinha visto no tribunal não seriam páreo para seus amigos, comandos destemidos que mataram milhares de pessoas de maneiras terríveis demais para serem comentadas.

– Muitas vezes tivemos que matar em silêncio – explicou Clay a Florry.
– Um tiro chama a atenção.

Ela assentiu como se entendesse perfeitamente.

Muito depois do jantar, Tick Poley finalmente bateu à porta e disse que a festa havia acabado. Pete e Clay se abraçaram e se despediram. Clay prometeu voltar com a gangue para resgatar seu comandante. Pete respondeu que aqueles dias tinham ficado para trás.

Ele foi para sua cela, apagou a luz e dormiu.

16

Uma neve fraca caía quando Miles Truitt se levantou para apresentar suas considerações finais ao júri. Poucas coisas animavam tanto os moradores do condado quanto a neve, e, embora a previsão não passasse de 5 centímetros, a cidade estava agitada como se pudesse ficar obstruída por um mês inteiro. Miles achou que isso poderia prejudicar sua estratégia. Os jurados não perderiam tempo com as deliberações, pois, em vez disso, iam querer voltar para casa correndo a fim de se preparar. John Wilbanks temia que o clima não favorecesse Pete. Poderia distrair os jurados. Ele estava torcendo para que um ou dois insistissem na prisão perpétua e não na pena de morte, e quaisquer dissidentes em potencial jogassem a toalha, para poderem chegar em casa antes que as estradas se tornassem perigosas. A condenação era uma certeza inescapável, mas uma divergência quanto à pena significava que ele viveria, ainda que preso pelo resto da vida. Ele e Russell vinham debatendo os prós e os contras da neve durante toda a manhã, sem chegar a nenhuma conclusão. Russell estava convencido de que ela não seria um fator decisivo. O julgamento tinha sido breve. Os jurados estavam completamente envolvidos. A decisão deles era importante demais para sofrer qualquer interferência.

Discussões típicas de advogados.

Miles se aproximou da bancada do júri, sorriu para os jurados, agradeceu a eles pelo serviço prestado, como se tivessem escolha, e disse:

– Peço aos senhores que ignorem o depoimento da última testemunha, o major Rusconi, de Nova Orleans. Nada do que ele disse é relevante para este caso, para esta acusação de homicídio. Não estou pedindo a vocês que esqueçam o serviço prestado pelo réu e seu sacrifício. Foi extraordinário, lendário até, mas termina aí. Este país acaba de ganhar a maior guerra mundial da história, e temos muitos motivos para nos orgulhar. Quatrocentos mil americanos morreram e hoje, por todo canto desta grande nação, famílias ainda estão tentando se recompor. Mais de 5 milhões de homens e mulheres serviram, na maior parte dos casos de forma corajosa, até mesmo heroica. Mas ser herói de guerra não dá a ninguém o direito de voltar para casa e cometer um homicídio tão terrível e sem sentido. E se todos os nossos heróis de guerra decidissem fazer justiça com as próprias mãos e saíssem atirando por aí?

Miles caminhava lentamente pelo salão e discursava sem ler. Havia ensaiado por horas, se preparado ao longo de semanas, e sabia que aquele seria seu momento de glória.

– Em vez disso, peço a vocês que pensem em Jackie Bell e seus filhos. Três crianças maravilhosas que viverão o resto da vida sem o pai. Um bom homem de Deus, um bom pastor, um grande pai e marido. Um homem morto aos 39 anos, a sangue-frio e sem motivo aparente. Um homem indefeso, pego desprevenido, sem razão para se perguntar por que seu amigo de repente apareceu portando uma arma. Sem chance de escapar, sem tempo para se defender, sem ter como evitar um fim repentino e trágico. Um reverendo que estava lendo a Bíblia, ou tinha terminado de ler, quando o réu apareceu repentinamente, sem aviso, e tirou sua vida. Suponho que jamais saberemos a causa do conflito entre Dexter Bell e Pete Banning, mas vou fazer a pergunta que todos nos fazemos desde outubro passado: por que, pelo santo nome de Deus, isso não poderia ter sido resolvido sem derramamento de sangue?

Miles se virou e olhou para o réu. Abriu bem os braços e perguntou:

– Por quê?

Pete se limitou a olhar para a frente, resoluto.

– Mas o derramamento de sangue aconteceu, e agora é dever dos senhores lidar com isso. Não é possível haver dúvidas quanto aos fatos. A defesa não conseguiu nem mesmo insinuar que outra pessoa tenha cometido o crime. A defesa não afirmou que Pete Banning era psicologicamente instável. A defesa fez o melhor que pôde, mas não há defesa. Pete Banning atirou em Dexter

Bell e o matou. Agiu sozinho e de forma premeditada. Ele planejou o crime e sabia exatamente o que estava fazendo. Quando vocês se retirarem para deliberar, daqui a alguns minutos, levarão consigo uma cópia da escritura que ele assinou apenas três semanas antes do assassinato. Foi uma tentativa de transferir seu maior patrimônio para os filhos, no intuito de proteger sua propriedade. Em termos legais, isso é conhecido como ocultação de bens. Uma fraude, parte dos preparativos para um homicídio. Jamais saberemos por quanto tempo o réu planejou o crime, e isso na verdade não importa. O que importa é que foi cuidadosamente pensado, premeditado.

Miles fez uma pausa, foi até sua mesa e tomou um gole de água. Ele era um ator no exercício de uma grande performance, e os jurados, bem como todos os demais no tribunal, estavam boquiabertos.

– A condenação, neste caso, é uma questão simples, assim como a determinação da pena – continuou. – Vocês, e vocês apenas, têm o poder de sentenciar o réu à morte na cadeira elétrica, ou à prisão perpétua na penitenciária de Parchman, sem direito a condicional. A razão para existir pena de morte neste estado é porque algumas pessoas a merecem. Este homem é culpado de homicídio qualificado e, de acordo com as nossas leis, não tem o direito de viver. Nossas leis não foram escritas para proteger os interesses dos ricos, dos privilegiados ou daqueles que serviram a este país na guerra. Se eu fosse considerado culpado de homicídio qualificado, eu mereceria morrer. O mesmo vale para vocês. O mesmo vale para ele. Leiam a legislação atentamente quando voltarem para a sala do júri. Ela é simples e direta, e em lugar algum se encontra uma exceção para heróis de guerra. Se por algum instante lá atrás vocês se sentiram tentados a demonstrar compaixão, então peço que parem um pouco e pensem em Dexter Bell e sua família. Peço que demonstrem ao Sr. Pete Banning a mesma compaixão que ele demonstrou a Dexter Bell. Que Deus o tenha. Vocês fizeram um juramento e se comprometeram a cumprir um dever, e, neste caso, o dever de vocês pede que o réu seja considerado culpado e condenado à morte. Obrigado.

O juiz Oswalt não estabeleceu limite de tempo para as alegações finais. Truitt poderia ter continuado ininterruptamente por uma ou duas horas, mas foi sábio o bastante para não fazer isso. Não havia dúvidas quanto aos fatos, o julgamento tinha sido curto e seus argumentos eram claros e objetivos.

John Wilbanks seria ainda mais breve. Ele começou com uma pergunta surpreendente:

– Que benefício teríamos ao executar Pete Banning? Pensem nisso por um momento.

Ele fez uma pausa e começou a andar devagar, de um lado para outro, diante dos jurados.

– Se vocês executarem Pete Banning, nossa comunidade se tornará mais segura? A resposta é não. Ele nasceu aqui há 43 anos e levou uma vida exemplar. Marido, pai, agricultor, vizinho, empregador, membro da igreja, formado na Academia Militar, em West Point. Serviu a este país com mais coragem do que jamais seremos capazes de imaginar. Se vocês executarem Pete Banning, trarão Dexter Bell de volta? A resposta é óbvia. Todos nós sentimos enorme compaixão pela família Bell e por seu imenso sofrimento. Tudo o que eles querem é o pai e o marido de volta, mas isso não está ao alcance dos senhores. Se vocês executarem Pete Banning, esperam viver o resto da vida com a sensação de dever cumprido, de terem feito o que o estado do Mississippi lhes pediu que fizessem? Eu duvido. A resposta, senhores, é que não há benefício algum em tirar a vida desse homem.

Wilbanks fez uma pausa e passou os olhos pelo tribunal. Ele pigarreou e voltou a se concentrar nos jurados, olhando-os nos olhos.

– A questão óbvia aqui é, se matar é errado, e todos nós concordamos com isso, por que o estado tem permissão para isso? As pessoas que fazem as nossas leis lá em Jackson não são mais inteligentes do que vocês. O senso de bem e mal e de moralidade básica delas não é maior que o de vocês. Conheço algumas dessas pessoas e posso lhes garantir que elas não são tão decentes e tementes a Deus quanto vocês. Não são tão sábias quanto vocês. Se vocês derem uma olhada em algumas das leis que aprovaram, verão que muitas vezes elas estão erradas. Mas, em algum ponto ao longo do caminho, em algum ponto no processo de formulação das leis, alguém com um pouco de juízo decidiu dar a vocês, jurados, uma escolha. Perceberam que cada caso é um caso, que cada réu é um réu, e que pode haver um momento, em um julgamento, em que os jurados dizem a si mesmos que as mortes precisam parar. É por isso que vocês podem escolher entre a vida e a morte. Isso está na lei que vocês têm em mãos.

Wilbanks fez mais uma pausa dramática enquanto fitava os olhos de cada um dos jurados.

– Não podemos trazer Dexter Bell de volta e devolvê-lo a seus filhos. Mas Pete Banning também tem filhos. Um belo filho e uma linda filha, ambos na faculdade, ambos com uma vida inteira pela frente. Por favor, não tirem o pai deles. Eles não fizeram nada de errado. Não merecem ser punidos. É claro que Pete Banning não terá uma vida muito boa dentro dos muros da prisão, mas ele estará lá. Os filhos poderão visitá-lo de vez em quando. Eles poderão lhe escrever cartas, enviar fotos quando se casarem e dar ao pai a alegria de ver o rosto de seus netos. Embora ausente, Pete será uma presença em suas vidas, assim como os filhos serão na dele. Pete Banning é um grande homem, sem dúvida maior que eu, do que a maioria de nós neste tribunal. Eu o conheço praticamente a vida inteira. Meu pai era muito próximo do pai dele. Pete é um de nós. Ele foi criado aqui, a partir da mesma terra escura, criado aqui com as mesmas crenças, convicções e tradições, as mesmas que eu e vocês temos. Qual o benefício de enviá-lo para a cova? Se nós, o povo, executarmos um dos nossos, haverá uma mancha de sangue no condado de Ford que jamais será apagada. Jamais, jamais, jamais.

Sua voz falhou ligeiramente e ele se esforçou para manter a compostura. Engoliu em seco, cerrou os dentes, fez um olhar de súplica.

– Peço-lhes, senhores deste júri, um júri de homens iguais a ele, que poupem a vida de Pete Banning.

Quando John Wilbanks se sentou ao lado de Pete, colocou um dos braços em volta do ombro dele e lhe deu um abraço rápido e apertado. Pete não retribuiu; continuou olhando para a frente, como se não tivesse ouvido nada.

O juiz Oswalt deu ao júri as instruções finais, e todos ficaram de pé quando os jurados se retiraram.

– Estamos em recesso – anunciou. – A sessão está suspensa. – Ele bateu o martelo e desapareceu nos fundos da tribuna. Já eram quase onze horas e havia parado de nevar.

Em completo silêncio, metade da multidão deixou o tribunal. A grande questão era quanto tempo aquilo levaria, mas, como ninguém poderia prever, pouco se falava sobre o assunto. Aqueles que ficaram para trás se reuniram em pequenos grupos, cochichando, fumando e balançando a cabeça enquanto o velho relógio acima da tribuna tiquetaqueava lentamente.

Jackie Bell tinha ouvido o suficiente. Ela e Errol saíram alguns minutos depois e andaram até o carro dele. Ele limpou a neve do para-brisa e os dois foram embora de Clanton. Havia quatro dias que ela estava longe dos filhos.

Florry também já havia visto o suficiente do julgamento. Evitando os olhares dos metodistas, ela e Mildred Highlander pegaram seus casacos e saíram. Foram até a casa de Mildred e prepararam um bule de chá. À mesa da cozinha, leram os jornais de Tupelo, Memphis e Jackson. Os três tinham enviado repórteres para o tribunal e fotógrafos para ficar do lado de fora. Os de Tupelo e Memphis publicaram longas reportagens de primeira página, com fotos de Pete entrando algemado no tribunal na véspera. O de Jackson fez o mesmo, na página 2. Florry separou as matérias e as adicionou ao seu álbum de recortes. Assim que chegasse ela ligaria para Joel e Stella para dar as más notícias.

Pete voltou para sua cela e pediu uma xícara de café. Roy Lester foi buscar e Pete lhe agradeceu. Alguns minutos depois, Leon Colliver, o contrabandista de bebidas do outro lado do corredor, perguntou:

– Ei, Pete, quer jogar?

– Claro.

Pete saiu de sua cela, pegou o chaveiro pendurado na parede e abriu a cela de Leon. Eles arrumaram o tabuleiro no meio do corredor e começaram uma partida de *cribbage*. Leon sacou seu cantil, tomou um gole e o estendeu a Pete, que deu um trago.

– Quais são suas chances? – quis saber Leon.

– Entre pouca e nenhuma.

– Eles vão te mandar pra cadeira?

– Vou ficar surpreso se não.

NINGUÉM SE OFERECEU para atuar como líder do júri. De acordo com as instruções do juiz, a primeira ordem de trabalho seria eleger um. Hal Greenwood era dono de uma mercearia perto do lago e um grande falastrão. Alguém entre os outros jurados o indicou, tendo sido eleito por unanimidade. Ele fez uma brincadeira sobre merecer pagamento adicional. A diária no condado de Ford custava 1 dólar.

O juiz Oswalt dissera para levarem o tempo que fosse preciso. O julgamento tinha sido curto; não havia mais nada na pauta daquela semana, e aquele, obviamente, era um caso importante. Ele sugeriu que dessem início às deliberações repassando suas anotações e debatendo as seções aplicáveis do código. E foi o que fizeram.

O juiz também dissera que era importante examinar cada evidência apresentada como prova. Deram pouca atenção à arma e aos projéteis – nenhum era realmente necessário. Hal leu lentamente em voz alta os relatórios da autópsia e da balística. Passou rápido pelo documento de transferência de propriedade, enfatizando apenas os pontos mais importantes e pulando o jargão jurídico.

Walter Willy cuidava não apenas da sala de audiência, como também estava encarregado do júri. Ficou de guarda do lado de fora da sala, sozinho, e enxotava qualquer um que chegasse perto. Colando um ouvido à porta, ele conseguia ouvir quase tudo o que estava sendo dito lá dentro. Fez isso, como sempre fazia. Quando escutou a palavra "almoço", se afastou. Hal Greenwood abriu a porta e informou que os jurados estavam com fome. Walter explicou que já havia se antecipado e que tinha encomendado sanduíches.

Enquanto esperavam, Hal sugeriu que fizessem uma votação inicial sobre a condenação. Sem seguir uma ordem específica, todos os doze pronunciaram a palavra "culpado", embora dois deles tenham soado mais hesitantes que os demais.

John e Russell Wilbanks almoçaram na sala de reuniões de seu escritório de advocacia. Eles geralmente iam a um café no fim da rua, mas não estavam dispostos a enfrentar os olhares nem os comentários medíocres das pessoas que viam quase todos os dias. Russell demonstrou admiração pelas palavras finais do irmão para o júri e estava convencido de que um ou dois insistiriam na pena de prisão perpétua. John não estava tão confiante assim. Ainda se sentia frustrado, até mesmo mal-humorado e deprimido com o modo como havia lidado com o julgamento. Tivesse tido carta branca de Pete, poderia ter montado uma defesa forte baseada na alegação de insanidade e salvado a vida dele. Seu cliente, porém, parecia estar determinado a se destruir. Naquele que talvez fosse o maior caso de sua carreira, tinha sido cerceado e relegado a atuar como pouco mais que um espectador.

Enquanto remexia a comida, lembrou a si mesmo que nada na vida de um advogado criminalista era tão desesperador quanto esperar pela decisão do júri.

UM DOS COMPANHEIROS de fraternidade de Joel era de uma cidadezinha a uma hora de distância do campus da Vanderbilt. Quando o julgamento começou, na manhã de segunda-feira, Joel não conseguiu pensar em mais nada. Seu amigo o convidou para ir até a propriedade da família, onde andaram a cavalo, caçaram no meio da mata por horas e tentaram conversar sobre qualquer coisa menos o que estava acontecendo em Clanton. Joel ligava para Stella todas as noites a fim de saber como a irmã estava. Ela também estava matando aulas e tentando evitar as pessoas.

RUSSELL WILBANKS TINHA acertado em suas previsões. Três dos doze jurados não conseguiram votar a favor da pena de morte, pelo menos não nas primeiras deliberações. Um deles, Wilbur Stack, era um veterano de guerra que havia sido ferido três vezes na Itália. Ele sobrevivera às recusas peremptórias de Miles Truitt simplesmente porque o promotor havia usado todas as cinco antes que pudesse descartar Stack. Outro, Dale Musgrave, administrava uma serraria próxima ao lago e admitiu que o pai tinha feito negócios com o pai de Pete e que muitas vezes expressara grande admiração pelos Bannings. Alguém comentou que talvez aquilo devesse ter sido mencionado durante o processo de seleção, mas que agora já era tarde. O terceiro, Vince Pendergrass, era um pintor de paredes e membro da Igreja Pentecostal que não tinha laços com os Bannings, mas que achava difícil acreditar que esperassem dele que sentenciasse um homem à morte. Vários dos outros nove expressaram os mesmos sentimentos, mas também estavam determinados a seguir a lei. Nenhum dos doze estava ansioso por votar pela execução, mas todos acreditavam na pena de morte. No papel, na teoria, ela era bastante popular em todo o país, e mais ainda no Mississippi. No entanto, muito poucas pessoas haviam participado de um júri no qual tivessem sido convidadas a puxar o interruptor da cadeira elétrica. Aquilo era completamente diferente.

A deliberação continuou de forma digna, e cada homem teve amplas oportunidades de expressar suas opiniões. Tinha parado de nevar. O céu estava limpo; as estradas, transitáveis. Não havia pressa em voltar para casa. Às três da tarde, Hal Greenwood abriu a porta e pediu a Walter um bule de café e doze xícaras.

Após o café, com a sala tomada pela fumaça de cigarro, os jurados começaram a perder o decoro e as vozes se elevaram. Havia uma linha divisória clara, mas sem trincheiras. Os nove não vacilaram nunca, mas os outros três começaram a dar sinais de rendição. Salientou-se repetidas vezes que eles estavam lidando com um homicídio bem planejado e que deveria ter sido evitado. Se Pete Banning tivesse pelo menos ido até o banco das testemunhas e explicado seus motivos, então poderia haver alguma empatia. Mas ele apenas ficara lá sentado, aparentemente alheio ao próprio julgamento, e não olhara para os jurados uma vez sequer.

Aquele homem obviamente havia sido afetado pela guerra. Por que o advogado dele não demonstrara isso? Será que o motivo poderia ter algo a ver com sua esposa e Dexter Bell? Os metodistas se ressentiram dessa sugestão e defenderam a honra do pastor assassinado. Hal Greenwood os advertiu de que não era o papel deles avaliar o caso para além dos fatos. Eles deveriam se ater ao que tinham visto e ouvido no tribunal.

Por volta das quatro horas, Vince Pendergrass mudou de ideia e ficou do lado da maioria. Foi a primeira conversão, um momento crucial. Os dez se sentiram encorajados e aumentaram a pressão sobre Wilbur Stack e Dale Musgrave.

ERNIE DOWDLE PASSOU pelo corredor do tribunal e deparou com Walter Willy cochilando à porta da sala do júri. Já eram quase cinco, havia passado da hora de Ernie voltar para casa, e ele parou para perguntar a Walter se estava precisando de alguma coisa. Walter lhe garantiu que não e lhe disse para seguir seu rumo, que ele tinha tudo sob total controle.

– O que eles estão fazendo aí dentro? – quis saber Ernie, apontando para a porta com a cabeça.

– Deliberando – respondeu Walter com um ar profissional. – Agora, por favor, saia.

– Vão chegar a um veredito?

– Não posso falar.

Ernie foi embora e subiu uma escada estreita até o terceiro andar, onde o condado mantinha uma pequena biblioteca de livros jurídicos e alguns arquivos. Pisando o mais levemente possível, ele abriu a porta de uma sala de serviço escura e estreita na qual Penrod estava sentado em um banquinho com um cachimbo de sabugo de milho apagado na boca. Havia um exaustor de ferro fundido que ia do chão ao teto. Uma abertura no piso ao lado dele trazia não apenas o cheiro de fumaça de cigarro, mas também as vozes abafadas dos jurados logo abaixo.

Quase sem emitir som, Penrod disse:

– Onze a um.

Ernie pareceu surpreso. Uma hora antes, a votação estava nove a três. Ele e Penrod estavam certos de que seriam demitidos e provavelmente presos caso alguém descobrisse aquela bisbilhotagem, portanto não contaram para mais ninguém. A maioria dos casos envolvendo júris era de natureza civil e chata demais para alguém se interessar. Os eventuais julgamentos criminais em geral envolviam um réu negro e um júri exclusivamente branco, com deliberações rápidas e previsíveis. O julgamento do Sr. Banning era muito mais interessante. Será que os brancos iam mesmo condenar e matar um dos seus?

NÃO TENDO PRODUZIDO nada durante a tarde, John Wilbanks decidiu acalmar os nervos quando a escuridão começou a se aproximar. Ele e Russell se retiraram para uma sala no andar de cima, onde mantinham uma cafeteira e um bar totalmente abastecido. Russell serviu Jack Daniel's com gelo para os dois e eles se sentaram em velhas cadeiras de palha que estavam no escritório havia décadas. Pela janela era possível ver o tribunal do outro lado da rua, e no segundo andar viam-se as silhuetas dos jurados quando eventualmente se moviam pela sala. Estavam deliberando havia mais de seis horas, o que não era muito tempo na região rural do Mississippi.

John relembrou a velha história de um júri da época da Depressão que se estendera por dias, a respeito de uma disputa banal. Quando finalmente se chegou ao veredito e os jurados foram dispensados, a verdade veio à tona. Um dólar por dia era uma ótima quantia naquela época, e a maioria dos jurados não tinha mais nada para fazer.

Os dois deram uma gargalhada, serviram-se de mais uma dose e começaram a debater as opções de jantar quando a luz na sala do júri se apagou. Instantes depois, o telefone do escritório tocou. Uma secretária subiu para avisar que o júri havia chegado a um veredito.

O JUIZ OSWALT decidiu esperar algum tempo até que a notícia se espalhasse e a multidão pudesse se reunir novamente. Às sete, como prometido, ele surgiu na tribuna vestindo uma toga preta, disse a Walter Willy que nem sequer perdesse tempo com as encenações e deu ordens a Nix para trazer o réu. Pete Banning andou até sua cadeira e se sentou sem olhar para uma só alma. Quando todos estavam em seus lugares, Walter foi buscar o júri.

Os jurados entraram devagar, um por um, todos com expressão abatida. Uns olharam para o público; outros, para Pete. Sentaram-se e olharam para a tribuna, como se tivessem ódio daquele momento e desejassem desesperadamente estar em outro lugar.

– Senhores do júri, vocês chegaram a um veredito? – perguntou o juiz Oswalt.

Hal Greenwood se levantou com uma folha de papel nas mãos.

– Sim, Excelência, chegamos.

– Por favor, entregue-o ao oficial de justiça.

Walter Willy pegou a folha de papel das mãos de Hal e, sem olhar para ela, levou-a até a tribuna e a entregou ao juiz, que a leu lentamente e perguntou:

– Senhores, cada um de vocês concorda com este veredito?

Todos os doze assentiram, alguns discretamente, e nenhum deles com entusiasmo.

– Queira o réu ficar de pé.

Pete Banning se levantou devagar, corrigiu a postura, endireitou os ombros, ergueu a cabeça e olhou para o juiz Oswalt.

– O veredito unânime é o seguinte: "Nós, o júri, consideramos o réu Pete Banning culpado de homicídio qualificado pela morte de Dexter Bell. E nós, o júri, condenamos o réu à pena de morte por eletrocussão."

O réu não mexeu um músculo; nem sequer piscou. Outros, no entanto, se mexeram, e pela multidão ouviram-se alguns suspiros e gemidos. Na bancada do júri, Wilbur Stack foi subitamente dominado pela emoção e precisou cobrir o rosto com as mãos. Pelo resto da vida iria se arrepender do dia em que cedera e votara pela morte de outro soldado.

Florry se manteve firme, principalmente porque o veredito não era uma surpresa. Seu irmão já esperava esse desfecho. Ela havia observado a reação dos jurados a cada palavra dita durante o julgamento e sabia que não haveria compaixão. E, francamente, por que deveria haver? Por razões que pareciam insondáveis, Pete se transformara em um assassino, um homem que não queria a compaixão de ninguém. Ela secou o rosto com um lenço de papel e pensou em Joel e Stella, mas conseguiu manter a compostura. Poderia perdê-la mais tarde, quando estivesse sozinha.

O juiz Oswalt pegou outra folha de papel e leu:

– Sr. Banning, em virtude do poder que me foi concedido pelo estado do Mississippi, eu o sentencio à morte por eletrocussão em noventa dias a contar de hoje, 8 de abril. Queira sentar-se.

Pete se sentou, com a expressão imperturbável. O juiz Oswalt informou aos advogados que eles teriam trinta dias para apresentar as apelações e outros recursos cabíveis; em seguida agradeceu aos jurados pelo serviço prestado e os dispensou. Depois que eles saíram, apontou para Pete, olhou para Nix e disse:

– Leve-o de volta pra cadeia.

17

Na Tea Shoppe, localizada na praça, as portas se abriram como de costume às seis da manhã e em poucos minutos o lugar estava cheio, à medida que advogados, banqueiros, reverendos e empresários – os homens de colarinho branco – se reuniam enquanto tomavam café, comiam biscoitos e comentavam as notícias publicadas nos jornais matutinos. Ninguém fazia as refeições sozinho. Havia uma mesa redonda para os democratas e outra, do lado oposto do recinto, para os republicanos. Os conservadores da Ole Miss, a Universidade do Mississippi, se amontoavam em um grupinho na parte da frente da cafeteria, enquanto os que preferiram a State College, a faculdade estadual localizada em Starkville, sentavam-se a uma mesa perto da cozinha. Os metodistas tinham um lugar cativo e os batistas, outro. Eram comuns debates entre os integrantes das mesas, assim como piadas e chacotas, mas era raro haver discussões para valer.

O veredito fez com que a casa enchesse. Todos conheciam os fatos, os detalhes e até as fofocas, mas assim mesmo chegaram cedo para garantir que não perderiam nada. Talvez Pete Banning tivesse quebrado o silêncio e dito algo para seu advogado ou para Nix Gridley. Ou quem sabe Jackie Bell tivesse falado sobre o veredito com um repórter. Ou pode ser que o jornal de Tupelo tivesse farejado uma pista que os demais tinham deixado passar. E o tópico mais importante: o estado ia mesmo executar Pete Banning?

Um empreiteiro perguntou a Reed Taylor, um advogado, a respeito da fase de apelação. Reed explicou que John Wilbanks tinha trinta dias para notificar o tribunal de que recorreria da decisão do júri, depois mais trinta para dar entrada nas razões de apelação e na papelada necessária. O procurador-geral em Jackson ficaria responsável por interpor contrarrazões, e seu gabinete teria mais trinta dias para responder ao que quer que John Wilbanks tivesse alegado. E tudo isso totaliza noventa dias. A Suprema Corte do Mississippi, o tribunal de segunda instância, apreciaria os recursos, o que levaria alguns meses. Se o tribunal anulasse a condenação, e Reed honestamente não via nenhuma possibilidade de isso acontecer, os autos seriam enviados de volta ao condado de Ford para a realização de um novo julgamento. Se a corte ratificasse a condenação, John Wilbanks poderia enrolar um pouco e tentar recorrer mais uma vez, dessa vez à Suprema Corte. Seria apenas protelar, mas poderia fazer com que Pete ganhasse algum tempo. Se Wilbanks optasse por não fazer isso, então a execução poderia ocorrer ainda naquele ano.

Reed prosseguiu, explicando que, em casos de condenação à pena de morte, o recurso era obrigatório. Ele havia assistido ao julgamento inteiro e não tinha visto nenhuma falha que pudesse servir de base para a interposição de um recurso, mas a apelação tinha que ser apresentada, houvesse ou não fundamento. Além disso, conforme Reed continuou a explicar, o único possível erro cometido no julgamento havia sido permitir que aquele soldado prestasse depoimento sobre a guerra. E, claro, aquilo fora prejudicial para a acusação. Desse modo, o julgamento não tinha apresentado nenhum ponto negativo no qual John Wilbanks pudesse amparar sua apelação.

Depois que Reed terminou, os homens voltaram para suas mesas e as conversas se encerraram. Ocasionalmente, a porta se abria e uma corrente de ar frio penetrava na névoa de fumaça de cigarro e gordura de bacon. O senador estadual do Mississippi chegou, tentando angariar votos. Ele não era um deles; morava em Smithfield, no condado de Polk. Ele praticamente não aparecia lá até a época da reeleição, e a maioria deles se ressentia silenciosamente de sua presença na cidade durante aquele momento tão dramático. Ele circulava com um sorriso idiota, distribuindo apertos de mão e tentando se lembrar dos nomes das pessoas. Por fim, encontrou uma cadeira junto aos batistas, todos ocupados lendo jornais e bebericando café. Certa vez o senador hesitara em relação à questão do álcool no estado, e por isso não tinha nenhuma utilidade para eles.

À medida que a manhã avançava, foi ficando claro que não havia nada de novo no caso Banning. O julgamento tinha sido rápido, o veredito mais ainda. Evidentemente, depois que a sentença fora dada, nada de importante havia sido dito pelo júri, pelos advogados, pelo réu nem pela família da vítima. Nos arredores da Tea Shoppe, os esforços para criar rumores diminuíram e, às sete e meia, os homens faziam fila na caixa registradora.

NA MADRUGADA DE quarta-feira, depois do temido telefonema de tia Florry, Joel retornou ao campus. Na quinta-feira bem cedo, ele foi à seção de periódicos da biblioteca principal do campus, onde havia dezenas de edições matutinas dos jornais de todo o país. Os de Tupelo e de Jackson não estavam entre elas, mas o *Memphis Press-Scimitar* estava sempre lá. Levou o exemplar para uma cabine reservada e se escondeu, olhando para a foto do pai deixando o tribunal algemado, e leu relatos do que havia acontecido quando o júri retornara com o veredito. Ainda não conseguia acreditar que haviam definido uma data para a execução tão rapidamente. Não conseguia acreditar em nada daquela tragédia.

Sua formatura estava marcada para 17 de maio. Então, cerca de cinco semanas depois de seu pai ser amarrado a uma cadeira elétrica e executado, esperava-se que ele, o jovem Joel Banning, de 21 anos, desfilasse orgulhosamente pelo gramado de beca e capelo, junto com milhares de outros estudantes, e pegasse seu diploma obtido junto a uma universidade de prestígio. Parecia impossível.

Assistir a outra aula também parecia impossível. Enquanto seus companheiros de fraternidade haviam se unido e tentavam protegê-lo ao máximo e manter algum simulacro de uma vida universitária normal, Joel se sentia estigmatizado, envergonhado, às vezes até constrangido. Sentia os olhares da turma. Quase podia ouvir os cochichos, dentro e fora do campus. Era um veterano com boas notas e poderia facilmente ingressar na graduação em Direito, exatamente o que planejava fazer. Conversaria com seus professores e se comprometeria com eles. Desistir não era uma opção. Sobreviver era o desafio.

Sua inscrição em Yale não fora aceita. Ele tinha sido aceito em Vanderbilt nem na Ole Miss, e a diferença em relação aos custos era considerável. Agora que seu pai havia sido condenado pelo assassinato do reverendo, um pedido de indenização por conta da morte era esperado. A vida financeira de sua família passava por um momento delicado, e Joel não tinha certeza se seria viável ingressar em uma faculdade de Direito. Imagine, um Banning preocupado com dinheiro, e tudo porque seu pai guardava rancor. Qualquer que fosse o atrito entre Pete e o reverendo Bell, não valia a pena o prejuízo.

Uma hora se passou e Joel perdeu a primeira aula. Ele saiu da biblioteca, perambulou pelo campus e comprou uma xícara de café no refeitório. Tomou o café, matou a segunda aula, depois voltou para o dormitório e ligou para a irmã.

Stella também estava sem rumo. Havia decidido trancar a matrícula por um tempo e se esconder em Washington pelo resto do ano. Ela amava a Universidade de Hollins e um dia se formaria, mas naquele momento todo rosto para o qual olhava pertencia a alguém que sabia que seu pai estava preso por homicídio e que agora tinha sido condenado à morte. Não sabia lidar com a vergonha nem com a pena que sentiam dela. Desejava desesperadamente o abraço da mãe. Sofria pelo pai, mas também achava mais fácil pensar coisas ruins a respeito dele.

Seu reitor favorito conhecia um ex-aluno de Hollins em Washington e fizera contato com ele. Stella partiria no primeiro trem, ficaria hospedada na pequena casa de hóspedes de uma família em Georgetown, tomaria conta das crianças, seria babá delas, as educaria, criaria, ou coisa do gênero. E, fora sua família anfitriã, ninguém com quem convivia saberia seu nome ou de onde ela era. A mudança de Roanoke para Washington aumentaria ainda mais a distância entre ela e Clanton.

TRABALHANDO PARA O *Memphis Press-Scimitar*, um foca chamado Hardy Capley cobriu o julgamento do início ao fim. Seu irmão tinha sido prisioneiro de guerra, e Hardy ficou intrigado com a presença no tribunal de Clay Wampler, o caubói do Colorado que servira com Pete Banning nas Filipinas. Clay não foi autorizado a depor como testemunha, mas todos no tribunal tomaram conhecimento de sua presença, principalmente durante os recessos. Ele circulou por Clanton durante alguns dias após o julgamento e em algum momento foi embora. Hardy atormentou seu editor até que o homem cedeu e permitiu que o repórter corresse atrás da história. Hardy viajou de ônibus e de trem para o Colorado e passou dois dias na companhia de

Wampler, que falou abertamente de suas façanhas e aventuras lutando contra os japoneses como guerrilheiro sob o comando de Pete Banning.

A história de Hardy tinha 10 mil palavras e poderia ter sido cinco vezes maior. Era uma narrativa incrível que merecia ser publicada, mas estava simplesmente longa demais para um jornal. Ele se recusou a cortá-la, ameaçou pedir demissão e levá-la para outro periódico e discutiu com seus chefes até que concordaram em publicá-la em série, dividida em três partes.

Em detalhes extraordinários, Hardy descreveu o cerco de Bataan; a bravura das tropas americanas e filipinas, a doença, a fome e o medo que os assolaram, a incrível coragem que demonstraram diante de um exército mais forte e a humilhação que passaram ao serem forçadas a se render. A então infame Marcha da Morte de Bataan foi narrada de forma tão vívida que os editores se viram forçados a amenizar um pouco a abordagem. A selvageria e a crueldade dos soldados japoneses foram descritas praticamente na íntegra. As mortes arbitrárias de tantos prisioneiros de guerra americanos e a negligência à qual haviam sido expostos causavam sentimentos de fúria e desolação.

Embora boa parte da história já tivesse sido contada, tanto por fugitivos quanto por sobreviventes, o relato atingiu Clanton em cheio porque envolvia um de seus habitantes. Por mais de dois anos, Pete Banning havia liderado um grupo desorganizado de comandos americanos e filipinos enquanto atacavam os japoneses, a cada manhã despertando com a certeza de que aquele seria o último dia de suas vidas. Por terem evitado a morte tantas vezes, acabaram por aceitá-la como algo inevitável e lutaram sem se preocupar com as consequências. Mataram centenas de soldados japoneses. Destruíram pontes, ferrovias, aviões, quartéis, tanques, arsenais e estações de abastecimento. Eles se tornaram tão temidos que uma recompensa de 10 mil dólares foi oferecida pela cabeça de Pete Banning. Constantemente perseguidos, os guerrilheiros podiam desaparecer na selva e atacar dias depois, a uma distância de 30 quilômetros de sua última posição conhecida. Na opinião tendenciosa de Wampler, Pete Banning era o maior soldado que ele já conhecera.

A série de reportagens foi amplamente lida no condado de Ford e sufocou a maior parte do entusiasmo que havia em ver Pete sendo executado. O juiz Oswalt chegou a comentar com John Wilbanks que se o jornal tivesse publicado as matérias antes do julgamento ele teria sido obrigado a transferi-lo para outro lugar a pelo menos 150 quilômetros de distância.

Pete Banning se recusava resolutamente a falar sobre a guerra. Agora, outra pessoa estava fazendo isso e muitos no condado queriam um final diferente para sua história.

SE O RÉU sentia o peso de sua condenação e da pena de morte que lhe destinaram, ele não dava sinais disso. Pete cumpria seus deveres enquanto encarregado da prisão como se o julgamento nunca tivesse ocorrido. Ele mantinha a cadeia sob um cronograma rigoroso, os dois banheiros destinados aos presos estavam sempre limpos e em ordem, repreendia os detentos que não faziam a cama todas as manhãs ou que deixavam lixo no chão da cela, incentivava-os a ler livros, jornais e revistas, e estava ensinando dois deles, um branco e o outro negro, a ler. Mantinha um suprimento constante de boa comida, que era produzida essencialmente em sua fazenda. Quando não estava ocupado cuidando desses pormenores, passava horas jogando cartas com Leon Colliver, lia pilhas de romances e cochilava. Nem uma única vez se queixou de seu julgamento ou mencionou seu destino.

Sua correspondência aumentou consideravelmente após o julgamento. As cartas vinham de quase todos os estados e eram escritas por outros veteranos que haviam sobrevivido aos horrores da guerra nas Filipinas. Eram cartas longas, em que os soldados contavam suas histórias. Apoiavam Pete e achavam chocante que um herói como ele estivesse prestes a ser executado. Ele respondia a cada uma delas com mensagens curtas, por conta do volume, e em pouco tempo começou a dedicar duas horas por dia a essa atividade.

As cartas para os filhos se tornaram mais longas. Ele em breve não estaria mais ali, mas suas palavras escritas estariam com eles para sempre. Joel não admitia que estava tendo dúvidas em relação à faculdade de Direito. Stella certamente não contara para ele que estava morando em Washington e que havia trancado a matrícula na faculdade. Seu reitor em Hollins lhe encaminhava as cartas de Pete e enviava as dela ao pai. Nem para Florry ela tinha contado onde estava.

Uma tarde, Pete estava no meio de uma partida de *cribbage* quando Tick Poley o interrompeu e avisou que seu advogado estava lá. Pete agradeceu e continuou a jogar, fazendo John Wilbanks esperar vinte minutos, até que o jogo terminasse.

Quando ficaram sozinhos na sala do xerife, Wilbanks disse:

– Temos que apresentar sua apelação na próxima quarta-feira.

– Que apelação? – perguntou Pete.

– Boa pergunta. Não é exatamente uma apelação, porque não temos nada para apelar. No entanto, a lei estabelece que em um caso de pena de morte o recurso é obrigatório, então eu tenho que apresentar alguma coisa.

– Isso não faz nenhum sentido, como muita coisa na lei – retrucou Pete. Ele abriu um maço de Pall Mall e acendeu um cigarro.

– Bem, Pete, eu não escrevi as leis, mas regras são regras. Vou apresentar uma petição curta com as razões da apelação e fazer minha última tentativa. Você quer ler?

– O que vai dizer? Quais são as minhas razões para apelar?

– Pouca coisa. Tenho certeza de que usarei a velha tática: "O veredito foi contra o peso esmagador das provas."

– Eu achei que as provas pareciam muito boas.

– E eram, de fato. E como eu fui impedido de montar uma defesa com base na insanidade, que era a nossa única estratégia possível, e que teria funcionado perfeitamente, então não há mesmo muito sobre o que escrever.

– Eu não sou louco, John.

– Já falamos sobre esse assunto e é tarde demais pra tratarmos dele mais uma vez.

– Eu não gosto da ideia de recorrer.

– Sabia que isso não me surpreende?

– Eu fui condenado por um júri popular, formado por homens de bem do meu condado natal, e eles têm mais juízo do que os juízes em Jackson. Não vamos interferir na decisão deles, John.

– Eu tenho que apresentar alguma coisa. É obrigatório.

– Não apresente nenhuma apelação em meu nome, você me entendeu, John?

– Eu não tenho escolha.

– Então vou procurar outro advogado.

– Ah, que ótimo, Pete. Maravilha! Você quer me demitir agora que o julgamento acabou. Quer outro advogado pra deixar ele de mãos atadas também? Você vai pra cadeira elétrica, Pete. Quem na face da Terra vai querer representar você nessa reta final?

– Não apresente uma apelação em meu nome.

John Wilbanks se levantou e foi em direção à porta.

– Vou apresentar porque tem que ser apresentada, mas não vou mais perder meu tempo, Pete. Você não pagou os honorários referentes ao julgamento.

– Eu vou dar um jeito nisso.

– É o que você vive dizendo.

Wilbanks saiu pisando firme e bateu a porta.

O RECURSO FOI apresentado, e John Wilbanks, até onde ficou sabendo, não foi demitido – tampouco pago. Foi uma das mais exíguas razões de apelação já recebidas pela Suprema Corte do Mississippi em um caso de homicídio, e o estado respondeu com contrarrazões igualmente exíguas. Não havia nada de errado com o julgamento, e o réu não alegou a ocorrência de nenhuma causa de nulidade. Por ser um tribunal muitas vezes criticado por sua extrema morosidade, os juízes relutaram em ratificar tão rapidamente a sentença justo em um caso tão famoso. Em vez disso, eles instruíram o escrivão responsável a reorganizar a pauta e incluir o caso Banning na lista das sessões de sustentação oral próximo ao fim da primavera. John Wilbanks informou ao escrivão que havia abdicado da sustentação oral e não participaria da sessão. Ele não tinha nada a declarar.

O dia 8 de abril chegou e não houve execução. A essa altura, já se espalhara pela Tea Shoppe a notícia de que estavam ocorrendo atrasos e que nenhuma data definitiva havia sido estabelecida, portanto a cidade não tinha como criar expectativas. Em vez disso, com a chegada da primavera, as fofocas nos arredores da cidade e de todo o condado deixaram de ser sobre Pete Banning e se voltaram para o aspecto mais importante da vida daquelas pessoas, o plantio de algodão. Os campos eram lavrados, arados e preparados para o momento da semeadura, e o tempo era observado atentamente. Os fazendeiros estudavam o céu enquanto faziam anotações em seus calendários. Plante muito cedo, digamos no fim de março, e chuvas fortes podem levar as sementes embora. Plante tarde demais, digamos no primeiro dia de maio, e a safra não começará bem e correrá o risco de ser inundada em outubro. A agricultura era, todos os anos, uma grande loteria.

Buford Provine, o capataz de longa data dos Bannings, começou a passar na cadeia todas as manhãs para fumar um cigarro com Pete. Eles geralmente se encontravam ao ar livre atrás da cadeia, quando Buford se encostava em uma árvore enquanto Pete esticava as pernas do outro lado da cerca de arame de 2,5 metros de altura. Ele estava no "quintal", uma pequena área de lados iguais e com chão de terra que às vezes era usada pelos presos para tomar ar fresco. Também era utilizada para que eles recebessem visitas ou realizassem reuniões com seus advogados. Qualquer coisa que lhes permitisse sair de suas celas.

Em 9 de abril, um dia depois da data que havia sido marcada para sua execução, Pete e Buford conversaram sobre os almanaques e as previsões do serviço meteorológico, e decidiram fazer a semeadura o mais rápido possível. Depois que Buford foi embora, Pete ficou observando sua caminhonete se distanciar até desaparecer ao longe. Ficou satisfeito com a decisão tomada em relação à plantação, mas sabia que não estaria por perto para a colheita.

NA VÉSPERA DE sua formatura na Vanderbilt, Joel arrumou seus pertences em duas bolsas de lona e deixou Nashville. Ele pegou o trem para Washington e encontrou Stella em Georgetown. Ela ficou contente em vê-lo e disse que estava bastante feliz com o trabalho de "praticamente criar três crianças". A casa de hóspedes da família em que ela estava hospedada era pequena demais para receber mais uma pessoa e, além disso, seu chefe não queria mais ninguém morando lá. Joel encontrou um quarto em uma hospedaria barata perto de Dupont Circle e conseguiu um emprego como garçom em um restaurante chique. Stella e ele saíam para explorar a cidade sempre que o trabalho dela permitia, e os dois ficavam felizes em estar perto de um monte de pessoas que não faziam ideia de quem eles eram. Em cartas extensas, explicaram a Florry e ao pai que tinham conseguido empregos de verão em Washington e que a vida ia bem. Sobre a faculdade, falariam mais adiante.

No dia 4 de junho, a Suprema Corte do Mississippi, sem sustentações orais, ratificou por unanimidade a condenação e a sentença de Pete Banning, e encaminhou o processo de volta ao juiz Oswalt. Uma semana depois, ele marcou a execução para dali a trinta dias, em 10 de julho, uma quinta-feira.

Não foi apresentado mais nenhum recurso.

18

A ntes de 1940, o Mississippi executava seus criminosos por enforcamento, na época o método preferido em todo o país. Em alguns estados, as execuções eram feitas discretamente, com pouco alarde, mas em outros eram eventos públicos. Políticos linha-dura do Mississippi acreditavam piamente que mostrar às pessoas o que poderia acontecer se ultrapassassem os limites era um meio eficaz de controlar a criminalidade, de modo que a pena capital se tornou um espetáculo na maioria dos casos. Os xerifes locais tomavam as decisões e, como regra geral, os réus brancos eram enforcados em privado, ao passo que o enforcamento dos negros era feito em público.

Entre 1818 e 1940 o estado enforcou oitocentas pessoas, das quais 80% eram negras. Esses, é claro, foram os enforcamentos judiciais de estupradores e homicidas que haviam sido condenados em juízo. Durante esse mesmo período, cerca de seiscentos homens negros foram linchados por multidões, à margem do sistema judiciário e completamente imunes a qualquer uma de suas consequências.

A penitenciária estadual recebeu o nome de seu primeiro diretor, Jim Parchman. Foi implantado em um terreno onde havia uma enorme plantação de algodão que cobria mais de 3 mil hectares no condado de Sunflower, no coração do Delta do Mississippi. A população local não gostou. Não queriam que o seu lar ficasse conhecido como o "condado da morte", e recorreram aos políticos influentes. Consequentemente, foi determinado que os enforcamentos ocorressem nos condados onde os crimes haviam sido cometidos. Não havia forcas fixas, algozes treinados, procedimentos nem protocolo. Não era muito complicado, bastava prender uma corda no pescoço do homem e vê-lo cair. Os moradores construíam as estruturas, as vigas e os alçapões, e os xerifes ficavam encarregados de amarrar os condenados sob o olhar da multidão.

O enforcamento era rápido e eficaz, mas havia problemas. Em 1932, um homem branco chamado Guy Fairley foi enforcado, mas algo deu errado. Seu pescoço não quebrou como planejado, e ele se debateu enquanto sufocava, sangrava e gritava, levando tempo demais para morrer. Sua morte foi amplamente divulgada e deu início a um debate sobre reformas na lei. Em 1937, um homem branco chamado Tray Samson caiu pelo alçapão e morreu na hora quando sua cabeça foi decepada e rolou na direção do xerife. Um fotógrafo estava lá, e, apesar de nenhum jornal ter publicado a foto, ela circulou mesmo assim.

Em 1940, a legislação estadual resolveu o problema. Um meio-termo foi alcançado quando se chegou ao acordo de que o estado não enforcaria mais os condenados e passaria a usar o método da eletrocussão, mais moderno. E como havia muita oposição a que as mortes ocorressem em Parchman, o estado decidiu fabricar uma cadeira elétrica portátil que pudesse ser facilmente transportada de um condado para outro. Impressionados com aquela engenhosidade, os legisladores rapidamente transformaram isso em lei. Alguns problemas surgiram quando se percebeu que ninguém no país jamais usara uma cadeira elétrica portátil. E, por algum tempo, nenhuma empresa de respeito quis pôr as mãos naquela ideia singular e perspicaz.

Por fim, uma empresa de Memphis tomou a frente e projetou a primeira cadeira elétrica portátil da história. Contava com quase 200 metros de cabos de alta-tensão, painel de controle, gerador próprio, correias e eletrodos projetados a partir de especificações coletadas com estados que possuíam cadeiras elétricas fixas. A unidade inteira era transportada de um condado a outro em um grande caminhão prateado especialmente projetado para essas ocasiões.

O novo algoz do estado era um sujeito desprezível chamado Jimmy Thompson, que havia acabado de ser libertado de Parchman, onde cumprira pena por assalto à mão armada. Além de ser ex-presidiário, era ex-marinheiro, ex-fuzileiro, ex-artista de circo, ex-hipnotista e bêbado frequente. Conseguiu o emprego por meio de indicação política – ele conhecia pessoalmente o governador. Recebia 100 dólares por execução, mais despesas.

Thompson adorava as câmeras e estava sempre disponível para entrevistas. Chegava cedo a cada local, exibia sua cadeira portátil e seu painel de controle e posava para fotos com os moradores. Após sua primeira execução, ele disse a um jornal que o réu morreu "com lágrimas nos olhos graças ao eficiente cuidado que tomei para que ele queimasse de uma só vez". O falecido, um homem negro chamado Willie Mae Bragg, que havia sido condenado por matar a esposa, foi fotografado sendo atado à cadeira pelos policiais e depois morrendo eletrocutado. As execuções não eram abertas ao público, mas sempre havia muitas testemunhas.

A cadeira logo foi apelidada de Old Sparky, "velha faiscante", e sua fama aumentou. Em um raro momento, o Mississippi estava na vanguarda de alguma coisa. A Louisiana percebeu isso e construiu sua própria versão, embora nenhum outro estado tenha seguido o mesmo caminho.

De outubro de 1940 a janeiro de 1947, a Old Sparky foi usada 37 vezes, com Jimmy Thompson percorrendo o estado com seu espetáculo itinerante. A prática não levou à perfeição, e, embora os cidadãos estivessem orgulhosos das execuções, surgiram reclamações. Nunca houve dois cumprimentos de pena de morte iguais. Alguns eram rápidos e, aparentemente, misericordiosos. Outros, porém, eram muito demorados e apavorantes. Em 1943, uma eletrocussão no condado de Lee deu errado quando Thompson inadvertidamente conectou eletrodos às pernas do condenado. Os eletrodos pegaram fogo, queimaram a calça e a carne do condenado, e fizeram surgir nuvens de fumaça repugnantes que reviraram o estômago das testemunhas no tribunal. Em 1944, a primeira descarga não bastou para matar o condenado, então Jimmy ativou a chave mais uma vez. E mais uma. Duas horas depois, o pobre homem ainda estava vivo e em agonia. O xerife tentou impedir aquele calvário, mas Thompson não quis saber. Ligou o gerador e matou o sujeito com uma descarga final.

Em maio de 1947, a Old Sparky foi instalada no salão principal do tribunal do condado de Hinds, em Jackson, e um homem negro condenado por homicídio foi eletrocutado.

E, em julho, Jimmy Thompson e sua engenhoca rumaram para o condado de Ford.

COMO JOHN WILBANKS tinha ouvido a mesma pergunta diversas vezes e dado a mesma resposta direta à maioria delas, havia poucas dúvidas de que a execução estivesse prestes a acontecer. Não havia nada que pudesse impedi-la, exceto o pedido de clemência que Wilbanks apresentara ao governador sem informar a seu cliente. A clemência era uma atribuição exclusiva do governador, e as chances de recebê-la eram mínimas. Quando John deu entrada no pedido, incluiu uma carta ao governador explicando que estava fazendo isso apenas para cobrir todas as alternativas legais. Fora aquilo, como John explicara repetidas vezes, não havia nada que pudesse impedir a execução. Nenhum recurso pendente. Nenhuma manobra legal de última hora. Nada.

Clanton comemorou o 4 de Julho com seu desfile anual no centro da cidade, com dezenas de veteranos uniformizados marchando e distribuindo doces e balas para as crianças. O gramado do tribunal estava coberto de churrasqueiras e sorveteiros com seus carrinhos. Uma banda tocava em um coreto. Como era ano de eleição, os candidatos se revezavam no microfone e faziam suas promessas. A celebração, porém, foi um pouco ofuscada, pois os habitantes só falavam sobre a execução. E, como John Wilbanks pôde notar da varanda de seu escritório, a multidão era definitivamente menor do que o habitual.

Na terça-feira, 8 de julho, Jimmy Thompson chegou em seu caminhão prateado e o estacionou ao lado do tribunal. Descarregou o equipamento e incentivou todos os curiosos a darem uma olhada. Como sempre, permitiu que algumas crianças se sentassem na cadeira elétrica e posassem para fotos. Repórteres já estavam se reunindo e Jimmy os brindou com histórias de suas grandes experiências por todo o estado. Detalhou para eles o procedimento, explicando minuciosamente como o gerador permaneceria no caminhão e a corrente de 2 mil volts percorreria quase 100 metros ao longo da calçada até o prédio, subindo as escadas e entrando na sala de audiência, onde a Old Sparky já estaria instalada, próximo à bancada do júri.

JOEL E STELLA chegaram de trem na noite de terça-feira e foram recebidos por Florry na estação. Saíram depressa dali, ignorando todo mundo, em direção ao chalé cor-de-rosa, onde Marietta esperava com o jantar. Foi uma noite sombria e de pouca conversa. O que poderia ser dito? Era como se eles fossem sonâmbulos em um pesadelo, enquanto a realidade aos poucos ia se impondo.

NO COMEÇO DA manhã de quarta-feira, Nix Gridley passou em frente ao tribunal e não ficou surpreso ao encontrar uma pequena multidão de curiosos olhando para a Old Sparky. Jimmy Thompson, um embusteiro do qual o xerife já estava cansado, tagarelava interminavelmente sobre as incríveis capacidades de sua máquina, e depois de alguns minutos Nix saiu dali em direção à cadeia. Contornou Roy Lester e, por uma porta lateral, buscou Pete Banning e rapidamente o levou em sua viatura. Pete sentou-se no banco de trás, sem algemas, e não disse praticamente nada enquanto seguiam pela Natchez Trace. Na cidade de Kosciusko, esperaram no carro quando Roy foi comprar biscoitos e café em uma lanchonete. Comeram em silêncio enquanto Clanton ficava para trás.

O diretor do Hospital Estadual do Mississippi, em Whitfield, esperava no portão de entrada. Nix o seguiu até o Edifício 41, onde Liza Banning estava havia um ano e dois meses. Dois médicos aguardavam. Foram feitas apresentações formais, Pete os seguiu até um escritório e a porta foi fechada.

O Dr. Hilsabeck deu início à conversa:

– Sua esposa não está indo bem, Sr. Banning, lamento informar. E isso só vai piorar as coisas. Ela está completamente retraída e não fala com ninguém.

– Eu precisava vir – disse Pete. – Não tinha outro jeito.

– Compreendo. Você vai ficar surpreso com a aparência dela, e não espere muito em termos de resposta.

– Quanto ela sabe?

– Contamos tudo. Ela estava apresentando alguma melhora até ser informada do assassinato, muitos meses atrás. Isso provocou um retrocesso dramático, e o estado dela só piorou. Há duas semanas, depois que falei com o xerife, quando ficou definido que a execução era inevitável, tentamos informá-la da má notícia com o maior cuidado possível. Isso provocou uma retração total. Ela não come quase nada e não falou uma única palavra desde então. Honestamente, se a execução se concretizar, não temos como prever o impacto que terá nela. É claro, estamos extremamente preocupados.

– Eu gostaria de vê-la.

– Muito bem.

Pete os seguiu pelo corredor e subiu um lance de escadas. Uma enfermeira estava à espera junto a uma porta sem identificação. Hilsabeck assentiu para Pete, que abriu a porta e entrou. A enfermeira e o médico ficaram aguardando do lado de fora.

O quarto estava iluminado apenas por uma luz fraca que vinha do teto. Não havia janelas. A porta que dava para o minúsculo banheiro estava aberta. Em uma estreita cama de madeira estava Liza Banning, recostada em travesseiros e acordada, esperando. Vestia uma camisola de hospital cinza desbotada e estava enfiada debaixo dos lençóis. Pete caminhou cuidadosamente até a cama e se sentou aos pés dela. Ela o observou de perto, como se tivesse medo, e não disse nada. Tinha quase 40 anos, mas parecia muito mais velha, com o cabelo grisalho, as bochechas encovadas, rugas no rosto, a pele pálida e o olhar vazio. O quarto estava escuro, silencioso, estático.

– Liza, vim me despedir – disse Pete por fim.

– Quero ver meus filhos – respondeu ela, em uma voz surpreendentemente firme.

– Eles estarão aqui em um ou dois dias, assim que eu partir, eu prometo.

Ela fechou os olhos e deu um suspiro, como se estivesse aliviada. Alguns minutos se passaram e Pete começou a acariciar suavemente a perna dela por sobre os lençóis. Liza não demonstrou reação.

– As crianças vão ficar bem, Liza, eu prometo. Joel e Stella são fortes, eles vão sobreviver.

Lágrimas começaram a rolar pelo rosto dela, até pingarem pelo queixo. Ela não fez menção de enxugá-las, nem ele. Mais tempo se passou e as lágrimas continuaram a rolar. Ela perguntou em um sussurro:

– Você me ama, Pete?

– Amo. Sempre amei e nunca deixei de amar.

– Você me perdoa?

Pete baixou os olhos e fitou o chão, sem demonstrar reação, por um bom tempo. Ele pigarreou e falou:

– Eu não vou mentir. Eu tentei muitas vezes, Liza, mas, não, eu não sou capaz de te perdoar.

– Por favor, Pete, por favor, diga que me perdoa antes de partir.

– Eu sinto muito. Eu te amo, e irei para o túmulo te amando.

– Como nos velhos tempos?

– Como nos velhos tempos.

– O que aconteceu com os velhos tempos, Pete? Por que não podemos ficar juntos novamente, nós e as crianças?

– Nós sabemos por quê, Liza. Muita coisa aconteceu. Eu sinto muito.

– Eu também sinto muito, Pete.

Liza começou a soluçar, e ele se aproximou e a abraçou delicadamente. Ela estava frágil e debilitada, e por um instante ele se lembrou dos esqueletos que fora obrigado a enterrar em Bataan, outrora saudáveis soldados, que morreram de fome, pesando menos de 50 quilos. Pete fechou os olhos, afastou esses pensamentos e de alguma forma conseguiu se lembrar do corpo dela nos bons tempos, quando ele não conseguia tirar as mãos dela. Ele ansiava por aqueles dias, pelo passado não muito distante, quando viviam em estado de excitação quase constante e não deixavam passar nenhuma chance.

Ele finalmente desabou e começou a chorar também.

A ÚLTIMA CEIA foi preparada por Nineva, e era o prato preferido de Pete: costeletas de porco fritas, purê de batatas com molho e quiabo cozido. Ele chegou após o anoitecer, com o xerife e Roy, que ficaram se balançando nas cadeiras de vime da varanda enquanto esperavam.

Nineva serviu a família na sala de jantar, depois deixou a casa entre lágrimas. Amos a acompanhou até em casa após se despedir.

Pete conduziu a conversa, principalmente porque ninguém mais tinha muito a dizer. O que eles deveriam dizer naquele momento terrível? Florry não conseguiu comer e Joel e Stella estavam sem apetite. Pete, porém, estava com fome, e trinchou suas costeletas enquanto descrevia a visita a Whitfield.

– Eu disse à sua mãe que vocês a veriam na sexta-feira, se for da vontade de vocês.

– Que passeiozinho agradável que vai ser – retrucou Joel. – Enterramos você na manhã de sexta, depois corremos pro hospício pra ver a mamãe.

– Ela precisa ver vocês – disse Pete, mastigando.

– Nós tentamos fazer isso uma vez – rebateu Stella. Não tinha dado nem uma garfada. – Mas você impediu. Por quê?

– Não vamos brigar durante nossa última refeição, vamos, Stella?

– Claro que não. A família Banning não briga por nada. O que se espera é que a gente fique de bico calado e siga em frente, como se tudo fosse ficar bem, todos os segredos vão ser levados pro túmulo, a vida vai acabar voltando ao normal e ninguém jamais vai saber por que você colocou a gente nessa situação terrível. Toda raiva deve ser reprimida; todas as questões, ignoradas. Somos a família Banning, a mais durona de todas. – A voz de Stella vacilou e ela enxugou as lágrimas do rosto.

Pete a ignorou e disse:

– Eu me encontrei com John Wilbanks e está tudo em ordem. Buford tem a plantação sob controle e vai tratar com a Florry para garantir que a fazenda funcione sem problemas. A terra está no nome de vocês agora e vai continuar pertencendo à família. A receita será dividida anualmente e vocês receberão os cheques no Natal.

Joel largou o garfo e disse:

– Então a vida continua, certo, papai? O estado te mata amanhã, enterramos você no dia seguinte, depois vamos embora, de volta pro nosso mundinho, como se nada tivesse mudado.

– Todo mundo morre um dia, Joel. Meu pai não chegou aos 50, nem o pai dele. Os Bannings não vivem muito.

– Nossa, que animador – disse Florry.

– Os homens, na verdade. As mulheres tendem a viver mais.

– Poderíamos conversar sobre outro assunto que não seja morte? – perguntou Stella.

– Ah, claro, mana. O clima, as colheitas, futebol americano? O que você sugere nessa hora terrível? – retrucou Joel.

– Não sei – respondeu ela enquanto enxugava os olhos com o guardanapo. – Eu não consigo acreditar nisso. Não consigo acreditar que estamos sentados aqui tentando comer quando é a última vez que vamos ver você.

– Você tem que ser forte, Stella – disse Pete.

– Estou cansada de ser forte ou de fingir ser. Eu não acredito que isso está acontecendo com a nossa família. Por que você fez isso?

Houve uma longa pausa enquanto as duas mulheres enxugavam as lágrimas. Joel deu uma garfada no purê e engoliu sem mastigar.

– Então, acho que você planeja levar seus segredos pro caixão, certo, papai? Nem agora, no último minuto, você pode nos contar por que matou Dexter Bell, ou seja, estamos condenados a passar o resto da vida imaginando o porquê. É assim que ficamos?

– Eu já disse que não vou falar sobre isso.

– Mas é claro que não.

– Você nos deve uma explicação – disse Stella.

– Eu não devo porra nenhuma a vocês – disparou Pete, irritado, depois respirou fundo e disse: – Sinto muito. Mas eu não vou falar sobre isso.

– Eu tenho uma pergunta – disse Joel serenamente. – E como esta será minha última chance de perguntar, e é algo que vai me deixar curioso pelo resto da vida, eu vou perguntar. Você passou por muitas coisas terríveis na guerra, muito sofrimento e morte, e você mesmo matou muitos homens em combate. Quando um soldado vê tanta gente morrendo assim, ele se torna insensível? Isso faz a vida, a dele e a dos outros, perder o valor? Ele chega a um ponto em que acha que a morte já não é grande coisa? Isso não é uma crítica, pai, é só curiosidade.

Pete deu uma garfada na costeleta de porco e mastigou enquanto ponderava a questão.

– Eu acho que sim. Cheguei a um ponto em que eu sabia que ia morrer, e quando isso acontece em combate um soldado aceita seu destino e luta com ainda mais vigor. Perdi muitos amigos. Até mesmo enterrei alguns deles. Então, parei de fazer amigos. E acabou que eu não morri. Eu sobrevivi, e, por causa do que passei, a vida se tornou ainda mais preciosa. Mas percebi que morrer faz parte da vida. Todo mundo tem seu fim. Uns mais cedo que outros. Isso responde à sua pergunta?

– Na verdade, não. Acho que não existe resposta.

– Eu achei que não fôssemos falar sobre morte – comentou Florry.

– Isso é surreal – disse Stella.

– A vida nunca perde o valor – continuou Pete. – Cada dia é uma dádiva, não se esqueça disso.

– E a vida de Dexter Bell? – perguntou Joel.

– Ele mereceu morrer, Joel. Você nunca vai entender, e imagino que um dia vai aprender que a vida é repleta de coisas que jamais vamos conseguir compreender. Não há garantia alguma de que podemos viver tendo pleno conhecimento de tudo. Existem muitos mistérios por aí. Aceite-os e siga em frente.

Pete limpou a boca e afastou o prato.

– Eu tenho uma pergunta – disse Stella. – Você vai ser lembrado por muito tempo por aqui, e não pelos motivos certos. Na verdade, sua morte provavelmente vai se tornar uma lenda. Minha pergunta é: como você quer que a gente se lembre de você?

Pete deu um sorriso e respondeu:

– Como um bom homem que criou dois filhos lindos. Que o resto do mundo diga o que quiser, mas ninguém vai poder dizer nada de ruim sobre vocês dois. Vou morrer sendo um homem orgulhoso graças a você e ao seu irmão.

Stella cobriu o rosto com o guardanapo e começou a soluçar. Pete se levantou devagar e disse:

– Tenho que ir. O xerife teve um longo dia.

Joel deixou as lágrimas escorrerem pelo rosto e abraçou o pai, que disse:

– Seja forte.

Stella desabou em uma enxurrada de lágrimas e não conseguiu se levantar. Pete se abaixou, deu um beijo no topo da cabeça dela e falou:

– Basta de choro por hoje. Seja forte, por sua mãe. Um dia ela vai estar de volta. – Ele se virou para Florry: – Te vejo amanhã.

Ela assentiu e Pete deixou a sala. Eles ouviram quando a porta bateu, e então todos os três caíram em prantos. Joel foi até a varanda da frente e observou o carro do xerife desaparecer estrada afora.

19

Na quinta-feira, 10 de julho, a segunda data agendada para sua execução definida pelo juiz Rafe Oswalt, Pete Banning acordou antes de o sol nascer e acendeu um cigarro. Roy Lester lhe levou uma xícara de café e perguntou se ele queria comer. Pete não quis. Roy perguntou se ele tinha dormido bem e ele respondeu que sim. Não, não havia nada que Roy pudesse fazer por ele naquele momento, mas obrigado mesmo assim. Leon Colliver o chamou do outro lado do corredor e sugeriu uma última partida de *cribbage*. Pete gostou da ideia e eles dispuseram o tabuleiro entre as duas celas. Pete lembrou a Leon que ele lhe devia 2,35 dólares por todas as partidas que perdera, e Leon lembrou a Pete que ele não pagara toda a bebida ilegal consumida naqueles nove meses. Eles riram, apertaram as mãos e concordaram que estavam quites.

– Difícil acreditar que isso realmente vai acontecer, Pete – disse Leon enquanto embaralhava as cartas.

– A lei foi feita para ser cumprida. Às vezes é boa pra você; às vezes não.

– Só não me parece justo.

– E quem disse que a vida é justa?

Depois de algumas jogadas, Leon pegou seu cantil e disse:

– Pode ser que você não precise disso, mas eu preciso.

– Dispenso – disse Pete.

A porta se abriu e Nix Gridley se aproximou deles. Ele parecia inquieto e cansado.

– Posso fazer alguma coisa por você, Pete?

– Nada me vem à cabeça.

– Está bem. Em algum momento vamos precisar seguir o cronograma, pra evitar imprevistos.

– Mais tarde, Nix, se você não se importar. Agora estou ocupado.

– Entendo. Olha, tem um monte de repórteres lá fora, todos querendo saber se você tem algo a dizer.

– Por que eu falaria com eles agora?

– Foi o que eu imaginei. E John Wilbanks já ligou. Ele quer vir até aqui.

– Pra mim já chega de John Wilbanks. Não há mais nada a dizer. Diga a ele que estou ocupado.

Nix olhou para Leon, revirou os olhos, deu meia-volta e saiu.

OS SOLDADOS COMEÇARAM a chegar antes do meio-dia. Vinham de condados próximos, viagens rápidas de duas ou três horas. Vinham de outros estados, depois de dirigirem a noite toda. Vinham sozinhos em caminhonetes e vinham em carros lotados de outros soldados. Vinham vestindo os uniformes que outrora usaram com orgulho e vinham vestindo macacões, calças cáqui e ternos com gravatas. Vinham desarmados e sem planos de causar confusão, mas bastaria uma palavra de seu herói e estariam prontos para lutar. Vinham para homenageá-lo, para estar por perto quando ele morresse, porque ele estivera junto deles. Vinham para se despedir.

Estacionaram ao redor do tribunal, depois ao redor da praça, e quando não havia mais lugar para estacionar, fizeram filas de carros pelas ruas do centro da cidade. Eles iam de um lado para outro, cumprimentando-se, lançando olhares severos para os habitantes da cidade, pessoas de quem realmente não gostavam, porque tinham sido eles, os moradores locais, que haviam condenado seu herói à morte. Percorreram os corredores do tribunal e olharam para a porta trancada da sala de audiência no segundo andar. Encheram os bares e cafés e mataram o tempo, conversando em tom sério uns com os outros, sem se dirigir a nenhum habitante da cidade. Eles se agruparam em torno do caminhão prateado e estudaram os cabos que corriam ao longo da calçada principal até o tribunal. Balançaram a cabeça em desaprovação e pensaram em maneiras de impedir tudo aquilo, mas seguiram em frente, esperando. Eles encararam os policiais e os assistentes do xerife, uma dezena de homens armados e uniformizados, a maioria enviada de condados próximos.

O GOVERNADOR ERA Fielding Wright, um advogado do Delta do Mississippi que se tornara um político bem-sucedido. Ele havia assumido o gabinete oito meses antes, quando seu antecessor morreu, e naquele momento estava de olho nas eleições para um mandato de quatro anos. Depois do almoço de quinta-feira, ele se encontrou com o procurador-geral do estado, que lhe garantiu que não havia mais nada em andamento nos tribunais que pudesse impedir a execução.

O governador Wright tinha recebido uma enxurrada de cartas solicitando, até mesmo exigindo, que Pete Banning fosse perdoado, enquanto outras pediam que a justiça fosse feita com o máximo rigor da lei. Ele considerava fracos os seus adversários eleitorais e não queria politizar a execução, mas, como a maioria das pessoas, estava intrigado com o caso. Ele deixou seu gabinete na capital do estado no banco de trás de um Cadillac modelo 1946, seu veículo oficial, com um motorista e um assistente. Eles seguiram dois policiais estaduais em uma viatura e se dirigiram para o norte. Pararam em Grenada, onde o governador se reuniu rapidamente com um conhecido apoiador, e fizeram outra parada pelo mesmo motivo em Oxford. Chegaram a Clanton pouco antes das cinco e deram uma volta de carro na praça. O governador ficou espantado com a multidão que circulava pelo gramado do tribunal. O xerife havia lhe assegurado que estava tudo sob controle e que um reforço policial não seria necessário.

A notícia de que o governador estava indo para lá havia vazado e outra multidão, composta em sua maioria por repórteres, esperava do lado de fora da prisão. Quando Wright desceu do carro, os flashes das câmeras dispararam e choveram perguntas para ele. O governador sorriu e os ignorou, e entrou rapidamente. Nix Gridley estava esperando em sua sala, junto com John Wilbanks e o senador estadual, um aliado seu. O governador conhecia Wilbanks, que apoiava um de seus adversários na eleição. Isso não importava naquele momento. Para o governador, aquele não era um evento político.

Roy Lester trouxe o prisioneiro e todos foram apresentados. John Wilbanks pediu ao senador que, por favor, se retirasse. O que estava prestes a ser discutido não era da conta dele. Mesmo relutante, ele saiu. Quando os quatro ficaram sozinhos, o governador deu início a um relato animado sobre quando conheceu o pai de Pete Banning anos antes em um evento em Jackson. Ele sabia que a família era importante para a região e que ocupava um papel de destaque havia muitos anos.

Pete não se impressionou.

– Agora, Sr. Banning – disse o governador –, como sabe, eu tenho o poder de substituir a pena de morte atribuída no seu caso pela prisão perpétua, e é por isso que estou aqui. Eu realmente não vejo nenhum benefício em dar prosseguimento à sua execução.

Pete ouviu atentamente, depois respondeu:

– Bem, obrigado por ter vindo, senhor, mas não solicitei esta reunião.

– Nem você nem ninguém. Estou aqui de livre e espontânea vontade, e estou disposto a conceder a comutação e suspender a execução, com apenas uma condição. Eu o farei se você explicar pra mim, pro xerife e pro seu próprio advogado por que matou o reverendo.

Pete olhou feio para John Wilbanks, como se ele estivesse por trás de uma conspiração. Wilbanks fez que não com a cabeça.

Impassível, Pete olhou para o governador e disse:

– Não tenho nada a declarar.

– Estamos diante de um caso de vida ou morte, Sr. Banning. Tenho certeza de que você não quer encarar a cadeira elétrica em questão de horas.

– Não tenho nada a declarar.

– Estou falando sério, Sr. Banning. Diga pra gente o porquê, e você não será executado.

– Não tenho nada a declarar.

John Wilbanks baixou a cabeça e foi até uma das janelas. Nix Gridley deu um suspiro indignado, como se dissesse "Eu avisei". O governador encarou Pete, que retribuiu o olhar sem piscar.

Por fim, o governador Wright disse:

– Muito bem. Como quiser.

Ele se levantou e deixou a sala, saiu do prédio, novamente ignorou os repórteres e foi embora, em direção à casa de um médico onde um jantar lhe seria oferecido.

QUANDO O SOL se pôs na cidade, a multidão cresceu ao redor do tribunal e as ruas ficaram cheias de gente. Os veículos não conseguiam mais transitar e o tráfego foi desviado.

Roy Lester deixou a cadeia em sua viatura e se dirigiu para a casa de Mildred Highlander. Florry o aguardava e ele voltou para a cadeia com ela. Eles conseguiram se esgueirar pela porta dos fundos e evitar os repórteres. Ela foi levada para a sala do xerife, onde Nix a cumprimentou com um abraço. Ele a deixou lá e, alguns minutos depois, seu irmão foi trazido. Eles se sentaram de frente um para o outro, os joelhos se tocando.

– Você comeu? – perguntou ela suavemente.

Ele balançou a cabeça.

– Não. Eles me ofereceram uma última refeição, mas não estou com fome.

– O que o governador queria?

– Veio se despedir, eu acho. Como estão as crianças?

– "Como estão as crianças?" Como você acha, Pete? Eles estão um lixo. Estão arrasados, e quem pode culpá-los?

– Vai acabar em breve.

– Pra você, sim, mas pra gente, não. Você escolheu fazer a sua saída triunfal, mas a gente vai ficar aqui tendo que lidar com tudo e se perguntando por que diabo isso aconteceu.

– Me desculpe, Florry. Eu não tive escolha.

Ela estava enxugando as lágrimas e mordiscando o lábio. Queria partir para cima dele e finalmente extravasar tudo o que estava sentindo, mas também queria abraçá-lo uma última vez para se certificar de que ele sabia que sua família o amava.

Ele se aproximou, pegou as mãos dela e disse:

– Tem algumas coisas que você precisa saber.

20

O prisioneiro fez um único pedido. Queria ir andando da prisão até o tribunal, uma distância curta de apenas dois quarteirões, mas uma longa caminhada até o túmulo. Era importante para ele andar com altivez, de cabeça erguida, sem algemas, enfrentando bravamente a morte, algo de que tantas vezes escapara. Ele queria mostrar a coragem que poucas pessoas seriam capazes de entender. Morreria como um homem honrado, sem rancor, sem arrependimentos.

Às oito horas, ele saiu pela porta principal da cadeia vestindo camisa branca e calça cáqui. As mangas estavam dobradas porque o ar estava quente e a umidade, sufocante. Com Roy Lester de um lado e Red Arnett do outro, ele seguiu Nix Gridley pela multidão, que se afastou para abrir caminho. Os únicos sons eram os dos flashes e dos cliques das câmeras. Não se ouviram perguntas banais vindas dos repórteres, gritos de encorajamento, nem ninguém desejando que sua alma ardesse no inferno. Viraram na avenida Wesley e se dirigiram à praça, andando no meio da rua enquanto os curiosos vinham atrás. Ao se aproximarem, os soldados que se alinhavam na rua bateram continência e o saudaram. Pete os viu, pareceu surpreso por um segundo ou dois, então assentiu com a cabeça, em um gesto severo. Ele andava devagar, definitivamente sem pressa, mas determinado a seguir em frente.

Na praça, um silêncio profundo caiu sobre a multidão quando o prisioneiro e os guardas apareceram. Nix resmungou algumas vezes, pedindo que as pessoas se afastassem e abrissem caminho, e todos obedeceram. Viraram na rua Madison em frente à Tea Shoppe e a procissão seguiu.

Mais adiante assomava o tribunal, totalmente iluminado e à espera. Era o edifício mais importante do condado, o lugar onde a justiça era garantida e aplicada, os direitos eram protegidos, as disputas resolvidas de forma pacífica e justa. O próprio Pete Banning havia participado de um júri quando era muito mais jovem e ficara impressionado com a experiência. Ele e seus colegas jurados seguiram a lei e chegaram a um veredito justo. A justiça tinha sido feita, e agora a justiça o aguardava.

O policiamento extra havia isolado a calçada principal do tribunal. Ao lado estavam os cabos por onde passaria a corrente elétrica. O gerador no caminhão prateado zumbiu quando eles passaram, mas Pete pareceu não notar. Seguindo Nix, passou por cima dos cabos quando se viraram na direção do prédio. Ficou surpreso com a multidão, principalmente com o número de soldados, mas continuou olhando para a frente, tomando cuidado para não cruzar o olhar de nenhum conhecido.

Os quatro abriram caminho lentamente até o tribunal e entraram. Estava vazio; a polícia tinha trancado todas as portas e expulsado os curiosos. Nix estava determinado a evitar um espetáculo e jurou que quem fosse encontrado lá dentro sem permissão seria preso. Eles subiram a escada principal e pararam diante da porta da sala de audiência. Um guarda a abriu e eles entraram. Os cabos vinham desde o corredor, cruzavam a sala e chegavam até a cadeira.

A Old Sparky jazia ameaçadoramente ao lado da bancada do júri, de frente para as fileiras de bancos vazios onde o público normalmente se sentava. Mas não havia público algum, apenas algumas testemunhas. Pete não tinha aprovado nenhuma delas. Não havia ninguém da família de Dexter Bell. Nix proibira todos os fotógrafos, para desespero de Jimmy Thompson, que aguardava ansiosamente diante do painel de controle localizado ao lado de sua amada cadeira. As mesas haviam sido mudadas de lugar e dispuseram uma fila de cadeiras perto da tribuna do juiz para as testemunhas. Miles Truitt, o promotor, sentou-se ao lado do juiz Rafe Oswalt. Ao lado dele estava o governador Wright, que nunca tinha visto uma execução e decidira ficar na cidade para ver aquela. Ele sentia que era seu dever testemunhar uma aplicação da pena capital, já que seu povo era tão ardentemente favorável a esse tipo de punição. Ao lado do governador estavam quatro repórteres escolhidos a dedo por Nix Gridley, entre eles Hardy Capley, do *Memphis Press-Scimitar*.

John Wilbanks não estava lá, porque assim decidira. Pete o teria aprovado como testemunha, mas John não queria mais nenhum envolvimento com aquilo. O caso havia chegado ao fim e ele torcia para que toda aquela confusão dos Bannings tivesse ficado para trás. Ele duvidava disso, no entanto, e previa que haveria outros desdobramentos legais do assassinato. Naquele momento, ele e Russell estavam sentados na varanda do escritório, observando a multidão e o tribunal e bebendo bourbon.

Lá dentro, Pete foi levado a uma cadeira de madeira ao lado da Old Sparky e se sentou.

– Sr. Banning, essa é a parte do meu trabalho de que eu não gosto – disse Jimmy Thompson.

– Por que você não cala a boca e faz logo o que tem que fazer? – rebateu Nix, que estava de saco cheio de Thompson e suas encenações.

Nada mais foi dito a partir do momento em que Thompson pegou uma espécie de cortador e raspou a cabeça de Pete o mais rente possível ao couro cabeludo. Os chumaços de fios castanho-escuros e grisalhos se aglomeraram em sua camisa e em seus braços, e Thompson habilmente os espanou para o chão. Dobrou a perna esquerda da calça cáqui de Pete e raspou sua panturrilha. Conforme ia fazendo rapidamente seu trabalho, o único som no tribunal era o zumbido do cortador. Nenhum daqueles homens assistindo tinha chegado perto de uma execução e não sabia quase nada sobre os procedimentos. Thompson, porém, era um profissional e dava conta de suas obrigações com eficiência. Quando desligou o cortador, meneou a cabeça na direção da Old Sparky e disse:

– Sente-se, por favor.

Pete deu dois passos e se sentou naquele trono de madeira mal-acabado. Thompson prendeu os pulsos de Pete com pesadas tiras de couro, depois fez o mesmo na cintura e nos tornozelos. De um balde, pegou duas esponjas molhadas e as pressionou contra as panturrilhas, em seguida as prendeu com uma tira pesada que segurava um eletrodo. As esponjas eram necessárias para ajudar a eletricidade a fluir mais rápido.

Pete fechou os olhos e começou a respirar com dificuldade.

Thompson colocou quatro esponjas molhadas na cabeça de Pete. A água pingava e corria pelo rosto dele, e Thompson pediu desculpas por isso. Pete não respondeu. A peça afixada na cabeça era uma engenhoca de metal não muito diferente de um capacete de futebol americano, e quando Thompson a ajustou adequadamente, Pete fez cara feia, sua única reação negativa até aquele momento. Quando as esponjas foram colocadas sob o capacete, Thompson o apertou. Ele prendia fios, mexia nas correias e parecia estar demorando demais para terminar. No entanto, como nem Nix nem ninguém sabia absolutamente nada sobre o protocolo, ficaram esperando e observando em silêncio. O tribunal, que já era úmido, ficou ainda mais pegajoso, e todo mundo estava suando. Por causa do calor, alguém tinha aberto parcialmente quatro das janelas altas que havia de cada lado da sala e, infelizmente, se esquecera de fechá-las.

Thompson sentiu a pressão de um trabalho tão importante. A maioria de suas vítimas eram criminosos negros e pobres, e poucas pessoas se importavam se suas execuções apresentassem uma falha ou outra. Ninguém jamais havia se safado. Mas a execução de um homem branco e famoso era algo inédito, e Thompson estava determinado a realizar uma morte rápida, que não pudesse ser criticada.

Ele pegou um capuz preto e perguntou a Pete:

– Quer cobrir o rosto?

– Não.

– Certo.

Thompson meneou a cabeça para o juiz Oswalt, que se levantou e deu alguns passos em direção ao condenado. Nervoso, segurando uma folha de papel, ele pigarreou.

– Sr. Banning, a lei exige que eu leia sua sentença: "Por ordem do tribunal do Vigésimo Segundo Distrito Judicial do Mississippi, e após ter sido considerado culpado pelo crime de homicídio qualificado e condenado à morte por eletrocussão, e de a sentença ter sido confirmada pela Suprema Corte deste estado, eu, juiz Rafe Oswalt, determino a imediata execução do réu, o Sr. Pete Banning." Que Deus tenha piedade de sua alma. – O papel estava tremendo em suas mãos enquanto Oswalt lia sem olhar para Pete, e ele se sentou o mais rápido possível.

Do alto da galeria escura, três homens negros assistiam à cena sem conseguir acreditar no que estava acontecendo. Ernie Dowdle, que trabalhava no porão do tribunal, Penrod, o zelador, e Hop Purdue, o servente da igreja, estavam deitados de bruços no chão e espiavam pelo parapeito. Estavam

apavorados demais para respirar, pois, se fossem vistos, Nix muito provavelmente os jogaria em uma cela por anos a fio.

Thompson acenou com a cabeça para Nix Gridley, que se aproximou da
cadeira e perguntou:

– Pete, você quer dizer alguma coisa?

– Não.

Nix recuou e ficou de pé perto das testemunhas, junto com Roy Lester e Red
Arnett. O legista do condado estava atrás deles. Jimmy Thompson se aproximou do painel de controle, o analisou por um segundo e perguntou a Nix:

– Existe alguma razão para que esta execução não siga adiante?

– Nenhuma – disse Nix balançando a cabeça.

Thompson girou um mostrador. O gerador no caminhão prateado gemeu
ainda mais alto quando seu motor a gasolina aumentou a corrente. Aqueles que estavam perto do veículo perceberam o que estava acontecendo e
recuaram. A corrente quente passou pelos cabos e chegou em segundos
até a Old Sparky. Um interruptor de metal de mais de 12 centímetros com
uma cobertura de plástico vermelho se projetava do painel de controle.
Jimmy o segurou e o baixou. Uma corrente de 2 mil volts atingiu Pete e
todos os músculos de seu corpo se contraíram e se projetaram para cima e
para a frente, e ele sacudiu as amarras. Ele deu um grito, um rugido alto e
penetrante de dor e agonia absolutas que chocou as testemunhas. O grito
ecoou pela sala, perdurou por segundos enquanto o corpo de Pete saco-
lejava com uma fúria doentia, escapou do tribunal pelas janelas abertas e
reverberou noite adentro.

Mais tarde, aqueles que estavam perto do caminhão prateado e do gerador,
junto à ala sul do tribunal próximo à porta da frente, afirmariam que não
ouviram o grito, mas os que estavam nas extremidades leste e oeste, principalmente aqueles próximos aos fundos do prédio, o escutaram e nunca mais
o esquecerão. John Wilbanks o ouviu, tão claro quanto um trovão, e disse
"Meu Deus do céu". Ele se levantou, aproximou-se da janela e olhou para os
rostos assustados dos que estavam mais próximos do tribunal. O grito durou
alguns segundos, mas para muitos duraria para sempre.

A primeira descarga elétrica deveria ter feito o coração de Pete parar e
o deixado inconsciente, mas não havia como saber se isso ocorrera. Pete
convulsionou violentamente por cerca de dez segundos, embora medir o
tempo fosse algo impossível naquele momento. Quando Thompson desligou

o interruptor e cortou a corrente, a cabeça de Pete caiu para a direita e seu corpo ficou imóvel. Depois se contraiu. Como de praxe, Thompson esperou trinta segundos e abaixou o interruptor para a segunda etapa. Pete se sacudiu quando a corrente o atingiu novamente, mas seu corpo apresentou menos resistência e estava claramente entrando em colapso. Durante a segunda descarga elétrica, a temperatura de seu corpo ultrapassou os 90 graus e seus órgãos começaram a derreter. Escorria sangue das órbitas oculares.

Thompson cortou a corrente e ordenou que o legista verificasse se Pete estava morto. O legista não se mexeu; ficou parado de boca aberta, olhando para o semblante macabro de Pete Banning. Nix Gridley finalmente conseguiu desviar o olhar e teve vontade de vomitar. Miles Truitt, que seis meses antes estivera no exato local onde naquele momento estava posicionada a Old Sparky e rogara ao júri pela pena de morte, tinha agora testemunhado sua primeira execução e nunca mais seria o mesmo. Nem o governador. Por razões políticas, ele continuaria a apoiar a pena de morte, enquanto desejava silenciosamente que ela fosse abolida, pelo menos para os réus brancos.

Na galeria, Hop Purdue fechou os olhos e começou a chorar. Como principal testemunha do crime, ele havia deposto contra Pete Banning e se sentiu responsável.

Depois do choque inicial, os repórteres se recuperaram e começaram a escrever de forma impetuosa.

– Por favor, senhor, se você não se importa – disse Thompson irritado, dirigindo-se ao legista, que finalmente conseguiu se mexer.

Segurando um estetoscópio que havia pegado emprestado de um médico, um excelente clínico que se recusara terminantemente a chegar perto daquela execução, ele foi até o corpo e verificou o coração de Pete. Sangue e outros fluidos vazavam de suas órbitas oculares e sua camisa branca de algodão mudava de cor rapidamente. O legista não tinha certeza se ouvia alguma coisa ou se de fato estava usando o estetoscópio da maneira correta, porque naquele momento desejava que Pete estivesse morto. Ele já tinha visto o suficiente. E mesmo que Pete ainda não estivesse morto, estaria muito em breve. Portanto, o legista recuou e disse:

– Não há batimentos cardíacos. Este homem está morto.

Thompson ficou aliviado pelo sucesso da execução. Tirando o grito excruciante que pareceu chacoalhar as janelas, e talvez os globos oculares derretendo, não ocorreu nada que ele já não tivesse visto. Aquela havia sido sua trigésima oitava execução e, a bem da verdade, elas nunca eram iguais. Thompson pensava que já tinha visto de tudo, de pele carbonizada a ossos quebrados quando o corpo dos réus se debatia, mas sempre surgia um novo detalhe. De modo geral, entretanto, aquela fora uma noite favorável para o estado do Mississippi. Ele rapidamente destravou o capacete, removeu-o e colocou o capuz sobre o rosto de Pete para esconder um pouco do sangue. Começou a desconectar os fios e soltar as amarras. Enquanto Thompson fazia seu trabalho, Miles Truitt pediu licença para se retirar, seguido pelo governador. Os repórteres, no entanto, continuavam imóveis, ao mesmo tempo que tentavam registrar todos os detalhes.

Nix puxou Roy Lester para o lado e disse:

– Olha só, eu vou terminar aqui e levar o corpo para a funerária. Prometi à Florry que avisaríamos quando terminasse. Ela está em casa, no chalé cor-de-rosa, com os filhos dele, e eu quero que você vá até lá e dê a notícia.

Roy tinha os olhos cheios d'água e estava visivelmente transtornado.

– Sim, chefe – foi o que conseguiu dizer.

POR MAIS DE um século, os Bannings haviam enterrado seus mortos em um cemitério da família que ficava ao lado de uma colina não muito longe do chalé cor-de-rosa. As lápides simples estavam ordenadamente dispostas sob os galhos de um sicômoro, uma espécie de figueira, uma árvore velha e imponente que estava lá havia tanto tempo quanto os Bannings. Muito antes de Pete nascer, deram ao cemitério o nome de Old Sycamore, que se tornou parte do vocabulário da família. Um parente morto nem sempre estava morto. Simplesmente tinha voltado para "casa", para o Old Sycamore.

Precisamente às oito horas da manhã de sexta-feira, dia 11 de julho, uma pequena multidão estava reunida no Old Sycamore. Os presentes observavam enquanto um caixão simples de madeira era baixado por cordas para dentro do túmulo por quatro trabalhadores da fazenda que tinham aberto a cova no dia anterior. A lápide já estava no lugar, preenchida com nome e datas: Peter Joshua Banning III, nascido em 2 de maio de 1903, falecido em 10 de julho de 1947. Inscritas na parte inferior estavam as palavras "Soldado Fiel de Deus".

Quinze pessoas brancas rodeavam o túmulo, usando roupas reservadas a ocasiões especiais. O enterro foi destinado exclusivamente a convidados, e Pete tinha não apenas feito a lista, como também dado instruções detalhadas sobre o horário de início da cerimônia, os versículos das Escrituras que deveriam ser lidos e como deveria ser construído seu caixão. Os convidados incluíam Nix Gridley, John Wilbanks e a esposa, alguns outros amigos e, claro, Florry, Stella e Joel. Atrás deles estavam Nineva, Amos e Marietta, os empregados domésticos. Atrás deles e ainda mais distantes estavam cerca de quarenta negros de diferentes faixas etárias, todos subordinados dos Bannings, todos em suas melhores roupas. Enquanto os brancos inicialmente procuraram se manter firmes e impassíveis, os negros nem tentaram. Começaram a chorar assim que viram o caixão ser retirado do carro da funerária. Seu Pete era o chefe deles e um homem bom e decente, e eles não conseguiam acreditar que ele tivesse partido.

Na década de 1940, na zona rural do estado do Mississippi, o destino de uma família negra dependia da bondade ou maldade do homem branco que fosse proprietário da terra, e os Bannings sempre haviam sido zelosos e justos. Os negros não conseguiam entender a lógica da lei do homem branco. Por que matariam um de seus semelhantes? Não fazia sentido.

Nineva, que havia ajudado o médico no parto de Pete 44 anos antes, foi dominada pelas emoções e mal conseguia se manter de pé. Amos a abraçou, consolando-a.

O pastor era um jovem estudante de teologia presbiteriana vindo de Tupelo, amigo de um amigo que praticamente não tinha qualquer relação com o condado de Ford. Como Pete o descobriu, eles jamais saberiam. Ele fez uma oração de abertura e foi bastante eloquente. Quando terminou, Stella estava novamente aos prantos. Ela ficou de pé entre a tia e o irmão, ambos com os braços sobre seus ombros em demonstração de apoio. Depois da oração, o pastor leu o Salmo 23, em seguida falou brevemente sobre a vida de Pete Banning. Ele não se demorou dissertando sobre a guerra, mencionando apenas que Pete havia sido condecorado. Não disse nada sobre a condenação por homicídio e seus desdobramentos, mas falou por dez minutos sobre graça, perdão, justiça e alguns outros conceitos que não conseguiu exatamente relacionar com os fatos recentes. Quando terminou, fez mais uma oração. Marietta aproximou-se da lápide e cantou *a cappella* as duas primeiras estrofes de "Amazing Grace". Ela tinha uma voz bonita e muitas vezes cantava junto com os álbuns de ópera no chalé cor-de-rosa.

Quando o pastor anunciou que a cerimônia havia terminado, os presentes recuaram lentamente a fim de dar passagem para que os coveiros pudessem cobrir a sepultura. Os três membros da família Banning não quiseram acompanhar aquele momento. Eles cumprimentaram alguns amigos enquanto se dirigiam para o carro.

Nix Gridley abordou Joel e lhe explicou que muitos dos soldados ainda estavam na cidade e queriam visitar o túmulo de Pete para prestar suas condolências. Joel falou sobre a questão com Florry e eles concordaram que Pete aprovaria.

Uma hora depois eles começaram a chegar, e foi assim durante o resto do dia. Vinham sozinhos, figuras solitárias com muitas lembranças. Vinham em pequenos grupos e falavam uns com os outros aos sussurros. Vinham de maneira silenciosa, com pesar e orgulho. Tocaram a lápide, observaram a terra recém-empilhada, fizeram suas preces ou apenas falaram com ele, e saíram sentindo uma imensa tristeza por um homem que poucos deles haviam conhecido.

PARTE DOIS

CAIXA DE OSSOS

21

O hotel Peabody foi construído no centro de Memphis em 1869 e se transformou imediatamente em ponto de encontro da alta sociedade. Foi projetado em um elaborado estilo renascentista italiano, e não houve economia nos gastos. Seu exuberante saguão contava com galerias elevadas e uma fonte de água ornamentada e repleta de patos vivos. Sem dúvida era o hotel mais espetacular da cidade e não tinha concorrentes em um raio de centenas de quilômetros. Não demorou nada a se tornar lucrativo, conforme os habitantes endinheirados de Memphis se aglomeravam para beber e jantar, ir a bailes, festas de gala, coquetéis, espetáculos e encontros.

Por volta da virada do século, quando as outrora ricas fazendas de algodão nas regiões do Delta do Arkansas e do Mississippi recuperaram o equilíbrio, o Peabody se tornou o destino preferido dos grandes agricultores que buscavam diversão na cidade. Nos fins de semana e feriados eles ocupavam o hotel, dando festas luxuosas e se juntando em grande estilo a seus amigos da alta classe de Memphis. Muitas vezes levavam as esposas para fazer compras. Em outras iam sozinhos, para fazer negócios e passar fins de semana românticos com suas amantes.

As pessoas diziam que quem passasse um tempo no saguão do Peabody veria todo mundo de renome na região do Delta.

Pete Banning não era do Delta e não tinha pretensão de ser. Ele era das colinas do nordeste do Mississippi e, apesar de sua família possuir terras e ser considerada importante, estava longe de ser rico. Na escala social, quem vinha das colinas estava vários graus abaixo da classe de fazendeiros a centenas de quilômetros de distância. Sua primeira visita ao hotel Peabody foi a convite de um amigo de Memphis que conhecera quando era cadete na Academia Militar. O evento era uma espécie de baile de debutante, mas a verdadeira atração, pelo menos para Pete, era passar o fim de semana naquela cidade às margens do rio.

Ele tinha 22 anos e acabara de se formar na Academia Militar, em West Point. Estava passando algumas semanas na fazenda perto de Clanton enquanto esperava para se apresentar em Fort Riley, no Kansas. Já estava entediado com a fazenda e ansioso para se divertir na cidade grande, embora estivesse muito longe de ser um caipira. Tinha ido a Nova York muitas vezes, em diferentes ocasiões, e sabia se portar em qualquer ambiente social. Uma meia dúzia de esnobes de Memphis não seria capaz de intimidá-lo.

Era 1925, e o hotel tinha acabado de ser reaberto depois de uma reforma completa. Pete conhecia a reputação do lugar, mas nunca havia ido lá. Durante os quatro anos em West Point seu amigo falara sobre as festas deslumbrantes e as dezenas de garotas bonitas. E não era exagero.

A festa de reabertura, em traje *black-tie*, foi no salão de baile principal, no segundo andar, e estava lotada. Na ocasião, Pete vestia o uniforme de gala do exército, todo branco, desde a gola da camisa até os sapatos, e causava uma bela impressão enquanto se fundia àquela multidão, empunhando um drinque. Com uma postura militar perfeita, o rosto bronzeado e um sorriso fácil, pulava de conversa em conversa, e logo percebeu que várias garotas reparavam nele. O jantar foi anunciado, e ele se sentou a uma mesa cheia de outros amigos de seu anfitrião. Eles beberam champanhe, comeram ostras e conversaram sobre amenidades, assuntos sem importância e, principalmente, sem relação com o exército. A Grande Guerra tinha acabado. O país estava em paz. E continuaria assim para sempre, sem dúvida.

Quando o jantar foi servido, Pete reparou em uma moça na mesa ao lado. Ela estava de frente para ele, e toda vez que olhava para ela, percebia que a moça também estava olhando para ele. Ela era, sem dúvida, a mais linda em uma sala cheia de garotas bonitas, talvez incluindo o resto do mundo na comparação. Por uma ou duas vezes foi impossível tirar os olhos dela. Ao fim do jantar, os dois estavam constrangidos depois de tantos olhares recíprocos de admiração.

O nome dela, como ele logo descobriu, era Liza Sweeney. Ele a seguiu até o bar, se apresentou e puxou conversa. A Srta. Sweeney era de Memphis, tinha apenas 18 anos e jamais havia sentido a menor vontade de participar daqueles estúpidos bailes de debutantes. O que ela realmente queria era um cigarro, mas não fumaria na frente da mãe, que tentava ficar de olho nela de um dos cantos do salão. Pete a seguiu até o lado de fora – ela parecia conhecer bem o hotel –, em direção a um pátio perto de uma piscina. Lá, cada um fumou três cigarros e tomou dois drinques – martínis para ela, bourbons para ele.

Liza acabara de terminar os estudos, mas não estava certa quanto a fazer faculdade. Ela estava cansada de Memphis e queria algo maior, algo do tamanho de Paris ou Roma, mas aquilo era apenas um devaneio. Pete perguntou se ela achava que os pais permitiriam que ela namorasse um homem quatro anos mais velho. Ela deu de ombros e disse que nos dois anos anteriores tinha namorado quem ela bem entendera, mas que eram todos um bando de moleques de colégio.

– Você está me chamando pra sair? – perguntou ela, com um largo sorriso.

– Estou.

– Quando?

– No próximo fim de semana.

– Combinado, soldadinho.

Seis noites depois, eles se encontraram no Peabody para beber, jantar e ir a mais uma festa. No dia seguinte, um sábado, fizeram um longo passeio junto ao rio, de braços dados, com muitas carícias, e perambularam pelo centro da cidade. Naquela noite, Liza o convidou para jantar na casa dela. Ele conheceu seus pais e sua irmã mais velha. O Sr. Sweeney trabalhava como atuário em uma companhia de seguros e era bastante chato. A esposa dele, no entanto, era uma linda mulher, que se encarregou da maior parte da conversa. Eles formavam um casal esquisito, e Liza já havia dito a Pete várias vezes que planejava sair de casa quanto antes. Sua irmã já estava fazendo faculdade em algum lugar no Missouri.

No começo do namoro, Pete suspeitava de que Liza fosse uma entre milhares garotas de Memphis que circulavam pelo Peabody na esperança de arranjar um marido abastado. Ele deixou claro que não era um daqueles fazendeiros ricos do Delta. Sua família era dona de algumas terras e cultivava algodão, mas nada que se comparasse às grandes fazendas. De início, Liza tentou ostentar ares de alta sociedade, mas desistiu quando percebeu que Pete era apenas um plebeu. Convidá-lo a sua casa revelara o óbvio: a família dela era um tanto modesta. Pete não se importava com quanto dinheiro eles tinham ou não tinham. Ele estava completamente apaixonado e ficaria na cola de Liza até conquistá-la, o que, como ele logo descobriu, não seria um grande desafio. Liza não se importava com o tamanho da fazenda. Ela havia encontrado um soldado pelo qual se encantara, e ele não escaparia dela.

Na sexta-feira seguinte, eles se encontraram novamente no Peabody para jantar com alguns amigos. Depois do jantar, deram uma fugida para ir até um bar e ficarem sozinhos. E, depois das bebidas, escaparam para o quarto dele, no sétimo andar. Pete já havia estado com mulheres antes, mas só com aquelas que trabalhavam nos bordéis de Nova York. Era uma tradição dos cadetes. Liza era virgem e estava pronta para ir além, e abraçou o sexo com um entusiasmo que deixou Pete desnorteado. Por volta da meia-noite ele sugeriu que era hora de ela voltar para casa. Ela disse que não pretendia ir embora, que dormiria lá com ele, e que não se importava de passar a maior parte do dia seguinte na cama. Pete concordou.

– Mas o que você vai falar pros seus pais? – perguntou ele.

– Uma mentira. Vou pensar em alguma coisa, não se preocupe. Eles são fáceis de enganar e jamais pensariam que eu poderia estar fazendo algo assim.

– Você é que sabe. A gente pode dormir um pouco agora?

– Sim. Sei que você está exausto.

O namoro decolou no primeiro mês, enquanto os dois amantes se esqueciam do resto do mundo. Todo fim de semana Pete reservava um quarto no Peabody, onde passava três noites, muitas delas com Liza. As amigas dela começaram a fazer fofoca. Os pais estavam ficando desconfiados. Afinal de contas, era 1925, e havia regras rígidas que determinavam o que as damas de bem e seus namorados podiam fazer. Liza conhecia essas regras tão bem quanto as amigas, mas também sabia quanto uma garota podia se divertir se quebrasse algumas delas. Estava gostando dos martínis, dos cigarros e, principalmente, do sexo proibido.

Em um domingo, Pete a levou a Clanton para conhecer a família dele, ver a fazenda e ter uma ideia do lugar de onde ele vinha. Ele não planejava passar o resto da vida cultivando algodão. Faria carreira no exército, e os dois viajariam pelo mundo, ou ao menos era nisso que ele acreditava aos 22 anos.

Pete foi designado para servir em Fort Riley, no Kansas, onde passaria pelo treinamento para se tornar oficial. Apesar de ter ansiado por essa designação – sua primeira atribuição –, ficou arrasado com a ideia de deixar Liza. Foi de carro até a casa dela em Memphis para dar a notícia. Os dois sabiam que aquele momento estava chegando, mas se afastar parecia impossível àquela altura. Quando ele se despediu, ambos estavam aos prantos. Ele foi até Fort Riley de trem e, uma semana depois, recebeu uma carta de Liza. Ela foi direto ao ponto: estava grávida.

Sem hesitar, ele elaborou um plano. Alegando que assuntos familiares urgentes exigiam que ele voltasse para casa, convenceu seu comandante a lhe emprestar o carro. Pete dirigiu a noite inteira e chegou ao Peabody bem na hora do café da manhã. Ele ligou para Liza e disse a ela que eles iam fugir. Ela adorou a ideia, mas não sabia ao certo como conseguiria sair de casa com uma mala tendo a mãe por perto. Pete a convenceu a esquecer a mala. Havia lojas em Kansas City.

Liza se despediu da mãe e saiu para trabalhar. Pete a buscou no meio do caminho e eles fugiram de Memphis, em alta velocidade, rindo, gargalhando e trocando carícias. Encontraram um telefone público em Tupelo e ligaram para a Sra. Sweeney. Liza foi doce, mas brusca. "Mãe, desculpe o susto, mas Pete e eu estamos fugindo. Tenho 18 anos e posso fazer o que eu quiser. Amo você e ligarei de novo esta noite pra falar com o papai." Quando desligou, a mãe estava aos prantos. Liza, porém, era a garota mais feliz do mundo.

Como estavam em Tupelo, uma cidade que Pete conhecia bem, decidiram se casar. As melhores casas de Fort Riley eram reservadas para os oficiais e suas famílias, e ter uma certidão de casamento poderia trazer alguma vantagem. Foram até o tribunal do condado de Lee, preencheram o formulário de entrada, pagaram uma taxa e encontraram um juiz de paz abastecendo o estoque de peixinhos nos fundos de sua loja de iscas. Com a esposa servindo de testemunha e após embolsar sua habitual taxa de 2 dólares, o homem os declarou marido e mulher.

Pete ligaria para os pais mais tarde. Com o primeiro filho a caminho, eles estavam correndo contra o tempo, e era importante estabelecer quanto antes uma data para a cerimônia. Pete sabia que os fofoqueiros de Clanton começariam a fazer as contas assim que ouvissem de sua mãe a notícia de que seu primeiro neto havia chegado. Liza acreditava que a data prevista para o nascimento era dali a oito meses. Oito meses levantaria alguma suspeita, mas não alimentaria fofocas. Sete seria arriscado. Seis seria, indiscutivelmente, um escândalo.

Eles se casaram em 14 de junho de 1925.

Joel nasceu em 4 de janeiro de 1926, em um hospital do exército na Alemanha. Pete implorou por uma alocação em terras estrangeiras, para ficar o mais longe possível de Memphis e de Clanton. Ninguém de lá jamais veria a certidão de nascimento do bebê. Ele e Liza esperaram seis semanas antes de enviar telegramas avisando os avós.

DA ALEMANHA, PETE foi transferido de volta para Fort Riley, no Kansas, onde treinou com o Vigésimo Sexto Regimento de Cavalaria. Era um excelente cavaleiro, mas estava começando a se questionar se a cavalaria montada teria algum papel na guerra moderna. Tanques e artilharia móvel eram o futuro, mas ele amava a cavalaria e ficou com o Vigésimo Sexto. Stella nasceu em Fort Riley, no ano de 1927.

Em 20 de junho de 1929, o pai de Pete, Jacob, morreu, supostamente de ataque cardíaco, aos 49 anos. Liza, com duas crianças que estavam doentes, não pôde ir até Clanton para o velório do Sr. Banning. Havia dois anos que ela não voltava a sua cidade natal e preferiu se manter afastada.

Quatro meses após a morte do Sr. Banning, a bolsa de valores quebrou e o país entrou na Grande Depressão. Os oficiais de carreira pouco sentiram o colapso econômico. Seus empregos, moradia, saúde, educação e contracheques estavam garantidos, apesar de ligeiramente reduzidos. Pete e Liza estavam felizes com a carreira dele e com a família em crescimento, e o futuro dos dois estava, ainda, no exército.

O mercado do algodão também entrou em crise em 1929 e os agricultores foram severamente atingidos. Fizeram empréstimos para poder pagar despesas e dívidas e plantar novamente no ano seguinte. A mãe de Pete não andava muito bem da cabeça desde a morte súbita do marido e não conseguia administrar a fazenda. A irmã mais velha, Florry, morava em Memphis e tinha pouco interesse por agricultura. Pete contratou um capataz para cuidar da safra de 1930, porém a fazenda perdeu dinheiro mais uma vez. Ele pegou dinheiro emprestado e contratou outro capataz para o ano seguinte, mas o mercado ainda estava retraído. As dívidas começaram a se acumular, e os Bannings corriam o risco de perder a propriedade.

Durante as festas de fim de ano, em 1931, Pete e Liza debateram a sombria possibilidade de ele largar o exército e, juntos, voltarem para o condado de Ford. Nenhum dos dois queria aquilo, principalmente Liza. Ela não conseguia se imaginar vivendo em uma cidade pequena como Clanton e não suportava a ideia de morar na mesma casa que a mãe de Pete. As duas mulheres haviam passado pouco tempo juntas, mas o suficiente para perceberem que precisavam se manter afastadas. A Sra. Banning era uma metodista devota que tinha resposta para tudo – porque as respostas estavam todas bem ali, na Sagrada Escritura. Usando a autoridade divina da palavra de Deus, ela podia dizer – e de fato dizia – a qualquer um, fosse homem ou mulher, exatamente como deveria viver a vida. Ela não era insistente nem desagradável, apenas excessivamente crítica.

Pete também queria evitá-la. De fato, ele tinha pensado em vender a fazenda para deixar o negócio. Essa ideia perdeu o sentido por três razões. Primeiro, ele não era dono da fazenda. Sua mãe a herdara de seu pai. Segundo, não havia mercado para terras agrícolas por causa da Depressão. E, terceiro, a mãe não teria onde morar.

Pete amava o exército, sobretudo a cavalaria, e queria servir até se aposentar. Quando criança, ele já havia cortado e colhido algodão e passado longas horas nos campos, e agora desejava levar uma vida diferente daquela. Queria ver o mundo, talvez combater em uma guerra ou duas, ganhar algumas medalhas e manter a esposa feliz.

Então ele fez mais um empréstimo e contratou o terceiro capataz. Os pés de algodão estavam lindos, o mercado estava aquecido, porém, no início de setembro, as chuvas vieram como nas monções e levaram tudo embora. A safra de 1932 não produziu nada e os bancos começaram a ligar. Sua mãe continuou a piorar e mal podia cuidar de si mesma.

Pete e Liza debateram sobre se mudar para Memphis, ou talvez Tupelo, qualquer lugar menos Clanton. Uma cidade maior proporcionaria mais oportunidades, escolas melhores, uma vida social mais vibrante. Pete poderia trabalhar na fazenda, indo e voltando para casa todos os dias, não? No dia 24 de dezembro, eles estavam planejando o que fariam à noite quando receberam um telegrama. Era de Florry, e a notícia era trágica. A mãe deles tinha morrido no dia anterior, provavelmente de pneumonia, com apenas 50 anos.

Em vez de trocarem presentes, eles fizeram as malas correndo e encararam o longo trajeto de carro até Clanton. A mãe de Pete foi enterrada no Old Sycamore, ao lado do marido. Ele e Liza tomaram a decisão de ficar um pouco e nunca mais voltaram para Fort Riley. Ele renunciou ao posto de oficial, mas permaneceu na reserva.

Havia rumores de guerra. Os japoneses estavam se expandindo na Ásia e tinham invadido a China no ano anterior. Hitler e os nazistas estavam construindo fábricas que montavam tanques, aviões, submarinos, canhões e tudo mais de que um exército precisava para se expandir agressivamente. Os colegas de Pete no exército ficaram alarmados com o que estava acontecendo. Alguns previam que a guerra seria inevitável.

Quando Pete devolveu o uniforme e foi para casa salvar a fazenda, não conseguiu esconder seu pessimismo. Ele tinha dívidas para pagar e bocas para alimentar. A Depressão estava assentada e cravava suas garras no país inteiro. Os Estados Unidos tinham armamento insuficiente, eram vulneráveis e estavam quebrados demais para financiar um exército capaz de ir à guerra.

Mas, caso a guerra chegasse, ele não a perderia por nada, nem mesmo pela fazenda.

22

Depois de duas ótimas colheitas seguidas, em 1925 e 1926, Jacob Banning decidiu construir uma casa nova. A que Pete e Florry conheceram quando criança havia sido construída antes da Guerra Civil, e ao longo das décadas tinha passado por ampliações e reformas. Definitivamente era melhor do que a maioria das casas do condado, mas Jacob, com dinheiro no bolso, queria causar uma boa impressão e construiu algo que os vizinhos continuariam a admirar muito depois de sua morte. Contratou um arquiteto de Memphis, que idealizou um projeto imponente de arquitetura neocolonial, uma casa de dois andares de tijolos vermelhos, frontões exuberantes e uma ampla varanda na frente. Jacob a construiu em uma pequena elevação próximo à autoestrada, mas ainda longe o suficiente para que quem passasse por lá pudesse admirá-la sem causar incômodo.

Agora que Jacob estava morto, assim como sua esposa, a espaçosa casa havia se tornado domínio de Liza, e ela queria enchê-la de crianças. Normalmente, ela e Pete davam cabo desse plano com enorme entusiasmo, mas os resultados foram decepcionantes. Ela teve um aborto espontâneo em Fort Riley e outro quando se mudaram para a fazenda. Após alguns meses de graves oscilações de humor e muitas lágrimas, ela recuperou o mesmo vigor de antes, para grande deleite de Pete. Liza tinha apenas uma irmã, assim como Pete, e ambos eram da opinião de que famílias pequenas eram monótonas. Ela sonhava em ter cinco filhos, Pete queria seis, três meninos e três meninas, de modo que eles cumpriam os deveres conjugais com determinação feroz.

Quando não estava na cama com a esposa, Pete usava o tempo para colocar a fazenda nos eixos de forma arrojada. Passava horas nos campos dando conta do trabalho manual, servindo de exemplo para seus empregados. Capinava o terreno, fazia reparos nos celeiros e em outras estruturas da propriedade, construía cercas, comprava mais gado e geralmente trabalhava do nascer do sol até o anoitecer. Ele se encontrou com os credores e disse, sem rodeios, que teriam que esperar.

O clima ajudou em 1933, e, com Pete no comando dos trabalhadores da lavoura, a colheita foi abundante. O mercado ajudou também, e a fazenda teve sua primeira margem para respirar em anos. Pete deixou os bancos felizes fazendo alguns pagamentos, mas também enterrou um pouco de dinheiro no quintal. A propriedade dos Bannings consistia em duas porções de 260 hectares cada uma, e se pudesse desmatar mais, mais algodão se poderia plantar. Pela primeira vez na vida, Pete começou a ver o potencial de longo prazo de sua herança.

Ele era dono de uma das porções e Florry da outra, e os dois fizeram um acordo pelo qual ele cultivaria a parte dela em troca de metade dos lucros. Em 1934, ela construiu seu chalé cor-de-rosa e se mudou para lá, vinda de Memphis. A chegada de Florry à fazenda acrescentou um pouco de vida ao lugar. Ela gostava de Liza, e de início as duas se tornaram próximas.

Não que a vida fosse monótona; não era. Liza gostava de ser mãe em tempo integral enquanto tentava, em vão, aumentar a família. Pete a ensinou a cavalgar, construiu um estábulo e o encheu de cavalos e pôneis. Em pouco tempo Joel e Stella passaram a montar junto com ela, e os três cavalgavam por horas a fio ao redor da fazenda e dos campos vizinhos. Pete a ensinou a atirar, e eles caçavam pássaros juntos. Ele a ensinou a pescar, e a pequena família passava tardes inteiras de domingo à beira do rio.

Se Liza sentia falta da cidade grande, poucas vezes deixou transparecer. Aos 30 anos, tinha um casamento feliz com um marido que amava e havia sido abençoada com dois filhos lindos. Morava em uma bela casa cercada por terras cultivadas que ofereciam segurança. Para uma garota festeira, porém, a vida social era uma decepção. Não havia clubes, hotéis chiques, boates nem bares decentes. Na verdade, não havia bar nenhum, porque o condado de Ford, assim como o estado inteiro, estava seco como um osso. A venda de álcool era ilegal em todos os 82 condados e em todas as cidades. As pessoas de natureza mais pecaminosa eram forçadas a confiar em contrabandistas, que havia aos montes, ou em amigos que levavam bebidas de Memphis.

A vida social era ditada pela igreja. No caso dos Bannings, é claro, a igreja era a metodista, a segunda maior de Clanton. Pete insistira para que fossem frequentadores assíduos, e Liza entrou na rotina. Ela havia sido criada sem muito entusiasmo na Igreja Episcopal, da qual não havia nenhum devoto – nem mero frequentador – em Clanton. De início ela ficou um pouco desanimada com a rigidez dos ensinamentos metodistas, mas logo entendeu que as coisas poderiam ser piores. O condado estava repleto de outras correntes mais ruidosas do cristianismo – batistas, pentecostais e Igrejas de Cristo –, crentes fanáticos ainda mais fundamentalistas do que os metodistas. Apenas os presbiterianos pareciam um pouco menos obtusos. Se havia algum católico perdido na cidade, ele mantinha isso em segredo. E o judeu mais próximo dali estava em Memphis.

As pessoas eram classificadas, e muitas vezes julgadas, por sua denominação religiosa. E sem dúvida iriam para o inferno caso não adotassem uma. Liza ingressou na Igreja Metodista e se tornou muito ativa na fé. Havia alguma outra coisa para se fazer em Clanton?

No entanto, por ser de fora, levaria muito tempo até que se adaptasse, independentemente da ascendência do marido. Os moradores não confiavam plenamente em ninguém, a menos que os avós deles tivessem se conhecido. Ela passou a frequentar a igreja com assiduidade e começou a tomar gosto pelos cultos, em especial no tocante à música. Por fim, foi convidada a participar de um grupo de estudos bíblicos para mulheres, que se reunia uma vez por mês. Depois, foi chamada para ajudar na organização de um casamento. Prestou auxílio em alguns velórios importantes. Um evangelista itinerante chegou à cidade para o encontro revivalista de primavera, e Pete ofereceu o quarto de hóspedes da casa para ele passar a semana. Ele era um jovem bastante bonito, e por conta disso as mulheres invejavam a proximidade de Liza com o carismático pregador. Pete manteve os olhos abertos e ficou aliviado quando o encontro acabou.

Mas sempre havia um outro encontro. Os metodistas realizavam dois por ano; os batistas, três; e os pentecostais pareciam em um constante frenesi revivalista. Pelo menos duas vezes por ano algum pastor itinerante armava uma enorme tenda ao lado da loja de ração perto da praça e pregava com furor todas as noites pelos alto-falantes. Não era incomum que os fiéis de uma igreja "visitassem" outra igreja quando um exímio pregador estava na cidade. Todas as igrejas tinham cultos de pelo menos duas horas de duração nas manhãs de domingo. Algumas faziam uma segunda sessão à noite (estas eram as igrejas dos brancos; nas dos negros, os cultos começavam cedo e seguiam sem pausa até o anoitecer). Também era comum haver reuniões de oração nas noites de quarta-feira. Somando todos os encontros revivalistas, cultos nos feriados religiosos, estudos bíblicos de férias no verão, velórios, casamentos, aniversários e batizados, às vezes Liza se sentia exausta por conta de seu trabalho na igreja.

Ela insistia que eles deveriam viajar de vez em quando. Sempre que Florry concordava em tomar conta das crianças, os dois iam para o Peabody e passavam o fim de semana todo em clima de festa. Às vezes Florry ia junto, com Joel e Stella, e a família inteira aproveitava a cidade grande, principalmente os programas noturnos nas ruas bem iluminadas. Em duas ocasiões, graças à persistência de Florry, a família inteira embarcou em um trem para Nova Orleans a fim de passar uma semana de férias.

Em 1936 havia um enorme contraste no fornecimento de eletricidade no Sul. Noventa por cento das regiões urbanas dispunham de energia, ao passo que nas cidades pequenas e áreas rurais esse índice chegava a 10 por cento. A energia elétrica chegou ao centro de Clanton em 1937, mas o restante do condado ainda estava às escuras. Fazendo compras em Memphis e Tupelo, Liza e outras senhoras das fazendas ficavam impressionadas com os sofisticados aparelhos eletrodomésticos e bugigangas que inundavam o mercado – rádios, vitrolas, fogões, geladeiras, torradeiras, batedeiras e até aspiradores de pó –, mas eles não lhes serviam de nada. Os habitantes do campo ansiavam pela eletricidade.

Liza queria passar o máximo de tempo possível em Memphis e Tupelo, mas Pete se mostrava resistente. Ele agora era um fazendeiro e, enquanto tal, se tornava mais avarento a cada ano que passava. Ela então se acostumou a ficar calada e passou a guardar as queixas para si mesma.

NINEVA E AMOS vieram com a casa e a fazenda. Seus pais tinham nascido no tempo da escravidão e trabalhado na mesma terra que Pete agora cultivava. Nineva afirmava estar "na casa dos 60", mas não havia registro claro de sua data de nascimento. Amos não se importava em saber quando nascera, mas, para irritar a esposa, dizia ter nascido depois dela. O filho mais velho deles tinha uma certidão de nascimento provando seus 48 anos. Era improvável que Nineva tivesse dado à luz aos 12 anos. Amos dizia que tinha sido com pelo menos 20. Os Bannings sabiam que ela estava, na verdade, "na casa dos 70", embora ninguém falasse sobre esse assunto. Ela e Amos tinham outros três filhos e um quintal cheio de netos, mas em 1935 a maioria havia migrado para o Norte.

Nineva tinha trabalhado a vida inteira na casa dos Bannings como a única empregada doméstica, cozinheira, arrumadeira, lavadeira, babá, parteira. Ela ajudou o médico no parto de Florry, em 1898, e no de seu irmão mais novo, Pete, em 1903, e praticamente criou os dois. Para a mãe de Pete, ela era amiga, terapeuta, porto seguro, confidente e conselheira.

Para a esposa de Pete, porém, ela estava mais para uma rival. As únicas pessoas brancas em quem Nineva confiava eram os Bannings, e Liza não era uma Banning. Ela era uma Sweeney, uma garota da cidade que não sabia nada sobre os costumes dos negros e dos brancos do campo. Nineva tinha acabado de se despedir de sua querida amiga, madame Banning, e ainda não estava pronta para receber uma nova senhora em casa.

De início, Nineva se ressentia daquela linda e jovem esposa de personalidade forte. Ela era cordial e gentil, e dava todos os indícios de querer se adaptar, mas tudo o que Nineva via era mais trabalho. Havia passado os quatro anos anteriores cuidando de madame Banning, que quase não pedia nada, e Nineva admitia para si mesma que tinha se tornado um pouco preguiçosa. E daí se a casa não estivesse impecável? Madame Banning não reparava em praticamente nada durante os anos em que sua saúde foi piorando. De repente, com aquela nova mulher por perto, as rotinas letárgicas de Nineva estavam prestes a mudar. Logo ficou bem claro que a esposa de Pete gostava de roupas, e que todas obviamente deveriam ser lavadas, às vezes engomadas, e sempre passadas. E Joel e Stella, por mais preciosos que fossem, precisavam de refeições e de roupas, toalhas, roupas de cama limpas. Em vez de cuidar do apetite de passarinho de madame Banning, Nineva de repente se viu diante da tarefa de preparar três refeições por dia para toda a família.

De início, Liza se sentiu desconfortável com a presença de outra mulher em sua casa durante o dia, ainda mais uma mulher firme e que já tinha lugar cativo na família. Ela não crescera cercada de criadas e serviçais. Sua mãe tinha conseguido cuidar do lar com a ajuda do marido e das duas filhas.

No entanto, levou apenas alguns dias para Liza perceber que a manutenção adequada de uma casa tão grande era mais trabalhosa do que ela poderia dar conta. Sem começar uma disputa por território nem ferir os sentimentos de Nineva, Liza logo concordou em ter ajuda.

As duas mulheres foram espertas o bastante para perceber que nem uma nem a outra arredaria pé. Elas não tinham escolha senão se dar bem, pelo menos aparentemente. A casa era grande o suficiente para as duas. As primeiras semanas foram tensas, mas, conforme foram se entendendo, a tensão diminuiu. Pete não ajudava em nada. Ficava nos campos, onde se sentia feliz e despreocupado, e deixou que as mulheres resolvessem as coisas.

Amos, por outro lado, adorou Liza desde o primeiro dia. Toda primavera ele plantava uma grande horta que alimentava os Bannings e muitos de seus subordinados, e Liza se interessou por aquilo. Por sempre ter vivido na cidade, nunca tinha cultivado nada além de algumas margaridas em um pequeno canteiro. A horta de Amos tinha 2 mil metros quadrados de perfeitas fileiras de abóbora, milho, alface, feijão, cenoura, inhame, pimentão, berinjela, pepino, quiabo, morango, cebola e pelo menos quatro variedades de tomate. Ao lado da horta havia um pequeno pomar com pés de maçã, pêssego, ameixa e pera. Amos também estava encarregado de cuidar das galinhas, dos porcos e das vacas leiteiras. Por sorte, outra pessoa cuidava do rebanho.

Sua nova assistente era mais que bem-vinda. Depois do café da manhã Liza ia para a horta regar as plantas, arrancar ervas daninhas, catar insetos e colher os vegetais maduros, ora cantarolando alegremente, ora fazendo uma dúzia de perguntas a Amos sobre as hortaliças. Ela usava um chapéu de palha de aba larga para se proteger do sol, as calças enroladas até os joelhos e luvas que se estendiam até os cotovelos. Não se importava com a sujeira e a lama, mas de alguma forma conseguia mantê-las longe de sua roupa. Amos achava que ela era a mulher mais linda que já tinha visto e percebeu que tinha uma queda por ela, mas manteve o hábito de parecer incomodado com suas intromissões. Ela queria aprender tudo sobre o cultivo de vegetais e, quando acabaram as perguntas, passou para o celeiro, onde ele a ensinou a ordenhar vacas, bater manteiga e fazer queijo.

Com frequência eles eram assistidos por Jupe, o neto adolescente de Amos e Nineva. A mãe de Jupe o tinha batizado Júpiter, nome que ele não suportava, portanto o encurtou. Ela fora para Chicago e nunca mais voltara, mas Jupe preferia viver na fazenda com os avós. Aos 15 anos, era um rapaz robusto e musculoso fascinado por Liza, mas ficava extremamente tímido perto dela.

De início, Amos suspeitou que o entusiasmo dela era movido pelo desejo de sair de casa e se afastar de Nineva, e isso em parte era verdade. Mas nasceu uma amizade entre eles, para surpresa de ambos. Liza queria saber sobre sua família e seus ancestrais, seus pais e avós e suas duras vidas na fazenda. O pai dela era do Norte. A mãe havia sido criada em Memphis. Liza nunca tinha convivido com negros e mostrou empatia pela condição deles. Escolhendo as palavras com cuidado e preferindo sempre falar pouco a falar demais, explicou que ele, Nineva e os filhos eram os mais sortudos. Tinham uma casinha bonita, construída para eles pelo pai de Pete quando ele derrubou a antiga residência da família. Tinham comida e roupas em abundância. Ninguém passava fome na propriedade dos Bannings, mas os demais trabalhadores negros eram muito pobres. Seus barracos mal eram habitáveis. As crianças, e havia muitas delas, estavam sempre descalças.

Liza sabia que Amos estava sendo cauteloso. Ninguém podia acusá-lo de criticar seu patrão. E ele era sempre rápido em apontar que havia muitos brancos pobres ao redor deles que estavam tão desesperados quanto os negros.

A cavalo e sozinha, Liza percorria a propriedade dos Bannings inteira, da qual cerca de dois terços eram terras agrícolas. O resto era mata fechada. Encontrou pequenos assentamentos de barracos escondidos na floresta, isolados do mundo. As crianças nas entradas das casas estavam sujas e de olhos arregalados, e se recusaram a responder quando Liza falou com elas. As mães assentiam e sorriam enquanto levavam as crianças para dentro de casa. Em uma aldeia desse tipo ela encontrou uma loja e uma igreja com um cemitério nos fundos. Aglomerados de barracos se alinhavam pelas ruas empoeiradas.

Liza ficou chocada com a pobreza e as condições de vida, e prometeu um dia encontrar maneiras de melhorá-las. Inicialmente, porém, guardou aqueles pensamentos para si mesma. Não disse nada a Pete sobre seus passeios pela floresta, embora ele não tenha demorado a descobrir. Um dos trabalhadores relatou ter avistado uma desconhecida branca em um cavalo. Liza disse que, claro, era ela, e qual o problema? Ninguém nunca tinha dito que determinados lugares eram proibidos, tinha?

– Não, nada era proibido. Não havia nada a esconder. Você estava atrás de alguma coisa?

– Eu estava andando no meu cavalo. Quantos negros vivem em nossa propriedade?

Pete não sabia ao certo, porque as famílias estavam sempre crescendo. Cerca de cem, mas nem todos trabalhavam para eles. Alguns tinham outros empregos. Alguns tinham ido embora; outros haviam voltado. Alguns dos homens tinham várias famílias.

– Por que é que você quer saber?

– Curiosidade, só.

Liza sabia que o projeto levaria anos, e aquela não era a hora de arrumar confusão. Pete ainda devia aos bancos, o país ainda estava em crise. Havia pouco dinheiro sobrando. Até mesmo as viagens a Memphis eram com dinheiro contado.

NO FIM DE março de 1938, quando Liza e Amos aproveitavam um dia quente e ensolarado para plantar ervilhas e feijões, ela começou a se sentir tonta. Levantou-se para tentar recuperar o fôlego e então desmaiou. Amos a pegou e correu com ela até a varanda dos fundos, e Nineva, que era a enfermeira, médica e parteira da casa, foi ao encontro deles. Ela enxugou o rosto de Liza com uma toalha úmida e a trouxe de volta. Depois de alguns minutos, Liza voltou a se sentir bem e disse:

– Acho que estou grávida.

"Nenhuma surpresa", pensou Nineva, mas não disse uma palavra. Naquela tarde, Pete levou Liza ao médico em Clanton e ele confirmou que ela estava grávida de dois meses. Joel e Stella eram pequenos demais para receberem a notícia, e nada foi dito dentro de casa. Sem demonstrar na frente de ninguém, Pete e Liza estavam emocionados. Depois de dois abortos e muito esforço, eles finalmente tinham conseguido. Pete exigiu que ela deixasse os cuidados com a horta apenas para Amos e pegasse um pouco mais leve, para descansar.

Um mês depois, Liza sofreu outro aborto. Foi uma perda esmagadora, e ela caiu em depressão profunda. Fechou as cortinas do quarto e, por um mês, raramente saiu de lá. Nineva, como sempre, se aproximava e cuidava dela sempre que ela permitia. Pete passou o máximo de tempo possível com ela, mas nada parecia reanimá-la, nem mesmo Joel e Stella. Por fim, Pete a levou até Memphis para se consultar com um especialista. Eles passaram duas noites na casa dos pais de Liza, mas isso não ajudou em nada a melhorar seu estado. Certa manhã, tomando café, Pete confidenciou a Nineva que estava extremamente preocupado. Era quase aterrorizante ver uma pessoa tão cheia de vida como Liza cair em um estado tão mórbido.

Nineva tinha experiência com mulheres brancas em depressão. Madame Banning não dera um sorriso nos quatro últimos anos de vida, e Nineva esteve lá para segurar a mão dela todos os dias. Ela começou a passar longos períodos fazendo companhia a Liza, tentando cativá-la. A princípio, Liza quase não dizia nada e chorava muito. Então Nineva falava mais e mais, e contava histórias da mãe, da avó e da vida como escrava. Levava chá e biscoitos de chocolate, e pouco a pouco foi abrindo as cortinas. Dia após dia elas se sentaram e conversaram, e gradualmente Liza começou a perceber que sua vida não era tão dura quanto a de outras pessoas. Ela era privilegiada e sortuda. Tinha 30 anos e era saudável, e os melhores dias de sua vida ainda estavam por vir. Já era mãe e, mesmo que não tivesse mais filhos, teria para sempre uma linda família.

Certo dia, nove semanas depois do aborto espontâneo, Liza acordou, esperou até que Pete saísse de casa, vestiu sua calça de algodão, encontrou as luvas e o chapéu de palha e anunciou a Nineva que estava sendo requisitada na horta. Nineva a seguiu até lá e cochichou para Amos. Ele a observou atentamente e, quando o sol estava a pino e ela começou a suar, ele insistiu para que fizessem uma pausa. Nineva levou chá gelado com limão, e os três se sentaram sob uma sombra de árvore, conversaram e deram risada.

Não demorou muito para que ela e Pete voltassem aos velhos hábitos, e, apesar de se divertirem intensamente, não houve nenhuma gravidez. Dois anos se passaram sem novidades. Em seu aniversário de 33 anos, em novembro de 1940, Liza tinha se convencido, sem sombra de dúvida, de que estava estéril.

23

O algodão parecia especialmente promissor no fim do verão de 1941. As sementes estavam no solo em meados de abril. Os talos estavam na altura da cintura em 4 de julho e chegavam à altura do peito na primeira semana de setembro. O tempo estava cooperando bastante, com dias quentes, noites mais frias e chuva forte semana sim, semana não. Depois de passar um longo inverno abrindo terreno, Pete tinha conseguido plantar 32 hectares a mais. Suas dívidas com os bancos estavam quitadas, e ele prometia a si mesmo jamais pegar empréstimos novamente dando a propriedade como garantia. Como agricultor, porém, sabia que promessas assim não eram tão fáceis de cumprir. Havia muitas coisas fora do seu controle.

A perspectiva encorajadora nos campos, porém, foi enfraquecida por acontecimentos em outras partes do mundo. Na Europa, a Alemanha havia invadido a Polônia dois anos antes e dado início a uma guerra. No ano seguinte, começou a bombardear Londres, e, em junho de 1941, Hitler atacou a Rússia com a maior força de invasão da história. Na Ásia, havia dez anos que o Japão combatia na China. Seu êxito o levou a invadir as colônias britânicas, francesas e holandesas no Pacífico Sul. A meta japonesa de dominar completamente o Leste Asiático parecia impossível de ser contida. Em agosto de 1941, os Estados Unidos forneceram ao Japão 80 por cento de seu petróleo. Quando o presidente Roosevelt anunciou um embargo total de petróleo, a força econômica e militar do Japão ficou em perigo.

A guerra parecia iminente em ambos os fronts, e o grande debate era por quanto tempo os Estados Unidos conseguiriam se manter à margem dela. Pete tinha muitos amigos que ainda estavam na ativa no exército, e nenhum deles acreditava que o país teria condições de permanecer neutro.

Oito anos antes, ele deixara a vida militar para trás, com pesar. Agora, porém, não tinha nenhuma dúvida quanto a seu futuro. Havia se acostumado à vida de fazendeiro. Amava a esposa e os filhos, e encontrara a felicidade no ciclo das estações, no ritmo das semeaduras e das colheitas. Estava no campo todos os dias, muitas vezes a cavalo e muitas vezes com Liza ao seu lado, observando suas lavouras e pensando em maneiras de adquirir mais terras. Joel tinha 15 anos e, quando não estava na escola ou executando suas numerosas tarefas na fazenda, ia para a floresta com Pete perseguir veados-de-cauda-branca e perus selvagens. Stella tinha 13 anos e era uma aluna exemplar. A família se reunia para jantar às sete horas todas as noites e falava sobre todos os assuntos. Cada vez mais as conversas giravam em torno da guerra.

Como reservista, Pete tinha certeza de que logo seria convocado, e apenas pensar em deixar sua casa já lhe causava sofrimento. Ele debochava de seus antigos sonhos de glórias militares. Agora era um fazendeiro, velho demais para o combate, pelo menos em sua opinião. Sabia, no entanto, que o exército não estaria preocupado com sua idade. Em ritmo quase que semanal ele recebia uma carta de um amigo de West Point que havia sido convocado. Todos eles prometiam manter contato.

Sua convocação chegou em 15 de setembro de 1941. Ele deveria se apresentar em Fort Riley, Kansas, lar do Vigésimo Sexto Regimento de Cavalaria, onde já tinha servido. O regimento já se encontrava nas Filipinas. Ele pediu um adiamento de trinta dias para poder supervisionar a colheita do outono, mas o pedido lhe foi negado.

Em 3 de outubro, Liza convidou um pequeno grupo de amigos para uma despedida na casa deles. Apesar dos esforços de Pete para acalmar todos os presentes, não foi uma ocasião feliz. Havia sorrisos, abraços, desejos de boa sorte e coisas do tipo, mas o medo e a tensão eram palpáveis. Pete agradeceu a todos pelo pensamento positivo e pelas orações, e lembrou a eles que, em todo o país, dezenas de jovens estavam sendo convocados. O mundo estava à beira de outro grande conflito e, em tempos difíceis, sacrifícios eram necessários.

O novo pastor, Dexter Bell, estava lá, junto com a esposa, Jackie. Eles haviam se mudado para a cidade um mês antes e tinham sido bem recebidos. Dexter era jovem e entusiasmado, uma presença marcante no púlpito. Jackie tinha uma voz linda e impressionara a igreja em dois solos. Seus três filhos eram bem-comportados e educados.

Muito depois de os convidados terem ido embora, os Bannings, incluindo Florry, se sentaram na saleta e tentaram adiar o inevitável. Stella se agarrou ao pai e lutou contra as lágrimas. Joel, como o pai, tentou se manter firme, como se tudo fosse ficar bem. Acrescentou lenha à lareira enquanto os cinco se aqueciam diante de seu brilho, todos eles derrotados e apavorados diante das incertezas. O fogo por fim se extinguiu, e era hora de dormir. O dia seguinte era sábado e as crianças não tinham hora para acordar.

Algumas horas depois, ao nascer do sol, Pete jogou sua bolsa de lona no banco de trás do carro e deu um beijo de despedida em Liza. Ele partiu com Jupe, que agora tinha 20 anos e era um rapaz bonito. Pete o conhecia desde o dia em que o menino nascera e, ao longo dos anos, Jupe se tornou um de seus preferidos. Ele havia ensinado o garoto a dirigir, pagara por sua carteira de motorista e pelo seguro, e Jupe executava tarefas na cidade para Pete, Liza e Nineva. Tinha autorização até mesmo para dirigir a caminhonete de Pete até Tupelo para buscar ração e suprimentos.

Pete dirigiu até Memphis e parou na estação de trem. Falou para Jupe cuidar das coisas na fazenda e o observou partir. Duas horas depois, Pete estava embarcando no trem e seguindo para Fort Riley. O transporte estava lotado de rapazes que se dirigiam às bases militares em todo o país.

Pete havia deixado o exército quando ocupava o posto de tenente e reingressara com a mesma patente. Foi designado para sua antiga unidade, o Vigésimo Sexto Regimento de Cavalaria, e passou por um mês de treinamentos em Fort Riley antes de embarcar às pressas em 10 de novembro. Ele estava no convés do porta-tropas quando o navio passou por baixo da ponte Golden Gate, e se perguntou quanto tempo levaria até retornar. A bordo, escrevia duas ou três cartas por dia para Liza e os filhos e as remetia dos portos. O porta-tropas parou para abastecer em Pearl Harbor e, uma semana depois, chegou às Filipinas.

O momento não poderia ter sido mais inoportuno para Pete. Sua convocação não poderia ter chegado em pior hora.

24

As Filipinas são um conjunto de 7 mil ilhas espalhadas por um arquipélago remoto no mar da China Meridional. Os terrenos e as paisagens mudam drasticamente de uma ilha para outra. Há montanhas que chegam a 3 mil metros de altura, densas florestas, selvas impenetráveis, planícies aluviais costeiras, praias e quilômetros de paredões rochosos. Muitas de suas ilhas maiores são cortadas por córregos não navegáveis. Em 1940, era um país repleto de recursos minerais e de provisão de alimentos, portanto crucial para o esforço de guerra japonês. Os estrategistas americanos não tinham dúvidas de que as Filipinas seriam um alvo inicial, e também sabiam que seria quase impossível defendê-las. Estava geograficamente próxima do Japão, um inimigo ambicioso cujo exército imperial estava invadindo ferozmente todos os vizinhos da região.

A defesa das Filipinas estava nas mãos do major-general Douglas MacArthur, do exército americano. Em julho de 1941, o presidente Roosevelt persuadiu MacArthur a deixar a aposentadoria de lado e o nomeou comandante das Forças Armadas dos Estados Unidos no Extremo Oriente. MacArthur estabeleceu seu quartel-general em Manila e deu início à assombrosa tarefa de se preparar para defender as Filipinas. Ele tinha vivido no país durante anos e o conhecia bem, assim como entendia a verdadeira urgência daquela situação. Ele já alertara Washington diversas vezes sobre a ameaça japonesa. Suas advertências tinham sido ouvidas, mas não foram levadas em consideração. O desafio de colocar seu exército em pé de guerra parecia impossível, e o tempo era curto.

Ao assumir o comando, ele imediatamente começou a exigir mais tropas, armamentos, aviões, navios, submarinos e suprimentos. Washington prometeu tudo, mas entregou pouco. Em dezembro de 1941, quando as relações com os japoneses se deterioraram, o exército americano nas Filipinas era formado por 22.500 homens, dos quais metade eram os bem treinados Philippine Scouts, uma unidade de elite formada por filipinos--americanos e alguns nativos. Foram enviados mais 8.500 soldados americanos. MacArthur mobilizou as Forças Armadas das Filipinas, um exército mal equipado e inexperiente de doze divisões de infantaria, pelo menos na teoria. Incluindo todos aqueles que usavam algo que se aproximasse de um uniforme, MacArthur tinha cerca de 100 mil homens sob seu comando, a grande maioria sem treinamento e que jamais havia ouvido um tiro disparado em combate.

A condição do exército filipino regular era patética. A maior parte de sua força, os nativos, estava guarnecida com armas de pequeno porte, fuzis e metralhadoras *vintage* da Primeira Guerra Mundial. Sua artilharia era ultrapassada e ineficaz. A maior parte da munição provou estar defeituosa. A maioria dos oficiais e recrutas não era treinada, e havia poucas instalações de treinamento. Poucos tinham uniformes decentes. Os capacetes de aço eram tão escassos que os filipinos usavam capacetes improvisados feitos de casca de coco.

A força aérea de MacArthur contava com várias centenas de aviões, quase todos de segunda mão que ninguém mais queria. Por diversas vezes o general solicitou mais aviões, navios, submarinos, homens, munições e suprimentos, mas eles ou não existiam ou estavam alocados em outros lugares.

PETE DESEMBARCOU EM Manila no Dia de Ação de Graças e pegou uma carona em um caminhão de suprimentos que seguia para Fort Stotsenburg, cerca de 100 quilômetros ao norte da capital. Lá ele se juntou à Tropa C do Vigésimo Sexto Regimento de Cavalaria. Depois de se apresentar às ordens de seus oficiais, ele foi designado a um beliche no quartel e levado aos estábulos para escolher um cavalo.

Naquela época, o Vigésimo Sexto Regimento contava com 787 recrutas, a maioria Philippine Scouts bem treinados, e 55 oficiais americanos. Foi a última unidade de combate a cavalo totalmente operacional no exército americano regular. Estava bem equipada, havia sido habilmente treinada e era bastante conhecida por sua disciplina. Pete passou seus primeiros dias na sela de seu mais novo companheiro, um puro-sangue castanho-escuro chamado Clyde. O polo era um esporte popular entre os integrantes do Vigésimo Sexto e praticado como parte do treinamento. Embora um pouco enferrujado no início, Pete rapidamente se acostumou à sela e aproveitou as partidas. Mas a tensão aumentava a cada dia, e o regimento, assim como toda a força lotada na ilha, sentia a premência da guerra. Era apenas questão de tempo até que os japoneses dessem o primeiro passo.

Na madrugada de 8 de dezembro, operadores de rádio nas Filipinas ouviram os primeiros relatos do ataque a Pearl Harbor. Os dias de polo tinham chegado ao fim; a guerra havia começado. Todas as unidades e instalações americanas receberam ordens para ficar de prontidão. Seguindo o plano mestre de defesa das Filipinas, o comandante da força aérea, general Lewis Brereton, colocou toda a sua frota em alerta total. Às cinco da manhã, o general Brereton chegou ao quartel-general de MacArthur em Manila a fim de pedir permissão para organizar um ataque de bombardeiros B-17 aos campos de aviação japoneses em Formosa, a mais de 300 quilômetros dali. O chefe do Estado-Maior de MacArthur negou a reunião com o comandante sob a justificativa de que estava muito ocupado. O plano preliminar de guerra havia sido bem elaborado, bem repassado, e exigia um ataque como aquele imediatamente, mas MacArthur teria que dar a autorização final. Em vez disso, ele nada fez. Às 7h15, um Brereton em pânico retornou ao quartel e novamente exigiu uma audiência com o general. Ela mais uma vez lhe foi negada, e lhe foi dito que "aguardasse instruções". Àquela altura, aviões de reconhecimento japoneses estavam sendo avistados e choviam relatos de aeronaves inimigas no quartel de Brereton. Às dez da manhã, um bravo e furioso Brereton exigiu novamente uma reunião com MacArthur. Mais uma vez a reunião foi negada, mas Brereton recebeu ordens para se preparar para o ataque. Uma hora depois, Brereton enviou seus bombardeiros para o céu a fim de protegê-los de um ataque japonês em terra. Eles ficaram voando em círculos, sem atacar.

Quando MacArthur finalmente ordenou a ofensiva, os bombardeiros de Brereton estavam no ar e com pouco combustível. Eles pousaram imediatamente, junto com as esquadras de caças. Às onze e meia, todas as aeronaves americanas estavam em terra sendo abastecidas de combustível e munição. As equipes de solo trabalhavam freneticamente quando a primeira onda de bombardeiros japoneses surgiu em formações perfeitas. Às 11h35, eles cruzaram o mar da China Meridional e avistaram a base aérea de Clark. Os pilotos japoneses ficaram aturdidos. Abaixo deles havia sessenta B-17s e caças parados em filas perfeitas diante da pista de decolagem. Às 11h45 teve início o bombardeio impiedoso da base de Clark e em poucos minutos a força aérea do exército americano foi quase totalmente destruída. Ataques semelhantes ocorreram simultaneamente em outras bases aéreas. Por razões que permaneceriam para sempre inexplicáveis, os americanos foram pegos de surpresa. O prejuízo foi imensurável. Sem uma força aérea para proteger e reabastecer as tropas, e sem reforços a caminho, a Batalha das Filipinas foi decidida apenas algumas horas depois de ter começado.

Os japoneses estavam confiantes de que poderiam tomar as ilhas em trinta dias. Em 22 de dezembro, uma tropa de elite composta por 43 mil homens desembarcou em vários pontos e aniquilou as forças de resistência. Nos primeiros dias da invasão, a confiança deles parecia bem fundamentada. No entanto, por pura teimosia e uma coragem incomum, as forças americanas e filipinas, sem esperanças nem de resgate nem de receber reforços, resistiram por quatro meses brutais.

LOGO APÓS A invasão por terra em 22 de dezembro, a Tropa C foi enviada para o norte da península de Luzon, onde fez o reconhecimento para a infantaria e a artilharia e se envolveu em várias escaramuças de retaguarda. O líder do pelotão de Pete era o tenente Edwin Ramsey, um apaixonado por cavalos que se apresentara ao Vigésimo Sexto Regimento porque ouvira falar que "eles tinham um excelente clube de polo". O tenente Banning era o segundo em comando.

A tropa passava os dias sobre a sela enquanto se movia rapidamente pela península, observando os movimentos do inimigo e avaliando sua força. De imediato, ficou claro que as forças japonesas eram muito superiores em número, treinamento e arsenal. Para tomar as ilhas eles usaram suas divisões de linha de frente, formadas por veteranos experientes que estavam em combate havia quase uma década. E, com o controle dos céus, as forças aéreas japonesas estavam livres para bombardear e metralhar à vontade. Para os americanos em terra, o som mais aterrorizante era o zumbido do motor dos caças Zero quando eles passavam rasantes sobre as árvores com seus dois canhões automáticos de 20 milímetros e suas duas metralhadoras 7 milímetros, mandando para os ares tudo o que se movia no chão. Buscar proteção do ataque dos Zeros tornou-se um ritual diário, muitas vezes repetido de hora em hora. Isso era ainda mais difícil para o Vigésimo Sexto Regimento porque seus homens tinham não apenas que encontrar abrigo para si próprios, mas também para seus cavalos.

Ao entardecer, eles baixavam acampamento e davam comida e água para os cavalos. Cada tropa era bem guarnecida de cozinheiros, ferreiros e até de veterinários. Depois do jantar, quando tudo estava silencioso e os homens estavam prontos para se recolher, eles liam a correspondência que recebiam de casa e escreviam cartas. Até a invasão e o bloqueio naval que se seguiu a ela, o serviço de correio tinha sido razoavelmente confiável, ótimo até, dadas as circunstâncias. No fim de dezembro, porém, estava consideravelmente mais lento.

Na semana anterior ao Natal, Pete recebeu uma encomenda do tamanho de uma caixa de sapatos cheia de cartas e cartões de sua família, de seus congregados na igreja e do que parecia ser a maioria das pessoas de bem de Clanton. Eram dezenas de cartas e cartões, e ele leu todos. As de Liza e das crianças foram lidas até praticamente serem decoradas. Quando se dedicava às cartas para a família, Pete descrevia as ilhas, um país muito diferente das colinas ondulantes do norte do Mississippi. Falava sobre o trabalho penoso da vida no exército. Jamais retratou sua situação como perigosa. Nem uma vez usou palavras que pudessem remotamente transmitir a ideia de medo. Os japoneses chegariam em breve, ou até já haviam chegado, e seriam repelidos pelo exército americano e seus companheiros filipinos.

Em 24 de dezembro, MacArthur colocou em prática o plano preliminar de guerra de recuar suas tropas até a península de Bataan para a resistência final. Vencer não era exatamente uma possibilidade, e o general sabia disso. O objetivo dos Estados Unidos era se assentar em Bataan e fazer os japoneses perderem o máximo de tempo possível, retardando, assim, invasões em outras frentes no Pacífico.

"Retardar" era a palavra-chave. "Ação de retardamento" se tornou uma expressão corriqueira.

Para proteger suas forças enquanto se retiravam para Bataan, o general MacArthur estabeleceu cinco posições de retardamento no centro de Luzon, onde ocorria a maior parte das manobras das forças japonesas. O Vigésimo Sexto Regimento de Cavalaria seria crucial para impedir o avanço do inimigo.

Em 15 de janeiro de 1942, o tenente Ed Ramsey e seu pelotão haviam terminado uma exaustiva missão de reconhecimento e planejavam dar um descanso a si mesmos e a seus cavalos. No entanto, a Tropa C recebeu a notícia de que uma grande força japonesa se deslocava em sua direção. Um contra-ataque foi planejado, e Ramsey se ofereceu para ajudar na investida.

Ele recebeu instruções para tomar a aldeia de Morong, um ponto estratégico no rio Batalan, na parte oeste de Bataan. Morong era mantida pelos japoneses, mas sem uma defesa pesada. Ramsey reuniu seu pelotão de 27 homens e rumou para o norte, pela estrada principal, em direção a Morong. Quando chegaram ao rio Batalan, na extremidade leste da aldeia, eles se aproximaram cautelosamente e perceberam que estava deserta. O único edifício de pedra do povoado era uma igreja católica cercada por cabanas de palha. Ramsey dividiu seus liderados em três esquadrões de nove homens, e o tenente Banning comandava um deles. Quando Pete e seu esquadrão se aproximaram da igreja, o pelotão inteiro foi atacado por uma guarda avançada japonesa. Os homens de Ramsey revidaram e, ao fazê-lo, avistaram os elementos principais de uma enorme força japonesa atravessando o rio. Se essas tropas chegassem a Morong, o pelotão seria subjugado.

Sem hesitar, Ramsey decidiu lançar uma carga de cavalaria contra uma infantaria, uma ofensiva que não era vista no Exército Americano havia mais de cinquenta anos. Ele ordenou que seu pelotão entrasse em formação, levantou a pistola e gritou "Carga!". Com seus homens gritando e atirando, os cavalos se chocaram com a primeira linha da guarda japonesa e a desestabilizaram. O inimigo, aterrorizado, recuou para o outro lado do rio e tentou se reagrupar. Com apenas três feridos, o pelotão de Ramsey deteve os japoneses até que os reforços chegassem para substituí-los.

Aquela ficaria conhecida como a última carga de cavalaria da história militar americana.

O Vigésimo Sexto Regimento continuou a atormentar e paralisar o inimigo, retardando seu inevitável cerco a Bataan. MacArthur transferiu o governo filipino e a maior parte de seu exército para a península, mas para seu gabinete de operações escolheu um bunker na fortemente armada ilha de Corregidor, que protegia a baía de Manila. Suas forças rapidamente estabeleceram posições defensivas em todo o território de Bataan. Usando barcaças, transportaram homens e suprimentos vindos de Manila em um esforço frenético de firmar posição. O plano era estocar comida suficiente para alimentar 45 mil homens por seis meses. No fim das contas, 80 mil soldados e 25 mil civis filipinos recuaram para Bataan. No fim de janeiro, a retirada havia sido concluída com êxito.

Com as forças americanas confinadas na península, os japoneses agiram rapidamente para sufocá-las com um completo bloqueio aéreo e naval. Abusando da autoconfiança, os japoneses cometeram um erro tático. Deslocaram suas divisões de elite para ações em outras partes do Pacífico e as substituíram por tropas menos competentes. Foi um erro do qual se recuperariam, mas que, em última análise, acrescentou meses ao cerco e ao sofrimento.

Nas primeiras semanas da Batalha de Bataan, os japoneses sofreram pesadas perdas à medida que os americanos e os filipinos lutavam ferozmente para proteger sua última fortaleza. Os Aliados sofreram muito menos baixas, mas seus mortos não podiam ser substituídos. Os japoneses tinham um suprimento infinito de homens e armamentos e, ao longo de semanas, bombardearam suas presas com artilharia pesada e implacáveis ataques aéreos.

As condições em Bataan se deterioraram rapidamente. Durante semanas os americanos e filipinos lutaram com pouca comida na barriga. O soldado médio consumia 2 mil calorias por dia, cerca de metade da quantidade necessária para o combate pesado. A fome era aguda e os suprimentos estavam minguando. Isto se deveu principalmente a outro erro inexplicável de MacArthur. Na corrida para consolidar suas forças em Bataan, deixou a maior parte da comida para trás. Somente em um dos armazéns, milhares de toneladas de arroz foram abandonadas, o suficiente para alimentar seu exército por anos. Muitos dos oficiais imploraram a ele que estocasse alimento em Bataan, mas ele se recusara a lhes dar ouvidos. Quando informado de que seus homens estavam com fome e reclamando amargamente, reduziu a ração de todas as unidades pela metade. Em uma carta a seus homens, prometeu reforços. Escreveu que "milhares de tropas e centenas de aviões estão sendo despachados. O momento exato da chegada dos reforços é desconhecido". Mas a ajuda estaria a caminho.

Era mentira. A Frota do Pacífico estava severamente comprometida em Pearl Harbor e não tinha mais nada com que pudesse romper o bloqueio japonês. As Filipinas estavam completamente isoladas. Washington sabia disso, assim como MacArthur.

Diante da fome, os homens comiam qualquer coisa que se movesse. Eles caçavam e abatiam o *carabao*, a versão filipina do búfalo-d'água. Sua carne dura e coriácea tinha que ser hidratada e fervida em água salgada e martelada com malhos para se tornar minimamente mastigável. Geralmente era servida sobre um mingau de arroz podre e infestado de insetos. Depois que os *carabaos* foram dizimados, os cavalos e as mulas começaram a ser abatidos, embora os soldados do Vigésimo Sexto Regimento de Cavalaria tenham se recusado a comer seus amados animais.

Os soldados, famintos, caçavam porcos selvagens, lagartos e até mesmo corvos, aves exóticas e cobras, incluindo as najas, que eram abundantes. Qualquer coisa que abatessem era jogada em um enorme caldeirão e virava um ensopado coletivo. Em fevereiro não restara uma única manga ou banana em Bataan e os homens estavam comendo grama e folhas. A península de Bataan é rodeada pelo mar da China Meridional, conhecida por sua abundância de peixes. Pegá-los, no entanto, se mostrou impossível. Os pilotos de caça japoneses tinham grande prazer em atacar e afundar até mesmo os menores barcos de pesca. Aventurar-se na água era suicídio.

A desnutrição era galopante. No início de março, a condição física das tropas era tão precária que não se conseguia organizar patrulhas, montar emboscadas ou lançar ofensivas. A perda de peso era impressionante, com cada homem tendo perdido de 15 a 25 quilos.

Em 11 de março, seguindo ordens de Washington, MacArthur fugiu de Corregidor com a família e seus principais ajudantes de ordens. Ele chegou em segurança à Austrália, onde instalou seu gabinete. Embora não tenha realizado nenhum ato de bravura em combate, conforme exigido por lei, e ter deixado suas tropas para trás, ele recebeu a Medalha de Honra por sua bravura na defesa das Filipinas.

Os homens esquálidos que ele deixou para trás em Bataan não estavam em condições de lutar. Sofriam de inchaço nas articulações, sangramento nas gengivas, dormência nos pés e nas mãos, baixa pressão arterial, perda de calor corporal, calafrios, tremores e anemia tão graves que muitos não conseguiam sequer andar. A desnutrição logo levou à disenteria e à diarreia, um estado tão debilitante que os homens muitas vezes desmaiavam. Bataan era uma província infestada pela malária em tempos de paz, e a guerra ofereceu inúmeros novos alvos para os mosquitos. Depois de serem picados, os homens eram acometidos por febre, suor e ataques de calafrios. No fim de março, a malária tinha infectado mil homens por dia. A maioria dos oficiais fora contaminada. Um general informou que apenas metade de sua unidade poderia lutar. A outra metade estava "tão doente, com fome e cansada que jamais conseguiria defender uma posição ou lançar uma ofensiva".

Os homens começaram a duvidar das promessas de reforços e resgate. Todas as manhãs, vigias vasculhavam o mar da China Meridional à procura dos comboios, mas, é claro, não avistavam nenhum. No fim de fevereiro, o presidente Roosevelt se dirigiu pelo rádio à nação em uma de suas famosas "conversas ao pé da lareira". Ele disse ao povo americano que os japoneses haviam sitiado as Filipinas e que "o cerco completo" estava impedindo "o envio substancial de reforços". E, como os Estados Unidos estavam combatendo em dois grandes teatros de guerra, o país teria que concentrar esforços em "outras áreas além das Filipinas".

Os homens de Bataan também estavam entre os ouvintes, com seus radinhos de ondas curtas metidos em seus tanques e em suas escavações – pequenos buracos no chão que serviam de "trincheiras individuais" –, e agora sabiam a verdade. Não haveria resgate.

EM CASA, HAVIA quase dois meses que os Bannings não recebiam cartas de Pete. Sabiam que ele estava em Bataan, mas não faziam ideia de como a situação era ameaçadora. Eles também tinham ouvido o pronunciamento do presidente e, só então, começaram a perceber a dimensão do perigo. Depois da transmissão, Stella foi para o quarto e chorou até pegar no sono. Liza e Joel ficaram acordados até tarde, conversando sobre a guerra e tentando, em vão, encontrar alguma razão para serem otimistas.

Todas as manhãs de domingo, quando Dexter Bell dava início ao culto, ele citava os nomes dos homens e das mulheres do condado de Ford que estavam na guerra, e a lista aumentava a cada semana. Ele fez uma longa oração pelo bem-estar dessas pessoas e para que retornassem em segurança. A maioria estava em treinamento e ainda não tinha pisado no campo de batalha. Pete Banning, no entanto, estava em um lugar horrível e mais orações eram feitas em seu nome do que em nome dos demais.

Liza e a família se esforçavam para manter o ânimo. O país estava em guerra e em todos os lugares as famílias viviam com medo. Um rapaz de 18 anos, morador de Clanton, havia sido morto no Norte da África. Pouco tempo depois, milhares de famílias americanas estariam recebendo as mais temidas notícias.

25

Desprovido de cavalos, o Vigésimo Sexto Regimento de Cavalaria não existia mais como uma unidade de combate. Seus homens foram designados para outras unidades e receberam tarefas com as quais não estavam acostumados. Pete foi alocado na infantaria e recebeu uma pá para abrir sua escavação, um dos milhares ao longo de uma linha de reserva que se estendia por mais de 20 quilômetros no sul de Bataan. Na realidade, a linha de reserva era a última linha de defesa. Se os japoneses a rompessem, os Aliados seriam empurrados para a ponta da península e obrigados a recuar em direção ao mar da China Meridional.

Em março, houve uma relativa pausa nos combates, conforme os japoneses fechavam o cerco em torno de Bataan. Eles se reagruparam e se fortaleceram com novos suprimentos. Os americanos e os filipinos sabiam que o inevitável estava por vir e passaram a cavar com ainda mais empenho.

Durante o dia, Pete e seus companheiros revolviam a terra em torno de bunkers e das barreiras, embora fosse difícil trabalhar. Os homens estavam doentes e famintos. Pete estimou que havia perdido pelo menos 20 quilos. A cada dez dias, mais ou menos, ele fazia mais um furo em seu cinto, o único que restara, para manter a calça na cintura. Até então ele havia conseguido evitar a malária, embora fosse apenas uma questão de tempo. Tinha tido dois episódios leves de disenteria, mas se recuperou rapidamente de ambos quando um médico encontrou um pouco de elixir paregórico. Durante a noite, ele dormia sobre um cobertor ao lado de sua escavação, com o fuzil ao lado.

Na escavação à sua direita estava Sal Moreno, um forte sargento italiano de Long Island. Sal era um rapaz da cidade, nascido em uma família numerosa e animada, que contava muitas histórias boas. Ele aprendera a andar a cavalo em uma fazenda onde o tio trabalhava. Depois de alguns probleminhas com a lei, se alistou no exército e trilhou o caminho até o Vigésimo Sexto Regimento de Cavalaria. Um episódio grave de malária quase o matou, mas Pete encontrou quinino no mercado negro e cuidou dele até que recuperasse a saúde.

Na escavação à esquerda de Pete estava Ewing Kane, um aristocrata da Virgínia que se formara com honras no instituto militar do estado, assim como o pai e o avô. Aos 3 anos Ewing já montava pôneis, e era o melhor cavaleiro do Vigésimo Sexto.

Mas seus cavalos estavam mortos, e os homens lamentavam o fato de terem sido rebaixados à infantaria. Passavam horas conversando e o assunto favorito era comida. Pete descrevia com prazer os pratos preparados por Nineva: costeletas empanadas de porcos criados em sua fazenda, costeletas defumadas, quiabo frito, frango frito, tomates verdes fritos, batatas fritas em banha, abóbora frita, tudo frito. Sal ficou maravilhado com aquela culinária que utilizava tanta gordura. Ewing descreveu as alegrias dos presuntos e toucinhos defumados da Virgínia e todo tipo de faisão, pombo, codorna e galinhas, além do guisado típico de Brunswick. Mas eram todos amadores em comparação com Sal, cuja mãe e avó preparavam pratos dos quais os outros dois jamais tinham ouvido falar. Lasanha, *manicotti* recheado, espaguete à bolonhesa, escalopinho de porco ao balsâmico, bruschetta de tomate com alho, queijo muçarela frito, e assim por diante. A lista parecia interminável e, de início, eles acharam que Sal estava exagerando. Mas a riqueza de detalhes fez suas bocas salivarem. Eles combinaram de se encontrar em Nova York depois da guerra e não fazer nada além de desfrutar as iguarias italianas.

Havia momentos em que eles conseguiam rir e sonhar, mas o moral estava baixo. Os homens de Bataan culpavam MacArthur, Roosevelt e todos os demais em Washington por tê-los abandonado. Estavam ressentidos e angustiados, e a maioria era incapaz de evitar se render às lamentações. Outros os mandavam calar a boca e parar de chororô. Reclamações não ajudariam em nada a mudar aquela situação miserável. Não era raro ver homens chorarem em suas escavações, ou ter um colapso nervoso e sair correndo. Pete manteve a sanidade pensando em Liza e nas crianças; também pensava nas suntuosas refeições que Nineva um dia prepararia para ele e em todos aqueles legumes e verduras na horta de Amos. Queria desesperadamente lhes escrever, mas não havia caneta, papel nem serviço de correio. Eles estavam completamente sitiados, sem nenhuma forma de se corresponder. Ele orava por sua família todos os dias e pedia a Deus que a protegesse depois que ele partisse. A morte era uma certeza, fosse por fome, doença, bomba ou tiro.

Se a infantaria japonesa tinha dado uma trégua, a artilharia e a força aérea não paravam de atacar. Havia pausa, mas não havia dias tranquilos. O perigo estava sempre por perto. Para animar as coisas a cada manhã, os bombardeiros de mergulho japoneses investiam à vontade e, tão logo os aviões desapareciam, os canhões começavam a disparar.

No fim de março, 150 peças de artilharia pesada estavam posicionadas próximo à linha americana e deram início a um bombardeio feroz. Foi um ataque impiedoso, por 24 horas ininterruptas, com resultados devastadores. Muitos americanos e filipinos foram transformados em pedaços em suas escavações. Bunkers supostamente à prova de bombas foram aniquilados como cabanas de palha. As baixas foram terríveis e os hospitais de campanha ficaram lotados de feridos e moribundos. Em 3 de abril, depois de uma semana de incessante fogo de artilharia, a infantaria e os tanques japoneses adentraram pelas brechas. Conforme os americanos e filipinos recuavam, seus oficiais tentavam reorganizá-los em posições de defesa, apenas para serem sobrepujados poucas horas depois. Contra-ataques eram planejados, ensaiados e reprimidos pelas forças japonesas, consideravelmente superiores.

Àquela altura, um general americano estimava que apenas um soldado em cada dez era capaz de caminhar 100 metros, levantar o fuzil e disparar contra o inimigo. O que antes era um exército de combate de 80 mil homens fora reduzido a uma força efetiva de 2.500. Com escassez de comida, moral e munição, e sem apoio dos céus nem dos mares, os americanos e filipinos continuavam a lutar, atirando tudo o que tinham sobre os japoneses e provocando enormes baixas. Mas eles perdiam em número e em poder de artilharia, e o inevitável logo se tornou realidade.

À medida que o inimigo continuava com sua investida implacável, o comandante americano, general Ned King, se reunia com seus generais e coronéis e discutia o impensável – a rendição. As ordens de Washington eram claras: as forças americanas e filipinas lutariam até o último homem. Aquilo podia soar heroico quando decidido em um confortável escritório na capital dos Estados Unidos, mas o general King agora estava diante da realidade nua e crua. Estava em suas mãos se render ou ver seus homens serem massacrados. Aqueles que ainda eram capazes de lutar estavam articulando uma resistência que se tornava mais fraca a cada dia que passava. Os japoneses estavam a poucos quilômetros de um grande hospital de campanha que abrigava 6 mil homens feridos e moribundos.

À meia-noite do dia 8 de abril, o general King reuniu seus comandantes e anunciou:

– Ao amanhecer vou levantar bandeira branca e solicitar os termos de rendição. Acredito que insistir na resistência será apenas desperdício de vidas. Um de nossos hospitais, que está lotado e diretamente na linha de aproximação inimiga, entrou no alcance da artilharia leve japonesa. Não temos mais condições de resistir de forma organizada.

A decisão era inevitável, mas mesmo assim difícil de aceitar. Muitos dos presentes estavam às lágrimas quando saíram para retomar suas tarefas. O general King ordenou a imediata destruição de qualquer coisa de valor militar, mas poupou ônibus, carros e caminhões para transportar os doentes e feridos para os campos de prisioneiros.

Com aproximadamente 70 mil soldados sob seu comando, a rendição do general King foi a maior da história americana.

PETE OUVIU AS notícias ao meio-dia de 9 de abril e não pôde acreditar. Ele, Sal, Ewing e outros do Vigésimo Sexto Regimento planejavam se embrenhar na mata e continuar a lutar, mas a estratégia parecia quase suicida. Eles mal tinham energia para organizar uma fuga. Haviam recebido ordens de destruir suas armas e munições, comer tudo o que conseguissem encontrar, encher seus cantis de água e começar a caminhar para o norte, em direção aos japoneses. Os homens ficaram aturdidos, derrotados, até mesmo abalados diante da constatação de que um outrora orgulhoso exército americano tinha se rendido. A vergonha que sentiram foi enorme.

Enquanto caminhavam devagar e com uma sensação de medo e terror, juntaram-se a eles outros americanos e filipinos atordoados e esquálidos. Dezenas, depois centenas de soldados, encheram a estrada, todos caminhando em direção a um futuro incerto, mas indiscutivelmente difícil. Eles abriram caminho para um caminhão que transportava americanos feridos. Sentado no capô estava um soldado solitário, segurando uma vara com uma bandeira branca. Rendição. Parecia mentira.

Os homens estavam assustados. A reputação do Japão como um ocupante cruel era bastante difundida. Eles haviam lido histórias sobre seus crimes de guerra na China – o estupro de inúmeras mulheres, a execução de prisioneiros, a pilhagem de cidades inteiras. Ao mesmo tempo, porém, sentiam-se aliviados pelo fato de serem prisioneiros americanos e, portanto, protegidos pelo direito internacional, que proibia maus tratos. O Japão era obrigado a cumprir os termos da Convenção de Genebra, não era?

Pete, Sal e Ewing permaneceram juntos enquanto se arrastavam em direção ao norte para encontrar seus captores. Quando passaram pelo topo de uma colina, tiveram uma visão doentia. Uma fileira de tanques japoneses estava disposta em uma clareira, à espera. Atrás havia uma coluna de soldados japoneses. Ao longe, os aviões ainda lançavam bombas; canhões ainda disparavam.

– Livrem-se de tudo o que tiverem dos japoneses, e rápido! – gritou alguém atrás deles.

O aviso foi repetido outras vezes pela fileira abaixo, e a maioria dos homens ouviu e obedeceu rapidamente. Moedas e lembranças japonesas foram jogadas no chão e lançadas em valas. Pete tinha apenas três latas pequenas de sardinha nos bolsos, junto com o relógio de pulso, a aliança de casamento, o cobertor, o kit de cozinha e os óculos escuros. Tinha 21 dólares americanos costurados dentro da capa de lona de seu cantil.

Foram abordados por soldados japoneses acenando com fuzis e vociferando em seu idioma. Cada fuzil estava equipado com uma longa baioneta. Os prisioneiros foram encaminhados para um campo, organizados em fileiras e ordenados a permanecer em silêncio. Um dos japoneses falava inglês suficiente para vociferar alguns comandos. Um por um, os prisioneiros foram instruídos a dar um passo à frente e esvaziar os bolsos. Eles foram revistados, embora tenha ficado claro que os guardas não queriam contato. Eles não se importavam de distribuir socos e tapas, mas não gostavam muito de alisar os bolsos dos soldados. Quase tudo foi roubado, ou "confiscado", pelos japoneses. Canetas, lápis, óculos de sol, lanternas, câmeras, kits de cozinha, cobertores, moedas, lâminas de barbear e facas.

Jack Wilson, de Iowa, estava em pé bem de frente para Pete quando um soldado japonês começou a gritar com ele. Jack tinha no bolso um espelhinho que usava para se barbear e que, infelizmente, havia sido fabricado no Japão.

– *Nippon!* – gritou o guarda.

Jack não respondeu a tempo, e o soldado enfiou a soleira do fuzil na cara dele. O americano caiu no chão, e o soldado o espancou com o fuzil até deixá-lo inconsciente. Outros guardas começaram a socar e bater nos prisioneiros enquanto os oficiais riam e os incitavam. Pete ficou chocado com aquela violência súbita.

Eles logo descobririam que os japoneses presumiam que qualquer dinheiro, moeda ou bugiganga pertencentes aos prisioneiros teriam sido tomados de seus companheiros mortos. Era preciso, assim, revidar. Vários prisioneiros foram espancados até não conseguirem mais se mexer, mas a retaliação atingiu um ápice inimaginável quando um capitão, que não era o do Vigésimo Sexto Regimento, esvaziou os bolsos. Um soldado, irritado, começou a gritar com o capitão e ordenou que ele desse um passo à frente. O soldado encontrara alguns ienes com o capitão e ficara fora de si. Um oficial, um sargento alto e esguio com a pele muito mais escura que os demais, tomou a frente e começou a gritar com o capitão. Ele o socou na barriga, chutou-o na virilha e, quando o capitão caiu de quatro, o "Black Jap", como se tornaria conhecido, puxou sua espada, ergueu-a com ambas as mãos acima da cabeça e atingiu o capitão na nuca. A cabeça do capitão pulou de seus ombros e rolou no chão por alguns metros. O sangue jorrou em jatos enquanto o corpo do capitão se contorceu por alguns segundos antes de ficar imóvel.

O Black Jap sorriu e admirou seu feito. Embainhou a espada e rosnou para os outros prisioneiros. O soldado ficou com os ienes e vasculhou os bolsos do capitão, sem pressa. Os demais guardas perderam qualquer constrangimento e começaram a espancar os prisioneiros.

Pete olhou boquiaberto para a cabeça que jazia na terra e quase explodiu. Queria atacar o primeiro soldado que visse pela frente, mas fazer isso seria suicídio. Respirou fundo enquanto esperava sua vez de levar um soco. Teve a sorte, pelo menos naquele momento, de não ter sido chutado. Mais adiante na fila, outro soldado se empolgou e deu um tapa na cara de um prisioneiro. O Black Jap se aproximou, viu mais ienes e esmurrou o americano. Quando ele puxou a espada, Pete desviou o olhar.

Duas decapitações rápidas. Os americanos nunca haviam imaginado passar por algo daquele tipo. Pete se sentia enojado, em choque, e não podia acreditar no que estava acontecendo. O choque, no entanto, acabaria por desaparecer, à medida que os assassinatos se tornassem rotina.

Os prisioneiros permaneceram em formação por mais de uma hora enquanto o sol tropical ardia em suas cabeças nuas. Pete sempre tinha odiado seu capacete e o deixara para trás. Agora, desejava tê-lo guardado. Alguns dos prisioneiros usavam bonés, mas a maioria não tinha com que se proteger do sol. Estavam encharcados de suor, e bolhas começaram a aparecer em muitos deles. Quase todos tinham cantis, mas haviam sido proibidos de beber água. Quando os guardas se cansavam de maltratar os prisioneiros, se recolhiam à sombra e faziam uma pausa. Os tanques, por fim, foram embora. Os prisioneiros foram levados de volta para a estrada e conduzidos em direção ao norte.

A Marcha da Morte de Bataan havia começado.

ELES CAMINHAVAM EM grupos de três, em meio ao calor e à poeira. À esquerda de Pete estava Sal; Ewing seguia à direita. Ao fim da trilha, eles viraram no sentido leste na estrada nacional que atravessa a ponta sul de Bataan. Indo na direção contrária à deles havia infindáveis colunas de infantaria, caminhões, tanques e artilharia puxada por cavalos, todas se preparando para o ataque a Corregidor.

Quando os guardas não estavam ouvindo, os homens falavam sem parar. Havia cerca de vinte do Vigésimo Sexto Regimento de Cavalaria. O restante havia se separado em meio ao caos da rendição. Pete ordenou que eles se organizassem em trios, para se manterem próximos e se ajudarem, se possível. Se fossem pegos falando, eram espancados. Só por diversão, os guardas aleatoriamente escolhiam prisioneiros para revistas rápidas e mais espancamentos. Depois de mais ou menos 5 quilômetros os homens haviam sido despojados de tudo o que tinham de valor. Pete recebeu seu primeiro tapa na cara de um guarda que levou suas sardinhas.

As valas ao lado da estrada estavam cheias de caminhões e tanques destruídos pelo fogo, todos inutilizados na véspera pelos americanos e filipinos. Em determinado momento, passaram por uma grande pilha de rações apreendidas, apenas esperando para serem comidas. No entanto, ninguém tocou nesse assunto, e os homens, a maioria já sofrendo de desnutrição, estavam passando mal de fome. O calor era escaldante e os homens começaram a sucumbir. Como os americanos aprenderiam rapidamente, não era prudente prestar assistência a um companheiro. Os guardas mantinham suas baionetas prontas e estavam ansiosos para matar qualquer prisioneiro que parasse no intuito de ajudar outro. Aqueles que caíam e não conseguiam se levantar eram chutados para o lado e para dentro das valas, e mais tarde alguém se encarregaria deles.

A baioneta japonesa tinha quase 80 centímetros de comprimento no total, com uma lâmina de quase 40 centímetros. Presa a um fuzil Arisaka de 50 polegadas, dava a um soldado uma lança de mais ou menos 1,5 metro. Os soldados tinham orgulho de suas baionetas e estavam ansiosos para usá-las. Quando um prisioneiro tropeçava e caía, ou simplesmente desmaiava, recebia um golpe rápido de incentivo na bunda. Se isso não funcionasse, a lâmina o acertava em cheio e ele era deixado para sangrar até morrer.

Pete marchava com a cabeça baixa e os olhos semicerrados, em um esforço para evitar a poeira e o calor. Também observava os guardas, que davam a impressão de desaparecer e depois se materializar do nada. Alguns pareciam simpáticos e sem disposição para chutes ou tapas, mas a maioria estava gostando da crueldade. Qualquer coisa era capaz de fazê-los começar a distribuir violência. Eles podiam estar quietos e circunspectos em determinado momento, para ficarem loucos de raiva no minuto seguinte. Batiam nos prisioneiros com as mãos, chutavam-nos com as botas, golpeavam-nos com a culatra dos fuzis e os apunhalavam com as baionetas. Batiam neles por olharem para um lado ou para outro, por falarem, por andarem muito devagar, por não responderem a uma pergunta vociferada em japonês ou por tentarem ajudar um companheiro.

Todos foram brutalizados, mas os japoneses eram especialmente cruéis com os filipinos, que consideravam uma raça inferior. Nas primeiras horas da marcha, Pete testemunhou o assassinato de dez integrantes dos Philippine Scouts, todos os dez tendo os corpos chutados para as valas e deixados para apodrecer. Durante uma pausa, ele assistiu, incrédulo, surgir uma coluna de Scouts. Todos tinham as mãos amarradas nas costas e se esforçavam para manter o passo. Os guardas sentiam prazer em derrubá-los e depois vê-los rolar e se debater na terra enquanto lutavam para ficar de pé novamente.

Algemar os prisioneiros não tinha nenhum propósito. Por mais terríveis que fossem as condições, Pete estava grato por não ser filipino.

Os homens, se arrastando sob um sol implacável, começaram a sofrer de desidratação. Apesar dos muitos e óbvios problemas, a água era a principal preocupação deles. A sede era o maior fantasma. Seus corpos reagiram tentando reter líquidos. Eles pararam de suar e de urinar. A saliva ficou pegajosa, e a língua grudava nos dentes e no céu da boca. A poeira e o calor provocavam fortes dores de cabeça que turvavam a visão. E havia água fresca por toda parte, nos poços artesianos ao longo das estradas, nas fontes perto das rodovias, nas torneiras das fazendas e dos celeiros, nos agitados riachos que cruzavam. Os guardas notaram o desespero deles e desfrutavam de longos goles de seus cantis e refrescantes vertidas no rosto. Molhavam suas bandanas e as colocavam ao redor do pescoço.

Quando os prisioneiros se aproximaram dos restos carbonizados do Hospital Número Um, viram muitos dos pacientes em aventais sujos e pijamas verdes vagando sem saber o que fazer nem para onde ir. Alguns haviam sido amputados e usavam muletas. Outros tinham feridas sangrentas que demandavam cuidados. O hospital havia sido bombardeado dias antes e os pacientes estavam em choque. Quando o comandante japonês os viu, deu ordem para que fossem reunidos e incorporados à marcha. Como sempre, ajudar era proibido, e muitos dos pacientes conseguiram caminhar apenas uma curta distância antes de desabar. Eles foram chutados para o lado e abandonados para morrer.

Quando chegaram a um grande engarrafamento de caminhões e tanques japoneses, foram conduzidos a um campo aberto e ordenados a se sentar sob o sol escaldante. Aquilo ficaria conhecido como "banho de sol" e levava alguns deles ao limite. Enquanto torravam, um prisioneiro tentou furtivamente dar um gole na água morna do cantil, e isso transtornou os guardas. Eles distribuíram gritos e socos e foram de prisioneiro em prisioneiro, confiscando cantis e despejando a água no solo ressecado. O guarda que esvaziou o cantil de Pete jogou o objeto de volta com tanta força que abriu um pequeno corte acima do olho direito dele.

Depois de uma hora, a marcha foi retomada. Eles passaram por homens que tinham sido feridos por baionetas e imploravam por ajuda enquanto sangravam até morrer. Passaram pelos corpos de americanos mortos. Assistiram, horrorizados, a dois soldados filipinos feridos serem arrastados de uma vala e postados no meio da estrada para que os tanques passassem por cima deles. Quanto mais marchavam, mais mortos e moribundos se viam nas valas. Pete ficou impressionado com a capacidade de seu cérebro de se acostumar à carnificina e à crueldade, e logo chegou ao ponto em que não ficava mais chocado. O calor, a fome e a privação entorpeceram seus sentidos. Mas a raiva borbulhava dentro dele, e Pete prometeu vingança. Ele torcia para um dia encontrar uma forma de matar o máximo de soldados japoneses que fosse humanamente possível.

Ele continuou falando, continuou encorajando os outros a dar mais um passo, a subir mais uma colina, a aguentar mais uma hora. Certamente, em algum momento, eles lhes dariam algo para comer e seriam autorizados a beber água. Ao pôr do sol, foram conduzidos para fora da estrada, para uma clareira onde puderam se sentar e deitar. Não havia sinal de comida nem de água, mas era revigorante poder esticar as pernas. Seus pés estavam cobertos de bolhas e suas pernas doíam de cãibra. Muitos desmaiaram e adormeceram. Enquanto Pete estava cochilando, teve início um tumulto quando um novo contingente de guardas chegou e começou a chutar os prisioneiros. Eles foram ordenados a ficar de pé e formar uma coluna. A marcha recomeçou na escuridão e eles cambalearam por duas horas, sem nunca atingir um ritmo rápido o bastante para satisfazer os guardas.

Ao longo do primeiro dia, Pete e os que estavam próximos contaram trezentos prisioneiros na coluna deles, mas o número mudava constantemente. Alguns homens desmaiaram e morreram, outros foram assassinados, retardatários se juntaram a eles, e a coluna muitas vezes se fundiu com outras. Em algum momento da noite, e como seus relógios haviam sido roubados eles não faziam ideia da hora exata, foram levados a uma clareira e obrigados a se sentar. Os japoneses, evidentemente, também estavam com fome, e era hora do jantar. Depois de comer, andaram em meio aos prisioneiros com baldes de água e ofereceram uma pequena vasilha para cada um. A água estava morna e com gosto de calcário, mas mesmo assim era deliciosa. Cada prisioneiro recebeu uma bolota de arroz glutinoso. Um belo bife com batata frita não teria sido mais saboroso.

Enquanto saboreavam a comida, ouviram disparos de armas de pequeno porte para os lados da estrada, e logo ficou claro o que estava acontecendo. Os "esquadrões abutre" estavam logo atrás, exterminando tranquilamente aqueles que não tinham sido capazes de acompanhar o ritmo.

A comida despertou os sentidos de Pete, ainda que momentaneamente, e ele ficou mais uma vez chocado com a execução arbitrária de prisioneiros de guerra americanos. Sua provação na marcha da morte duraria seis dias e, todas as noites, ele e os demais ouviriam horrorizados o trabalho dos esquadrões abutre.

Depois de dormirem em um arrozal por algumas horas, os homens foram despertados novamente, obrigados a recompor a formação e forçados a marchar. Depois de um período ocioso, muitos acharam difícil andar, mas foram encorajados pelas baionetas, sempre presentes. A estrada estava tomada por prisioneiros americanos e filipinos.

Ao amanhecer, depararam com outra enorme caravana de tropas e artilharia japonesas. A estrada estava apinhada de prisioneiros, e eles foram levados para um campo ao lado de uma pequena casa de fazenda. Atrás de um galpão havia um riacho com o que parecia ser água límpida correndo sobre as rochas. O som incessante da água deslizando era enlouquecedor. A sede era torturante e mais intensa do que alguns conseguiam suportar. Um coronel se levantou bravamente, apontou para o riacho e perguntou se seus homens poderiam beber um pouco de água. Um guarda o derrubou com a soleira do fuzil.

Por pelo menos uma hora, os prisioneiros ficaram agachados escutando o riacho enquanto o sol nascia. Observaram o comboio passar, levantando nuvens de poeira. Os guardas se afastaram e se reuniram na beira da estrada para saborear um café da manhã com bolotas de arroz e mangas. Enquanto eles comiam, três Philippine Scouts rastejaram até o riacho e enfiaram a cara na água fresca. Um guarda que vigiava a área os viu e alertou os companheiros. Sem dizer uma palavra, eles foram até um ponto a cerca de 5 metros de distância do riacho, formaram uma linha de fogo improvisada e executaram os filipinos.

Quando o tráfego diminuiu, os prisioneiros voltaram às pressas para a formação e a marcha continuou. "Logo haverá comida", disse um guarda a Pete, que quase lhe agradeceu. Por mais que seu estômago doesse, sua sede era muito pior. No meio da manhã, sua boca e sua garganta estavam tão secas que ele não conseguia mais falar. Ninguém conseguia, e um silêncio cruel caiu sobre os prisioneiros. Eles foram parados perto de um pântano e receberam ordens para se agachar ao sol. Um guarda permitiu que caminhassem até a beira de uma poça estagnada e enchessem os cantis com um líquido salobro e marrom que estava contaminado de água do mar. Se não fosse letal, certamente provocaria disenteria ou coisa pior, mas os homens beberam mesmo assim.

Ao meio-dia, pararam perto de um complexo e foram obrigados a se sentar sob o sol. O aroma inconfundível de algo cozinhando flutuava sobre os prisioneiros, a maioria dos quais tinha comido apenas uma bolota de arroz nas trinta horas anteriores. Sob uma tenda improvisada, os cozinheiros ferviam arroz em caldeirões dispostos sobre fogueiras. Os prisioneiros observavam enquanto os cozinheiros acrescentavam quilos de linguiça e de frango ao arroz e mexiam a mistura com longas espátulas de madeira. Para além da tenda havia uma prisão improvisada cercada por arame farpado e, dentro dela, uma centena de cidadãos filipinos, famintos e em estado lastimável, ex-funcionários do exército. Mais guardas chegaram, e ficou claro que aquele era um posto de alimentação. Os japoneses, usando seus kits de cozinha, desfrutaram de uma boa refeição. Um deles caminhou até a cerca, pegou uma grossa linguiça e a atirou por cima do arame farpado. Uma turba desceu sobre ela, guinchando, arranhando, unhando, lutando. O guarda se curvou de tanto rir, assim como seus amigos. Era divertido demais para perder a oportunidade, então vários deles se aproximaram do arame farpado segurando coxas de frango e linguiças. Os prisioneiros se esticavam, imploravam e lutavam ferozmente quando a comida caía no chão.

Nada foi jogado para os americanos. Não houve almoço, apenas a água podre e uma hora sob o sol. A marcha continuou pela longa tarde, com mais homens caindo e sendo deixados para trás.

Por volta da meia-noite de 12 de abril, o segundo dia da marcha, os homens chegaram à cidade de Orani, a cerca de 50 quilômetros do ponto de partida. Tal caminhada teria sido um desafio para soldados saudáveis. Para os sobreviventes, era um milagre ter chegado tão longe. Perto do centro da cidade, eles foram conduzidos para fora da estrada, em direção a um complexo cercado de arame farpado, construído apressadamente para abrigar quinhentos prisioneiros. Já havia pelo menos mil ali quando a coluna de Pete chegou. Não havia comida, nem água, nem latrina. Muitos dos homens sofriam de disenteria, e dejetos humanos, sangue, muco e urina recobriam o chão e grudavam nas botas. Havia larvas por toda parte. Não havia espaço para se deitar, de modo que os homens tentavam dormir sentados, costas com costas, mas seus músculos atrofiados tornavam aquilo impossível. Os gritos dos desatinados não ajudavam. Doentes, desidratados, exaustos e famintos, muitos dos homens tinham perdido completamente a noção de onde estavam e do que faziam. Muitos deliravam, total ou parcialmente enlouquecidos, e outros estavam catatônicos e paralisados em um estado de estupor, como zumbis.

E estavam morrendo. Muitos entravam em coma e não acordavam. Ao nascer do sol, o acampamento estava cheio de cadáveres. Quando os oficiais japoneses perceberam aquilo, não deram comida nem água. Em vez disso, deram pás e instruíram os prisioneiros "mais saudáveis" a começar a cavar covas rasas ao longo das cercas. Pete, Sal e Ewing ainda estavam operantes e, portanto, foram arrolados como coveiros.

Aqueles que estavam apenas delirando foram presos em um galpão de madeira com ordens de ficarem quietos. Alguns dos que estavam em coma foram enterrados vivos; não que fizesse muita diferença. A morte estava a apenas algumas horas de distância. Em vez de descansar, os que estavam com as pás trabalhavam a noite toda enquanto as baixas só aumentavam e os corpos se empilhavam ao lado do arame farpado.

Ao amanhecer, os portões se abriram e os guardas arrastaram sacas de arroz cozido. Os prisioneiros foram instruídos a se sentar em fileiras e pôr as mãos em concha. Cada um recebeu uma colherada de arroz glutinoso, a primeira "refeição" em dias. Após o café da manhã, foram levados em pequenos grupos para um poço artesiano e autorizados a encher seus cantis. A comida e a água acalmaram os homens por algumas horas, mas então veio o sol. No meio da manhã, os urros e os gritos ensandecidos estavam em pleno coro. Metade dos prisioneiros foi expulsa do complexo e encaminhada de volta à estrada. A marcha continuou.

26

Prevendo a queda de Bataan, os japoneses planejavam usar a península como área de preparação para atacar a ilha vizinha de Corregidor, a última fortaleza americana. Para tanto, era necessário rapidamente tirar da região os prisioneiros americanos e filipinos. O plano era fazê-los marchar por mais de 100 quilômetros ao longo da velha estrada nacional até o pátio ferroviário de San Fernando. De lá eles seriam levados de trem para diversas prisões, entre elas Camp O'Donnell, uma antiga fortaleza filipina que os japoneses haviam convertido em campo de prisioneiros de guerra. Os planos exigiam a remoção rápida de cerca de 50 mil homens.

No entanto, poucas horas após a rendição, os japoneses perceberam que tinham errado a conta para baixo de forma grosseira. Havia 76 mil soldados americanos e filipinos, além de 26 mil civis. Para onde quer que os japoneses olhassem havia prisioneiros, todos com fome e precisando de comida e água. Como é que o inimigo tinha se rendido com tantos soldados? Onde estava a vontade deles de lutar? Eles não conseguiam conter o desprezo e o ódio que sentiam por seus prisioneiros.

Enquanto a marcha se arrastava e as filas continuavam a aumentar, os guardas japoneses foram pressionados a apertar o passo. Não havia tempo para comer ou beber, nem tempo para descansar, nem tempo para parar e ajudar aqueles que tinham caído. Não havia tempo para enterrar os mortos nem tempo para se preocupar com retardatários. Os generais gritavam com os oficiais para que se apressassem. Os oficiais abusavam fisicamente dos soldados, que, por sua vez, descontavam suas frustrações nos prisioneiros. Conforme as colunas aumentavam e diminuíam, a pressão aumentava cada vez mais e a marcha ia se tornando ainda mais caótica. Cadáveres entulhavam as valas e os campos e se decompunham sob o sol escaldante. Nuvens negras de moscas enxameavam sobre a carne podre e a elas se juntavam porcos e cachorros famintos. Bandos de corvos esperavam pacientemente sobre as cercas, e alguns começaram a seguir as colunas, atormentando os prisioneiros.

PETE SE PERDEU dos homens do Vigésimo Sexto Regimento. Ele, Sal e Ewing ainda estavam juntos, mas se tornara impossível manter contato com mais alguém. Grupos de prisioneiros esquálidos eram integrados a uma coluna em um dia e deixados para trás nos campos no dia seguinte. Os homens estavam caindo, morrendo e sendo mortos às centenas. Ele parou de pensar em qualquer um além de si mesmo.

No quarto dia, eles entraram na cidade de Lubao. A outrora movimentada cidade de 30 mil habitantes estava deserta, ou pelo menos as ruas estavam. Porém, das janelas dos andares de cima, os moradores observavam. Quando a coluna parou, janelas foram abertas e as pessoas começaram a jogar pão e frutas para os prisioneiros. Os japoneses se enfureceram e ordenaram que os homens ignorassem a comida. Quando um adolescente saiu correndo de trás de uma árvore e arremessou um pedaço de pão, um guarda atirou nele ali mesmo. Prisioneiros que conseguiram comer uma coisa ou outra foram retirados da coluna e espancados. Um deles foi perfurado na barriga com uma baioneta e pendurado em um poste de luz, como aviso.

Seguiram marchando, tirando sabe-se lá de onde a vontade de dar mais um passo, de seguir por mais um quilômetro. Eram tantos homens morrendo de desidratação e exaustão que os japoneses cederam um pouco e permitiram que eles enchessem seus cantis, geralmente em uma vala na beira da estrada ou em um lago em que o gado bebia água.

No quinto dia, a coluna de prisioneiros cruzou com outro longo comboio de caminhões carregados de soldados. O trecho da estrada era ainda mais estreito e os guardas ordenaram que os homens formassem uma fila única de cada lado da pista. Estar tão perto de americanos imundos e não barbeados inspirou os soldados dentro dos caminhões. Para alguns, era a primeira vez que viam o odiado inimigo. Os japoneses insultaram os cativos, jogaram pedras, cuspiram e praguejaram. Eventualmente, o motorista de um caminhão avistava um prisioneiro um ou dois passos fora da linha e o atropelava com o pesado para-choque. Se ele caísse no chão e parasse debaixo do caminhão, morreria imediatamente. Se caísse em uma vala, os esquadrões abutre cuidariam dele mais tarde. Se caísse sobre outros prisioneiros, os soldados davam uma boa gargalhada enquanto se afastavam.

Pete estava com a cara cheia de poeira, quase sufocando, quando um soldado dependurado em um caminhão o acertou em cheio com o fuzil. A coronha bateu na nuca de Pete, que desabou inconsciente. Ele caiu em uma vala enlameada e foi parar em cima de um pneu, ao lado de uma caminhonete destruída pelo fogo. Sal e Ewing estavam mais adiante e não viram o que tinha acontecido.

A estrada ficou engarrafada e os prisioneiros foram levados a um arrozal para mais um banho de sol. Sal e Ewing não conseguiram encontrar o companheiro e começaram a cochichar. Alguém contou o que havia acontecido. O primeiro instinto deles foi ir ao encontro de Pete, mas o segundo instinto os manteve no lugar. O simples ato de ficar em pé sem permissão os faria levar uma surra. Qualquer esforço para procurar Pete seria suicídio. Lamentaram em silêncio pelo amigo, sentindo ainda mais ódio pelos japoneses, se é que aquilo era possível. Àquela altura, no entanto, eles já tinham visto tantos cadáveres que seus sentidos estavam entorpecidos e as emoções aplacadas, ou até mesmo inexistentes.

Marcharam até depois do anoitecer e então receberam o privilégio de poder dormir em um arrozal. Não havia nenhuma prisão improvisada nas proximidades. Os guardas distribuíram bolotas de arroz imundas e lhes deram água e, enquanto tentavam descansar, ficaram à espera de ouvir os sons inconfundíveis das pistolas dos esquadrões abutre. Os tiros logo começaram, e Sal e Ewing ficaram se perguntando qual das balas teria ido ao encontro de Pete Banning.

PETE RECUPEROU A consciência e, ainda atordoado e grogue, teve a presença de espírito de simplesmente se fingir de morto. Sua cabeça doía demais e ele podia sentir o sangue escorrer pelo pescoço. A coluna parecia não ter fim, e ele ouviu os sons daqueles homens miseráveis se arrastando.

Ouviu os caminhões passarem, com os soldados rindo, às vezes cantando. Ouviu os guardas gritarem ordens e palavrões. Quando anoiteceu, arrastou-se em meio à lama e se escondeu debaixo da caminhonete incendiada. Os comboios finalmente tinham ido embora, mas os prisioneiros não paravam de passar. Tarde da noite, por fim, houve uma pausa. A estrada ficou vazia e silenciosa, pelo menos por um momento. Ele ouviu tiros de pistola não muito longe e logo pôde ver os clarões alaranjados enquanto os esquadrões abutre davam cabo daqueles que estavam moribundos ou já mortos. Encolheu-se o máximo que pôde e prendeu a respiração. Eles seguiram adiante.

Decidiu rastejar até um bosque e tentar escapar. Para onde? Não fazia ideia. Estava certo de que não iria muito longe, mas já era um homem morto mesmo, então que se danasse. Esperou incansavelmente. Horas se passaram, e ele caiu em um sono profundo.

Uma baioneta interrompeu seu cochilo. Um soldado japonês a apertou contra seu peito com força o bastante para acordá-lo, mas não para rasgar sua pele. O sol estava alto e reluzia na baioneta, que parecia ter metros de comprimento. O soldado sorriu e fez sinal para que ele se levantasse. Empurrou Pete de volta à estrada, onde ele foi parar em outra interminável coluna de fantasmas agonizantes. Ele tinha voltado para a marcha. Os primeiros passos doíam conforme suas pernas, em cãibras, procuravam se alongar, mas ele conseguiu acompanhar o ritmo. Não reconheceu nenhum dos demais prisioneiros, mas àquela altura todos pareciam ter a mesma cara.

Depois de seis dias chegaram ao primeiro destino, a cidade de San Fernando. Foram colocados em outro acampamento improvisado com arame farpado e não receberam nada para comer. Eles já se encontravam em um estágio que era algo além de famintos, convencidos de que realmente marchavam em direção à morte. As condições eram as piores até o momento. O campo havia sido usado por centenas de outros prisioneiros e o chão estava coberto de sangue e dejetos humanos. Cadáveres podres e em decomposição atraíam milhões de larvas e moscas.

San Fernando marcou o fim da Marcha da Morte de Bataan. Setenta mil prisioneiros foram transferidos à força, sendo 60 mil filipinos e 10 mil americanos. Para Pete, a provação havia durado seis dias. Para muitos outros, levou mais de uma semana. Ao longo da trilha de mais de 100 quilômetros, cerca de 650 prisioneiros americanos e 11 mil filipinos morreram de doença ou exaustão ou foram sumariamente assassinados. Inúmeros civis filipinos morreram. Apenas uma fração fora enterrada.

E o pior ainda estava por vir.

NA PRIMEIRA NOITE no acampamento de San Fernando, Pete conseguiu encontrar um lugar longe da merda e dos dejetos e descansou com as costas apoiadas contra o arame farpado. Os homens estavam tão amontoados que era impossível se sentar. Os sortudos que, como Pete, tinham encontrado um lugar eram constantemente importunados com pedidos para chegar para o lado e abrir espaço. Qualquer resquício de disciplina desaparecera havia muito tempo. Alguns oficiais tentaram estabelecer a ordem, mas era impossível. Trocar socos estava fora de questão porque os homens estavam exaustos demais, então eles simplesmente se xingavam e faziam ameaças preguiçosas. Os desvairados perambulavam, pisando nos outros enquanto imploravam por comida e água. A maioria dos homens tinha disenteria, e, sem latrinas nem espaço para se aliviar, não havia escolha a não ser defecar onde estivessem.

Ao amanhecer, os portões se abriram e os guardas entraram. Eles vociferaram ordens, chutaram homens pelo meio do caminho e organizaram os prisioneiros em filas de esqueletos agachados. Três grandes panelas de arroz chegaram e os guardas começaram a despejar seu conteúdo sobre as mãos em concha. Os mais próximos da entrada foram alimentados, e quando as panelas se esvaziaram os guardas saíram e trancaram os portões. Menos da metade dos prisioneiros recebeu qualquer coisa, e pouquíssimos compartilharam o que receberam.

Do outro lado da cerca os guardas prometiam mais comida e água, mas os prisioneiros sabiam que não era verdade. Pete estava muito longe para conseguir um punhado de arroz. Não conseguia se lembrar da última vez em que comera alguma coisa. Ele se fechou em sua concha e ficou sentado em um estado de estupor, à medida que o sol matinal chegava com toda a sua fúria. De vez em quando, olhava para os rostos descarnados dos homens à sua volta, procurava em vão por Sal e Ewing ou qualquer conhecido, mas não via nada familiar. Ele se culpou por ter adormecido debaixo da caminhonete e ter perdido a chance de fugir. A ferida em sua cabeça sangrava, mas não muito. Temia contrair uma infecção, mas sabia que aquilo seria apenas mais um suplício em uma lista cada vez maior de formas pelas quais poderia morrer. E o que é que ele poderia fazer a respeito? Se encontrasse um médico, o pobre rapaz provavelmente estaria muito pior do que ele.

Por volta do meio-dia, os portões foram abertos e os guardas começaram a retirar os prisioneiros, um a um. Eles os dividiram em grupos de cem, e quando havia cinco unidades começaram a marchar cidade adentro. Pete estava na última unidade.

Àquela altura, os moradores estavam acostumados aos americanos esquálidos, imundos e barbados sendo conduzidos pelo meio da cidade. Odiavam tanto os japoneses quanto os prisioneiros e estavam determinados a ajudá-los. Jogavam pão, biscoitos e frutas das janelas e, por algum motivo, os guardas não intervieram. Pete pegou uma banana e a devorou em duas mordidas. Depois encontrou um grande biscoito quebrado no meio da terra. Quando ficou claro que os guardas estavam indiferentes, mais comida choveu sobre os prisioneiros, que pegaram tudo e comeram ao longo da marcha sem interromper o passo. De um beco, uma velha jogou uma manga em Pete e ele a devorou com casca e tudo. Como já ocorrera antes, ficou surpreso com a rapidez com que seu corpo recuperou a energia com a comida.

Pararam na estação de trem, onde cinco vagões caindo aos pedaços aguardavam. Eram chamados de "Quarenta ou Oito", vagões de carga estreitos de 6 metros de comprimento e com capacidade apenas para ou quarenta pessoas ou oito cavalos, mulas ou vacas. Os guardas estavam apinhando cem homens em cada e depois batendo as portas, deixando os prisioneiros na escuridão total. Amontoados, eles imediatamente se sentiam sufocados e tinham dificuldade para respirar. Começaram a bater nas paredes laterais de madeira e a gritar por algum desafogo. Enquanto esperavam, a temperatura subiu drasticamente e os homens começaram a desmaiar. Não havia ventilação, apenas algumas rachaduras nas paredes, e os homens lutavam para enfiar seus narizes nas aberturas.

Os guardas assumiam suas posições em cima dos vagões e batiam no teto com os fuzis enquanto os xingavam e os mandavam calar a boca.

Finalmente, o trem sacudiu, balançou e começou a andar. Conforme os vagões bambolearam e deslizaram, muitos dos homens foram tomados por enjoo e começaram a vomitar. A comida que eles haviam devorado tão avidamente uma hora antes ressurgiu em uma barafunda pútrida, e o chão logo ficou coberto de dejetos e de vômito. Era impossível descrever o fedor. O ar estava tão quente e cheio de odores abjetos que respirar era doloroso.

Um homem caiu aos pés de Pete e fechou os olhos. A primeira reação dele foi chutá-lo dali, mas então percebeu que o homem não estava respirando. Outros homens também estavam morrendo, e alguns não tinham nem espaço onde cair.

Quando o trem ganhou velocidade, os guardas abriram as portas de três dos vagões e permitiram a entrada de ar. Homens lutavam para chegar perto das portas. Um conseguiu pular e aterrissou em uma pilha de pedras. Ele nunca mais se mexeu.

Ao longo da viagem de três horas, o trem passou por várias cidadezinhas. Os moradores fizeram uma fila à margem dos trilhos e jogaram comida e latas de água para os vagões abertos. Os maquinistas eram filipinos e desaceleraram o trem para permitir que os homens agarrassem o que quer que fosse possível. Quase toda a comida era compartilhada.

Quando o trem por fim parou, os homens se esparramaram pela plataforma. Os que ainda estavam vivos foram ordenados a arrastar os mortos para fora. Os corpos ficaram empilhados como lenha perto dos trilhos. Dezenas de cidadãos filipinos esperavam com comida e água, mas foram ameaçados pelos guardas. Os homens marcharam mais 100 metros e foram reunidos em um campo aberto para mais uma hora de banho de sol. O chão estava tão quente que era quase impossível tocá-lo.

Àquela altura os homens já sabiam que estavam indo em direção ao campo de prisioneiros em O'Donnell, onde, sem dúvida, as condições seriam melhores. Quando teve início a jornada de 11 quilômetros, era óbvio que muitos deles não chegariam ao fim. Pete aguardava o assassinato em massa dos mais fracos, mas os guardas mudaram de estratégia e agora permitiam que os prisioneiros mais fortes prestassem socorro. No entanto, restavam poucos fortes o suficiente para ajudar, e os homens começaram a cair logo no primeiro quilômetro. Naquele momento os locais já tinham visto muitos prisioneiros, e escondiam latas de água e mangas ao longo da trilha de terra. Os guardas amassavam e chutavam a maior parte delas, mas às vezes milagres aconteciam. Pete encontrou uma lata de água limpa e a apanhou sem ser visto. Então entendeu que devia sua vida à gentileza de algum filipino desconhecido. Quando o homem à sua frente desmaiou, Pete pegou seu esqueleto magro, jogou o braço dele por cima do ombro, disse que ele já havia chegado longe demais e que não ia morrer ali, e o arrastou consigo pelos 10 quilômetros restantes.

Sua primeira visão de O'Donnell foi do alto de uma colina. Diante deles estava uma paisagem aterrorizante de prédios antigos esparsos cercados por quilômetros de arame farpado reluzente. Torres de guarda se erguiam com um aspecto ameaçador, todas orgulhosamente adornadas com a bandeira japonesa.

Pete se lembraria bem daquele momento. Ele logo se daria conta de que, se tivesse sabido dos horrores que o aguardavam em O'Donnell, teria escapado da trilha e corrido como um louco até que uma bala o detivesse.

27

Antes da guerra, O'Donnell havia sido usado como base temporária para uma divisão do exército filipino com cerca de 20 mil homens. Com poucas adaptações, os japoneses converteram o espaço em seu maior campo de prisioneiros de guerra. Abrangia mais de 200 hectares de arrozais e de matagal e suas terras estavam divididas em dezenas de complexos quadrados, subdivididos em filas de quartéis e edifícios, alguns em ruínas, outros inacabados. Após a queda de Bataan, cerca de 60 mil prisioneiros, incluindo 10 mil americanos, foram amontoados no antigo forte em ruínas. A água era escassa, assim como latrinas, remédios, macas, fogões e comida.

Pete e os outros sobreviventes se arrastaram pelo portal leste, junto com centenas de outros que chegavam a O'Donnell vindos de todas as ilhas. Foram recebidos por guardas vestidos com camisas brancas brandindo porretes e que pareciam ter sido projetados especificamente para espancar homens desarmados e derrotados. Ansiosos para impressionar os recém-chegados com sua brutalidade, os guardas começaram a agredir os homens aleatoriamente enquanto gritavam ordens em um inglês que ninguém entendia. Tudo era desnecessário. Àquela altura, os prisioneiros já haviam visto violência suficiente e não estavam impressionados, e não tinham mais nenhuma força para lutar, nenhum ímpeto de resistir. Eles foram empurrados e espremidos em um enorme pátio e ordenados a formar filas perfeitas e permanecer em posição de sentido. Torraram sob o sol enquanto mais homens chegavam. Foram revistados mais uma vez, como se tivessem tido a oportunidade de pegar qualquer coisa de valor pelo caminho.

Uma hora depois houve um burburinho em frente a um prédio que servia como quartel-general do comandante. O ilustre homem saiu para cumprimentá-los em um uniforme mal-ajambrado, composto por um bermudão folgado e botas de montaria que chegavam aos joelhos. Era uma criatura atarracada, de aparência engraçada, com um ar de grande importância.

Ele passou a rugir e berrar, com um desafortunado intérprete filipino tentando acompanhá-lo. Começou dizendo que eles não eram prisioneiros de guerra honrados, e sim presos covardes. Tinham se rendido, o que era um pecado imperdoável. E, por serem covardes, não seriam tratados como verdadeiros soldados. Disse que gostaria de matar todos eles, mas que vivia sob o código de um verdadeiro guerreiro, e verdadeiros guerreiros tinham misericórdia. No entanto, se desobedecessem a qualquer uma das regras do campo, ele os executaria com prazer. Na sequência passou a falar sobre raça e política, com o povo japonês, claro, sendo superior por haver vencido a guerra, derrotado os Estados Unidos, seu inimigo eterno, e assim por diante. Às vezes o intérprete se enrolava e claramente inventava coisas enquanto o comandante esperava suas brilhantes palavras serem apresentadas em inglês.

Em estado deplorável, a maioria dos prisioneiros prestou pouca atenção. Quanto às ameaças, se perguntavam o que mais os japoneses poderiam fazer com eles além de, talvez, uma decapitação rápida.

O comandante rugiu e divagou até o cansaço chegar, depois se virou abruptamente e foi embora marchando, com os puxa-sacos em seu encalço. Os prisioneiros foram dispensados e divididos por país. Havia um acampamento para os filipinos e outro para os americanos.

O general Ned King havia sido designado o comandante dos prisioneiros e encontrou seus homens em um segundo portão. Ele os cumprimentou, deu-lhes as boas-vindas e, quando se agruparam ao seu redor, disse:

– Homens, lembrem-se disto: vocês não desistiram. Eu desisti. Eu assinei a rendição. Eu entreguei vocês. Vocês não se renderam. A responsabilidade por isso é minha. Deixem que eu cuide de tudo. A única coisa que peço é que obedeçam às ordens dos japoneses, para não provocarmos o inimigo ainda mais.

Os recém-chegados foram então entregues a seus oficiais para receberem orientação e debater as regras. O Vigésimo Sexto Regimento de Cavalaria tinha se dispersado e houve confusão sobre quem o comandara por último. Pete foi designado a um grupo da Trigésima Primeira Divisão de Infantaria e conduzido a seu novo lar. Era um prédio em ruínas, com 4,5 metros de largura e 6 de comprimento, com um telhado de bambu fragmentado que parecia ter sido arrancado por uma tempestade. Os prisioneiros ficavam expostos ao sol e à chuva. Não havia catres nem esteiras, apenas duas longas prateleiras de varas de bambu que tinham sido abertas ao meio e amarradas com junco. Os homens, trinta deles, dormiam sobre o bambu. A maioria não tinha cobertores. Quando Pete perguntou a um sargento o que acontecia quando chovia, foi informado de que os homens se escondiam debaixo das varas.

Havia apenas um poço artesiano com uma bomba funcional em O'Donnell que ficava responsável pela distribuição de água para os dois campos, o filipino e o americano, por meio de um cano de meia polegada. A bomba funcionava de vez em quando, mas o motor a gasolina com frequência resfolegava e morria. E, como a gasolina era sempre escassa, os japoneses deixavam o tanque secar, para economizar.

Pete queria água desesperadamente, assim como todo mundo, e enfim encontrou o caminho para a fila, um longo e triste agrupamento de homens. Enquanto a margeava procurando seu final, passou por centenas de homens, todos com o mesmo olhar perdido de derrota. Ninguém falava enquanto esperava interminavelmente. A fila mal andava. Ele esperou sete horas para encher o cantil.

Quando escureceu, os homens foram enfileirados e receberam ordens de se sentar. O jantar foi servido, uma colherada de arroz. Não havia carne, pão ou fruta. Depois de comer, os homens voltaram para o quartel, onde não existia iluminação. Não havia nada a fazer senão encarar a aventura noturna do sono. Pete não conseguiu ficar confortável nas varas de bambu e acabou encontrando uma pilha de mato em um canto, onde se aninhou em posição fetal.

Estava com a boca ressecada e pegajosa e ansiava por água. A fome já era bastante aflitiva, mas a falta de água estava deixando os homens malucos. Havia o mínimo suficiente para beber, cozinhar e permitir que o hospital funcionasse, sem sobrar uma só gota para qualquer outra coisa. A pele de Pete estava imunda e em carne viva em alguns pontos por causa da falta de sabão e água. Havia semanas que ele não tomava banho e não se barbeava, desde antes da rendição em Bataan. Suas roupas eram trapos e não havia como lavá-las. Sua única cueca havia sido jogada fora dias antes. Não conseguia se lembrar da última vez que escovara os dentes, e as gengivas doíam em consequência daquela alimentação tão podre. Exalava um cheiro de esgoto ambulante, e sabia disso porque todos os outros prisioneiros fediam.

Na primeira noite em O'Donnell, o estrondo de um trovão despertou Pete e seus companheiros que dormiam no mesmo recinto. Uma tempestade estava se formando. Quando a chuva começou, milhares de homens cambalearam até campo aberto e olharam para o céu. Eles abriram a boca, abriram os braços e se deixaram lavar pela água fria da chuva. Era deliciosa, preciosa, mas não havia como estocá-la. A chuva continuou por um bom tempo e transformou as passagens estreitas em valas lamacentas, mas os homens permaneceram firmes sob a tempestade, saboreando a água e felizes com o belo banho.

Quando começou a amanhecer, Pete correu pela lama até o hospital. Haviam lhe dito que era recomendável chegar lá cedo. Era um lugar miserável, cheio de homens nus e moribundos, muitos deitados no chão sobre os próprios dejetos à espera de assistência. Um médico olhou para a ferida profunda na parte de trás da cabeça de Pete e julgou que poderia ajudar. Ele tinha tido sorte; não havia infecção. Com uma tesoura elétrica, o médico cortou o cabelo de Pete e, no embalo, aparou seus bigodes. Foi revigorante, e Pete se sentiu mais leve e fresco. O médico não tinha nenhum tipo de anestesia, então Pete cerrou os dentes enquanto recebeu seis pontos para costurar a ferida. O médico ficou feliz em ver um paciente que pudesse tratar, explicando, enquanto trabalhava, que havia muito pouco que pudesse fazer pelos outros. Deu a Pete alguns antibióticos e lhe desejou tudo de bom. Pete agradeceu e correu de volta para o quartel, ansioso pela comida.

O café da manhã foi arroz, como haviam sido o almoço e o jantar. Arroz imundo, muitas vezes com insetos, gorgulhos e mofo, mas aquilo não importava, porque homens famintos comeriam qualquer coisa. O arroz era cozido no vapor, ensopado, fervido e diluído o máximo possível para render. Traços de carne apareciam de vez em quando, boi ou búfalo-d'água, mas as porções eram pequenas demais para que se pudesse sentir o gosto. Eventualmente os cozinheiros acrescentavam os vegetais cozidos que conseguiam encontrar, mas não tinham sabor nenhum. Nunca havia fruta. Como passavam fome entre as refeições, os homens comiam folhas e grama, e em pouco tempo toda a vegetação de O'Donnell tinha sido arrancada. E, quando não havia nada para comer, os apáticos prisioneiros descansavam em qualquer sombra que conseguissem encontrar e falavam sobre comida.

Eles estavam morrendo por inanição. Recebiam em média 1.500 calorias por dia, cerca de metade da quantidade de que necessitavam. Somado ao fato de que a maioria vinha passando fome em Bataan havia quatro meses, o regime alimentar em O'Donnell era fatal, e isso era intencional.

Assim como água, havia comida de sobra nas Filipinas.

A falta dela só serviu para agravar as doenças. Todos os homens sofriam de alguma coisa, fosse malária, dengue, escorbuto, beribéri, icterícia, difteria, pneumonia ou disenteria, ou uma combinação de duas ou mais delas. Metade dos homens teve disenteria quando chegou. Os oficiais formaram equipes para cavar latrinas, mas elas logo ficaram cheias e transbordaram. Alguns homens estavam tão incapacitados pela diarreia violenta que não conseguiam andar e se borravam onde estivessem. Alguns morreram. Sem remédio e com uma dieta completamente inadequada, a disenteria logo se transformou em epidemia. A prisão inteira cheirava como um enorme esgoto a céu aberto.

Pete havia tido dois episódios leves de disenteria desde o Natal, mas conseguira elixir paregórico com os médicos. Em seu segundo dia em O'Donnell, subitamente se sentiu cansado e sem fôlego. Notou os sinais de alerta e, como todos os prisioneiros, passou algumas horas diagnosticando a si mesmo e imaginando qual doença tinha. Quando começou a sentir cólicas estomacais, suspeitou de disenteria. Na metade do primeiro ataque de diarreia hemorrágica, ele teve certeza. Os primeiros dias seriam os piores.

Seu novo amigo era Clay Wampler, um caubói do Colorado que havia sido fuzileiro na Trigésima Primeira Divisão. Clay dividiu um espaço ao lado de Pete no quartel e o recebeu em seu novo e miserável lar. Com a ajuda de Clay, Pete foi ao hospital em busca de elixir paregórico, mas a demanda era tão alta que não havia mais nenhum na prisão. Clay era um enfermeiro disciplinado e brincou dizendo que estava feliz em ajudar Pete, porque esperaria a mesma atenção de Pete quando fosse acometido por aquela maldita doença. No terceiro dia, Pete ficou um pouco aliviado ao perceber que sua crise não era tão severa quanto as dezenas que testemunhara. A disenteria matou muitos homens. Outros sofriam de cólicas e diarreia por uma semana e depois se recuperavam.

Naquela noite, Pete acordou encharcado de suor e com fortes calafrios. Já tinha visto casos de malária o suficiente para conhecer os sintomas.

OS REMANESCENTES DO Vigésimo Sexto Regimento de Cavalaria estavam alojados no complexo nordeste, o mais distante possível de Pete. Quando recuou para Bataan, o regimento ainda estava intacto e em funcionamento, com 41 oficiais americanos e cerca de quatrocentos Philippine Scouts. No início do cerco, porém, a cavalaria se mostrou ineficaz na selva traiçoeira da península, e os cavalos logo se tornaram mais úteis de outras formas, quando a fome virou uma inimiga. Em 9 de abril, o dia da rendição, o Vigésimo Sexto tinha perdido catorze oficiais e cerca de duzentos Philippine Scouts. Em O'Donnell, 36 dos americanos estavam juntos, incluindo Sal Moreno e Ewing Kane. Seis dos desaparecidos tinham sido dados como mortos, entre eles Pete Banning. Outros escaparam da captura e ainda estavam à solta, incluindo o tenente Edwin Ramsey, líder da última carga de cavalaria, ocorrida em Morong. Ramsey estava a caminho das montanhas, onde organizaria um exército de guerrilha.

No comando do Vigésimo Sexto estava o major Robert Trumpett, de Maryland, que se formara em West Point. Ele havia chegado a O'Donnell dois dias antes de Pete e se ocupara organizando seus homens em uma unidade de sobrevivência. Como todos os demais, eles estavam sofrendo de fome, desidratação, exaustão, feridas e doenças, principalmente dengue e malária. Tinham sobrevivido à marcha da morte e estavam percebendo rapidamente que teriam que sobreviver também a O'Donnell. Trumpett fez uma lista dos seis homens mortos em ação ou na marcha e conseguiu entregá-la a um assessor do general Ned King. O general pedira a todos os comandantes que fizessem o mesmo para que as famílias pudessem ser notificadas nos Estados Unidos.

Dos seis, quatro haviam morrido em ação, dois deles sabidamente tendo sido enterrados. Pete e outro tenente tinham morrido na marcha e seus corpos jamais seriam resgatados.

O general King pediu ao comandante que repassasse os nomes dos que estavam mortos e dos que estavam presos para uma equipe administrativa americana que trabalhava em prisão domiciliar em Manila. A princípio o comandante se recusou, mas mudou de ideia posteriormente, quando seus superiores ordenaram que o fizesse. Os japoneses estavam orgulhosos do grande número de baixas americanas e queriam que isso fosse divulgado.

O HOSPITAL ERA uma coleção de precárias cabanas de bambu montadas sobre palafitas. Havia cinco alas, extensas construções sem camas, cobertores ou lençóis. Os pacientes jaziam uns ao lado dos outros no chão, alguns em agonia, outros em coma, outros até mesmo já mortos. Em condições normais, o local tinha capacidade para abrigar com segurança duzentos pacientes de cada vez. No fim da primavera, havia mais de oitocentos homens alinhados no chão, esperando por medicamentos que jamais chegariam. A maioria deles acabaria morrendo.

Não muito tempo depois de os prisioneiros de Bataan começarem a inundar O'Donnell, o hospital se tornou mais um necrotério do que um local de tratamento. Os médicos, civis e militares, a maioria deles também sofrendo de uma ou mais moléstias, quase não tinham remédios. Mesmo os medicamentos básicos, como quinino para a malária, elixir paregórico para a disenteria ou vitamina C para o escorbuto, estavam com os estoques preocupantemente baixos. A maioria dos suprimentos – esparadrapo, gaze, antisséptico, aspirina e afins – era contrabandeada de outros hospitais pelos médicos. Os japoneses não forneciam praticamente nada.

Os médicos se viam obrigados a esconder os medicamentos e dá-los apenas aos homens cuja sobrevivência parecia mais provável. Dar remédios aos casos graves era, indiscutivelmente, desperdiçá-los. À medida que os estoques foram minguando, os médicos criaram um sistema de sorteio.

Clay arrastou Pete de volta ao hospital e finalmente conseguiu encurralar um médico. Ele explicou que seu amigo não só tinha disenteria como malária, e parecia estar enfraquecendo rapidamente. O médico disse que lamentava, mas não tinha nada para dar. Clay tinha ouvido boatos – e, com tantos homens sem ter o que fazer, a roda dos boatos girava incessantemente – de que havia um mercado negro para alguns dos remédios mais comuns. Clay indagou do médico a esse respeito, mas a resposta dele foi que não sabia de nada. Entretanto, quando estavam saindo, o médico sussurrou:

– Atrás da ala quatro.

Atrás da ala quatro, sentado à sombra de uma árvore, havia um ameri-

245

cano gorducho com um baralho. Em uma mesa improvisada, ele disputava um tipo de jogo que precisava de apenas um participante. O fato de não estar esquálido era uma clara evidência de que havia dominado o sistema. Quando houve a rendição, Clay notou alguns prisioneiros americanos um pouco acima do peso. Em geral eram mais velhos e ocupavam algum cargo no vasto abismo da administração militar. Quando forçados a marchar, muitos caíram rapidamente.

Aquele cara não tinha marchado em lugar algum. Nem havia deixado de fazer muitas refeições. Tinha uma constituição pesada, com um peito forte, braços musculosos, pescoço atarracado. E um sorriso de escárnio do qual Clay teve ódio de imediato. Ele distribuiu algumas cartas para si mesmo, olhou para Clay e perguntou:

– Precisando de alguma coisa?

Clay soltou Pete, que conseguiu ficar de pé por conta própria, e avaliou a situação. Era do tipo com que ele não se importava. Era do tipo que o irritava. Clay disse:

– Sim, meu amigo aqui precisa de um pouco de quinino e de elixir paregórico. Ouvi falar que você tem.

Na mesa, ao lado do baralho, havia quatro pequenos frascos de comprimidos.

– Tenho algumas pílulas sobrando. Um dólar a dose.

Sem uma palavra, sem um aviso, Clay rosnou:

– Seu saco de merda aproveitador!

Ele partiu para cima do homem, chutando a mesa e mandando as cartas e os frascos pelos ares. O contrabandista deu um salto, gritou "Que porra é essa!" e se preparou para dar um soco em Clay, que fazia o mesmo. Clay se esquivou agachando e, com um gancho de direita, acertou o contrabandista em cheio nos testículos. Ao sentir o golpe, ele caiu no chão gritando. Clay chutou sua cara com força, depois caiu sobre ele de joelhos e o massacrou conforme uma fúria cega o fez superar a fadiga, a fome, a desidratação e o que mais ele tivesse naquele momento. Tudo foi completamente esquecido à medida que, depois de dias querendo revidar e matar o inimigo, ele pôde oferecer alguma resistência e se vingar. Depois de uma dúzia de golpes na cara, Clay parou, se levantou devagar e falou:

– Seu filho da puta medíocre! Fazendo dinheiro em cima de homens moribundos! Você vale menos ainda do que os malditos japoneses.

O contrabandista não estava acabado. Ele conseguiu ficar de quatro, sem dúvida com mais dor na virilha do que no rosto ensanguentado, e então se pôs de pé, vacilante. Olhou ao redor e percebeu que uma multidão estava se formando. Nada era mais divertido do que uma boa troca de socos, principalmente porque pouquíssimos prisioneiros tinham forças para começar ou terminar uma.

Ele sangrava pelo nariz, pela boca e por um corte acima do olho direito, e deveria ter ficado no chão. Mancando em função da dor nas bolas, ele deu um passo em direção a Clay e rosnou:

– Seu filho da puta.

A palavra "puta" mal tinha saído de sua boca quando um outro soco o atingiu com tal velocidade que ele mal conseguiu ver o punho. Com uma combinação perfeita de golpes de esquerda e de direita, Clay tirou ainda mais sangue do homem. O contrabandista não era muito bom no boxe e nunca havia encarado um caubói, e teve bastante dificuldade para acertar um soco. Clay o rodeou, golpeando enquanto imaginava que estava socando um japonês. Um direto em cheio no queixo fez o contrabandista tombar novamente. Ele caiu sobre a tábua que usava como mesa, e Clay, ainda em seu acesso de fúria, agarrou-a e começou a bater com ela no infeliz adversário. O som da madeira rachando contra o crânio dele era angustiante, mas Clay não conseguia parar. Vira tantas mortes que a vida agora não valia nada – e que importância tinha se ele matasse um homem que considerava inferior a um japonês?

Um guarda com uma baioneta em um fuzil parou do lado dele e o cutucou ligeiramente nas costas. Clay parou de bater, olhou para o guarda e se levantou. Tentou recuperar o fôlego e de repente se sentiu exausto.

O guarda sorriu e disse:

– Não para. Luta mais.

Clay olhou para o rosto estraçalhado do contrabandista. Olhou para Pete, que estava de pé sob a árvore balançando a cabeça em negativa. Olhou para os homens esqueléticos na multidão que havia corrido para assistir.

Então olhou para o japonês e disse:

– Não, eu já acabei.

O guarda levantou a baioneta, cutucou Clay no peito, apontou para o sujeito no chão de terra e disse:

– Mata ele.

Clay ignorou a baioneta e respondeu:

– Não. Isso é o que vocês fazem.

Ele deu um passo para trás, esperando que algo terrível começasse, mas o guarda apenas abaixou o fuzil e olhou para Clay, que foi até a árvore para pegar Pete. A multidão aos poucos se dispersou depois que o contrabandista recuperou os sentidos e começou a se mexer.

Pete havia encontrado um novo melhor amigo. Uma hora depois, eles estavam atrás do quartel se abrigando do sol. Os odores dentro do prédio tinham se tornado tão nocivos que eles procuravam evitá-lo. Pete estava sentado debaixo de uma árvore, perto de Clay. Eles conversavam com os demais, vendo as horas passarem, quando o mesmo guarda os encontrou. Ele se dirigiu a Clay, que se levantou, se curvou e o encarou, já prevendo um desfecho ruim. Em vez disso, o guarda tirou um pequeno frasco do bolso, entregou-o a Clay, apontou para Pete e disse:

– Para o seu amigo.

Depois deu uma perfeita meia-volta e foi embora.

Eram comprimidos de quinino, um salva-vidas para Pete e para alguns mais no quartel.

28

Como era de costume, às seis da tarde Nineva deixou o jantar no fogão e foi até seu chalé. Liza ficou a uma das janelas do quarto vendo-a sair, agradecendo mais uma vez por ela ter ido embora e pelo fato de a família estar sozinha. Durante os últimos nove anos, desde que Liza havia ido morar na casa da fazenda, ela e Nineva tinham aprendido a conviver, muitas vezes lado a lado, enquanto faziam conservas de frutas e legumes e falavam sobre as crianças. Com o desaparecimento de Pete, elas se apoiavam mutuamente dia após dia, cada uma tentando parecer mais forte que a outra. Na frente das crianças, se mantinham firmes e confiantes de que os Aliados ganhariam a guerra e de que ele logo estaria em casa. Ambas derramaram muitas lágrimas, mas sempre em particular.

Na terça-feira, 19 de maio, a família estava jantando enquanto conversava sobre o verão. As férias começariam no dia seguinte, e Joel e Stella estavam ansiosos pelos três meses de descanso. Ele estava com 16 anos, a caminho do último ano de escola, e era o mais novo da turma. Ela estava com 15 e iria para o segundo ano. Eles queriam viajar um pouco, talvez para Nova Orleans ou para a Flórida, mas a verdade era que nenhum plano definitivo podia ser feito. Havia mais de quatro meses que não tinham notícias do pai, e aquela incerteza tinha dominado suas vidas.

Sob a janela da cozinha, do lado de fora, Mack começou a latir quando uma onda de luz de faróis varreu a cozinha. Um carro se aproximava e estava em algum lugar na entrada da casa. Como não esperavam ninguém, os três se entreolharam apavorados. Liza se pôs de pé em um salto e disse:

– Tem alguém aqui. Vou ver quem é.

Diante da porta havia dois homens com uniformes do exército. Instantes depois, eles estavam sentados na saleta, de frente para a família no sofá. Liza estava entre Joel e Stella e segurava as mãos dos dois. Stella já caíra em prantos.

– Receio ter de trazer más notícias, e sinto muito por isso – disse solenemente o capitão Malone. – Mas o tenente Banning está desaparecido e foi dado como morto. Não sabemos ao certo se ele está de fato morto, porque sua unidade não pôde localizar o corpo, mas, dadas as circunstâncias, os homens que o acompanhavam estão razoavelmente seguros de que ele está morto. Eu sinto muito, mesmo.

Stella deixou a cabeça cair no colo da mãe. Liza agarrou os filhos e os abraçou com força. Eles soluçaram, choraram e se agarraram com força enquanto os dois oficiais olhavam para o chão. Os homens não desejavam ter de cumprir aquele papel, mas haviam recebido ordens e agora estavam fazendo visitas tão terríveis como aquela quase todos os dias pelo norte do Mississippi.

Liza cerrou os dentes e perguntou:

– O que "dado como morto" significa exatamente?

– Significa que não recuperamos o corpo – respondeu o capitão Malone.

– Então tem chance de ele ainda estar vivo? – perguntou Joel, enxugando o rosto.

– Sim, existe essa chance, mas eu preciso advertir que, dadas as circunstâncias, os homens que acompanhavam o tenente Banning têm uma certeza razoável de que ele foi morto.

– Você pode dizer pra gente o que aconteceu? – perguntou Liza.

– Temos alguns detalhes, mas não muitos, e não sei ao certo quão precisas são essas informações, senhora. O tenente Banning foi capturado quando as Forças Aliadas se renderam aos japoneses nas Filipinas. Foi no mês passado, nos dias 9 e 10 de abril. Os homens estavam sendo levados para um campo de prisioneiros de guerra quando ele se feriu e foi deixado para trás, como aconteceu a muitos homens. Depois, foi morto pelos soldados japoneses.

Naquele momento, não importava como ele havia morrido. O choque do momento ofuscou os detalhes. A verdade cruel era que Pete Banning estava morto e eles nunca mais o veriam. Marido, pai, patriarca, amigo, patrão, irmão, vizinho e cidadão ilustre. Havia muitas pessoas que compartilhariam da dor da família. Eles ficaram ali chorando por bastante tempo e, quando os oficiais não tinham mais nada a dizer, se levantaram, lhes deram os pêsames mais uma vez e foram embora.

Liza só queria ir para o quarto, trancar a porta, se meter debaixo das cobertas e chorar até pegar no sono. Mas aquilo seria uma autoindulgência e não era uma opção. Ela tinha dois filhos maravilhosos que agora precisavam dela mais do que nunca, então, apesar de desejar se afogar em um balde de lágrimas, se recompôs e tomou as rédeas da situação.

– Joel, pegue a caminhonete e vá até a casa da Florry. Traga ela pra cá. No caminho, pare e avise a Nineva. Fale pro Jupe pegar um cavalo e espalhar a notícia pela fazenda.

A notícia se espalhou rapidamente e, em uma hora, o jardim na frente da casa estava repleto de carros e caminhonetes. Liza teria preferido passar a primeira noite em um luto tranquilo, apenas com os filhos e Florry, mas as coisas não funcionavam assim na região rural do Sul dos Estados Unidos. Dexter e Jackie Bell chegaram na primeira leva e passaram algum tempo a sós com os Bannings. Dexter leu algumas passagens da Bíblia e fez uma oração. Liza explicou que eles não estavam prontos para lidar com tantas pessoas, ainda que bem-intencionadas, e a família se recolheu no quarto dela enquanto Dexter delicadamente pedia que voltassem mais tarde. Às dez horas ainda havia gente chegando.

Em Clanton esse era o único assunto das fofocas. Às oito da manhã, Dexter abriu as portas da igreja metodista para que aqueles que conheciam Pete pudessem ir até lá fazer uma oração. Nas primeiras horas da tragédia, muita ênfase foi dada ao fato de que ele estava desaparecido e não oficialmente morto. Havia esperança, portanto, e a esperança inspirou seus amigos e vizinhos a rezar com fervor por muitas horas.

Mais tarde naquela manhã, Dexter e Jackie voltaram à casa dos Bannings para passar algum tempo com Liza e as crianças, que ainda não estavam dispostas a lidar com a multidão. Ele discretamente orientou as pessoas a irem embora, e assim elas fizeram. Elas chegavam em carros lotados e deixavam bolos, tortas, ensopados, comida de que ninguém precisava, mas as tradições precisavam ser seguidas. Depois de trocarem algumas palavras com Dexter e perceberem que não poderiam dar um abraço em

Liza e chorar a perda com ela, deixavam a casa em silêncio, voltavam para o carro e partiam.

Liza decidiu que não haveria velório. Havia possibilidade de o marido ainda estar vivo, e ela e os filhos se concentrariam naquilo e ignorariam as más notícias. Ou, pelo menos, tentariam. Com o passar dos dias, Liza começou a receber alguns amigos próximos, assim como Joel e Stella. O choque pouco a pouco foi passando, embora a dor, sofrida e entorpecente, persistisse.

Para manter a normalidade, foi estabelecida uma rotina. A família se reunia para o café da manhã e o jantar, e muitas vezes Nineva os acompanhava à mesa, uma novidade. Todos os dias de semana Dexter Bell aparecia por volta das dez horas para um breve momento de louvor – um versículo ou uma passagem, uma palavra reconfortante e uma oração dirigida a Pete. Jackie aparecia de vez em quando, mas geralmente ele ia só.

Duas semanas depois de receber a notícia, Florry levou Joel e Stella para passar o fim de semana em Memphis. Liza insistiu para que fossem, em um esforço para afastá-los do clima sombrio da casa e a fim de que se divertissem um pouco. Florry tinha alguns amigos excêntricos em Memphis que tinham a capacidade de fazer qualquer um sorrir. Ela e as crianças se hospedaram no Peabody. O quarto de Joel não ficava muito longe daquele onde ele tinha sido concebido, mas o garoto jamais saberia disso.

Enquanto eles estavam fora, Dexter Bell aparecia todos os dias para o louvor matinal. Ele e Liza se sentavam na saleta e falavam em voz baixa. Da cozinha, Nineva ouvia cada palavra.

O ELIXIR PAREGÓRICO do mercado negro funcionou, e a terceira rodada de disenteria de Pete regrediu, mas não foi embora completamente. A malária persistia também. Mesmo nessa condição ele se mantinha funcional, embora às vezes os calafrios e as febres o fizessem se deitar no chão e tremer da cabeça aos pés. Ele tinha alucinações e achou que havia voltado para casa.

Ele e Clay se sentaram à sombra do quartel e observaram o desfile de cadáveres sendo carregados para o cemitério do outro lado da estrada. Ao fim de abril morriam 25 americanos por dia. Em maio, o número subira para cinquenta. Em junho, para cem.

A morte estava por todo lado. Os vivos pensavam nela porque viam os cadáveres, que muitas vezes eram empilhados de qualquer maneira. Pensavam nela porque também eles estavam diante da morte. Passavam fome, um pouco mais a cada dia, e se aproximavam de um colapso do qual não se recuperariam. Doenças passavam de um para outro desenfreadamente e não havia como detê-las, e era inevitável que alguma, entre uma dezena de possibilidades, chegasse a qualquer momento trazendo consigo um terrível fim.

Pete via os homens se entregando à morte e em várias ocasiões se sentiu tentado a fazer o mesmo. Todos estavam por um fio de alguma maneira, e apenas aqueles com uma determinação de ferro conseguiram sobreviver. Desistir era indolor, ao passo que viver significava acordar e encarar mais um dia no inferno. Alguns estavam determinados a se agarrar a qualquer esperança e sobreviver a qualquer coisa que o inimigo lhes impusesse, enquanto outros ficavam esgotados demais diante de tanto sofrimento e fechavam os olhos.

Pete sobreviveu pensando na esposa e nos filhos, em sua fazenda e na rica e longa história de sua família no condado de Ford. Lembrou-se de contos que ouvira quando menino sobre antigas disputas, contendas e rixas, vívidas narrativas que tinham sido transmitidas de geração para geração. Pensou em Liza e naqueles dias maravilhosos no hotel Peabody, quando passavam as noites juntos, algo que nenhum casal de respeito pensaria em fazer na década de 1920. Pensou no corpo dela e em seu constante desejo por prazer físico. Recordou ir caçar e pescar com Joel nos bosques da propriedade e levar para casa veados, perus, coelhos, bremas e outros peixes que eles limpavam no celeiro e entregavam a Nineva para que ela os preparasse para o jantar. Lembrou-se de Stella ainda pequena, com aqueles lindos olhos, aninhada no sofá de pijama, ouvindo enquanto o pai lia histórias de ninar. Ele sentia saudades do calor de sua pele macia. Queria estar lá quando os filhos terminassem a faculdade e se casassem.

Pete tinha decidido que não morreria de doença nem de fome. Ele era um fazendeiro casca-grossa, um homem de West Point, um oficial de cavalaria, e tinha uma linda família à sua espera em casa. Talvez a sorte tivesse dado a ele uma constituição física e mental mais forte. Ele era mais resistente do que a maioria, ou pelo menos era o que dizia a si mesmo. Queria ajudar os mais fracos, mas não havia nada que pudesse fazer. Todos estavam morrendo, e ele precisava cuidar primeiro de si.

Conforme as condições pioravam em O'Donnell, os homens falavam cada vez mais sobre fugir. Sendo prisioneiros, era esperado que tentassem, embora parecesse quase impossível. Estavam fracos demais para ir muito longe, e havia japoneses por toda parte. Sair não seria problema, graças às equipes de trabalho, mas eles não tinham saúde para sobreviver na selva.

Para reprimir o desejo de fugir, os japoneses implementaram algumas regras que eles achavam simples na teoria, mas que na prática eram extremamente violentas. A princípio, se você fugisse e fosse pego, seria açoitado e sangraria até a morte. Para demonstrar como essa regra funcionava, os guardas reuniram milhares de prisioneiros certa tarde para uma demonstração próximo aos aposentos do comandante.

Cinco americanos haviam tentado escapar e tinham sido pegos. Eles foram despidos e suas mãos amarradas sobre a cabeça e presas a cordas transpassadas por um trilho, de modo que os dedos dos pés mal tocavam o chão. No começo, parecia que seriam enforcados. Os cinco estavam esquálidos, com as costelas à mostra. Um oficial com um chicote se postou na frente dos prisioneiros e, por intermédio de um intérprete, explicou o que estava para acontecer, embora fosse óbvio. Ele era especialista no chicote e seu primeiro golpe nas costas do primeiro soldado fez o homem berrar. O chicote explodia a cada golpe, e as costas e nádegas do soldado logo ficaram ensanguentadas. Quando ele parecia inconsciente, o oficial deu alguns passos em direção ao segundo soldado. O açoite durou meia hora, sob o sol quente. Quando os cinco estavam ensanguentados e imóveis, o comandante deu um passo à frente e anunciou uma nova regra: se um prisioneiro fugisse, dez de seus companheiros seriam chicoteados e deixados para morrer ao sol.

Não é necessário dizer que a manifestação reduziu bastante o número de planos de fuga em andamento.

CLAY ENCONTROU UM Philippine Scout que trabalhava como motorista de caminhão e conseguiu estabelecer um mercado negro de alimentos dentro da seção americana de O'Donnell. Seus preços eram justos e ele oferecia latas de salmão, sardinha e atum, assim como manteiga de amendoim, frutas e biscoitos.

Pete e Clay tomaram uma decisão: pegariam o dinheiro escondido no forro do cantil de Pete, comprariam toda comida que pudessem pagar, dividiriam entre si, sem incluir mais ninguém, e tentariam sobreviver. O esquema exigiria esforço de ambos, porque era difícil esconder e comer os alimentos do mercado negro. Todos estavam vorazes e prestavam atenção uns aos outros. Eles se sentiam péssimos ao esconder e não compartilhar, mas com certeza não poderiam alimentar as 60 mil almas famintas de O'Donnell. A primeira aquisição de Clay foi uma lata de salmão, quatro laranjas e dois biscoitos de coco, e por um dólar e meio eles se banquetearam como reis.

O plano era fazer o dinheiro render o máximo possível e, quando acabasse, eles pensariam em outra coisa. A comida extra repôs as energias de Pete e ele começou a perambular pelo campo de prisioneiros à procura de seus velhos amigos do Vigésimo Sexto Regimento de Cavalaria.

OS JAPONESES RARAMENTE entravam no campo de prisioneiros e tinham pouco interesse no que acontecia lá dentro. Sabiam que as condições eram desumanas e que só estavam piorando, mas simplesmente ignoravam os prisioneiros sempre que possível. Desde que permanecessem trancados e trabalhassem quando recebiam ordens, os japoneses não pareciam se importar com eles.

No entanto, as pilhas de cadáveres não podiam ser ignoradas. O comandante ordenava que fossem queimados, mas o general King implorava por um enterro mais respeitoso. Os japoneses podiam acreditar em cremação, mas os americanos não.

Quando o número de mortos americanos chegou a cem por dia, o general King organizou rituais de enterro. Grupos de coveiros se revezavam nas pás, enquanto outros transportavam os corpos. A maioria saía do necrotério do hospital, mas havia corpos em decomposição em todas as partes da prisão.

Pete e Clay aprenderam que aqueles que se mantinham ocupados viviam mais do que os que ficavam sentados em estado de estupor, então se ofereceram para cavar. Eles deixaram o quartel depois do café da manhã e foram até o cemitério americano do lado de fora do acampamento principal, a cerca de 700 metros do hospital. Receberam suas ferramentas, pás velhas e pedaços de metal dobrados aqui e ali, praticamente incapazes de arranhar um punhado de terra. Um oficial americano mostrou com passadas as dimensões da vala comum – 2 metros de largura por 6 de comprimento e 1,20 de profundidade. Os coveiros começaram a cavar. Havia dezenas deles e o trabalho era urgente, porque os corpos estavam apodrecendo.

Eles chegavam em cobertores amarrados entre varas de bambu ou em macas feitas de portas velhas. Para os enterros se usava qualquer coisa capaz de arriar um esqueleto de 50 quilos, muitos dos quais haviam começado a se decompor com o calor. Os cadáveres em decomposição emanavam um odor pútrido, que provocava ardência quando inalado.

Em cada sepultura, um oficial de registro cuidava da papelada e anotava o nome e a localização exata de cada homem que era baixado para repousar. No entanto, alguns dos mortos não tinham chapas de identificação e permaneciam anônimos. Cada sepultura continha vinte ou mais homens. Quando uma delas ficava cheia, os coveiros se dedicavam à lúgubre tarefa de cobrir seus companheiros com terra.

O cemitério foi apelidado de Caixa de Ossos, o que se provou bastante apropriado. Pete podia contar os ossos das costelas em praticamente todos os corpos que enterrava, e nunca deixava de praguejar contra os japoneses enquanto jogava terra sobre cada soldado americano.

Dia após dia, ele e Clay se ofereciam para cavar sepulturas. Para Pete, era uma maneira de se agarrar à própria humanidade. Alguém tinha que se certificar de que todos os soldados recebessem um enterro adequado, ou pelo menos o melhor possível diante das circunstâncias. Se Pete morresse, seria com a certeza de que alguma alma bondosa cavaria um túmulo de verdade para ele.

Conforme as baixas aumentavam, a abertura das covas se tornou mais intensa. E, com ferramentas precárias e pouca energia, o trabalho era duro. A Caixa de Ossos se expandia à medida que cada vez mais covas eram necessárias. Os cadáveres chegavam em um fluxo constante.

Uma sepultura estava cheia e um oficial ordenou que fosse fechada. Pete, Clay e outros quatro deram início à tarefa de aterrá-la, cobrindo os homens. Pete começou a jogar a terra e então parou de repente. Abaixo dele, a poucos metros de distância, havia um rosto que ele reconheceu, mesmo com os olhos fechados e os grossos bigodes escuros. Perguntou o nome do homem ao oficial de registro. Salvadore Moreno, do Vigésimo Sexto Regimento de Cavalaria.

Pete fechou os olhos e ficou estático.

– Tudo bem com você, Pete? – perguntou Clay.

Pete se afastou da cova e cambaleou alguns metros até uma das estacas da cerca. Ele se sentou, enfiou o rosto entre as mãos e chorou angustiado.

29

A escavação de covas não se mostrou uma boa ideia, no fim das contas. Os japoneses observavam de longe. Eles precisavam de alguns dos americanos mais "saudáveis" para serem mandados ao Japão para trabalhar como escravos nas minas de carvão. Pete e Clay foram escolhidos, formando um grupo de cerca de mil homens. A primeira pista de que algo estava acontecendo veio depois do café da manhã, no fim de junho, quando um guarda apareceu e ordenou que cinco homens do quartel deles o seguissem. No pátio, eles formaram filas e ficaram em posição de sentido. Um comboio de caminhões chegou e cada homem que embarcava recebia uma bolota de arroz, uma banana e uma lata de água.

Pete e Clay sabiam que aquele não era um destacamento normal de trabalho e, durante a viagem de mais de uma hora, um pouco de empolgação surgiu nas conversas em torno deles. Eles estariam mesmo deixando O'Donnell de vez? Os japoneses constantemente transferiam prisioneiros, e para onde quer que estivessem indo só poderia representar uma melhoria em relação a O'Donnell.

Em pouco tempo adentraram as ruas movimentadas de Manila e começaram a chover palpites sobre qual seria o destino deles. Quando pararam no porto, os homens ficaram confusos. Deveriam aproveitar o fato de terem deixado O'Donnell para trás ou temer por estarem sendo enviados para o Japão? Em pouco tempo, toda a empolgação desapareceu.

Foram conduzidos para uma doca e ficaram aguardando. Um grupo de prisioneiros de outro campo chegou e espalhou a fofoca de que a Cruz Vermelha havia negociado uma troca de prisioneiros e que eles estavam indo para a Austrália rumo à liberdade. Àquela altura, no entanto, Pete e os homens de O'Donnell não acreditavam em mais nada. Enquanto esperavam, Pete olhou para o cargueiro, um navio antigo e enferrujado, sem identificação. Nenhum nome, nenhum número, nenhuma bandeira.

Por fim, formaram uma longa fila e começaram a subir lentamente pelo passadiço. A bordo, passaram pela antepara dianteira e chegaram a uma escotilha aberta com uma escada que descia até o porão. Os guardas estavam tensos, vociferando ordens. Quando Pete começou a se encaminhar para o porão, foi atingido por um odor pútrido vindo de baixo. Ao descer, viu os rostos suados de centenas de prisioneiros a bordo. Como ele logo descobriria, cerca de 1.200 homens tinham sido embarcados vindos de uma prisão no norte de Manila. E haviam sido informados pelos guardas de que estavam indo para o Japão para trabalhar nas minas de carvão.

Conforme mais prisioneiros foram sendo apinhados no porão, os homens começaram a sufocar. Eles estavam lado a lado, um corpo colado no outro, sem espaço para se sentar, se deitar ou mesmo se mexer. Começaram a gritar e xingar, e o caos se instalou no local. Os guardas continuavam botando mais homens para baixo, batendo com a soleira dos fuzis nos que se rebelavam. A temperatura chegava perto dos 40 graus e os homens começaram a desmaiar, mas não havia espaço para cair. Em breve morreriam.

O IMPERADOR HIROHITO se recusou a ratificar a Convenção de Genebra, e desde o início de sua guerra na Ásia o exército imperial tratou os cativos como escravos. Com uma grave escassez de mão de obra, os japoneses criaram um grande esquema para enviar prisioneiros de guerra americanos para as minas de carvão em seu território. Para isso, empregaram todos os navios de carga disponíveis, independentemente do estado de conservação e da navegabilidade. Todos foram colocados em uso e entupidos de soldados com destino às Filipinas; na volta, eram reabastecidos com rapazes americanos doentes e moribundos em direção aos campos de trabalho forçado.

Ao longo da guerra, 125 mil prisioneiros aliados foram enviados para o Japão, dos quais 21 mil morreram a bordo ou afundaram com os navios. Em 6 de agosto de 1945, quatrocentos prisioneiros de guerra americanos estavam em túneis subterrâneos coletando carvão em uma mina perto do monte Omine, a apenas 80 quilômetros de Hiroshima. Quando a primeira bomba atômica atingiu o solo, o chão sacudiu e estremeceu, e eles souberam que aquilo era algo muito além dos habituais bombardeios diários. Rezaram fervorosamente para que fosse o começo do fim.

Entre os muitos erros de cálculo na guerra, os japoneses não conseguiram construir embarcações suficientes para transportar tropas e suprimentos. Além disso, houve o fracasso em eliminar a frota submarina dos Estados Unidos em Pearl Harbor e outros lugares logo no início da guerra. No verão de 1942, os submarinos americanos vagavam como lobos solitários no Pacífico Sul e se banqueteavam com navios mercantes japoneses. Para compensar, os japoneses simplesmente embarcavam cada vez mais solda- dos em seus navios e mais prisioneiros de guerra em direção aos campos de trabalho forçado. Seus cargueiros, sempre sobrecarregados, lentos e obsoletos, eram facilmente perseguidos e nunca tinham identificação.

Ficaram conhecidos como *hellships*. Entre janeiro de 1942 e julho de 1945, os japoneses levaram 156 carregamentos de prisioneiros de guerra para seu território, para labutar em campos de trabalho forçado, e as viagens foram piores do que quaisquer maus tratos que os americanos viriam a encontrar. Trancados no convés, sem comida, água, luz, banheiro ou ar respirável, os homens sucumbiam ao desmaio, à loucura e à morte.

E aos torpedos. Como os japoneses não identificavam seus porta-tropas, eles eram um alvo legítimo para os submarinos aliados. Estima-se que 5 mil prisioneiros americanos presos nos porões dos cargueiros japoneses tenham sido mortos por torpedos americanos.

O navio de Pete deixou a baía de Manila seis horas depois de ele ter embar- cado, e os homens ao seu redor já estavam sufocando e gritando. Os guardas misericordiosamente abriram as escotilhas, e um sopro de ar se espalhou pelo porão. Um coronel conseguiu convencer um dos guardas de que os homens estavam morrendo, e que utilidade teria um escravo se chegasse morto? Os alçapões foram abertos e os prisioneiros receberam autorização de subir ao convés, onde poderiam pelo menos respirar e ver a lua. O ar fresco era abundante. Não se ouviu falar de comida nem água. Os guardas permaneciam alertas, esperando para atirar em qualquer pobre prisioneiro que tentasse saltar para o mar. Embora o suicídio fosse um pensamento recorrente, ninguém tinha forças para realizá-lo.

Pete e Clay passaram a noite no convés com centenas de outros, sob um céu estrelado que teria sido admirado em casa. Naquele momento, porém, era apenas mais um lembrete de quão longe eles estavam da liberdade.

Visivelmente, os guardas tinham sido instruídos a matar apenas quando necessário. O trabalho escravo era agora considerado valioso, e o fato de que os homens no porão do navio estavam morrendo era inaceitável. Ao amanhecer, os cadáveres foram retirados, arrastados escada acima e lançados ao mar sem cerimônia. Pete os observou atingir a água e flutuar por alguns instantes antes de desaparecer, e pensou na mãe, no pai e na jovem esposa de cada um que tinha ficado lá no Oregon, em Minnesota ou na Flórida, pessoas que naquele momento estavam rezando e esperando uma carta de seu ente querido. Quanto tempo levaria até que um homem de uniforme batesse à porta e acabasse com a vida deles?

O sol estava alto e não havia sombra no convés. Sem sombra, sem comida e sem água, os prisioneiros reclamavam cada vez mais aos guardas conforme as horas passavam. Os guardas mantinham os dedos no gatilho e devolviam os xingamentos no idioma deles. Com o passar do dia, o nervosismo e a tensão aumentaram. Por fim, um prisioneiro correu até o parapeito, deu um salto e mergulhou em direção ao oceano, mais de 20 metros abaixo. Tocou a água formando um esguicho e sob uma rajada de tiros. Os japoneses, embora competentes com espadas e baionetas, eram notoriamente ruins de mira, e não era possível saber se o prisioneiro havia sido atingido. No entanto, a longa saraivada que o seguiu foi suficiente para desencorajar novos mergulhos.

Horas se passaram enquanto os homens torravam ao sol. Para se proteger eles desciam por curtos intervalos, mas o fedor era tão grande que não conseguiam ficar lá embaixo por muito tempo. A maioria ainda sofria de disenteria, e os guardas permitiam que eles se pendurassem em cordas na proa e se curvassem para descarregar no mar suas diarreias sangrentas. Qualquer coisa para mantê-la fora do navio.

Misericordiosamente, algumas nuvens apareceram no fim da tarde do segundo dia. Os prisioneiros receberam ordens para descer e ouviram a promessa de que a comida seria servida em breve. Eles se demoraram em longas filas para evitar a descida ao inferno, e os guardas pareceram ter alguma empatia e não os empurraram. Veio a escuridão, sem nenhum sinal de comida. De repente, teve início um pânico entre os guardas.

Alguns se afastavam correndo da proa, gritando em extrema agitação sem motivo aparente.

O primeiro torpedo atingiu a parte traseira, na altura da sala de máquinas. O segundo atingiu perfeitamente o meio. As duas explosões abalaram o navio. A estrutura de aço ecoou e vibrou. Era um barco velho que não duraria muito, e até mesmo Pete, um homem da cavalaria que cresceu em terra firme, sabia que ele iria afundar rapidamente. Ele e Clay se agacharam no convés e ficaram assistindo enquanto os guardas, em pânico, batiam as escotilhas, trancando mais de 1.800 americanos nos porões. Cerca de uma centena permaneceu no convés, e os guardas de repente pareciam não se importar com eles. O navio estava afundando. Agora era cada um por si.

Um dos prisioneiros, mais valente que os outros, correu para a proa e tentou abrir uma escotilha. Um guarda acertou um tiro na sua nuca e chutou o corpo para o lado. Muita bravura para nada.

Um terceiro torpedo botou os homens abaixo, e um caos generalizado se instalou. Os guardas desatrelaram freneticamente os botes de borracha e jogaram coletes salva-vidas no mar. Prisioneiros saltavam pelas laterais e adentravam um oceano negro sem a menor ideia de onde iriam desaguar. Pete e Clay correram até a amurada e cruzaram com um guarda que havia largado o fuzil enquanto tinha dificuldades em soltar um dos botes. Pete instintivamente pegou a arma, atirou na cara do filho da puta, jogou o fuzil para o lado, depois pulou na água, rindo sozinho durante a descida.

O impacto foi forte, mas ao menos a água estava morna. Clay caiu ao lado de Pete e eles começaram a bater os braços e procurar por algo em que se agarrar. O mar estava escuro como breu e por toda parte os homens clamavam por ajuda, tanto em inglês quanto em japonês. Começou a haver explosões no navio e Pete ouviu os gritos angustiados daqueles que tinham ficado presos. Ele nadou para longe o mais rápido que seus membros esgotados puderam levá-lo. Por um segundo, perdeu-se de Clay e gritou por ele.

– Estou aqui! – gritou Clay de volta. – Consegui um bote.

Eles treparam no que parecia ser um bote para seis pessoas e, assim que recuperaram o fôlego, Clay disse:

– Você atirou naquele filho da puta!

– Atirei – respondeu Pete, orgulhoso. – E com a arma dele.

Eles ouviram vozes falando em japonês e ficaram em silêncio. Usando os pequenos remos que encontraram em uma bolsa – junto com um sinalizador, mas nada de comida nem água –, remaram furiosamente enquanto viam o navio tombar para um lado e começar a afundar. Os gritos ao longe eram desesperadores.

Durante dez, quinze, vinte minutos eles remaram e, quando ficou claro que haviam escapado, fizeram uma pausa para descansar. A 1 quilômetro de distância, o navio se inclinou abruptamente sobre a popa e afundou em questão de segundos. Ao fechar as escotilhas, os guardas mataram mais de 1.800 rapazes americanos doentes e famintos.

Do negrume do mar, uma voz chamou, e não foi em inglês. Pete e Clay se abaixaram dentro do bote e esperaram. Pouco tempo depois ouviram uma batida contra o bote, então uma cabeça surgiu. Eles agarraram o guarda e o puxaram para dentro. Como a maioria dos japoneses, ele era minúsculo, com 1,70 metro no máximo, 55 quilos, e sem baioneta, espada ou fuzil parecia ainda menor. Não tinha cantil, mochila, comida nem água, por isso era um japonês inútil que, até minutos antes, estivera atormentando os prisioneiros. Clay lhe deu um soco tão forte que quebrou sua mandíbula. Eles se revezaram socando-o e o estrangulando, e quando o japonês parou de respirar eles o jogaram no mar, onde descansaria para sempre junto com os americanos que acabara de matar.

E eles se sentiram bem. Apesar da desidratação e da fome, e apesar de estarem em um bote sem a menor ideia de onde se encontravam, sentiram imensa satisfação. Finalmente tinham revidado, tirado sangue, matado um inimigo, virado a maré a favor dos Aliados. Pela primeira vez em semanas, estavam livres. Não havia guardas cruéis os vigiando com fuzis ou baionetas. Eles não estavam cavando covas comunitárias. Não havia cadáveres empilhados ao redor deles.

Eles estavam à deriva sob um céu limpo e repleto de estrelas, sem qualquer pista de qual direção era a mais promissora. Então eles pousaram os remos e descansaram em um mar calmo. O mar da China Meridional era movimentado; no dia seguinte alguém iria encontrá-los.

A PRIMEIRA EMBARCAÇÃO era uma fragata japonesa e, assim que Pete reconheceu a bandeira, ele e Clay saíram do bote e se esconderam debaixo dele. O navio pareceu não se importar com o bote vazio, pois nem reduziu a velocidade. Parecia estar indo em direção ao naufrágio, provavelmente procurando por sobreviventes japoneses. Pete e Clay prometeram morrer afogados antes de serem capturados novamente.

A segunda embarcação era um barco de pesca filipino de 40 pés, de propriedade de um homem chamado Amato e seus dois filhos, três das mais simpáticas pessoas na face da Terra. Quando perceberam que Pete e Clay eram americanos, eles os içaram a bordo e os enrolaram em cobertores. Primeiro, lhes deram água; depois, café quente, uma iguaria que não experimentavam havia meses. Teofilo esvaziou parcialmente o bote e o escondeu, enquanto Tomas comandava o barco e Amato enchia os americanos de perguntas. De onde eram? Onde tinham ficado presos? Por quanto tempo? Ele tinha um primo na Califórnia e amava os Estados Unidos. Seu irmão era um Philippine Scout que estava escondido nas montanhas. Amato odiava os japoneses mais ainda do que Pete e Clay.

Para onde eles estavam indo? Como não faziam ideia de onde estavam, era óbvio que não tinham destino. Amato disse que eles estavam a cerca de 30 quilômetros da terra firme. Contou que na semana anterior os americanos haviam torpedeado um outro navio com seus próprios soldados. Por que eles estavam fazendo isso? Pete explicou que os porta-tropas não estavam identificados.

Teofilo lhes serviu tigelas de arroz quente com *pandesal*, um pãozinho macio típico das Filipinas. Eles o haviam provado antes da guerra e não tinham dado muita bola. Agora, porém, com um pouco de manteiga, era como um manjar dos deuses. Enquanto comiam – e Amato os aconselhou a comer devagar, ou acabariam sobrecarregando seus organismos fragilizados após tanto tempo sem comer –, Teofilo grelhava pequenos filés de cavalinha e sabalote em uma frigideira sobre um fogareiro portátil a gás. Pete e Clay sabiam comer devagar. A fome tinha sido um estilo de vida nos seis meses anteriores e eles tinham aprendido bastante sobre aquilo. Mas lutaram para controlar o desejo de se entupirem. Ao dar a primeira mordida no peixe quente, Pete quase não mastigou, e sorriu enquanto o alimento deslizava maravilhosamente até seu estômago.

Amato tinha um contrato com o exército japonês para entregar sua pesca todos os dias, então era importante que retomassem o trabalho. Eles lançaram seus anzóis, pegando albacoras, salmões e pargos, enquanto Pete e Clay passaram horas dormindo na cabine. Quando acordaram, comeram mais arroz e peixe e beberam litros de água. Ao anoitecer, enquanto Tomas limpava o convés e guardava as varas, Amato abriu um pote com uma bebida caseira feita de arroz fermentado e o despejou nas xícaras de café. Era amargo e sem gosto, diferente de tudo o que Pete encontraria no bar do Peabody, mas era potente, e o álcool bateu rápido e forte.

Na segunda dose, Pete e Clay já estavam tontos. Estavam livres, bem alimentados pela primeira vez desde o Natal e alegremente embriagados com uma bebida caseira que ficava melhor a cada gole.

Amato era da pequena vila de pescadores de San Narciso, na costa oeste da península de Luzon. Por terra, Manila ficava a quatro horas de distância, podendo chegar a seis, dependendo das estradas, das trilhas nas montanhas e dos rios. Por mar eram três horas, e a rota contornava Bataan, o último lugar que eles queriam ver. Amato disse que Manila estava transbordando de japoneses e que os dois deveriam evitá-la. Ele não levaria o barco até lá.

Mais tarde, quando avistaram San Narciso, Tomas pôs o motor em marcha lenta. Era hora de ter uma conversa séria. Haveria japoneses no porto esperando por seus peixes, mas eles eram cozinheiros, não soldados, e não inspecionavam o barco. Seria seguro para Pete e Clay dormir no barco naquela noite, mas eles deveriam partir no dia seguinte. Se fossem vistos ou capturados, Amato e seus filhos perderiam o barco e, provavelmente, a vida.

A primeira opção era fugir, e Amato tinha um amigo com quem podiam conversar. Mas fugir significava empreender uma longa viagem por mar aberto em um barco ruim, e Amato achava arriscado. Desde o início da guerra, tinham ouvido falar de vários americanos que haviam tentado aquilo. Ninguém sabia se tinham tido êxito. Além disso, havia a questão do pagamento, e a maioria dos prisioneiros não tinha dinheiro algum. Pete lhes garantiu que também não tinha.

A segunda opção era lutar. Amato tinha contatos que poderiam levá-los até as montanhas, onde as guerrilhas estavam sendo articuladas. Havia muitos americanos e Philippine Scouts organizados na selva densa de Luzon. Eles alvejavam o inimigo em todas as direções, às vezes interrompendo severamente as movimentações de tropas e suprimentos. O exército imperial havia declarado guerra aos guerrilheiros e oferecia recompensas. A situação era extremamente perigosa.

– Nós não vamos fugir – disse Pete. – Viemos aqui pra lutar.

– E temos alguns acertos de contas a fazer – acrescentou Clay.

Amato sorriu e assentiu com a cabeça. Ele era um filipino orgulhoso que tinha nojo da invasão japonesa. Se pudesse de alguma forma envenenar seu peixe para matar os soldados inimigos, o faria de bom grado. Rezava para que os americanos um dia vencessem e libertassem seu país, e ansiava por aquele momento.

Com o porto à vista, Pete e Clay foram para o convés e se esconderam na cabine. No cais, Tomas e Teofilo retiraram as pesadas caixas de estanho com a pesca do dia e esperaram pelo cliente exclusivo. Um japonês baixo e gordo vestindo um avental sujo de sangue se aproximou sem cumprimentá-los e inspecionou os peixes. A oferta dele fez Amato rir. Sua contraproposta foi rejeitada de imediato, e aquilo continuou, um vaivém de propostas, o mesmo ritual todas as tardes. O cozinheiro estava com pressa demais para pesar os peixes. Ele fez sua última oferta, que Amato enfim não pôde recusar, e a venda foi concluída. O dinheiro mudou de mãos e, pela cara que Amato fez, era possível perceber que ele havia sido roubado mais uma vez. Dois soldados chegaram com uma caminhonete, colocaram os peixes na caçamba e foram embora, enquanto o cozinheiro negociava com o capitão do barco de pesca ao lado.

Depois que eles se foram, Teofilo acendeu o fogareiro e preparou o jantar. O cardápio era o mesmo: arroz cozido, *pandesal* quente com manteiga e filés de cavalinha grelhados. Haviam se passado dez horas desde o café da manhã, e nem Pete nem Clay tinham ficado enjoados por comer demais. Eles tinham feito um almoço leve, brindado algumas vezes com o fermentado caseiro, e até aquele momento seus corpos traumatizados estavam aguentando bem. Quando não havia o que comer, só conseguiam pensar em comida. Agora que ela era abundante e a dor da fome tinha ido embora, seus pensamentos começavam a vagar para todos os lados.

Amato os instruiu a não sair da cabine, independentemente de quão quente e úmida ela ficasse. O porto estaria deserto durante a noite, mas não se podia confiar em ninguém. Se um marujo ou um garoto andando de bicicleta avistasse dois americanos em um barco de pesca, a informação poderia ser vendida aos japoneses.

Os três pegaram suas bolsas e se despediram. Sabiamente, Amato levou o fermentado caseiro consigo. Os americanos já tinham bebido o suficiente.

Não demorou muito para que a cabine estivesse sufocante. Pete abriu a porta e deu uma espiada do lado de fora. O porto estava escuro como breu. O barco ao lado deles era apenas uma silhueta. Os únicos sons eram da água batendo suavemente contra os barcos. "Não tem ninguém aqui", disse, e Clay se juntou a ele. Eles se mantiveram abaixados, e ainda no convés. Quando tinham alguma coisa para falar, o que não era frequente, eles sussurravam. Havia algumas luzes na cidade, mas não viram uma única pessoa passando.

Na cabine havia uma pequena bacia. Ao lado havia uma barra de sabão, que visivelmente vinha diminuindo havia bastante tempo. Pete a pegou, quebrou-a ao meio e entregou a Clay sua metade. Pete tirou a roupa, deslizou pela lateral do barco e, sem fazer um único ruído, entrou na água. Ele presumiu que estivesse poluída e suja, como em qualquer porto, mas não importava. Usou todo o seu pedaço de sabão e tomou um banho suntuoso. Quando acabou, Clay jogou sua camisa, sua calça e as meias e ele as lavou pela primeira vez em meses. Estavam um trapo, mas era tudo o que ele tinha.

Em algum momento, eles não sabiam a hora ao certo, o calor subitamente cessou e uma brisa agradável trouxe um pouco de alívio. Voltaram para a cabine e trancaram a porta. Sentiram-se tentados a dormir no convés, sob as estrelas, mas o medo de serem vistos era grande demais. Até aquele instante haviam sobrevivido a tudo o que uma guerra cruel tinha colocado no caminho deles. Seria uma tragédia ser pego por um garotinho de bicicleta.

Deviam estar aproximadamente em 20 de junho; não sabiam ao certo. Não havia calendário na cabine e fazia meses que não viam um. Depois de algum tempo, um prisioneiro faminto deixa de se preocupar com datas. Eles tinham se rendido em 10 de abril. Pete marchou pela península de Bataan por seis dias. Para Clay tinham sido cinco. Eles tinham passado aproximadamente dois meses em O'Donnell, e pensar naquele inferno miserável fez com que eles se encolhessem de medo. Mas tinham sobrevivido a ele, assim como tinham sobrevivido à marcha da morte, ao cerco de Bataan, ao combate, à rendição, aos vagões lotados, aos *hellships*, bem como às imagens de fome, doenças e morte que jamais seriam capazes de esquecer. Estavam fascinados com a capacidade de resistência do corpo humano e com a determinação do espírito diante das privações.

Tinham sobrevivido! A guerra ainda não havia acabado, mas certamente já haviam passado pelo pior dela. Não eram mais prisioneiros, e em breve estariam em pé de igualdade com o inimigo.

Com a questão da comida por ora resolvida, falaram sobre suas esposas e suas famílias. Queriam desesperadamente escrever cartas e enviá-las para casa. Tratariam disso com Amato assim que amanhecesse.

Um garoto andando de bicicleta desceu o cais de madeira, sem procurar nada, sem esperar nada. Ele ouviu vozes vindo da cabine de um barco de pesca e se aproximou para ouvir melhor. Vozes estranhas em outro idioma. Inglês.

Ele foi embora e pedalou até em casa, onde a mãe o esperava, preocupada, e contou a ela o que tinha ouvido. Ela se irritou e puxou as orelhas do filho. Garoto esquisito, sempre inventando história.

30

Amato e os filhos chegaram ao amanhecer, quando o porto começava a ganhar vida. Dos três, Teofilo era o mais alto, mas por pouco, com quase 1,80 metro. Sua roupa não caberia nem em Pete, que tinha 1,90, nem em Clay, que tinha 1,87. O problema era o comprimento, não a largura. Os americanos estavam tão magros que seus cintos quase davam duas voltas na cintura.

Na noite anterior, depois do jantar, Amato foi até a casa de um amigo, um homem que diziam ser "o mais alto da cidade". Havia negociado a compra de duas calças e duas camisas cáqui, além de dois pares de meia. De início o sujeito se recusou a vender suas parcas peças, que eram praticamente seu guarda-roupa inteiro, e cogitou fazê-lo somente se Amato lhe contasse o que estava acontecendo. Quando o homem alto se deu conta de quem precisava das roupas, se recusou a aceitar o dinheiro. Além das roupas pediu também que desejasse tudo de bom aos dois. A esposa de Amato lavou e passou as roupas, e quando ele orgulhosamente as tirou de sua bolsa e as colocou sobre a cama na cabine, ficou com os olhos cheios d'água. Pete e Clay também.

Amato foi logo dizendo que não havia conseguido novas botas. Os pés dos americanos eram longos e estreitos. Os pés dos filipinos eram curtos e largos. Só uma loja na cidade vendia calçados, e era quase certo que o comerciante não tinha nada em estoque para estrangeiros. Amato se desculpou várias vezes.

Pete precisou lhe pedir que parasse, porque tinham um assunto impor
tante a discutir. Os dois queriam desesperadamente escrever cartas para
as esposas. Eles não tinham feito nenhum contato desde antes do Natal
e sabiam que suas famílias estariam extremamente preocupadas. Aquilo
pareceu a eles um pedido simples, mas Amato não gostou. Ele explicou
que o serviço de correio não era confiável e que estava sendo observado
de perto pelos japoneses. Havia milhares de soldados americanos à solta
nas Filipinas, homens como eles, e todos queriam enviar cartas para casa.
Pouquíssimas correspondências eram autorizadas a deixar as ilhas. O inimigo estava de olho em tudo. O encarregado dos correios em San Narciso
era o dono da mercearia, e eles suspeitavam de que fosse um simpatizante.
Se ele, Amato, entregasse ao homem duas cartas escritas por americanos,
haveria sérios problemas.

O correio era muito arriscado. Pete insistiu e perguntou se seria possível
enviar as cartas de outra cidade. Amato finalmente cedeu e mandou Tomas
até a aldeia. Ele voltou com duas finas folhas de papel-manteiga e dois pequenos envelopes quadrados. Amato encontrou um toco de lápis. Sentado
à pequena mesa dobrável na cabine, Pete escreveu:

*Querida Liza: nos rendemos em 10 de abril, e eu passei os últimos três meses
mais ou menos como prisioneiro de guerra. Escapei e agora estou lutando
como guerrilheiro em algum lugar em Luzon. Sobrevivi a muitas coisas e
continuarei a sobreviver ao que vier, e estarei em casa assim que vencermos
a guerra. Amo você, Joel e Stella, e penso em vocês todos os minutos de
todos os dias. Por favor, diga a eles e a Florry que os amo. Estou com Clay
Wampler. A esposa dele se chama Helen. Por favor, entre em contato com
ela na rua Glenwood, número 1.427, Lamar, Colorado, e passe adiante esta
mensagem. Com amor, Pete*

Escreveu o endereço de casa no envelope, não pôs nenhum endereço de
remetente, selou a carta e passou o lápis para Clay.

Afastaram-se do porto, o velho motor a diesel resfolegando como se aquele
pudesse ser seu último dia. Eles não deixaram esteira e logo estavam em mar
aberto. Seguindo em frente e virando na direção oeste estava o Vietnã, a
1.600 quilômetros de distância. À direita ficava a China, mais perto, a pouco
mais de mil quilômetros.

Teofilo preparou um bule de café forte e, enquanto o degustavam, preparou o café da manhã com arroz, *pandesal* e mais cavalinha grelhada. Pete e Clay comeram com cuidado. A esposa de Amato havia feito biscoitos de gengibre, e pela primeira vez em meses eles provaram açúcar de verdade. Embora não tivessem falado nada sobre cigarro, Amato tinha arranjado um maço fechado de Lucky Strike, contrabandeado de Manila sabe-se lá como, e o tabaco nunca tivera um sabor tão bom.

Depois de duas horas navegando, o barco encontrou um cardume de atuns. Amato e Tomas os fisgavam e, em seguida, Teofilo batia neles com uma marreta até que parassem de se mexer, e então os eviscerava e limpava. Pete e Clay assistiam em meio a uma nuvem de fumaça de cigarro e ficaram fascinados com a eficiência do trio.

Ao meio-dia, Tomas embicou o barco em direção a Luzon. Suas irregulares cadeias de montanhas nunca saíam de vista e, conforme se aproximavam, Amato lhes passou as coordenadas. Por fim, o barco parou a cerca de 200 metros da costa, ao longo de uma faixa deserta e rochosa. Teofilo inflou o bote que havia salvado a vida dos dois e os ajudou a entrar nele. Amato lhes deu uma bolsa cheia de comida e água e desejou tudo de bom. Eles se despediram, ofereceram mais uma vez sua mais humilde gratidão e partiram. Teofilo, então, manobrou o barco de volta para o mar.

Quando Pete e Clay estavam fora de vista, Amato pegou os dois envelopes, rasgou-os em pedacinhos e os jogou na água. Seu barco havia sido revistado duas vezes pela marinha japonesa, e ele simplesmente não podia correr mais nenhum risco.

Eles eram homens da cavalaria e da infantaria, sem habilidades com barcos, fosse do tamanho que fosse. O bote se mostrou difícil de navegar e bateu em algumas pedras. Pete conseguiu manter a bolsa seca enquanto ele e Clay subiam pelas pedras, quase se afogando. Uma vez em solo seco, eles aguardaram. Escondido no mato e observando a chegada deles estava um filipino de nome Acevedo. Ele se esgueirou até um ponto na retaguarda deles, assobiou e acenou.

Acevedo era apenas uma criança com um chapéu de palha, mas o rosto endurecido e o corpo esguio davam a clara impressão de que era um guerrilheiro experiente. Mais importante, ele estava fortemente armado, com um fuzil pendurado no ombro e uma pistola de cada lado da cintura. Em bom inglês, explicou que caminhariam por algumas trilhas perigosas nas montanhas e, se tudo corresse bem, deveriam chegar ao primeiro acampamento quando já estivesse escuro. Havia japoneses por toda parte, e era indispensável que andassem rápido e em silêncio, sem dizer uma palavra.

O mato logo se transformou em uma selva densa, com trilhas que somente Acevedo conseguia enxergar. E todas levavam para o alto. Após uma hora de subida, fizeram uma pausa para descansar. Pete e Clay estavam exaustos. O ar rarefeito não ajudava. Pete perguntou se podiam fumar, e Acevedo franziu a testa e balançou a cabeça com veemência. Ele sabia um pouco sobre o que os dois tinham passado e era óbvio que não estavam fortes. Prometeu diminuir o ritmo, mas estava mentindo. Eles retomaram o passo, ainda mais rápido. Subitamente, Acevedo levantou a mão, estacou e se jogou no chão. Enquanto espiavam por cima de uma cordilheira, viram ao longe uma estrada apinhada de caminhões que transportavam tropas japonesas. Ficaram observando o comboio passar enquanto respiravam ofegantes sem dizer uma palavra. Retomando a marcha, a paisagem mudou e começaram a descer em direção a um vale estreito. Às margens de um riacho, se detiveram para Acevedo vasculhar a área em busca de inimigos. Não vendo nenhum, eles rapidamente atravessaram a água e desapareceram selva adentro. O terreno mudou mais uma vez e eles recomeçaram a subir. Quando os músculos das panturrilhas estavam queimando e ele não tinha mais fôlego, Pete pediu uma pausa. Eles se sentaram no meio da mata e comeram bolinhos de arroz e biscoitos de coco.

Em voz baixa, Acevedo contou que seu irmão tinha sido um Philippine Scout e morrera em Bataan. Sua promessa era matar o máximo de japoneses que conseguisse antes que eles o matassem. Até aquele momento sua contagem era de onze mortos, e provavelmente havia mais. Os japoneses torturavam e decapitavam todos os guerrilheiros que capturavam, por isso fazia parte do código jamais se render. É muito melhor explodir os próprios miolos do que permitir que os japoneses fizessem isso do jeito deles. Clay perguntou quando eles poderiam pegar em armas, e Acevedo disse que haveria muitas no acampamento. Comida e água também. Os guerrilheiros não tinham comida em abundância, mas ninguém morria de fome.

A comida repôs as energias deles e os três retomaram o caminho. Quando o sol começava a mergulhar atrás das montanhas, eles chegaram a uma trilha estreita que se abria ao lado de uma colina íngreme. Era uma caminhada traiçoeira sobre pedras soltas. Um passo em falso poderia mandá-los colina abaixo por uma ravina sem fundo. Por cerca de 50 metros eles estariam expostos. A meio caminho da clareira, enquanto andavam agachados e tentavam não tropeçar, ouviram tiros do outro lado da ravina. Atiradores, à espreita. Acevedo foi atingido na cabeça e caiu para trás. Uma bala raspou o braço direito de Pete, errando o peito por pouco. Ele e Clay se jogaram na ravina enquanto as balas não paravam de chover sobre eles. Foram escorregando para baixo, batendo nos galhos e abrindo caminho desgovernados pelo meio do mato.

Clay conseguiu se agarrar a uma trepadeira e interromper a queda, mas Pete continuou a descer, de cabeça para baixo. Ele bateu em uma enorme árvore *dao* e quase desmaiou.

Clay avistou uma parte das costas da camisa de Pete e foi deslizando sentado até ele. Juntos, fizeram uma avaliação e não identificaram nenhum osso quebrado, pelo menos não em um primeiro momento. Seu rosto e braços estavam arranhados e sangrando, mas os cortes não eram profundos. Pete ficara grogue após bater a cabeça, mas depois de algum tempo estava pronto para seguir adiante. Ouviram vozes, e não estavam falando em inglês. Era o inimigo, procurando por eles. Continuaram a descer, o mais silenciosamente possível, mas no caminho derrubaram algumas pedras soltas e fizeram barulho. No fundo da ravina, perto de um riacho, se enfiaram em um matagal cheio de arbustos e espinheiros e esperaram. Algo estava chapinhando no riacho. Três soldados empunhando fuzis cruzavam as águas. Eles passaram a 3 metros de Pete e Clay, que ficaram imóveis, mal respirando. Uma hora se passou, duas, talvez, e a escuridão caiu sobre a ravina.

Aos sussurros, eles debateram a ideia insana de subir de volta e procurar pela bolsa, e talvez por Acevedo. Tinham certeza de que ele estava morto, mas precisavam de suas armas. Sabiam que os japoneses não iriam simplesmente desistir e retornar ao acampamento. Duas cabeças americanas como troféu era muito tentador. Portanto, Pete e Clay não se mexeram. Sozinhos, isolados, desarmados, vigiados, sem saber onde estavam nem para onde poderiam ir, eles passaram a noite em claro rodeados de insetos, lagartos e espinhos, rezando para que os pítons e as najas não se aproximassem. Em determinado momento, Pete perguntou de quem tinha sido a brilhante ideia de se tornar guerrilheiro. Clay riu e jurou que nunca tivera um pensamento tão ridículo.

Ao amanhecer, tiveram que seguir adiante. A fome voltou com toda a força. Beberam água do riacho e decidiram segui-lo, mesmo sem saber onde ia dar. Durante o dia inteiro se moveram nas sombras, jamais se expondo, nem por um segundo. Por duas vezes ouviram vozes e logo perceberam que teriam que andar à noite e descansar durante o dia. Mas andar para onde?

O riacho desaguava em um rio estreito e, do meio do mato, viram um barco de patrulha japonês passar. Seis homens portando fuzis, dois com binóculos, vasculhando a costa. No fim da tarde, depararam com uma trilha e decidiram percorrê-la depois que anoitecesse. Não sabiam para onde ir, mas era perigoso demais ficar ali.

A trilha era impossível de ser percorrida na escuridão da noite. Logo eles se perderam, começaram a andar em círculos, reencontraram o caminho e por fim desistiram quando se perderam mais uma vez. Deitaram-se debaixo de uma formação rochosa e tentaram dormir.

Quando acordaram, no início da manhã, uma névoa espessa tinha se instalado na selva. Ela forneceu cobertura, e os dois logo encontraram outra trilha que mal era perceptível. Depois de duas horas de subida, o sol dissipou a névoa e a trilha se alargou. Estavam exaustos e famintos quando chegaram a um penhasco sobre uma ravina íngreme e rochosa. Trinta metros abaixo havia um riacho repleto de rochedos. Descansaram na sombra, olharam para a água e falaram sobre a hipótese de simplesmente pular. A morte seria melhor do que a tortura pela qual estavam passando. Naquele momento, seria bem-vinda. Suas chances de sobrevivência eram nulas, de qualquer maneira. Se pulassem, pelo menos seriam responsáveis pelo próprio destino.

Então ouviram uma troca de tiros não muito distante de onde estavam, e a ideia de suicídio foi deixada de lado. Tiroteio significava que os dois lados haviam se encontrado. Havia guerrilheiros por perto. A troca de tiros durou apenas um minuto, mas serviu de estímulo para que continuassem andando. A trilha começou a descer e eles seguiram rastejando, sempre de cabeça baixa, atentos às aberturas na mata que pudessem deixá-los expostos. Encontraram um riacho com água limpa e se refrescaram. Descansaram por uma hora e então seguiram adiante.

Quando o sol estava no ponto mais alto, eles chegaram a uma clareira. No meio dela havia uma pequena fogueira que ainda ardia. Recostado em uma rocha estava um soldado japonês, aparentemente tirando uma soneca. De dentro do matagal eles o estudaram por um bom tempo e notaram sangue em ambas as pernas. Visivelmente, ele tinha sido ferido e deixado para trás por sua unidade. Seu braço direito se mexia de vez em quando, prova de que estava vivo. Sem fazer barulho, Pete caminhou pela cobertura do mato enquanto Clay foi se aproximando das árvores. Pete subiu na rocha e, quando estava diretamente acima do alvo, ergueu um pedregulho de 5 quilos e o usou para atacar o japonês. A rocha acertou em cheio a cabeça do soldado. No instante seguinte Clay estava em cima dele. Pete o golpeou novamente com a pedra enquanto Clay pegou seu fuzil e o estripou com a baioneta. Eles o arrastaram para o mato e abriram sua mochila. Latas de sardinha, salmão e cavalinha, mais um pacote de carne-seca. Eles comeram rapidamente, as camisas e as mãos cobertas com o sangue do inimigo. Esconderam o cadáver em um arbusto e se afastaram da clareira.

Pela primeira vez em meses eles estavam armados. Clay pegou o fuzil Arisaka com baioneta e o cantil. Pete ficou com o coldre e a pistola semiautomática Nambu. No cinto ele enfiou trinta cartuchos, dois estojos para cartuchos e uma faca de 15 centímetros. Correram por uma hora antes de parar para descansar e devorar outra lata de sardinhas. Se fossem capturados naquele momento, seriam torturados e decapitados ali mesmo. Mas não haveria captura. Eles apertaram as mãos sujas de sangue e fizeram um pacto de que nenhum dos dois seria pego com vida. Se fossem cercados, se matariam usando a pistola. Pete primeiro, Clay em seguida.

Eles continuaram a andar, mais uma vez subindo. Ouviram outro tiroteio, que em alguns momentos ficava pesado, um confronto mais prolongado do que o anterior. Não conseguiam decidir se deveriam ir na direção dele ou na oposta. Então ficaram esperando, escondidos na margem da trilha. O tiroteio diminuiu, depois cessou. Uma hora havia se passado e o sol começava a se pôr no oeste.

Ao fazer uma curva na trilha ficaram cara a cara com um jovem filipino correndo na direção deles. Ele era magro e esguio, e estava suado e desarmado. Ele estacou e ficou desconfiado diante daqueles estranhos.

– Americanos – disse Pete.

O adolescente se aproximou e olhou para as armas.

– Japonês – disse, apontando para o fuzil.

Clay sorriu, mostrou o sangue nas mãos e nos braços e disse:

– Não, isso é sangue japonês.

O garoto sorriu e perguntou:

– Soldados americanos?

Eles assentiram.

– Precisamos encontrar os guerrilheiros – disse Pete. – Você pode nos levar até eles?

Ele abriu um largo sorriso e falou em um inglês arrastado, carregado de sotaque:

– Ah, diabo, donde é que cês são?

Pete e Clay explodiram em gargalhadas. Clay se contorceu de tanto rir, largando o fuzil no chão. Pete ria e sacudia a cabeça, incrédulo. Ficou imaginando aquele garoto filipino sentado diante da fogueira com um bando de americanos se divertindo muito enquanto lhe ensinavam sua divertida variante do inglês. Sem dúvida havia alguns rapazes do Texas ou do Alabama no grupo.

Quando as gargalhadas acabaram, o garoto disse:

– Sigam-me. Estão a cerca de uma hora daqui.

– Vamos lá – disse Pete. – Mas não muito rápido.

O garoto era um "corredor", um entre centenas de garotos usados como meio de comunicação pelos guerrilheiros, que quase não dispunham de rádios. Os corredores geralmente levavam mensagens escritas e instruções. Eles conheciam as trilhas a fundo e raramente eram pegos, mas se isso acontecesse eram torturados para revelar informações e depois mortos.

ELES SUBIRAM NOVAMENTE, por bastante tempo, e o ar foi ficando cada vez mais rarefeito. A trégua no calor era bem-vinda, mas mesmo assim Pete e Clay tiveram que suar para manter o passo. Ao se aproximarem do primeiro ponto de acampamento, o garoto assobiou três vezes, esperou, ouviu algo que Pete e Clay não ouviram e continuou. Eles estavam em território de guerrilha agora, tão seguros quanto qualquer soldado americano poderia estar nas Filipinas. Dois filipinos fortemente armados apareceram do nada e acenaram para eles.

Atravessaram um pequeno *barrio* em que as pessoas mal repararam neles. A trilha levava ao primeiro acampamento, onde guerrilheiros filipinos estavam cozinhando sobre uma pequena fogueira. Havia cerca de vinte deles, vivendo em tendas e se preparando para passar a noite. Ao ver os dois americanos, eles se levantaram e os saudaram.

Meia hora depois, sem parar de subir, entraram em um pequeno complexo escondido sob a copa das árvores. Um americano de uniforme desbotado e coturnos novos os cumprimentou. Capitão Darrell Barney, ex-integrante da Décima Primeira Divisão de Infantaria, agora membro da clandestina Força de Resistência do Oeste de Luzon. Depois que as apresentações foram feitas, Barney deu um grito em direção a uma fileira de cabanas de bambu e outros americanos apareceram. Houve muitos sorrisos, apertos de mão, tapinhas nas costas, parabéns, e logo Pete e Clay estavam sentados a uma mesa de bambu sendo servidos de arroz, batatas e costeletas de porco grelhadas, uma iguaria reservada para ocasiões especiais.

Enquanto comiam, foram bombardeados de perguntas pelos ocupantes da mesa. O mais falador era Alan DuBose, de Slidell, Louisiana, que admitiu, orgulhoso, que estava de fato ensinando aos filipinos todo tipo de gíria americana. Ao todo havia seis americanos, além de Pete e Clay, e nenhum deles estivera em Bataan. Depois da rendição, eles fugiram para as montanhas, saídos de outras partes das ilhas. Estavam bastante saudáveis, apesar de a malária estar por todo lado.

Os americanos tinham ouvido falar da marcha da morte e queriam saber das histórias, de tudo. Pete e Clay falaram por horas a fio, e riram e se divertiram na segurança do acampamento. Para dois soldados que já haviam passado por tanta coisa, às vezes era difícil aceitar o fato de que estavam com soldados americanos que não tinham parado de combater.

Pete apreciou o momento, mas não conseguia parar de se lembrar de O'Donnell. Pensou nos homens que conhecia, muitos dos quais não sairiam de lá vivos. Ainda estavam morrendo de fome enquanto ele se fartava naquele banquete. Pensou na Caixa de Ossos e nas centenas de homens mortos de inanição que enterrara ali. Pensou no *hellship* e ouviu os gritos dos homens presos enquanto o navio afundava. Uma hora ele aproveitava a comida, as brincadeiras e o inglês americano com sua variedade de sotaques, e no instante seguinte ficava mudo, incapaz de comer enquanto mais um pesadelo invadia suas lembranças.

Os flashbacks, os pesadelos e os horrores jamais iriam embora.

Mais tarde naquela noite eles foram levados até os chuveiros e receberam barras de sabão. A água estava morna e parecia maravilhosa. A princípio eles pensaram em fazer a barba, mas todos os outros americanos estavam com uma barba espessa, então desistiram. Receberam roupas íntimas, meias limpas e uniformes militares descasados, embora na mata não houvesse uniformes oficiais. O médico, também americano, os examinou e notou os problemas óbvios. Ele tinha medicamentos de sobra e prometeu que em algumas semanas estariam prontos para lutar. Foram levados para uma cabana de bambu, seu novo quartel, e ganharam camas de verdade, com cobertores. Pela manhã se encontrariam com o comandante e receberiam mais armas do que eram capazes de carregar.

Sozinhos na escuridão, falaram baixinho sobre voltar para casa, o que agora parecia mais perto do que nunca.

31

A Força de Resistência do Oeste de Luzon estava sob o firme comando do general Bernard Granger, um herói britânico da Primeira Guerra. Granger tinha cerca de 60 anos, era esguio, forte e militar até a alma. Tinha vivido nas Filipinas nos vinte anos anteriores e outrora fora dono de uma grande plantação de café que os japoneses confiscaram, matando também dois de seus filhos e o forçando a fugir para as montanhas com a esposa e o que restava da família. Eles viviam em um bunker em meio à selva, e de lá ele comandava seu exército. Seus homens o adoravam e se referiam a ele como lorde Granger.

Granger estava em sua mesa sob uma cobertura de rede camuflada quando Pete e Clay foram levados e apresentados. Ele dispensou seus ajudantes, mas os guarda-costas estavam sempre por perto. Deu as boas-vindas aos americanos em sua cadência britânica de altíssima frequência e pediu que servissem chá. Pete e Clay se sentaram em cadeiras de bambu e simpatizaram com ele desde o primeiro momento. Às vezes, seu olho esquerdo ficava parcialmente escondido por um vinco em seu chapéu de safári. Quando falava, remexia na haste de seu cachimbo de sabugo de milho e, quando ouvia, o enfiava entre os dentes e o mastigava, como se estivesse digerindo cada palavra.

– Ouvi dizer que vocês sobreviveram à crueldade que recaiu sobre Bataan – disse ele em sua voz cantada. – Suponho que tenha sido pior do que o que ouvimos falar.

Eles assentiram e falaram algum tempo sobre aquilo. Bataan foi terrível, mas O'Donnell tinha sido ainda pior.

– Ouvi dizer que os japoneses estão enviando garotos para trabalhar nas minas de carvão – disse Granger enquanto servia chá em xícaras de porcelana.

Pete descreveu o *hellship* e o resgate em alto-mar.

– Um dia vamos acabar com esses filhos da puta – disse Granger. – Se eles não acabarem com a gente antes. Espero que vocês estejam cientes de que suas chances de sobrevivência aumentaram, mas no fim das contas estamos todos mortos.

– É bem melhor cair atirando – disse Clay.

– Esse é o espírito. Nosso trabalho é provocar danos o suficiente pra arruinar os japoneses e provar que vale a pena salvar essas ilhas. Temos receio de que os Aliados tentem derrotá-los sem se preocupar conosco. O alto-comando acha que pode ignorar essas ilhas e mirar direto no Japão, e pode ser que isso aconteça, entendem? Mas MacArthur prometeu voltar, e é isso que nos faz insistir. Nossos filipinos devem ter alguma coisa pela qual lutar. Isso tudo aqui pertence a eles, pra começo de conversa. Leite e açúcar?

Pete e Clay recusaram. Eles teriam preferido café forte, mas de todo modo eram gratos pelo café da manhã bem servido. Granger continuou a falar, depois parou abruptamente e olhou para Pete.

– Então, qual o seu histórico?

Pete traçou uma pequena biografia. West Point, sete anos na ativa no Vigésimo Sexto Regimento de Cavalaria, depois uma espécie de aposentadoria forçada por razões pessoais, para salvar a fazenda da família. Esposa e dois filhos no Mississippi. Grau de primeiro-tenente.

Os olhos de Granger dançavam, e ele não piscou uma só vez enquanto ouvia e analisava cada palavra.

– Então você sabe andar a cavalo?

– Com ou sem sela – respondeu Pete.

– Ouvi falar do Vigésimo Sexto. Sabe atirar bem, eu suponho.

– Sim, senhor.

– Precisamos de atiradores. Nunca temos o suficiente.

– É só me dar um fuzil.

– Você esteve em Fort Stotsenburg?

– Sim, mas por pouco tempo, antes de dezembro.

– Os malditos japoneses estão usando a base lá pros caças e bombardeiros de mergulho. Coisas mais pesadas, que eles levaram depois de tomar Corregidor. Eu gostaria de acertar alguns aviões no solo, mas ainda não elaboramos uma estratégia. E você? – perguntou ele, olhando para Clay.

Alistado em 1940, Trigésima Primeira Divisão de Infantaria. Especialista em morteiros. Grau de sargento. Um caubói do Colorado que também sabia montar e atirar.

– Muito bem. Gosto de homens que querem lutar. É triste dizer, mas temos alguns americanos aqui que estão só se escondendo com a gente enquanto pensam em voltar para casa. Alguns estão loucos. Alguns estão doentes demais. Alguns tinham desertado e estavam perambulando pela mata, acredito eu. Honestamente, eles são peso morto, mas não podemos simplesmente botá-los pra fora. A primeira lição que vocês vão aprender é não fazer perguntas. Todo mundo tem uma história, e os covardes nunca dizem a verdade.

Ele tomou um gole do chá e abriu um mapa.

– Um pouco sobre as nossas operações. Estamos aqui, no meio das montanhas Zambales, terreno bastante acidentado, como vocês com certeza já perceberam. Quase 3 mil metros de altitude em alguns pontos. Temos cerca de mil combatentes espalhados por mais de 150 quilômetros quadrados. Se cavássemos e nos escondêssemos, poderíamos resistir por bastante tempo, mas cavar não está nos planos. Somos guerrilheiros e nossa luta é suja, nunca pela frente, nunca em campo aberto. Nosso ataque é ágil, depois desaparecemos. Os japoneses surpreenderam nossos acampamentos em altitudes mais baixas, então se tornou muito perigoso ficar por lá. Vocês vão entender isso em breve. Nosso contingente está crescendo conforme cada vez mais filipinos vêm pras colinas e, depois de um começo difícil, finalmente começamos a acertar alguns golpes.

– Então você não se preocupa com a possibilidade de os japoneses chegarem aqui? – perguntou Pete.

– Nós nos preocupamos com tudo. Carregamos pouca coisa, estamos sempre prontos pra recuar ao menor sinal de perigo. Não podemos combatê-los mano a mano. Quase não temos artilharia, salvo alguns morteiros e canhões leves, brinquedinhos que roubamos do inimigo. Temos muitos fuzis, pistolas e metralhadoras, mas não temos caminhões nem porta-tropas. Somos homens de infantaria, com o terreno a nosso favor. Nosso maior problema é a comunicação. Temos alguns rádios antigos, nenhum deles portátil, e não podemos usá-los porque os japoneses estão sempre na escuta. Então, contamos com os corredores para coordenar as coisas. Não temos contato com MacArthur, embora ele saiba que estamos aqui lutando. Respondendo à sua pergunta, estamos relativamente seguros, mas sempre há perigo. Se os japoneses pudessem nos ver, nos bombardeariam lá de cima. Venham, vou mostrar pra vocês nossos brinquedinhos.

Granger se levantou, pegou sua bengala e saiu. Ele balbuciou algo em tagalo para seus guardas e os homens saíram correndo na frente dele. Outros os seguiram enquanto eles deixavam o acampamento e começaram a percorrer uma trilha estreita. Durante a caminhada, Granger disse:

– Vigésimo Sexto, um belo destacamento. Suponho que você conheça Edwin Ramsey?

– Ele era o meu comandante – disse Pete, orgulhoso.

– Não me surpreende. Um excelente soldado. Ele se recusou a se render e foi pras colinas. Está a uns 150 quilômetros daqui, recrutando homens como um louco. Há rumores de que tem mais de 5 mil na região central de Luzon e muitos contatos em Manila.

Eles fizeram uma curva, e duas sentinelas deslocaram uma parede cheia de trepadeiras e raízes. Entraram em uma gruta.

– Peguem as tochas – vociferou Granger, e dois guardas iluminaram o caminho.

A gruta se abriu em uma caverna, um amplo espaço com água pingando das estalactites. Velas foram acesas ao longo das paredes, e a dimensão do arsenal se tornou visível.

Granger não parava de falar.

– Suprimentos deixados pra trás pelos ianques e roubados dos japoneses. Gosto de imaginar que temos uma bala pra cada um desses malditos filhos da puta.

Havia paletes de munição. Caixas de fuzis. Estoques de comida enlatada e água. Sacas de arroz. Tonéis de gasolina. Pilhas de caixas com suprimentos ainda não identificados.

– No final do corredor, em outro espaço, temos 2 toneladas de dinamite e TNT – disse Granger. – Imagino que vocês não tenham experiência com explosivos.

– Não – confirmou Pete.

Clay balançou a cabeça.

– Que pena. Precisamos desesperadamente de um bom especialista em explosivos. O último mandou a si mesmo pelos ares. Um filipino, e era dos bons. Mas vai aparecer outro. Já viram o suficiente?

Antes que pudessem responder, ele deu meia-volta. O passeio tinha acabado. Pete e Clay estavam chocados com aquele estoque de suprimentos, mas também imensamente reconfortados. Seguiram Granger para fora da caverna e começaram a descida. Pararam em um mirante e contemplaram uma vista deslumbrante de ondas de montanhas que se estendiam até o infinito.

– Os japoneses jamais viriam tão longe – disse o general. – Eles têm medo. E sabem que temos que descer pra lutar. Então nós descemos. Alguma pergunta?

– E quando vamos lutar? – perguntou Clay.

Granger deu uma risada.

– Gosto disso. Doente e desnutrido, mas pronto pra batalha. Daqui a uma semana ou mais. Dê algum tempo aos médicos pra vocês ganharem peso, e logo, logo vão ver todo o sangue que quiserem.

NOS DOIS DIAS seguintes, Pete e Clay descansaram majestosamente, cochilando, comendo e bebendo toda a água que podiam. Os médicos entupiram a dupla de remédios e vitaminas. Quando finalmente começaram a se sentir entediados, receberam fuzis e pistolas e foram levados para um campo de tiro para uma rodada de treinamento. Um veterano filipino chamado Camacho foi designado para acompanhá-los e ensinou a eles os truques da selva: como fazer uma pequena fogueira para cozinhar, sempre à noite, porque a fumaça não podia ser vista; como construir uma tenda usando trepadeiras e arbustos para dormir sob a chuva; como preparar uma mochila apenas com o indispensável; como manter as armas e a munição secas; como lidar com uma naja furiosa ou com um píton faminto; como fazer centenas de coisas essenciais que um dia poderiam salvar sua vida.

No terceiro dia, Pete foi chamado à tenda de lorde Granger para tomar chá e jogar cartas. Eles se sentaram diante da mesa e ficaram batendo papo, com o general conduzindo a maior parte da conversa.

– Já jogou *cribbage*? – perguntou ele enquanto pegava um baralho.

– Claro. Eu jogava em Fort Riley.

– Maravilha. Eu jogo uma partida todo dia às três da tarde, enquanto tomo chá. Relaxa a alma. – Enquanto falava ele embaralhou e distribuiu as cartas. – Duas noites atrás os japoneses invadiram um posto avançado bem defendido lá no sopé da montanha. Eles nos surpreenderam com uma grande unidade. Foi uma briga feia; perdemos. Eles estavam procurando por Bobby Lippman, um major durão do Brooklyn, e o encontraram, junto com outros dois americanos. Os filipinos da unidade foram mortos em batalha ou decapitados ali mesmo. É o que os japoneses mais gostam, arrancar cabeças e deixá-las ao lado dos corpos para assustar os moradores. Bom, de todo modo, Lippman e os outros dois foram levados pra uma prisão em Manila pra falar com alguns dos mais cruéis interrogadores japoneses. Dizem que alguns desses oficiais falam um inglês melhor do que a maioria dos britânicos. Lippman vai passar por maus bocados. Vão chicoteá-lo e queimá-lo por alguns dias, os métodos são inúmeros, e se ele falar vamos sentir as consequências aqui. Se ele não falar, como eu imagino, então farão uma pequena cerimônia que envolve uma daquelas longas espadas que você já viu. É uma guerra, Banning, e, como você já viu, existem muitas formas de matar.

– Eu achava que havia acampamentos e rondas de sentinelas em todos os pontos – disse Pete. – Como conseguiram fazer um ataque surpresa?

– Jamais saberemos. O truque favorito deles é subornar algum aldeão, um filipino que precise de dinheiro ou arroz e esteja disposto a vender informações. Conforme os japoneses têm fechado o cerco, estamos passando a ver cada vez menos comida. Em algumas aldeias, os camponeses estão pulando refeições. Os japoneses sabem como subornar. Temos muitos esconderijos nas montanhas. Às vezes ficamos neles, às vezes não, mas eles são nossa garantia. Se passamos uma noite, às vezes até uma semana, os moradores costumam descobrir. É muito fácil encontrar um japonês a quem vender a informação. Você está pronto para o combate?

– Mais do que pronto.

– O médico disse que você está razoavelmente bem. Caramba, estamos todos abaixo do peso e com alguma doença, mas você e Clay estão abatidos demais. Imagino que tenham passado por muita coisa ruim.

– Estamos bem, e entediados. Dê alguma missão pra gente.

– Vocês dois vão acompanhar DuBose, que comanda um esquadrão de cerca de dez homens. Camacho estará sempre com você, e ele é o melhor. Vocês vão sair no meio da noite, caminhar três ou quatro horas, dar uma olhada. É parte reconhecimento, parte emboscada. Se Lippman estiver falando alguma coisa sob pressão, temos como saber de acordo com o que os japoneses estiverem fazendo e pra onde estiverem indo. Depois de alguns dias nas trilhas você será integrado a outra unidade, alguns dos nossos rapazes vindos de outra montanha. Eles arrumaram um especialista em explosivos que vai passar alguns fios aqui e ali. O alvo é um comboio. Deve ser um trabalho fácil e você vai poder atirar em alguns japoneses. Vai se divertir um bocado.

– Mal posso esperar.

– Supondo que tudo corra bem, o especialista em explosivos está disposto a passar algum tempo com vocês e ensinar como se brinca com dinamite. Preste atenção e aprenda.

Enquanto Pete embaralhava e distribuía as cartas, Granger pôs mais tabaco no cachimbo – e conseguiu fazer isso sem parar de falar.

– Coitado do Lippman. Todos nós tínhamos jurado não sermos pegos com vida. É muito melhor meter uma bala na cabeça do que deixar os japoneses fazerem o que quiserem com a gente. Mas nem sempre é assim tão fácil. Os homens normalmente já estão feridos, incapazes de atirar em si mesmos. Às vezes estão dormindo e são surpreendidos. E muitas vezes, Banning, acho que nos tornamos tão adaptados à sobrevivência que acreditamos poder sobreviver a qualquer coisa, então largamos as armas, levantamos os braços e nos deixamos levar. Imagino que em poucas horas surja um arrependimento terrível. Você chegou perto de ter que acabar com tudo?

– Muitas vezes – respondeu Pete. – Todos nós ficamos malucos por causa da fome e da sede, sem falar dos constantes assassinatos. Eu achava que, se ao menos conseguisse pegar no sono, teria a chance de morrer dormindo. Mas sobrevivemos. Estamos sobrevivendo agora. Eu tenho a intenção de voltar pra casa, general.

– Grande garoto. Mas não deixe os japoneses te pegarem com vida, está me ouvindo?

– Não se preocupe.

32

Eles deixaram o acampamento pouco depois da meia-noite, dez guerrilheiros ao todo, seguindo dois corredores capazes de encontrar as trilhas de olhos fechados. Seis filipinos e quatro americanos, todos fortemente armados e levando mochilas cheias de comida e água enlatadas, cobertores, lonas e toda a munição que conseguiam carregar. Felizmente, o caminho era todo para baixo. A primeira lição que Pete e Clay aprenderam foi a de manter a concentração no coturno do homem imediatamente à frente deles. Olhar em volta era inútil, porque não havia nada a ser visto na escuridão. Um passo em falso poderia provocar um tropeço e uma queda com pouso incerto.

Durante a primeira hora, nenhuma palavra foi dita. Ao se aproximarem do primeiro *barrio*, um vigia os cumprimentou. Em um dialeto desconhecido, informou a Camacho que estava tudo bem. Havia dias que não viam o inimigo. O esquadrão contornou as cabanas e deu sequência à marcha. Não havia vigia no segundo *barrio* e nem um único som vinha do acampamento. Depois de três horas o terreno se tornou plano e eles pararam em um posto avançado, quatro abrigos construídos no meio do mato. Descansaram por meia hora, comeram sardinhas e beberam água. DuBose se aproximou e perguntou baixinho:

– Tudo bem com vocês?

Pete e Clay o asseguraram de que estavam se divertindo, embora já estivessem exaustos. Os demais pareciam estar ainda se aquecendo. Partiram logo e recomeçaram a subir, e depois de uma hora pararam de novo para descansar. DuBose sabia pelo que seus dois novatos haviam passado e queria protegê-los. O esquadrão desceu por uma ravina, atravessou um riacho e chegou a um grande *barrio*. Do mato, observaram a área por alguns minutos; só então Camacho se aventurou e encontrou o vigia. Mais uma vez, não havia sinal do inimigo. Enquanto esperavam, DuBose se sentou ao lado de Pete e falou:

– As pessoas aqui estão bem seguras. Todo vilarejo tem um chefe, e o desse é um cara bastante íntegro. Mas daqui por diante é terra de ninguém.

– Onde fica a estrada? – perguntou Pete.

– Não muito longe daqui.

Ao amanhecer, eles estavam escondidos em uma vala ao lado de uma estrada de terra que visivelmente era bastante utilizada. Ouviram uma movimentação do lado oposto, e então houve silêncio. Alguém chamou:

– DuBose?

– Aqui – respondeu ele.

De repente, cabeças começaram a surgir do meio do mato, e um americano chamado Carlyle se postou na dianteira. Ele comandava uma dúzia de homens, incluindo três ianques com barbas imundas e aparência cansada. Eles foram correndo pegar caixas de madeira cheias de dinamite e passaram uma hora espalhando explosivos e passando fios para os detonadores. O especialista em explosivos era um veterano filipino que nitidamente já havia montado muitas armadilhas. Depois que posicionaram a dinamite, os homens recuaram para a mata, e DuBose designou posições. Pete, o atirador, se escondeu atrás de algumas pedras e foi instruído a atirar em qualquer coisa que se movesse. Clay recebeu uma metralhadora leve e se postou a 50 metros de distância.

Camacho ficou perto de Pete, falando baixinho enquanto o sol começava a despontar. Os japoneses estavam transportando toneladas de suprimentos para o interior, por diferentes rotas, e a missão deles era atacar e destruir essas linhas. Espiões no porto haviam passado a informação de que um comboio de quatro ou cinco caminhões estava em movimento. Eles não faziam ideia do que os japoneses transportavam, mas explodi-los seria uma emoção indescritível. Vocês vão ver só.

Enquanto esperava, o dedo de Pete coçava no gatilho, enquanto seu estômago se revirava de ansiedade. Fazia meses desde que ele havia estado em combate pela última vez, e a espera era angustiante. Quando ouviu o barulho de caminhões, Camacho avisou para ficarem a postos.

Eram quatro. Os caminhões da dianteira e da retaguarda transportavam tropas para proteger a carga dos dois do meio. Os guerrilheiros ficaram esperando, e por um bom tempo Pete achou que os explosivos não iam funcionar. Mas, quando detonaram, o chão tremeu com tanta fúria que Pete foi lançado contra as pedras. O caminhão principal virou como se fosse de brinquedo, arremessando os soldados pelos ares. O terceiro e o quarto caminhões foram atingidos na lateral. Um tiroteio irrompeu do meio do mato quando duas dúzias de guerrilheiros escondidos descarregaram uma rajada brutal. Os japoneses que tinham sobrevivido às explosões saíram rastejando e cambaleando, e a maioria foi alvejada antes de disparar um único tiro. O motorista do segundo caminhão se arrastou para fora pelo para-brisa quebrado, mas Pete o acertou. Clay estava escondido na mata, virado para a retaguarda do comboio, com o porta-tropas em sua linha de fogo. Usando uma metralhadora japonesa leve Tipo 99, ele derrubou um japonês atrás do outro enquanto eles tentavam rastejar e encontrar suas armas. Vários deles se esconderam atrás dos caminhões, mas foram baleados nas costas por guerrilheiros do outro lado da estrada. Não havia onde se esconder. O tiroteio foi implacável e durou uns bons cinco minutos. Um dos japoneses conseguiu se esconder entre o segundo e o terceiro caminhões e disparar algumas vezes em direção às árvores antes de ser atingido de cima a baixo.

Aos poucos, o tiroteio cessou. Durante uma trégua, eles ficaram observando e aguardando, na expectativa de que um japonês no chão tentasse alcançar uma arma. Tudo estava inerte quando a poeira começou a baixar. DuBose e Carlyle avançaram e acenaram chamando seus homens para a estrada. Cada japonês, agonizante ou já morto, ganhou uma bala na cabeça. Prisioneiros não passavam de peso desnecessário. Não havia lugar onde deixá-los confinados nem comida de sobra para alimentá-los. Naquele estilo de combate nenhum dos lados fazia prisioneiros, a menos que oficiais americanos fossem capturados. Suas mortes eram apenas adiadas.

DuBose e Carlyle vociferavam ordens com um senso de urgência. Dois filipinos receberam a missão de percorrer a estrada de volta, em busca de mais caminhões. Dois foram mandados adiante. Os cadáveres (37 ao todo) foram despidos de armas e mochilas. Felizmente, o segundo caminhão de suprimentos não tinha sido destruído. Estava carregado com caixas de fuzis, granadas, metralhadoras e, inacreditavelmente, centenas de quilos de dinamite. Em toda emboscada há um milagre, e o fato de uma bala perdida não ter atingido os explosivos havia sido uma dádiva. O primeiro caminhão de suprimentos estava caído de lado e em destroços. Estava carregado com caixas de ração. DuBose decidiu pegar o máximo de comida e armamentos possível e usar o segundo caminhão na fuga.

Passando por cima de cadáveres e chutando-os para fora do caminho, os guerrilheiros conseguiram rolar o primeiro caminhão para uma vala. Com um filipino ao volante, o segundo caminhão saiu aos trancos. Pete e cinco outros estavam sentados no topo dele, com os traseiros separados por apenas alguns centímetros das toneladas de explosivos. Fizeram uma curva, e os homens olharam para trás com grande satisfação diante do caos que haviam provocado. Três caminhões fumegantes, pilhas de cadáveres e nenhum soldado ferido do lado deles.

Os caças japoneses vigiavam constantemente as estradas a uma altitude aparentemente poucos centímetros acima da copa das árvores, e era apenas questão de tempo até que começassem a chegar. DuBose queria sair da estrada antes que fossem avistados e um caça acertasse o caminhão e os explodisse em pedacinhos. Os pilotos veriam a carnificina, entenderiam imediatamente o que havia acontecido e dariam o troco.

O motorista entrou em uma clareira e pisou fundo. O caminhão ficou exposto até ser estacionado sob um dossel de árvores frondosas. O veículo parou e DuBose ordenou que os homens o cobrissem rapidamente com trepadeiras e arbustos. Quando não podia ser visto a 6 metros de distância do solo, os homens recuaram para a sombra e rasgaram as mochilas japonesas. Eles se banquetearam com latas de peixe e pedaços de pão de arroz duro. Um japonês, obviamente com problemas alcoólicos, carregava quatro latas de saquê, e a pausa se transformou em um coquetel improvisado.

Enquanto as tropas tomavam seus drinques, DuBose e Carlyle se reuniram junto ao caminhão. A conversa deles foi interrompida pelo inconfundível e estridente gemido de aproximação dos caças japoneses. Dois deles voaram baixo sobre a estrada e depois subiram velozmente em posição vertical. Eles deram mais uma volta de reconhecimento e desapareceram.

Cogitaram pegar novamente a estrada e voltar até os destroços. O local tinha se mostrado perfeito para emboscadas, e os japoneses, sem dúvida, enviariam uma grande equipe de busca. Havia sido tão fácil matar, o número de baixas fora tão impressionante, que era tentador voltar para repetir a dose. Mas DuBose pensou melhor. O trabalho deles era abater e correr, não planejar ofensivas. Além disso, naquele momento a carga roubada era muito mais importante do que matar mais alguns japoneses.

O caminhão não tinha como atravessar as trilhas em meio às montanhas, e DuBose decidiu descarregá-lo e criar um esquema para levar os produtos de volta à sua base. Como seus homens não tinham como carregar tudo aquilo, ele enviou uma dúzia de filipinos até os *barrios* mais próximos para fazer trocas por bois e mulas de carga. Eles ofereceram comida de sobra pelo "aluguel" dos animais.

A festa terminou abruptamente quando DuBose ordenou aos homens restantes que iniciassem a árdua tarefa de descarga. Depois do meio-dia, alguns bois e mulas começaram a chegar, não o suficiente, mas um bom número de homens da região havia concordado em oferecer sua mão de obra em troca de comida. Os primeiros integrantes do comboio tinham acabado de desaparecer no meio da mata quando um corredor chegou ligeiro por uma trilha levando a notícia de que uma grande unidade de soldados japoneses estava a poucos metros dali. Sem hesitar, DuBose ordenou que o especialista em explosivos improvisasse uma armadilha usando o caminhão e a dinamite que havia dentro dele. Ele e Carlyle julgavam que os destroços bloqueariam a estrada, dando-lhes algum tempo de sobra. Os guerrilheiros expuseram o caminhão para que os japoneses pudessem encontrá-lo, depois recuaram para a mata e ficaram esperando.

A equipe avançada chegou em motos, viu o caminhão e ficou animada. Em pouco tempo, três porta-tropas pararam e dezenas de soldados desembarcaram, agachados, receosos de uma emboscada. Não houve nenhuma, e então avançaram lentamente em direção ao caminhão. Quando perceberam que o inimigo não estava ali, relaxaram e rodearam o caminhão, todos falando sem parar, preocupados. Quando o oficial deles tomou a frente e entrou no caminhão para dar uma olhada rápida, o especialista em explosivos acionou o detonador a 30 metros dali. Foi uma explosão magnífica, que fez dezenas de corpos voarem pelos ares.

DuBose e seus homens admiraram o feito com uma rápida risada, depois correram de volta para as trilhas. Cada homem carregava agora o máximo de equipamentos e armamentos roubados possível, e o caminho era mais uma vez uma subida. Pete e Clay estavam exaustos a ponto de quase desmaiar, mas aguentaram firme. Haviam marchado sob condições muito piores e sabiam que seus corpos fracos seriam capazes de suportar as adversidades.

Já escurecera havia algum tempo quando chegaram ao primeiro posto avançado, e todos desabaram. Corredores tinham dado a notícia a lorde Granger e ele enviara mais homens para ajudar com o transporte. DuBose deu o dia por encerrado e ordenou que montassem acampamento. Mais corredores chegaram com a notícia bem-vinda de que o grupo não estava sendo seguido.

Os homens comeram até ficar de barriga cheia e conseguiram até mesmo mais uma dose de saquê. Pete e Clay encontraram um espaço no chão de terra de uma tenda e relembraram a glória daquele dia. Seus cochichos logo foram silenciando e eles caíram em sono profundo.

Por dois dias o comboio subiu as montanhas, parando de vez em quando para descansar e comer. Por duas vezes eles fizeram desvios, quando os corredores os avisaram de que o inimigo estava próximo, fazendo buscas com força total. Caças patrulhavam os céus como vespas furiosas, ansiosos para atacar alguma coisa, mas sem nada encontrar. Os homens se escondiam em grutas e ravinas.

Quando finalmente chegaram à base, lorde Granger esperava por eles com um sorriso e um abraço para cada homem. "Que trabalho esplêndido, rapazes, que trabalho esplêndido." Exceto pelas bolhas nos pés e pelas dores musculares, nem um único homem havia sido ferido.

Eles descansaram por dias, até que se sentiram entediados novamente.

A ESTAÇÃO CHUVOSA chegou com fúria quando um tufão varreu o norte das Filipinas. Torrentes de água castigaram as montanhas e ventanias arrancaram os telhados das cabanas de bambu. No pior momento, os homens se esconderam em grutas e se abrigaram por dois dias. As trilhas se transformaram em lama, e muitas delas ficaram intransitáveis.

Mas a guerra continuou, e os japoneses não tinham escolha a não ser continuar transportando homens e suprimentos. Seus comboios muitas vezes atolaram de lama até os joelhos e tiveram que ficar parados por longos períodos. Eles se tornaram alvos fáceis para os guerrilheiros, que se deslocavam a pé, apesar de com um pouco mais de lentidão. Granger manteve seus esquadrões ocupados, acertando alvos com ataques brutais e depois desaparecendo na mata. As represálias japonesas foram cruéis, e os civis pagaram o preço.

Pete recebeu seu próprio esquadrão, a Tropa G, com vinte homens, Clay e Camacho entre eles, e foi promovido ao posto de major na Força de Resistência do Oeste de Luzon. Tal posição não seria reconhecida oficialmente, mas, àquela altura, o exército americano tinha recuado para a Austrália com MacArthur. Lorde Granger comandava sua própria força e distribuía promoções como bem entendesse.

Depois de um ataque bem-sucedido a um comboio, o major Banning e seus homens estavam recuando quando se aproximaram de um *barrio*. Ainda na trilha começaram a sentir um cheiro de fumaça e logo se depararam com uma cena horrível. Os japoneses haviam invadido o vilarejo e destruído tudo. As cabanas estavam em chamas e crianças corriam por toda parte, gritando. No meio estavam os cadáveres de cerca de quinze homens, todos com as mãos amarradas às costas. Seus corpos estavam mutilados e cobertos de sangue; as cabeças, decepadas, estavam a poucos metros de distância, alinhadas. Várias mulheres jaziam baleadas.

Um adolescente saiu do mato e correu na direção deles, chorando e gritando. Camacho o agarrou e falou com ele em um dialeto. O garoto, aos prantos, sacudia os punhos com raiva para os guerrilheiros.

– Ele está nos culpando, dizendo que a gente trouxe os japoneses para cá – disse Camacho. Ele continuou a conversar com o menino, que estava inconsolável. – Ele disse que os japoneses chegaram aqui algumas horas atrás e acusaram o povo de ajudar os americanos. Queriam saber onde os americanos estavam se escondendo e, como ninguém sabia e não tinha como contar, fizeram isso. A mãe e o pai dele foram assassinados. Levaram a irmã dele e mais algumas das jovens. Vão estuprá-las e depois matá-las também.

Pete e seus homens ficaram sem palavras. Eles ouviram a conversa e estavam boquiabertos com a carnificina.

– Ele disse que o irmão foi procurar os japoneses para contar que vocês estão aqui – continuou Camacho. – "É tudo culpa sua, tudo culpa sua. A culpa é dos americanos."

– Diga a ele que estamos lutando contra os japoneses, que também odiamos eles. Estamos do lado dos filipinos – disse Pete.

Camacho continuou a falar, mas o menino estava fora de si. Ele berrava e continuou agitando os punhos na direção de Pete. Por fim ele se afastou e correu até os homens mortos, apontou para um deles e gritou para o cadáver.

– É o pai – disse Camacho. – Eles foram forçados a assistir enquanto os japoneses cortavam a cabeça deles, um de cada vez, enquanto ameaçavam matar todo mundo caso não abrissem a boca.

O garoto saiu correndo e desapareceu no meio do mato. As crianças estavam agarradas ao corpo das mães. As cabanas ainda estavam em chamas. Os guerrilheiros queriam ajudar de alguma forma, mas a situação era muito perigosa.

– Vamos sair daqui – disse Pete.

Saíram dali apressados, chapinhando na lama. Marcharam até escurecer, quando começou uma chuva pesada, e então montaram acampamento com tendas e lonas cheias de goteiras. Com a chuva implacável, dormiram pouco.

Pete teve pesadelos com aquela cena macabra.

De volta à base, apresentou-se a lorde Granger e reportou o ataque ao *barrio*. Granger não demonstrou qualquer sentimento, mas notou que o major Banning estava transtornado e deu ordens para que ele descansasse por alguns dias.

Naquela noite, ao redor da fogueira, Pete e Clay contaram a história para os outros americanos. Eles também tinham suas histórias e haviam se tornado insensíveis a relatos como aqueles. O inimigo tinha uma capacidade ilimitada para a selvageria, e isso fez com que os guerrilheiros jurassem lutar com ainda mais empenho.

33

Mesmo com Pete longe da fazenda, o algodão cresceu, e em meados de setembro teve início a colheita. O clima ajudou, os preços se mantiveram estáveis na Bolsa de Memphis, o trabalho dos negros na fazenda se estendia do nascer ao pôr do sol e Buford conseguiu manter um bom fluxo de mão de obra temporária. A colheita trouxe certo grau de normalidade à fazenda e a um povo que estava vivendo sob as nuvens negras da guerra. Todo mundo conhecia um soldado que estava ou aguardando para embarcar ou já em combate. Pete Banning tinha sido a primeira vítima do condado de Ford, mas depois dele outros rapazes haviam sido mortos, feridos ou estavam desaparecidos.

DEPOIS DE QUATRO meses na condição de viúva, Liza conseguiu estabelecer algo próximo a uma rotina. Assim que as crianças saíam para a escola ela tomava café com Nineva, que lentamente se tornou seu porto seguro, sua fortaleza. Liza se metia na horta com Amos e Jupe, se reunia todas as manhãs com Buford para falar sobre a colheita e tentava se manter longe da cidade. Ela logo ficou farta das intermináveis perguntas sobre como estava indo, como estava segurando a barra, como as crianças estavam lidando com tudo aquilo. Quando era vista na cidade, era forçada a aturar choros e abraços de gente que mal conhecia. Insistiu em frequentar a igreja com os filhos, pelo bem deles, mas o trio passou a não gostar do ritual de domingo.

293

Eles começaram a faltar de vez em quando, para evitar os constantes pêsames, e, em vez disso, iam até o chalé de Florry para fazer um brunch no pátio. Ninguém os recriminou pela ausência nos cultos.

Nas manhãs de quase todos os dias da semana, Dexter Bell pegava o carro e ia visitar Liza. Eles tomavam café e oravam. Ficavam no escritório de Pete, a portas fechadas, e falavam em voz baixa. Nineva, como sempre, pairava por perto.

Pete estava longe havia quase um ano, e Liza sabia que ele não ia voltar para casa. Se estivesse vivo, teria encontrado uma forma de enviar uma carta ou uma mensagem, e à medida que os dias e as semanas se passavam sem uma palavra dele, ela começou aceitar aquela triste realidade. Não admitiu aquilo para ninguém; em vez disso, suportou bravamente os dias mais sombrios como se ainda tivesse esperanças. Era importante para Joel e Stella, para Nineva e Amos e todos os demais, mas, quando estava só, ela passava horas trancada no quarto, às escuras, chorando.

Joel estava com 16 anos, quase concluindo os estudos na escola, e falava em se alistar. Logo faria 17, e após a formatura poderia entrar para o exército caso a mãe autorizasse. Ela não permitiu, e aquela conversa a deixou perturbada. Já havia perdido o marido e não iria perder o filho. Stella discutiu com Joel para demovê-lo daquela ideia absurda, e ele, com relutância, parou de falar sobre ir para a guerra. Seu futuro seria a faculdade.

NO INÍCIO DE outubro, o período de chuvas acabou e o céu se abriu. O solo alagado serviu de berço para uma nova geração de mosquitos, e a malária atingiu os guerrilheiros com força. Ainda que os sintomas variassem, praticamente todos os homens contraíram a doença, muitos pela terceira ou quarta vez, e conviver com ela se tornou algo normal. Eles carregavam garrafas de quinino e cuidavam dos companheiros em estado mais grave.

Com as estradas transitáveis outra vez, os comboios japoneses voltaram a circular com regularidade, mas os guerrilheiros normalmente estavam fracos demais para atacar. Pete tinha recuperado alguns quilos, embora julgasse estar ainda uns 20 abaixo do peso ideal para o combate, quando febres e calafrios o derrubaram por uma semana. Durante uma trégua da doença, enrolado em um cobertor e com os sentidos parcialmente comprometidos, se deu conta de que era dia 4 de outubro, quando completava um ano desde que partira para a guerra. Sem dúvida, havia sido o ano mais memorável de sua vida.

Ele estava dormindo quando um corredor o acordou com ordens de que se apresentasse a lorde Granger. Ele e Clay saíram da cabana cambaleando e se apresentaram no escritório do general. A inteligência havia avistado um grande comboio de carros-tanque deixando o porto em direção ao interior. Uma hora depois a Tropa G já estava descendo a montanha em meio à escuridão. Juntou-se à Tropa D, de DuBose, e quarenta guerrilheiros estavam em marcha, a maioria abatida pela malária, mas empolgada por ter uma missão. As chuvas e os mosquitos não tinham como parar a guerra.

Os engenheiros do exército imperial tinham aberto uma nova estrada de abastecimento, sobre a qual Granger ouvira rumores. DuBose foi o primeiro a avistá-la, e ele e Pete a percorreram com seus homens em busca de um ponto de emboscada. Não tendo encontrado nenhum, estavam começando o caminho de volta quando quatro caças surgiram de repente, logo acima da copa das árvores. Os majores Banning e DuBose deram ordem para que seus homens recuassem até uma encosta, se embrenhassem na mata e esperassem. Uma unidade de reconhecimento logo apareceu, dois pelotões de soldados japoneses a pé. Eles carregavam facões e abriam caminho na mata à margem da estrada, à procura de guerrilheiros. Era uma tática nova, que demonstrava de forma clara a importância do comboio. Logo foi possível ouvir o barulho de caminhões, muitos deles. Os três primeiros eram porta-tropas abertos, cheios de soldados a postos. Atrás deles havia seis carros-tanque carregados até a borda com gasolina e diesel. A retaguarda era protegida por mais três porta-tropas.

O plano era atacar com granadas de mão e transformar tudo em uma imensa bola de fogo, mas os guerrilheiros não estavam perto o suficiente. O alvo era tentador, mas o major Banning sabiamente recuou. Ele sinalizou isso a DuBose, que estava a uns 100 metros de distância. DuBose concordou, e os guerrilheiros recuaram ainda mais. O comboio passou e logo sumiu de vista.

A caminhada de volta à base foi desanimadora.

O CÉU ABERTO levou não apenas ondas de mosquitos, mas também de caças e aviões de reconhecimento. Granger temia que os japoneses soubessem de sua localização e estivessem se aproximando, embora ainda sustentasse que um ataque por terra seria improvável. O inimigo tinha demonstrado pouco interesse em empreender uma luta prolongada montanha acima, em terreno adverso. O que preocupava Granger, no entanto, era uma ameaça aérea. Algumas bombas bem direcionadas poderiam provocar danos incalculáveis. Ele se encontrava diariamente com seus comandantes e debatia a possibilidade de transferir a base, mas eles eram contra. Estavam muito bem camuflados. Seus suprimentos e armamentos nas cavernas estavam intocáveis. Transferir a base de lugar exigiria muita movimentação, que poderia ser percebida do ar. Eles se sentiam em casa e acreditavam ser capazes de se defender do que quer que fosse.

Um informante havia repassado a notícia de que os japoneses estavam oferecendo uma recompensa de 50 mil dólares pela cabeça de lorde Granger, mas, como de praxe, ele considerava aquilo uma honra. Recompensas de até 5 mil dólares eram oferecidas pela captura de qualquer oficial americano envolvido com a resistência.

Certa tarde, durante uma partida de *cribbage* regada a chá, Granger entregou a Pete uma pequena caixa verde de metal, do tamanho de um tijolo, só que muito mais leve. De um lado havia um temporizador e um interruptor.

– Chamamos isso de bomba de Lewes, um brinquedo novo feito por um especialista em explosivos de Manila – explicou Granger. – Dentro há meio quilo de explosivo plástico, 225 gramas de termita, um pouco de óleo diesel e um detonador. Tem um ímã na parte de trás. Prenda isso na lateral de um avião, perto do tanque de combustível, gire o temporizador, ligue o interruptor, corra como o diabo e, alguns minutos depois, aprecie os fogos de artifício.

Pete admirou a bomba e a colocou de volta na mesa.

– Incrível.

– Projetada por um comando britânico chamado Jock Lewes, no Norte da África. Nossos garotos varreram frotas inteiras de aviões italianos e alemães. Uma bela de uma ideia.

– E aí?

– E aí que os japoneses têm uma centena de caças Zero em Fort Stotsenburg, esses miseráveis que ficam atormentando a gente. Estou pensando em organizar um ataque surpresa. Você conhece bem o lugar, presumo.

– Muito bem. Era a base do Vigésimo Sexto Regimento de Cavalaria. Passei algum tempo lá, antes das hostilidades.

– Isso pode ser executado, major? Os japoneses jamais imaginariam. Mas seria perigoso pra cacete.

– Isso é uma ordem?

– Ainda não. Pense um pouco. Você e DuBose, quarenta homens. Mais quarenta de uma base operando acima de Stotsenburg. Manila pode entregar as bombas de Lewes em um posto perto do forte. Daqui até lá é uma caminhada cansativa, de três dias. Sugiro que você parta preparado para o ataque e avalie. A segurança é rígida, há japoneses em terra por toda parte. Se for impossível, recue sem se arriscar.

– A ideia me agrada – disse Pete, ainda admirando o explosivo.

– Temos mapas, plantas baixas e tudo mais. Há muita inteligência em terra. Você estará no comando, à frente de tudo. E provavelmente não vai voltar.

– Quando partimos?

– Você está em condições, com os calafrios e tudo mais?

– Estamos todos com febre, mas estou me recuperando.

– Tem certeza? Não é uma ordem, e você pode recusar. Como você sabe, eu não proponho missões suicidas.

– Nós vamos voltar, eu garanto. E, além do mais, estou entediado.

– Muito bem, major. Muito bem.

Partiram quando ainda estava escuro, com DuBose e a Tropa D meia hora atrás deles. Caminharam por dez horas e pararam em uma aldeia ao amanhecer. Descansaram durante o dia e notaram várias patrulhas japonesas se movendo pela região. Ao anoitecer, retomaram a marcha. As montanhas se transformaram em colinas e a vegetação minguou. Ao amanhecer do terceiro dia eles avistaram Fort Stotsenburg do topo de uma colina, a cerca de 2 quilômetros, no centro de uma extensa planície.

De sua posição, Pete observou a vastidão de sua antiga base. Antes da guerra ela havia abrigado não só o Vigésimo Sexto Regimento de Cavalaria, como também quatro regimentos de artilharia, dois americanos e dois filipinos, além do Décimo Segundo Regimento de Intendência. As fileiras de quartéis abrigavam 8 mil soldados. Era possível avistar os imponentes portões de entrada. Entre duas longas pistas havia dezenas de prédios outrora usados pelos mocinhos e agora repletos de inimigos. Atrás deles estavam os amplos pátios onde Pete jogara polo, mas aquele não era o momento para nostalgia. Estacionados em filas ao longo das pistas havia mais caças Zero do que ele seria capaz de contar, com mais cerca de vinte caças de dois assentos que os Aliados chamavam de Nick. Não havia muro, cercas nem barreiras de arame farpado ao redor do forte. Apenas milhares de japoneses cuidando de seus afazeres. As tropas realizavam treinamentos nos pátios enquanto os caças decolavam e pousavam.

Os corredores os levaram a um posto avançado, onde encontraram um esquadrão liderado pelo capitão Miller, um recruta de Minnesota com cara de criança. Seu esquadrão tinha dez homens, todos filipinos, e eles conheciam bem a área. Miller estava à espera de outro esquadrão que deveria ter chegado no dia anterior. Na base, os homens se debruçavam sobre mapas e aguardavam. À meia-noite, quando o forte estava silencioso, Pete, DuBose e Miller se aproximaram dele e passaram a noite circundando a área. Retornaram ao amanhecer, exaustos, mas com um plano.

O carregamento de bombas de Lewes não chegou na data prevista, e eles passaram dois dias esperando notícias de Manila. Também ficaram esperando os outros guerrilheiros que Granger havia prometido. Pete teve receio de que eles tivessem sido capturados e que toda a missão tivesse sido comprometida. Ao todo, tinha 55 homens à disposição para causar alguns danos. No terceiro dia, a comida estava acabando e os homens começaram a ficar irritados. O major Banning os repreendeu e manteve a disciplina.

As bombas de Lewes finalmente chegaram no lombo de três mulas puxadas por adolescentes, garotos magrelos que dificilmente levantariam suspeita. Mais uma vez, Pete ficou fascinado com a rede de Granger.

O forte ficava nos arredores de Angeles City, uma cidade de 100 mil habitantes com muitos bares e bordéis para manter os oficiais japoneses entretidos. O ataque começou à uma da manhã, com um carro tendo sido roubado quando dois capitães bêbados saíram trôpegos de uma boate e foram em direção a um sedã para fazer o trajeto de volta ao forte. Em um beco, três guerrilheiros filipinos se fazendo passar por camponeses cortaram--lhes a garganta, tiraram-lhes o uniforme e vestiram a roupa deles. Deram três tiros como sinal, e dez minutos depois estavam passando com o carro pelas sentinelas no portão de entrada de Fort Stotsenburg. Uma vez lá dentro, estacionaram em frente à residência do comandante e desapareceram na escuridão. Três bombas de Lewes haviam sido colocadas no chassi do carro, e a explosão interrompeu a tranquilidade da noite. Guerrilheiros escondidos atrás do ginásio começaram a atirar para o alto. Os guardas entraram em pânico.

Os aviões eram vigiados de perto por sentinelas. Ao som da explosão e do intenso tiroteio, eles abandonaram seu posto e correram em direção à confusão. O major Banning invadiu pelo lado norte, DuBose pelo leste, Miller pelo oeste. Abateram todas as sentinelas à vista e logo começaram a colocar as bombas de Lewes na parte inferior da fuselagem de oitenta dos abomináveis caças Zero. Na escuridão, os pequenos e preciosos explosivos não eram visíveis.

Quando estavam recuando, Don Bowmore, um valentão nascido na Filadélfia, foi atingido na cabeça. Ele estava próximo a Pete, que prontamente abateu a sentinela que havia atingido o companheiro e depois o levantou. Camacho o ajudou a arrastá-lo por 100 metros, para terem cobertura, mas Bowmore morreu instantaneamente. Quando Pete percebeu isso, decidiu abandonar o corpo do companheiro. O código da selva não permitia que os mortos fossem resgatados. Os guerrilheiros dependiam demais da velocidade. Pete pegou o fuzil de Bowmore e o entregou a Camacho. Do coldre, tirou o Colt calibre 45, que ele usaria pelo resto da guerra e levaria consigo para o Mississippi.

Em questão de minutos, os guerrilheiros recuaram de volta ao breu, à medida que luzes e sirenes se acendiam e centenas de soldados japoneses apavorados corriam em desespero. A maior parte deles se aglomerou nas proximidades do carro em chamas e ficou aguardando ordens. Os oficiais, atordoados, rosnavam comandos descoordenados e apontavam em múltiplas direções. O tiroteio havia parado. As sentinelas convenceram os oficiais de que o alvo da invasão haviam sido os caças. Os japoneses formaram patrulhas para vasculhar as aeronaves, mas logo tiveram início os fogos.

Cinco minutos depois de terem plantado as bombas, Pete reuniu seus homens. Eles fizeram uma pausa para assistir. As explosões não eram barulhentas, mas bastante coloridas e notadamente eficientes. Em rápida sucessão, os caças começaram a pipocar conforme as pequenas bombas explodiam e incendiavam os tanques de combustível. Os caças se consumiram cada um em uma bola de fogo e ficaram ardendo um ao lado do outro. Sob o glorioso brilho das chamas, foi possível ver os soldados recuando, atordoados.

Pete saboreou seu feito por um instante apenas, e então ordenou que seus homens batessem em retirada, e depressa. Os japoneses logo enviariam esquadrões de busca e não havia tempo a perder assistindo. Eles não estariam seguros até chegarem à mata.

As baixas haviam sido surpreendentemente baixas, mas cruciais. Três guerrilheiros tinham sofrido pequenos ferimentos que não impediram a fuga. Além de Bowmore, um filipino havia sido morto por uma sentinela e dois tinham sido baleados, não conseguiram escapar e foram capturados. Os dois foram imediatamente levados para a prisão, onde a tortura começou.

No posto avançado, uma contagem revelou 51 sobreviventes. Eles estavam empolgados com o sucesso e ainda cheios de adrenalina, mas quando Pete ficou sabendo dos dois feridos que haviam ficado para trás, soube que aquilo significava encrenca. Eles seriam torturados sem piedade. Nunca era seguro presumir que um homem ficaria calado sob coação. Alguns conseguiam suportar uma dor inconcebível e jamais cediam. Outros sofriam pelo tempo que podiam, mas depois começavam a falar. Às vezes as informações eram falsas, às vezes não.

De um jeito ou de outro, eles já eram homens mortos.

Pete ordenou que seus homens reunissem o mínimo de equipamento possível e se enfiaram pela trilha. Ele se despediu de Miller e seus homens e conduziu as Tropas D e G escuridão adentro.

O PRIMEIRO PRISIONEIRO filipino tinha um ferimento no peito que sangrava bastante. Os japoneses o avaliaram e presumiram que ele morreria em pouco tempo. Eles o amarraram a uma mesa, rasgaram suas roupas e prenderam fios a seus genitais. Quando o primeiro choque o atingiu, ele gritou e implorou. Na sala ao lado, o segundo filipino, também amarrado a uma mesa, ouviu seu camarada clamar por misericórdia.

O primeiro não deu nenhuma informação. Quando ficou inconsciente, o levaram para o lado de fora e o decapitaram com uma espada. Então pegaram sua cabeça e a levaram para dentro, e um oficial a colocou sobre o peito do segundo filipino. O oficial explicou o óbvio: "Não fale nada e em breve você levará seus segredos para o túmulo." Foram amarrados fios em torno dos testículos e do pênis dele, e depois de meia hora o guerrilheiro começou a falar. A cabeça decepada foi tirada de cima de seu peito e colocada em um canto. Os fios foram retirados de seus genitais e o prisioneiro foi autorizado a se sentar e beber água. Um médico examinou a fratura em sua fíbula e foi embora sem tratá-la. O prisioneiro deu o nome do general Bernard Granger e uma localização falsa de sua base nas montanhas. Deu os nomes de todos os oficiais americanos que conhecia e revelou que o major Pete Banning havia comandado o ataque. Ele não fazia ideia de quem tinha fabricado as pequenas bombas, mas elas tinham sido enviadas por alguém em Manila. Que ele soubesse, nenhum outro ataque estava sendo planejado.

O médico voltou. Ele limpou a ferida, a envolveu com bandagem e deu ao prisioneiro alguns comprimidos de analgésico. Eles pouco ajudaram. O interrogatório durou a noite inteira. Quando não sabia responder às perguntas, o prisioneiro simplesmente inventava. Quanto mais falava, mais amigáveis os japoneses se tornavam. Ao amanhecer, lhe deram café quente e um pão e foi informado de que receberia tratamento especial graças à sua cooperação. Quando acabou de comer, foi arrastado até um canto do pátio, onde o corpo nu e sem cabeça de seu amigo jazia em uma forca, pendurado pelos pés. Não muito longe dali, as carcaças queimadas de 74 caças continuavam a arder.

O prisioneiro teve as mãos amarradas acima da cabeça e começou a ser açoitado, enquanto uma multidão de soldados ria e se divertia com a surra. Quando ele ficou inconsciente, foi largado para torrar ao sol, enquanto os soldados cuidavam dos estragos provocados pelos americanos.

34

Quando as notícias do ataque a Stotsenburg chegaram à Austrália, o general MacArthur ficou em êxtase. Telegrafou imediatamente ao presidente Roosevelt e, como de hábito, assumiu todo o crédito por uma operação da qual nada sabia até uma semana depois de concluída. Ele escreveu que "meus comandos" executaram "meu plano detalhado" com incrível audácia e bravura e haviam sofrido apenas pequenas perdas. Suas forças de guerrilha estavam acossando os japoneses com ataques similares por toda parte em Luzon, e ele estava orquestrando todo tipo de destruição além das linhas inimigas.

O ataque deixou os japoneses furiosos e envergonhados, e quando os homens das Tropas D e G chegaram de volta às suas bases cambaleantes, exaustos e famintos, quatro dias após o ataque, os céus zumbiam com caças novinhos em folha. Os japoneses tinham uma provisão infinita e ampliaram os esforços para encontrar Granger. Eles não tiveram êxito, mas a constante investida contra qualquer coisa que se movesse nas montanhas obrigou os guerrilheiros a aumentar a camuflagem e se embrenharem ainda mais fundo na selva. Isso também restringiu a movimentação deles.

Os japoneses intensificaram a patrulha pelos *barrios* nas áreas mais baixas das montanhas e barbarizaram os habitantes. A comida se tornou mais escassa e o ressentimento em relação aos americanos cresceu. Sem vocação para ficar de braços cruzados, Granger começou a enviar esquadrões para emboscar as patrulhas japonesas. As rodovias e os comboios estavam fortemente protegidos e mirar neles era perigoso demais. Em vez disso, seus homens percorriam as trilhas e esperavam. Os ataques eram rápidos e provocavam intensos tiroteios que aniquilavam as patrulhas. Os soldados japoneses não eram páreo para os guerrilheiros bem escondidos, todos excelentes atiradores. Conforme as semanas se passaram e as baixas aumentaram, os japoneses foram perdendo o interesse em encontrar Granger e se retiraram para os vales, onde vigiavam as rodovias. A guerrilha e a inteligência jamais encontraram informações que sugerissem a existência de planos para um ataque em grande escala à sua base.

Granger e sua crescente força estavam a salvo nas montanhas, mas a guerra mesmo se desenrolava longe dali. Na primavera de 1943, o Japão tinha total controle sobre o Pacífico Sul e ameaçava a Austrália.

A PONTE ATRAVESSAVA o rio Zapote no fundo de um vale íngreme e hostil. Penhascos se erguiam de ambos os lados em ângulos tão íngremes que era impossível atravessá-los a pé. O rio era estreito, mas fundo e veloz, e os engenheiros japoneses não haviam sido capazes de construir pontes flutuantes que pudessem atravessá-lo. Eles então fizeram uma ponte de troncos de pau-rosa, que era resistente e abundante no local. A construção foi traiçoeira, e dezenas de escravos filipinos morreram no processo.

Quando Granger recebeu ordens para destruí-la, enviou os majores Banning e DuBose com um esquadrão de dez homens para dar uma olhada. Eles andaram dois dias por terrenos acidentados e finalmente encontraram uma elevação segura para servir de ponto de observação. A ponte estava longe, no fundo do vale, a quase 2 quilômetros de distância. Usando binóculos, eles ficaram observando por horas, e os comboios não paravam de passar. De vez em quando caminhões ou porta-tropas solitários cruzavam a ponte, e alguns carros com oficiais de alta patente também foram avistados. A importância da ponte ficava evidente pela quantidade de soldados que a vigiavam. Havia um posto de observação de cada lado com dezenas de guardas circulando, e no topo de cada um deles estavam posicionadas metralhadoras em tripés. Abaixo, nas margens do rio, um número ainda maior de japoneses acampava em torno dos pilares e matava o tempo. A corrente rápida e violenta impedia que barcos navegassem.

Depois que escurecia, os comboios se tornavam escassos. Às oito da noite, a ponte era muito mais silenciosa. Os japoneses haviam aprendido que o inimigo operava melhor à noite, e, portanto, mantinham seus suprimentos de fora das estradas. Vez ou outra um caminhão, provavelmente vazio, cruzava a ponte no sentido oeste para ser recarregado.

Banning e DuBose chegaram à conclusão de que seria impossível destruir a ponte com explosivos. Um ataque com homens armados seria suicídio. Além de alguns lança-granadas, os guerrilheiros não possuíam nada no âmbito da artilharia.

Eles voltaram ao acampamento e compartilharam suas impressões com Granger, que não ficou surpreso. Seus corredores haviam reportado o mesmo. Depois de descansarem por um dia, os comandantes se reuniram com o general sob a cobertura das árvores e, tomando chá, debateram suas opções, chegando à conclusão de que poucas eram aproveitáveis. Foi elaborado um plano, que pareceu a única ideia com uma remota chance de sucesso.

A maioria dos comboios transportava armamentos, comida, combustível e outros suprimentos vindos de diversos portos ao longo da costa ocidental de Luzon, e de lá se espalhavam pelas montanhas por meio de uma rede de estradas e pontes que os japoneses mantinham graças a muito trabalho. A primeira parada para a maioria dos caminhões era um enorme depósito de munições nos arredores da cidade de Camiling. Ali, em incontáveis arma-zéns, o inimigo estocava uma quantidade de suprimentos suficiente para vencer a guerra. Depois de inventariados e seguros, os suprimentos eram então distribuídos por toda Luzon. Camiling era o alvo dos sonhos de todas as unidades de guerrilha e os japoneses sabiam disso. Até mesmo Granger chegara à conclusão de que seria impossível tomá-la.

O tráfego de caminhões em Camiling e seus arredores era caótico. As estradas não eram boas, então os japoneses tiveram que construir mais a toque de caixa. A presença do exército sempre atraía todo tipo de atividade sórdida, e nos limites da cidade as rodovias estavam repletas de novas paradas de caminhões, cafés, bares, hotéis baratos, bordéis e casas de ópio.

O major Banning precisava de um caminhão de carga vazio com uma cobertura de lona, e havia muitos deles parados lado a lado em frente a movimentados bares e cafés na estrada principal que levava a Camiling. Camacho e Renaldo vestiam uniformes de oficiais do exército imperial. Seus disfarces eram tão bem detalhados que incluíam até os óculos redondos de armação fina usados por praticamente todos os japoneses e detestados por todos os americanos. O caminhão de carga no qual estavam de olho se encontrava vazio; portanto, iria no sentido oeste para recarregar. O tanque de combustível estava cheio.

Depois de algumas cervejas, os motoristas, ambos soldados, deixaram o bar e se dirigiram ao caminhão. Eles se depararam com Camacho e Renaldo, que os atacaram de surpresa com socos. Brigas eram comuns na saída dos bares – diabos, eram garotos do exército –, e as pessoas já nem reparavam. A luta terminou abruptamente quando Camacho cortou a garganta dos dois e jogou os corpos na parte de trás do caminhão, onde Pete estava escondido. Sem nenhuma piedade, ele ficou vendo os dois sangrarem até a morte enquanto Camacho tirava o caminhão dali. Nos arredores de um *barrio*, acamparam com as Tropas G e M e pegaram 50 quilos de dinamite e mais de 70 litros de gasolina. Os guerrilheiros se amontoaram no caminhão, depois de jogar os dois soldados mortos em uma ravina. Uma hora depois, quando começaram a descida íngreme em direção ao vale, o caminhão parou e os guerrilheiros desceram. Um corredor os conduziu por uma trilha perigosa que levava ao Zapote.

Quando o caminhão estava se aproximando dos postos de guarda da ponte, Camacho e Renaldo seguraram firme suas armas e prenderam a respiração. Depois de horas de observação, tinham constatado que os guardas nunca revistavam seus próprios caminhões. E por que deveriam? Centenas deles passavam por ali dia e noite. Na parte de trás, Pete estava agachado com o dedo no gatilho da metralhadora. Os guardas mal olharam e fizeram sinal para o caminhão seguir em frente.

Camacho havia se oferecido por ser destemido e não ter medo de água. Renaldo declarou ser um excelente nadador. Como comandante, Pete jamais cogitaria enviar qualquer um que não eles em uma missão tão perigosa.

O caminhão parou no meio da ponte. Camacho e Renaldo largaram suas armas, vestiram coletes salva-vidas improvisados e passaram para a traseira do caminhão. Pete, que havia se tornado habilidoso com explosivos, acionou o detonador e proferiu a palavra de ordem:

– Pulem.

Eles mergulharam na escuridão fria e agitada do Zapote e foram levados pela correnteza. Em uma curva a menos de 1 quilômetro dali, DuBose estava escorado em uma pedra, esperando. Seus homens estavam na água, presos por uma corda, formando um cordão de salvamento para pescar seus camaradas no rio.

A explosão foi linda, um violento abalo na outrora pacífica noite de lua cheia. Uma bola de fogo de 30 metros de diâmetro engolfou o caminhão e a ponte. Guardas de ambos os lados saíram correndo em direção ao incêndio, até perceberem que não havia nada que pudesse ser feito. Então se deram conta de que o desabamento era iminente e retornaram para um local seguro.

Pete se debateu na correnteza e tentou se orientar. O colete salva-vidas funcionou bem e ele se manteve à tona. Ouviu tiros e gritos dos guardas, mas se sentiu em segurança na água. Nadar era impossível, então ele tentou se estabilizar. Várias vezes a corrente o engoliu, mas ele lutou e recuperou o fôlego. Em uma fração de segundo, olhou para trás e teve uma rápida visão do caminhão em chamas. Perto da curva, a corrente o lançou contra pedras que ele não conseguia enxergar, e quebrou a perna esquerda. A dor foi imediata e desesperadora, mas ele conseguiu fugir das pedras. Logo ouviu vozes, e gritou em resposta. A corrente perdia força na curva; as vozes foram ficando mais próximas. Alguém o agarrou e o alçou para a margem. Camacho já estava lá, mas Renaldo não. O tempo passava e eles ficaram observando o fogo à distância. Uma segunda explosão abriu um buraco na ponte, e a carcaça em chamas do caminhão caiu no rio.

DuBose e Clay passaram o braço ao redor de Pete e pegaram a trilha. A dor era excruciante e irradiava dos dedos dos pés até o quadril. O ferimento o deixou tonto e ele quase desmaiou. Pararam após um curto trajeto e DuBose lhe deu uma injeção de morfina. Os guerrilheiros sabiam bem como fazer uma maca em plena selva e rapidamente cortaram duas hastes de bambu e as envolveram com cobertores. Enquanto isso, os outros ficaram vigiando o rio em busca de algum sinal de Renaldo, mas ele jamais foi encontrado.

Por dois dias o major Banning se contorceu em agonia, mas sem reclamar. A morfina ajudava consideravelmente. Corredores deram a notícia a Granger, e quando os homens já estavam começando a subida final até a base um médico chegou com mais medicamentos, além de uma maca de verdade. Tropas descansadas o carregaram até o acampamento para receber as boas-vindas de um herói. Granger se pavoneava, abraçando seus homens e prometendo condecorações.

Um médico colocou uma tala na perna de Pete e lhe avisou que seus dias de luta estavam suspensos por alguns meses. Seu fêmur estava quebrado em pelo menos dois pontos. A tíbia tinha se partido. A rótula estava fissurada.

Seria necessária uma cirurgia, mas isso era impossível. Pete estava proibido de sair da cama por duas semanas, e gostou bastante de ter que ficar pedindo coisas para Clay.

Ele logo ficou entediado e levantou assim que Clay encontrou um par de muletas. O médico insistiu para que ele evitasse se movimentar, mas Pete se valeu de seu posto e o mandou pro inferno. Todas as manhãs ele se aboletava sob a cobertura camuflada de Granger, e virou um estorvo. Sem que ninguém perguntasse, começou a dar conselhos ao general sobre todos os aspectos da guerra de guerrilha e das operações, e, para calá-lo, Granger sacava o tabuleiro de *cribbage*. Pete logo o estava derrotando quase que diariamente e exigia pagamento em dólares. Granger ofereceu apenas notas promissórias.

As semanas foram passando, e Pete ajudava o general em um plano de ataque após outro. Ficava assistindo, desconsolado, aos guerrilheiros limparem as armas, encherem as mochilas e partirem para as missões. Clay foi promovido a tenente e colocado no comando da Tropa G.

Em uma manhã úmida e nebulosa no início de junho, um corredor voou até a cobertura camuflada de Granger com a notícia de que DuBose e a Tropa D haviam sido emboscados enquanto dormiam. Os guerrilheiros filipinos haviam sido baleados. DuBose e dois americanos haviam sido capturados antes que pudessem cometer suicídio. Tinham sido brutalmente espancados e depois levados embora.

Pete voltou para sua cabana, sentou-se no catre e chorou.

NO VERÃO DE 1944, as forças americanas encontravam-se a menos de 500 quilômetros de distância das Filipinas e perto o suficiente para bombardear os japoneses com B-29s. Aeronaves que partiam dos porta-aviões americanos estavam atingindo os campos de pouso japoneses com ataques e varreduras.

Os guerrilheiros olhavam os céus com uma satisfação macabra. Uma invasão americana era iminente e MacArthur exigia cada vez mais inteligência oriunda das selvas. Os japoneses estavam concentrando tropas e construindo fortalezas ao longo da costa oeste de Luzon, e a situação, pelo menos para os guerrilheiros, era mais perigosa do que nunca. Eles não apenas precisavam dar continuidade a seus ataques e emboscadas, como esperava-se que eles monitorassem os movimentos e a força das tropas inimigas.

GRANGER FINALMENTE CONSEGUIU um rádio que funcionava e fazia contato esporadicamente com o quartel-general americano. Ele era bombardeado com ordens para encontrar o inimigo e fazer relatórios diários. A inteligência fornecida pela Força de Resistência do Oeste de Luzon se tornou crucial para a invasão americana. Granger foi forçado a dividir seus homens em grupos ainda menores e enviá-los a pontos ainda mais distantes.

A Tropa G de Pete foi reduzida a ele, Clay, Camacho, três outros filipinos e três corredores. Sua perna quebrada se recuperou a ponto de ele voltar a ser útil em alguma medida, mas cada passo lhe doía. No acampamento, ele mancava de um lado para outro usando uma bengala, mas nas trilhas cerrava os dentes e, com a ajuda de uma leve bengala improvisada e um suprimento cada vez menor de morfina, guiava seus homens. Eles carregavam menos coisas, se moviam ainda mais rápido e contavam com os corredores para manter Granger informado. As patrulhas se estendiam por dias, e era normal não terem nem comida nem munição suficientes.

Luzon estava sendo reforçada pelas divisões de infantaria japonesas, e elas estavam por toda parte. As emboscadas eram evitadas, porque tiros acabariam por atrair um contingente inimigo que não podia ser derrotado.

Em 20 de outubro de 1944, o Sexto Exército dos Estados Unidos aportou na costa de Leyte, a leste de Luzon. Com o apoio de bombardeios navais e aéreos, as forças americanas e australianas suplantaram os japoneses e rumaram para oeste. Em 9 de janeiro de 1945, o Sexto Exército chegou a Luzon, atropelou os japoneses e avançou rapidamente para o interior. Granger mudou de tática novamente e ampliou suas equipes. Eles foram liberados outra vez para emboscar os japoneses em retirada e atacar comboios.

Em 16 de janeiro, após um ataque bem-sucedido a um pequeno depósito de munições, Pete e a Tropa G deram de cara com um batalhão japonês inteiro. Subitamente, estavam sendo atacados de três direções distintas, e tinham pouco espaço para escapar. Os japoneses estavam tão cansados quanto eles, mas dispunham de homens e armas em maior número. Pete deu ordem para que seus homens se escondessem atrás de algumas pedras, e de lá eles lutaram por suas vidas. Dois de seus filipinos foram atingidos. Os morteiros começaram a chegar. Uma granada de mão aterrissou perto de Camacho e o matou na hora. Um obus atingiu o solo bem atrás de Pete e os estilhaços rasgaram sua perna direita, a boa. Ele desabou, aos gritos, e deixou cair o fuzil. Clay o agarrou, colocou-o nos ombros e desapareceu na mata. Os outros deram cobertura por um momento, depois abandonaram o combate e recuaram. Havia apenas uma trilha e ninguém sabia aonde ela levava, mas eles seguiram em frente. Os japoneses, claro, estavam cansados demais para persegui-los, e o tiroteio cessou.

A perna de Pete sangrava e Clay logo ficou coberto de sangue, mas não parou de andar. Eles se depararam com um riacho, o atravessaram com cuidado e por fim chegaram a um matagal. Clay tirou a camisa, rasgou-a em tiras e enfaixou as feridas de Pete o mais apertado possível. Eles acenderam cigarros e contabilizaram as baixas. Tinham perdido quatro homens, incluindo Camacho. Pete choraria por ele depois. Ele bateu em sua Colt 45 e repetiu para Clay que eles não seriam levados com vida. Clay lhe prometeu que não seriam levados de forma alguma. Ao longo da tarde eles se revezaram carregando Pete nos ombros, que insistia em dizer que podia andar com ajuda. Quando anoiteceu, eles dormiram próximo a um *barrio* pelo qual nunca haviam passado. Um garoto que morava ali deu algumas orientações. Estavam longe da base de Granger, mas o garoto acreditava que havia alguns americanos por perto. Soldados mesmo, não guerrilheiros.

Ao amanhecer, eles retomaram a caminhada e logo chegaram a uma estrada. Escondidos na mata, ficaram observando e esperaram até ouvir o som de caminhões. Então viram – belos caminhões cheios de soldados americanos. Quando Pete viu a bandeira de seu país tremulando na antena do jipe principal, sentiu vontade de chorar. Andou sem ajuda até o meio da estrada, com a roupa rasgada e coberta de sangue, e esperou que o jipe parasse. Um coronel saiu e foi ao encontro dele. Pete o saudou e anunciou:

– Tenente Pete Banning, do Vigésimo Sexto Regimento de Cavalaria do Exército Americano. West Point, turma de 1925.

O coronel o olhou de cima a baixo e avaliou o imundo grupamento que o acompanhava. Barba por fazer, abatidos, alguns também feridos, portando um monte de armas diferentes, a maioria japonesas.

O coronel não devolveu o cumprimento. Em vez disso, foi até Pete e lhe deu um abraço apertado.

OS REMANESCENTES DA Tropa G foram levados para o porto de Dasol, onde não paravam de chegar integrantes do Sexto Exército. Dezenas de lanchas de desembarque despejavam soldados descansados nas praias, enquanto as canhoneiras patrulhavam a costa. Milhares de membros do exército inundavam o porto. Era caótico, mas um caos bonito de ver.

Os homens foram levados para uma tenda de primeiros socorros, onde puderam comer e dispor de água quente, sabão e barbeadores. Foram examinados por médicos acostumados a tratar de ferimentos de guerra infligidos a homens jovens e saudáveis, não em guerrilheiros saídos da selva e devastados por todo tipo de doença. Pete foi diagnosticado com malária, disenteria amébica e desnutrição. Estava pesando 62 quilos. Ainda estava muito magro, mesmo tendo ganhado peso nos dois anos e meio anteriores. Suspeitava de que estava com quase 10 quilos a menos quando saiu de O'Donnell. Ele e outros três feridos foram examinados por médicos em um hospital próximo. Constatou-se rapidamente que Pete precisava de uma cirurgia para remover estilhaços da perna, e ele foi tratado com prioridade. O hospital não parava de receber vítimas do front.

Clay e os demais receberam uniformes novos em folha. Seu novo tamanho de cintura era 71 centímetros, 15 a menos do que na época da partida. Eles foram levados para uma tenda com catres, receberam ordens para descansar e acesso liberado ao refeitório, onde comeram sem parar.

No dia seguinte, Clay visitou seu comandante em uma enfermaria do hospital e ficou aliviado ao saber que a cirurgia havia corrido bem. Os médicos podiam tratar feridas, mas não tinham equipamento para cuidar das fraturas de Pete. Aquilo teria que esperar até que ele voltasse aos Estados Unidos. Pete e Clay pensaram nos companheiros de guerrilha e fizeram uma oração por Camacho, Renaldo, DuBose e os outros que haviam morrido. Lembraram-se daqueles que ainda padeciam em O'Donnell e nos outros campos de prisioneiros e oraram para que fossem resgatados em breve. Também conseguiram rir um pouco de si mesmos e de suas incríveis aventuras na selva.

Clay voltou no dia seguinte com a notícia de que tinha recebido a opção de se juntar ao Sexto Exército ou de ser realocado para uma base nos Estados Unidos. Pete insistiu para que ele voltasse para casa, e Clay estava inclinado a fazer isso. Eles já haviam lutado o suficiente.

Três dias depois, Pete se despediu de seus homens, a maioria dos quais ele jamais veria novamente. Ele e Clay se abraçaram e prometeram manter contato. Pete e mais dez homens gravemente feridos foram embarcados com todo o cuidado em uma balsa e transportados para um grande navio-hospital do exército. Tiveram que esperar por dias até que o navio estivesse cheio, e então partiram de volta para casa. O navio contava com belas enfermeiras que o alimentavam quatro vezes ao dia e o tratavam como herói. A visão daquelas pernas bem torneadas e o cheiro de perfume feminino fizeram com que ele ansiasse pelos braços de Liza.

Quatro semanas depois, o navio adentrou a baía de São Francisco, e Pete se lembrou da última vez que tinha visto a ponte Golden Gate. Novembro de 1941, poucos dias antes de Pearl Harbor.

Ele foi transferido para o Hospital Militar Letterman, em Presidio. Como todos os outros soldados a bordo, a única coisa que ele queria era um telefone.

35

A notícia de que Pete Banning estava vivo causou ainda mais choque do que a de que ele estava morto. Nineva foi a primeira a saber, porque estava na cozinha quando o telefone tocou. Sempre relutante em atender, porque achava que aquilo era um brinquedo de gente branca, ela por fim disse:

– Residência dos Bannings.

Um fantasma falou com ela, o fantasma de Seu Banning. Quando ela se recusou a acreditar que era Pete, ele levantou a voz uma ou duas oitavas e mandou ela ir achar a esposa dele, e rápido.

Liza estava do lado de fora do celeiro, segurando as rédeas de seu cavalo enquanto Amos consertava um dos estribos. Ambos se assustaram com os gritos vindos da varanda dos fundos, e correram para ver o que estava acontecendo com Nineva. Ela estava em êxtase, aos pulos, chorando e gritando:

– É o Seu Pete! É o Seu Pete! Ele tá vivo! Ele tá vivo!

Liza estava certa de que Nineva tinha ficado maluca, mas correu para o telefone mesmo assim. Quando ouviu a voz dele quase desmaiou, mas conseguiu encontrar uma cadeira antes disso. Com algum esforço, Pete convenceu a esposa de que estava mesmo vivo e descansando confortavelmente em um hospital em São Francisco. Ele tinha vários ferimentos, mas todos os seus membros estavam intactos e ele ia se recuperar. Ele queria que ela pegasse um trem o mais rápido possível. Liza mal conseguia falar e tentou conter as lágrimas. Ao recuperar os sentidos, ela se lembrou de que provavelmente não havia privacidade naquela conversa. Tinha sempre alguém escutando na linha comunitária. Eles combinaram que ela iria buscar Florry, correr para a cidade e ligar para ele de uma linha particular. Liza mandou Amos ir chamar Florry enquanto ela trocava de roupa.

Agnes Murphy morava a 1 quilômetro dali subindo a estrada e era conhecida por ficar escutando em segredo todas as ligações da linha comunitária. Os vizinhos suspeitavam de que ela não tinha nada para fazer além de sentar ao lado do telefone e pegá-lo quando ele tocava. Ela havia, sim, ouvido o telefonema de Pete, sem conseguir acreditar, e imediatamente começou a ligar para os amigos na cidade.

Florry chegou em segundos e as duas entraram correndo no Pontiac de Liza, que odiava dirigir e era ainda pior do que Florry ao volante, mas no momento aquilo não importava. Elas foram voando até a cidade, costurando entre os outros carros e levantando poeira. Ambas estavam chorando, mas não paravam de falar. Liza então disse:

– Ele contou que foi ferido, mas que está bem, que foi capturado mas conseguiu escapar, e que vinha lutando como guerrilheiro nos últimos três anos.

– Glória a Deus – dizia Florry sem parar. – Que diabo é um guerrilheiro?

– Não faço ideia, não faço a menor ideia. Eu mal consigo acreditar.

– Glória a Deus.

Elas pararam o carro cantando pneu e entraram correndo na casa de Shirley Armstrong, a melhor amiga de Liza. Ela estava na cozinha quando Liza e Florry irromperam com a notícia. Depois de uma rodada de lágrimas e abraços, Liza pegou emprestado o telefone dela, uma linha particular, e ligou para o hospital em São Francisco. Enquanto esperava por um bom tempo, enxugou as lágrimas e procurou se recompor. Florry não fez esse esforço e se sentou no sofá com Shirley, ambas aos prantos.

Liza ficou dez minutos falando com Pete, depois passou o telefone para Florry. Ela pegou o carro e foi até a escola, encontrou Stella na sala de aula, puxou-a para o corredor e deu a inacreditável notícia. Quando Liza foi avisar que estava indo embora com a filha, os professores e o diretor se reuniram no gabinete para mais uma rodada de abraços e comemorações.

Enquanto isso, Florry não parava de usar o telefone. Ligou para o escritório do presidente da Vanderbilt e exigiu que localizassem Joel imediatamente. Ligou para Dexter Bell, na igreja. Ligou para Nix Gridley, na cadeia. Na condição de xerife, Nix servia como contato não oficial do condado para notícias importantes.

Uma hora depois da ligação de Pete, todos os telefones da cidade estavam tocando.

Liza e Florry voltaram para casa e tentaram organizar as coisas. Era final de fevereiro e não havia trabalho nos campos. Os negros começaram a se dirigir até a casa para conferir se a história era verdadeira. Liza estava na varanda dos fundos e confirmou a notícia. Dexter e Jackie Bell foram os primeiros a chegar, e a eles se seguiu um desfile de carros conforme os amigos se reuniam na casa dos Bannings.

Dois dias depois, Florry levou Liza para a estação de trem, onde uma festa de despedida esperava por elas. Liza agradeceu e deu um abraço em cada um, depois embarcou para uma viagem de três dias até São Francisco.

A PRIMEIRA CIRURGIA durou oito horas, enquanto os médicos executavam a complexa tarefa de quebrar e recolocar no lugar a maioria dos ossos da perna esquerda de Pete. Quando terminaram, envolveram a perna com um gesso grosso que ia do quadril ao tornozelo, atravessado por pinos e hastes. Ela ficou suspensa em um ângulo que provocava dor, e foi mantida no lugar com a ajuda de correias, polias e correntes. A perna direita estava envolvida em gaze e doía tanto quanto a esquerda. Os enfermeiros o entupiram de analgésicos e, após a cirurgia, Pete dormiu por praticamente dois dias inteiros.

E aquilo na verdade era uma bênção. Durante o mês que passara no navio-hospital ele sofrera com pesadelos e flashbacks e havia dormido muito pouco. Os horrores dos três anos anteriores o assombravam noite e dia. Um psiquiatra passou algum tempo com ele e o fez se abrir e falar, mas reviver as experiências só piorou as coisas. Os remédios o deixaram ainda mais confuso. Uma hora ele sentia uma euforia tão intensa que dava gargalhadas, para no momento seguinte cair em depressão profunda. Dormia a intervalos irregulares durante o dia e muitas vezes passava a noite gritando.

Quando as enfermeiras ficaram sabendo que a esposa dele chegaria em breve, reduziram a dose dos analgésicos. Ele precisava estar o mais acordado possível.

Liza foi levada por uma enfermeira até a ala onde Pete se encontrava. Lá, deparou com duas extensas fileiras de camas separadas por cortinas finas. Enquanto caminhava, não pôde deixar de reparar nos pacientes, a maioria meros garotos recém-saídos do colégio. Quando a enfermeira parou, Liza respirou fundo e abriu a cortina. Tomando cuidado para não tocar as correntes, polias nem as pernas machucadas, ela se jogou sobre ele para abraçá-lo apertado, algo que ela achava que jamais faria novamente. Pete, no entanto, sonhava com aquele momento havia anos.

Ela estava linda como sempre. Vestida de forma deslumbrante e cheirando a um perfume que ele jamais esquecera, ela o beijou enquanto eles sussurravam, choravam e riam, e o tempo parecia ter congelado por completo. Ele passou a mão na bunda dela na frente dos pacientes próximos, e ela não se importou. Ele a apertou fundo contra o peito, e parecia que não havia nada de errado no mundo naquele momento.

Falando o mais baixo possível, eles conversaram por bastante tempo. Joel, Stella, Florry, a fazenda, os amigos, todas as fofocas da cidade. Ela falou a maior parte do tempo, porque ele não tinha vontade de descrever o que havia passado. Quando os médicos chegaram, deram a ela um resumo do estado do paciente e das expectativas. Eles previam que muitas outras cirurgias seriam necessárias e que a recuperação seria demorada, mas com o tempo Pete voltaria à forma de antes.

Um enfermeiro levou para ela uma cadeira confortável, um travesseiro e um cobertor, e Liza montou acampamento ali. Havia levado livros e revistas, e leu e falou sem parar. Só saiu do lado dele ao anoitecer, para dormir no hotel.

Em pouco tempo Liza já sabia o nome dos outros rapazes na enfermaria e flertava descaradamente com todos. Eles ficavam agitados quando ela estava por perto, encantados por ter uma mulher tão bonita e cheia de vida cuidando deles com tanta atenção. Ela praticamente tomava conta da enfermaria. Escrevia cartas para as namoradas e telefonava para as mães, sempre com notícias alegres e otimistas, independentemente dos ferimentos deles. Lia cartas recebidas das famílias, muitas vezes contendo as lágrimas. Levava chocolates e doces, quando conseguia encontrá-los.

Pete estava entre os que tiveram sorte. Não tinha ficado paraplégico nem desfigurado, e todos os seus membros estavam intactos. Alguns dos rapazes estavam em condições lastimáveis, e, portanto, recebiam atenção extra de Liza. Pete estava mais do que contente em compartilhar a esposa, e se deleitava com a capacidade dela de alegrar uma enfermaria de hospital.

Liza passou duas semanas com Pete e foi embora apenas porque Stella estava em casa com Florry e Nineva. Quando ela partiu, a enfermaria retornou à tristeza de sempre. Todos os dias os pacientes gritavam com Pete, perguntando quando Liza iria voltar.

Ela retornou em meados de março, levando a família. Joel e Stella estavam de férias e ansiosos para ver o pai. Por três dias eles acamparam em torno da cama dele e viraram a enfermaria de ponta-cabeça. Depois que eles foram embora, Pete dormiu por dois dias seguidos, com a ajuda de sedativos.

No dia 4 de maio, ele foi levado de ambulância para a estação de trem e embarcou em um vagão-hospital do exército para cruzar o país. Parou por diversas vezes conforme os homens eram transferidos para hospitais mais perto de casa. Em 10 de maio, Pete chegou a Jackson, Mississippi, e Liza, Stella e Florry esperavam por ele. Elas seguiram a ambulância pela cidade até chegarem ao Hospital Geral Foster, onde Pete passou três meses se recuperando.

Parte
Três

—⚬⚬⚬—

A traição

36

Duas semanas após a execução de Pete Banning, teve início o processo de abertura, registro e cumprimento de seu testamento, em um tribunal específico no condado de Ford. John Wilbanks o havia elaborado pouco depois do julgamento. Era objetivo e deixava a maior parte dos bens para Liza em relação de fideicomisso, com Wilbanks figurando como fiduciário. O bem mais valioso de Pete, sua parte da fazenda, já tinha sido transferido a Joel e Stella em partes iguais, e isso incluía a bela casa em que viviam. Pete exigiu que constasse uma cláusula determinando que Liza poderia viver na casa pelo resto da vida, desde que não se casasse novamente e um dia tivesse alta do hospital de Whitfield. John o advertira de que tal disposição poderia ser difícil de ser aplicada caso seus filhos, na condição de proprietários, quisessem impedir, por algum motivo, que a mãe morasse lá. Havia outras questões problemáticas no testamento, todas cuidadosamente apontadas pelo advogado e todas teimosamente ignoradas pelo cliente.

À época de sua morte, Pete era proprietário de ferramentas agrícolas e automóveis e titular de contas bancárias, das quais o nome de Liza fora retirado depois de ela ter sido internada. Antes disso, as contas eram conjuntas, mas naquele momento Pete não queria mais que ela tivesse acesso ao dinheiro. Sua conta-corrente pessoal tinha um saldo de 1.800 dólares. A conta da fazenda, 5.300 dólares. Além disso, ele possuía 7.100 dólares em uma poupança. Uma semana antes da execução, ele transferiu 2.200 dólares para a conta de Florry, a fim de cobrir as despesas referentes aos estudos de

Joel e Stella. Também lhe deu um pequeno cofre de metal contendo pouco mais de 6 mil dólares em notas e moedas de ouro, dinheiro que jamais poderia ser rastreado. Ele não tinha empréstimos nem dívidas, exceto as despesas habituais decorrentes da administração da fazenda.

Pete instruiu John Wilbanks a dar entrada na partilha dos bens o mais rápido possível e a apresentar as declarações de impostos necessárias. Nomeou Florry sua testamenteira e, por escrito, determinou que ela pagasse ao escritório de Wilbanks o que era devido, além de lhe deixar uma lista de outros assuntos pendentes.

Em 1947, terras agrícolas de qualidade no condado de Ford valiam aproximadamente 250 dólares por hectare. Pete deixou para os filhos bens imóveis avaliados, por alto, em mais ou menos 100 mil dólares, incluindo a casa. Para a esposa, deixou um valor correspondente a cerca de um quarto dessa quantia, vinculado a uma relação de fideicomisso, passível de objeção, como John Wilbanks apontou várias e várias vezes, caso Liza decidisse contestar o testamento.

Pete tinha certeza de que ela não faria isso.

Ao dar início ao processo de partilha, Wilbanks respeitou a exigência legal de publicar um comunicado no jornal do condado durante três semanas consecutivas, para alertar os possíveis credores de que todas as reivindicações contra o espólio deveriam ser apresentadas no prazo de noventa dias. Nenhuma outra informação sobre o patrimônio de Pete foi divulgada, e nenhuma foi solicitada.

Em Rome, na Geórgia, Errol McLeish recebeu pelo correio seu exemplar semanal do *The Ford County Times*. Ele o esquadrinhava toda semana para monitorar as notícias, à espera do comunicado aos credores.

LOGO APÓS O enterro, Joel e Stella foram embora do chalé cor-de-rosa. Havia sido um lugar agradável e que os fazia se sentir em casa quando voltavam da faculdade, com comida quente no fogão, lareira acesa no inverno, música na vitrola e Florry, com todas as suas excentricidades e seus bichos, mas a tia tinha uma personalidade tão expansiva que o espaço se tornava pequeno bem depressa.

Instalaram-se em seus antigos quartos e deram início à impossível tarefa de tentar trazer alguma vida àquela casa. Abriram portas e janelas, em um esforço de fazer o ar fresco circular. Era verão, e o calor e a umidade sufocavam a fazenda. O telefone tocava constantemente conforme amigos e desconhecidos ligavam para dizer palavras gentis, fazer perguntas ridículas ou pedidos indiscretos. Por fim, eles pararam de atender. Havia uma pilha de correspondências, e eles abriram e leram as cartas. A maioria era de veteranos de guerra que diziam coisas boas sobre Pete, embora poucos o conhecessem pessoalmente. Por alguns dias, Joel e Stella tentaram responder às cartas com mensagens curtas, mas logo se cansaram da tarefa e perceberam que era inútil. Seu pai estava morto. Para que responder a completos estranhos? A correspondência se acumulou no escritório abandonado de Pete. Algumas poucas almas caridosas da cidade levaram pratos de comida e sobremesas, como era de costume depois que alguém morria, mas quando Joel e Stella perceberam que a maioria dos visitantes era composta apenas de curiosos, pararam de atender a porta.

Os repórteres iam e vinham, todos atrás de uma nova versão dos fatos ou de uma frase de efeito, mas não conseguiram nada. Um deles, que trabalhava para uma revista, ficou perambulando por lá até que Joel o enxotou com uma espingarda.

Nineva não ajudava em nada. Estava devastada por conta da morte do patrão e não conseguia parar de chorar. Com grande esforço ela se ocupava de manhã, cozinhando e limpando a casa, mas ao meio-dia a exaustão que sentia não a deixava trabalhar. Stella costumava mandá-la para casa depois do almoço, feliz por não a ter mais ali.

Todas as noites, depois do jantar e pouco antes do anoitecer, quando o calor diminuía, Joel e Stella percorriam a pé o caminho de terra até o Old Sycamore e conversavam com o pai. Tocavam a lápide, choravam um pouco, faziam uma oração e voltavam para casa, de braços dados, falando baixinho e imaginando que diabo havia acontecido com a família deles. Com o passar dos longos dias, aceitaram a realidade de que nunca saberiam por que o pai matara Dexter Bell, assim como nunca saberiam por que a mãe sofrera um colapso nervoso tão devastador.

Disseram a si mesmos que não queriam saber. Queriam sair daquele pesadelo e seguir com suas vidas, vidas que deveriam ser vividas em algum lugar bem longe dali.

JOEL LIGOU PARA o diretor do hospital em Whitfield pela terceira vez e pediu permissão para visitar a mãe. O diretor prometeu conversar com os médicos e ligou no dia seguinte com a notícia de que a visita não fora autorizada. Aquela era a terceira negativa e, assim como nas duas vezes anteriores, a justificativa era que ela não estaria em condições de receber visitas. Nada mais foi dito, e a família presumia que Liza havia sido informada da morte de Pete e afundara ainda mais em seu mundo sombrio.

Antes de morrer, Pete não tomou providências a respeito da nomeação de um sucessor para o lugar de tutor de sua esposa. Joel encontrou-se com John Wilbanks e insistiu para que ele pedisse ao juiz que ele ou Stella fossem indicados, mas Wilbanks queria deixar passar algum tempo.

Joel ficou irritado com isso e ameaçou contratar outro escritório para representar a ele e os interesses de sua mãe. Sob pressão, provou ser um advogado bastante eficaz, de raciocínio rápido, esperto em seus argumentos. John Wilbanks ficou impressionado, a ponto de mencionar a seu irmão Russell que o garoto poderia ter futuro nos tribunais. Depois de dois dias de insistência, John cedeu e, com Joel a tiracolo, atravessou a rua para se encontrar com o juiz Abbott Rumbold, o antigo ditador do Tribunal da Chancelaria. Havia muitos anos, o juiz vinha fazendo tudo o que John Wilbanks lhe pedia, e em uma hora Joel foi nomeado o novo tutor responsável pelos cuidados da mãe. Ele obteve uma cópia autenticada da nova ordem judicial e ligou para Whitfield imediatamente.

Em 7 de agosto, quatro semanas após a morte do pai, Joel e Stella pegaram a estrada em direção ao sul para ver a mãe pela primeira vez em mais de um ano. Florry não sabia ao certo se deveria se convidar para ir com eles ou não, e Joel, o novo homem da casa, deu a entender que seria melhor que ela esperasse até a visita seguinte. No fim das contas, por ela estaria tudo bem.

O mesmo guarda que eles tinham enfrentado meses antes estava esperando no portão com uma prancheta, mas a papelada parecia menos complicada. Joel dirigiu direto para o Edifício 41 e, com a ordem judicial em punho, marchou até o interior do prédio para ver o Dr. Hilsabeck. Os dois haviam se falado por telefone no dia anterior e estava tudo acertado. O médico foi excepcionalmente agradável e, depois de examinar o decreto do velho Rumbold, entrelaçou os dedos das mãos e perguntou como poderia ajudar.

Stella falou primeiro:

– Queremos saber o que tem de errado com a nossa mãe. Qual é o diagnóstico dela? Ela está aqui há mais de um ano, então com certeza você pode dizer pra gente qual o problema dela.

– Claro – respondeu o médico por trás de um sorriso amarelo. – A Sra. Banning padece de grave sofrimento mental. O termo "colapso nervoso" não é de fato um diagnóstico médico, mas é usado com frequência para descrever pacientes com o quadro como o da sua mãe. Ela sofre de depressão, ansiedade e transtorno de estresse agudo. A depressão traz à tona sentimentos de desesperança e tendências ao suicídio e à autoflagelação. A ansiedade é constatada a partir de pressão alta, tensão muscular, tontura e tremores. Ela sofre de insônia em uma semana e na semana seguinte dorme por muitas horas. Tem alucinações e muitas vezes grita à noite quando tem pesadelos. Suas oscilações de humor são drásticas, mas quase sempre ela manifesta seu lado sombrio. Se ela tem um dia bom, em que parece feliz, esse quase sempre é seguido por dois ou três dias tenebrosos. Às vezes ela fica praticamente em estado catatônico. É paranoica e acha que alguém a está perseguindo ou que tem mais alguém no cômodo onde se encontra. Isso muitas vezes provoca ataques de pânico, em que ela é acometida de um medo absoluto e tem dificuldade para respirar. Essas crises costumam passar dentro de uma ou duas horas. Ela come pouco e se recusa a cuidar de si mesma. Seus hábitos de higiene não são bons. Não é uma paciente cooperativa, e, durante as sessões de terapia em grupo, se isola por completo. Estávamos notando indícios de melhora antes do assassinato de Dexter Bell, mas esse acontecimento se provou catastrófico. Meses se passaram, ela melhorou, então o pai de vocês foi executado e Liza regrediu consideravelmente.

– Isso é tudo? – perguntou Stella, enxugando as lágrimas.

– Sinto muito.

– Ela é esquizofrênica? – indagou Joel.

– Acho que não. Na maior parte do tempo, Liza compreende a realidade e não se apega a falsas crenças, com exceção de um ou outro surto de paranoia. Ela não ouve vozes. É difícil dizer como se comportaria no convívio social, já que ainda não teve alta. Mas não, não considero que sua mãe tenha um diagnóstico de esquizofrenia. De depressão profunda, sim.

– Há um ano e meio nossa mãe estava bem, ou pelo menos parecia estar, sem sombra de dúvida – disse Stella. – Agora ela está sofrendo do que parece ser um grave colapso nervoso. O que aconteceu, doutor? O que causou isso?

Hilsabeck balançou a cabeça.

– Não sei. Mas concordo com você, algo traumático aconteceu. Pelo que sei, Liza e todos vocês conseguiram sobreviver à notícia de que seu pai estava desaparecido e que tinha sido dado como morto. O retorno dele foi um acontecimento positivo, que eu tenho certeza de que trouxe muita felicidade, não depressão profunda. Alguma coisa aconteceu. Mas, como eu disse, ela não colabora muito e se recusa a falar do passado. Isso é bastante frustrante, na verdade, e temo que talvez não possamos ajudá-la até que ela esteja disposta a conversar.

– Então de que maneira ela está sendo tratada? – quis saber Joel.

– Aconselhamento psicológico, terapia, uma alimentação melhor, banho de sol. Tentamos fazê-la sair do quarto, mas ela geralmente se recusa. Se não houver mais nenhuma má notícia, acredito que ela conseguirá progredir aos poucos. É importante que ela veja vocês.

– Existe algum medicamento pra isso? – perguntou Stella.

– Nessa área existem sempre rumores de que estão sendo desenvolvidas drogas antipsicóticas, mas pelo jeito elas estão a anos de distância de nós. Quando sua mãe não está dormindo, ou se fica muito ansiosa, nós lhe damos barbitúricos. Além disso, um comprimido para pressão alta, eventualmente.

Houve uma longa pausa enquanto Joel e Stella assimilavam as palavras que estavam desesperados para ouvir havia tanto tempo. Não eram animadoras, mas talvez fossem o começo. Ou o fim do começo.

– Você consegue fazer com que ela volte a ser quem era, doutor? Existe alguma chance de ela ir pra casa um dia?

– Não tenho certeza se voltar pra casa seria bom pra ela, Sr. Banning. Pelo que sei, trata-se de um lugar bastante escuro e sombrio atualmente.

– É bem isso mesmo – confirmou Stella.

– Não estou certo de que sua mãe aguentaria mais notícias ruins em casa.

– Nós também não aguentaríamos – balbuciou Stella.

O Dr. Hilsabeck se levantou de súbito e disse:

– Vamos ver a Liza. Sigam-me, por gentileza.

Os três seguiram por um longo corredor e pararam em frente a uma janela. Abaixo deles, ao longe, havia um bosque e uma série de passagens largas ao redor de um pequeno lago. Perto de um bonito gazebo, uma senhora estava sentada à sombra, em uma cadeira de rodas, com uma enfermeira ao lado. Elas pareciam estar conversando.

– Lá está a Liza – disse Hilsabeck. – Ela sabia que vocês viriam e está ansiosa pra vê-los. Vocês podem ir por aquela porta.

O médico assentiu e os dois seguiram na direção indicada.

Liza sorriu quando viu os filhos. Ela se voltou para Stella primeiro e a abraçou, depois fez o mesmo com Joel. A enfermeira sorriu educadamente e se retirou.

Eles manobraram a cadeira de rodas até um banco de madeira e se sentaram de frente para a mãe. Joel segurou uma de suas mãos e Stella, a outra. Os dois irmãos haviam se preparado para quão terrível a aparência da mãe poderia estar, então tentaram não parecer surpresos. Pálida, extremamente magra e abatida, sem maquiagem, batom ou joias; nada que lhes lembrasse a mulher bonita e enérgica que conheciam e amavam. Seu cabelo louro começava a ficar grisalho e estava puxado para trás em um coque. Ela usava uma camisola de hospital, fina e branca, e seus pés descalços estavam à mostra.

– Meus bebês, meus bebês, meus bebês – repetiu Liza inúmeras vezes enquanto agarrava as mãos deles e tentava sorrir.

Seus olhos eram extremamente perturbadores. A cor e a exuberância haviam desaparecido, substituídas por um olhar oco e estático que, de início, não conseguiu encontrar os olhares de Joel e Stella. Ela baixou os olhos alguns centímetros e parecia estar olhando para o peito dos dois.

Os minutos se passavam à medida que Liza balbuciava palavras soltas sobre seus bebês, enquanto Joel e Stella a acariciavam gentilmente e tentavam pensar em algo para dizer. Supondo que qualquer conversa seria boa, Joel disse por fim:

– O Dr. Hilsabeck disse que você está ótima, mãe.

Ela assentiu e falou baixinho:

– Acho que sim. Alguns dias são bons. Eu só quero ir pra casa.

– E nós vamos levar você pra casa, mãe, mas não hoje. Primeiro, você vai ficar boa, vai se alimentar melhor, tomar um pouco de sol, fazer o que os médicos e as enfermeiras lhe pedirem, e um dia, em breve, vamos levar você pra casa.

– O Pete vai estar lá?

– Bem, é… Não, mamãe, o papai não vai estar lá. Ele se foi, mãe. Achei que os médicos tivessem contado isso pra você.

– Sim, mas eu não acredito neles.

– Bem, você deveria acreditar neles, porque o papai se foi.

Stella se levantou com cuidado, beijou a mãe no alto da cabeça e caminhou até a parte de trás do gazebo. Ali, se sentou nos degraus e cobriu o rosto com as mãos.

"Muito obrigado, viu, mana", Joel pensou consigo mesmo. Ele começou uma narrativa prolixa sobre um assunto qualquer, ou pelo menos um que não tivesse a ver com o óbvio: o fato de estarem sentados no jardim de um sanatório ao lado da mãe, que se encontrava em grave sofrimento psicológico. Falou sobre Stella e seu iminente retorno a Hollins para o terceiro ano da faculdade, sobre os planos da irmã de conseguir um emprego em Nova York. Falou sobre sua decisão de se matricular na faculdade de Direito. Ele havia sido aceito em Vanderbilt e na Ole Miss, mas vinha pensando em tirar um ano sabático, para viajar, talvez. Enquanto ele tagarelava, Liza ouvia e erguia os olhos como se estivesse sendo acalmada pela voz do filho. Ela sorriu e começou a assentir discretamente.

Joel ainda não tinha certeza a respeito da faculdade de Direito, por isso estava pensando em fazer uma pausa nos estudos. Ele e Stella haviam passado um tempo em Washington, onde se divertiram bastante, e ele recebera uma proposta de emprego em um restaurante após ficar amigo do dono.

Depois de chorar muito, Stella voltou e entrou na conversa, que mais parecia um monólogo. Ela falou sobre o tempo em que trabalhou como babá em Georgetown, sobre seu ano seguinte na faculdade e seus planos para o futuro. Às vezes, Liza sorria e fechava os olhos como se as vozes dos filhos agradavelmente a entorpecessem.

As nuvens desapareceram e o sol do meio-dia os atingiu com força. Eles empurraram a cadeira de rodas da mãe para um canto à sombra de algumas árvores. A enfermeira os observava, mas mantinha distância. Durante um momento de silêncio, Liza sussurrou "Continuem falando", e eles assim fizeram.

Um funcionário do hospital levou-lhes sanduíches e chá gelado. Joel e Stella organizaram o almoço em uma mesa de piquenique e incentivaram Liza a comer. Ela deu algumas mordidas em um sanduíche, mas não mostrou muito entusiasmo. Queria mesmo era ouvir suas adoráveis e jovens vozes, então eles falaram, um ajudando o outro a manter o ritmo da conversa e sempre tendo o cuidado de deixar Clanton bem longe das histórias.

Muito tempo depois do almoço, o Dr. Hilsabeck apareceu e deu a entender que a paciente precisava descansar um pouco. Ele ficou satisfeito com a visita e perguntou se Joel e Stella poderiam voltar no dia seguinte para ver Liza outra vez. Era claro que sim.

Despediram-se da mãe, prometeram voltar em breve e seguiram para Jackson, onde encontraram quartos disponíveis no majestoso hotel Heidelberg, no centro da cidade. Depois de fazerem check-in, pensaram em sair para visitar a sede do governo, mas o calor e a umidade estavam fortes demais. Eles se refugiaram no café do hotel, perguntaram ao garçom se havia algo alcoólico para beber e foram encaminhados a um bar clandestino atrás do edifício. Lá pediram bebidas e tentaram não conversar sobre a mãe. Estavam cansados de falar.

37

C omo não tinha licença para praticar a advocacia no Mississippi, Errol McLeish foi obrigado a trabalhar junto a um advogado local que pudesse atuar naquela jurisdição para dar cabo de seus planos cuidadosamente elaborados. Jamais havia cogitado contratar alguém de Clanton. Todos os bons advogados de lá mantinham algum tipo de relação com os Wilbanks. McLeish queria um advogado conhecido por sua impetuosidade e que fosse renomado no norte do Mississippi, mas sem laços estreitos com o condado de Ford. Ele levou o tempo que precisou, fez sua pesquisa, perguntou a alguns colegas e por fim escolheu um advogado de Tupelo chamado Burch Dunlap. Os dois se encontraram um mês antes da execução de Pete e começaram a preparar o terreno. Dunlap gostou do caso porque tinha potencial para chamar a atenção da imprensa e, pelo menos em sua opinião, seria uma vitória fácil.

Em 12 de agosto, Dunlap, em nome de sua cliente, Jackie Bell, entrou com um pedido de indenização em face do espólio de Pete Banning. A ação descreveu os fatos, que praticamente todo mundo já conhecia, e pediu uma reparação de meio milhão de dólares referente aos danos causados. De maneira bastante inesperada, a petição inicial foi apresentada em um tribunal federal em Oxford, e não no tribunal estadual em Clanton. Jackie Bell alegava que, por ter se mudado para a Geórgia, tinha assegurado o direito de pleitear a reparação em âmbito federal, de modo que os jurados convocados seriam oriundos de trinta condados;

nessas condições, qualquer empatia por um assassino condenado em juízo seria artigo raro.

Como Florry havia sido nomeada testamenteira por Pete, os papéis tinham que ser entregues a ela. Ela estava no quintal cuidando de seus pássaros quando Roy Lester apareceu do nada com uma expressão extremamente preocupada.

– Más notícias, Florry – disse ele, tirando o chapéu. Ele lhe entregou um envelope volumoso e continuou: – Parece mais algum problema com a justiça.

– O que é isso? – perguntou ela, sabendo muito bem que ele, Nix e provavelmente todo mundo na cadeia tinham lido o que havia dentro do envelope.

– Uma ação movida por Jackie Bell, em âmbito federal.

– Ah, que ótimo.

– Você poderia assinar aqui? – perguntou ele, segurando uma folha de papel e uma caneta.

– Pra quê?

– Aqui diz que você foi citada e que está em posse de uma cópia dos autos.

Ela assinou, agradeceu e levou os papéis para dentro de casa. Uma hora depois, irrompeu no escritório de John Wilbanks e varou as escadas. Jogou o processo em cima dele e caiu sentada no sofá aos prantos. John acendeu um charuto enquanto lia calmamente a petição de três páginas.

– Nenhuma surpresa até aqui – disse ele enquanto se sentava em uma cadeira em frente ao sofá. – Me parece que já tínhamos discutido a possibilidade de isso acontecer.

– Quinhentos mil dólares?

– Um exagero, mas faz parte do jogo. Os advogados costumam pedir muito mais do que esperam receber.

– Mas você vai conseguir resolver isso, não vai, John? Devo me preocupar com alguma coisa?

– Olha, Florry, eu consigo resolver no sentido de que posso representar você no processo, mas tem muito com que se preocupar. Primeiro, com os fatos, e eles estão bem descritos e fundamentados. Em segundo, Burch Dunlap é um advogado competente, que sabe o que está fazendo. Dar entrada nesse pedido em um tribunal federal é uma estratégia brilhante e, sinceramente, eu não esperava por isso.

– Então você sabia que isso ia acontecer?

– Florry, nós falamos sobre isso meses atrás. O marido de Jackie Bell foi morto e o assassino era um homem de posses, algo realmente inédito.

– Bem, John, pra ser sincera, eu não me lembro do que nós discutimos. Há um ano que vivo com os nervos à flor da pele e a minha cabeça já não aguenta mais. O que a gente tem que fazer agora?

– Você, nada. Eu vou representá-la no caso. E vamos esperar, porque deve vir mais por aí.

– Mais?

– Não me surpreenderia.

Eles esperaram por dois dias. Burch Dunlap entrou com o segundo processo no Tribunal da Chancelaria do Condado de Ford, em face de Joel e Stella Banning. Errol McLeish imaginou que os dois logo partiriam para dar continuidade aos estudos e decidiu citá-los antes que deixassem a cidade. Roy Lester foi mais uma vez à fazenda dos Bannings e entregou a papelada a Joel, Stella e Florry.

Ser processado por um bom advogado já era bastante desagradável, mas enfrentar dois processos dispondo de poucos argumentos para se defender era desesperador. Os três réus se encontraram com John e Russell Wilbanks, e embora de alguma maneira fosse reconfortante estar na presença de amigos leais que eram excelentes advogados, pairava no ar uma inequívoca sensação de incerteza.

Havia o risco real de os Bannings perderem suas terras? Florry, é claro, estava a salvo, mas a transferência das terras para Joel e Stella estava sendo contestada por um advogado que sabia o que estava fazendo. Ficou claro que Pete planejara o assassinato e, ao fazer isso, tentou transferir seu bem mais valioso para os filhos, em um esforço para evitar que se tornasse objeto de uma ação de reparação.

Os irmãos Wilbanks discutiram o que possivelmente aconteceria nos meses seguintes. Eles concordavam que Dunlap provavelmente faria muita pressão para que houvesse um julgamento em torno do pedido de indenização pela morte do reverendo. Supondo que ele vencesse – e, sinceramente, era difícil enxergar de que maneira ele poderia perder –, apresentaria então a sentença desse caso no Tribunal da Chancelaria do Condado de Ford e tomaria as terras dos Bannings. Dependendo de quem ganhasse ou perdesse em cada um dos julgamentos, o pedido inicial e os recursos poderiam se arrastar por anos. Os honorários dos advogados poderiam ser substanciais.

John Wilbanks prometeu uma defesa inflamada em todas as frentes, mas era difícil acreditar plenamente que ele estivesse confiante.

Florry, Joel e Stella saíram cabisbaixos do escritório dos Wilbanks e, em um ato de extravagância, decidiram pegar o carro e ir a Memphis, até o hotel Peabody, onde poderiam afogar suas mágoas no elegante bar, apreciar comida de qualidade, passar uma noite livre de preocupações e fugir um pouco do condado de Ford. Melhor torrar dinheiro enquanto ainda tinham.

Joel foi dirigindo, empertigado como um chofer, sozinho na frente com as mulheres no banco de trás, e por vários quilômetros não disseram uma única palavra até que entraram no condado de Van Buren. Stella quebrou o gelo:

– Eu não quero voltar pra Hollins de jeito nenhum. As aulas começam daqui a três semanas e não consigo imaginar entrar em uma sala de aula e tentar ouvir uma palestra sobre algo tão sem importância quanto Shakespeare, quando meu pai acabou de ser executado e a coitada da minha mãe está em um sanatório. Sério! Como alguém pode esperar que eu consiga estudar e aprender alguma coisa?

– Vai abandonar a faculdade, então? – perguntou Florry.

– Não vou abandonar, só dar um tempo.

– E você, Joel?

– Tenho pensado a mesma coisa. O primeiro ano da faculdade de Direito é praticamente um treinamento militar, e não estou a fim de passar por isso. Eu estava inclinado a ir pra Vanderbilt, mas agora, com essa questão do dinheiro, comecei a cogitar a Ole Miss. Só que a verdade é que não consigo me ver sentado em uma sala de aula sendo massacrado por um bando de professores velhos e autoritários.

– Interessante – disse Florry. – E sem a faculdade e sem emprego, o que vocês dois vão fazer nos próximos meses? Vão ficar zanzando pela casa, deixando a Nineva maluca? Ou quem sabe poderiam ajudar na lavoura, catando algodão com os trabalhadores da fazenda? É sempre bom pro Buford poder contar com mais gente. E se vocês ficarem entediados, a horta sempre tem umas ervas daninhas pra serem arrancadas ou verduras pra serem colhidas pra gente poder comer durante o inverno. O Amos vai ficar feliz em mostrar pra vocês como se faz pra ordenhar as vacas às seis todo dia de manhã. A Nineva ia adorar ter vocês por perto enquanto ela cozinha e prepara conservas. E quando ficarem entediados na fazenda, sempre podem se aventurar na cidade, onde todas as pessoas com quem esbarrarem vão perguntar como vocês estão e vão fingir estar muito tristes por causa do pai de vocês. É isso que vocês querem?

Nenhum dos dois respondeu.

– Eu tenho um plano melhor – continuou Florry. – Em três semanas, vocês vão dar o fora daqui porque precisam terminar a faculdade antes que a gente perca todo o nosso dinheiro. O pai de vocês me deixou responsável por isso, então eu vou preencher os cheques pra vocês. Se não terminarem a faculdade agora, não vão terminar nunca mais, então vocês não têm escolha a não ser ir. Stella, você vai voltar pra Hollins, e Joel, você vai pra faculdade de Direito. Eu não me importo onde, apenas dê o fora daqui.

Eles seguiram em silêncio por alguns quilômetros, enquanto assimilavam o desfecho do plano de Florry.

– Bom, pensando bem, Hollins não é um lugar ruim pra se esconder nesse momento – comentou Stella por fim.

– Se eu for para a faculdade de Direito – disse Joel –, provavelmente vou pra Ole Miss. Assim eu posso visitar a mamãe nos fins de semana e também estar por perto do escritório dos Wilbanks e ajudar nos processos.

– Tenho certeza de que ele tem tudo sob controle – respondeu Florry. – Podemos pagar pelo curso em Vanderbilt, se é isso que você quer.

– Não. Quatro anos lá já foram suficientes. Eu preciso ter outras experiências. Além disso, tem mais garotas estudando na Ole Miss.

– Desde quando isso é importante?

– Sempre foi.

– Bem, eu acho que está na hora de você levar a sério um relacionamento. Afinal, já tem 21 anos e está formado na faculdade.

– Você está me dando conselhos não solicitados sobre relacionamentos, tia Florry?

– Na verdade, não.

– Que bom. Então guarde pra você.

ANTES DE VOLTAREM para a faculdade, Joel e Stella fizeram mais três viagens a Whitfield para visitar Liza. Hilsabeck os encorajou a fazer as visitas e garantiu que elas eram de extrema ajuda, embora eles sem dúvida não conseguissem ver nenhuma melhora. A aparência física de Liza permaneceu inalterada. Em uma das vezes em que os filhos foram encontrá-la, ela se recusou a sair de seu quartinho escuro e não disse praticamente nada. Nas outras, permitiu que os dois a levassem de um lado a outro pelo pátio na cadeira de rodas, em busca de sombra no calor de agosto. Ela sorria às vezes, mas não com tanta frequência quanto eles gostariam, falava muito pouco e nunca reunia palavras suficientes para formar uma frase completa. Portanto, apenas ouvia, enquanto os filhos se alternavam nas mesmas longas narrativas. Para quebrar a rotina, Joel lia para ela artigos da *Time* e Stella, matérias do *The Saturday Evening Post*.

As visitas eram emocionalmente exaustivas e eles conversavam pouco enquanto dirigiam pelo longo caminho de volta para casa. Depois de quatro viagens a Whitfield, os dois estavam se convencendo de que a mãe nunca sairia de lá.

NO DIA 3 de setembro, bem cedo, Joel colocou a bagagem da irmã no porta-malas do Pontiac modelo 1939 da família e, juntos, foram até o chalé cor-de-rosa para um café da manhã de despedida com sua tia Florry. Marietta os encheu de bolachas e omeletes e preparou-lhes um almoço para viagem. Deixaram Florry aos prantos na varanda e se apressaram em ir embora. Pararam no Old Sycamore para um momento de pesar e fizeram uma prece diante da lápide do pai, depois correram para a estação de trem, onde Stella quase perdeu o trem das 9h40 para Memphis. Eles se abraçaram, tentaram não chorar e prometeram manter contato.

Quando já não dava mais para ver o trem, Joel entrou no carro, deu uma volta pela praça, passou pelas ruas transversais à igreja metodista e por fim voltou para casa. Arrumou as malas, despediu-se de Nineva e Amos e dirigiu uma hora até Oxford, onde a faculdade de Direito o aguardava. Por intermédio do amigo de um amigo, ficou sabendo de um pequeno imóvel perto de uma praça, em cima da garagem de uma viúva, um lugar barato alugado apenas para estudantes. A senhora mostrou a ele um minúsculo apartamento de três cômodos, apresentou as regras da casa – estavam proibidos bebidas alcoólicas, festas, jogos e, claro, mulheres – e disse que o aluguel era de 100 dólares em dinheiro, por quatro meses de estada, de setembro a dezembro. Joel concordou com as regras, embora não tivesse planos de segui-las, e lhe entregou o dinheiro. Quando ela saiu, ele desfez as malas e as caixas e arrumou as roupas em um armário.

Depois que escureceu, ele caminhou por North Lamar até chegar ao tribunal. Acendeu um cigarro e fumou enquanto passava por casas antigas em terrenos escuros. As varandas estavam ocupadas por famílias que se reuniam para conversar após o jantar, enquanto esperavam que o calor e a umidade se dissipassem com o avançar da noite. Embora os estudantes estivessem de volta, a praça estava morta – e por que não estaria? Não havia bares, clubes, salões de jogos ou de dança, nem mesmo bons restaurantes. Oxford era uma cidade pequena, onde era proibido o consumo de bebidas alcoólicas, e bem distante dos atrativos e das diversões de Nashville.

Joel Banning se sentiu muito distante de tudo.

38

O processo envolvia uma colisão fatal entre um sedã em que viajava uma jovem família e um vagão de carga abarrotado por várias toneladas de madeira para fabricação de celulose. Tinha ocorrido tarde da noite em uma das principais estradas entre Tupelo e Memphis, em um cruzamento que, por razões desconhecidas, fora construído ao pé de uma longa colina, de modo que os veículos que a desciam à noite nem sempre conseguiam ver os trens, não até o último segundo. Para evitar colisões, e várias haviam ocorrido, a ferrovia instalou luzes vermelhas intermitentes em ambos os lados, leste e oeste, mas não investiu em cancelas que de fato bloqueassem a rodovia. O vagão era o 11º de um longo trem de sessenta vagões, com duas locomotivas e um velho vagão de frenagem.

Os advogados que representavam a ferrovia deram grande ênfase ao fato de que qualquer motorista que prestasse atenção suficiente à estrada certamente seria capaz de ver algo tão grande quanto um vagão de carga de quase 25 metros de comprimento, com mais de 4 metros de madeira empilhada. Exibiram fotos ampliadas do vagão e pareciam confiantes na prova que apresentavam.

No entanto, eles não eram páreo para o Ilmo. Burch Dunlap, advogado da família vitimada pelo acidente – pai, mãe e duas crianças pequenas. Em dois dias de julgamento, o Dr. Dunlap incriminou os homens que projetaram o cruzamento, expôs o abominável histórico de segurança da ferrovia, provou que eles já haviam sido advertidos de que o cruzamento era perigoso, desacreditou dois outros motoristas que se declaravam testemunhas oculares e apresentou ao júri o próprio conjunto de fotos ampliadas que revelaram uma clara e grave falta de manutenção da ferrovia.

O júri concordou com ele e determinou o pagamento de uma indenização no valor de 60 mil dólares à família, uma quantia recorde em um tribunal federal do norte do Mississippi.

Sentado na última fileira, Joel Banning assistiu ao julgamento do começo ao fim e sentiu-se nauseado. Burch Dunlap era magistral no tribunal e desde o início teve o júri na palma da mão. Ele estava se sentindo em casa, confortável e relaxado, uma pessoa na qual era possível confiar de olhos fechados. Estava absolutamente preparado, deslizava suavemente pelo tribunal, sempre dois passos à frente das testemunhas e dos advogados de defesa.

Agora, ele estava indo atrás dos Bannings e de suas terras.

Joel acompanhava de perto as pautas do tribunal de Oxford e chamou a sua atenção a sessão de julgamento que envolvia a colisão ocorrida na ferrovia. A título de curiosidade, decidiu matar aula e ir assistir. E então se arrependeu de ter sido tão curioso.

Depois do veredito, Joel pensou em ligar para Stella, mas por que arruinar o dia da irmã? Pensou em ligar para Florry, mas a linha telefônica dela não era particular. E para quê, exatamente? Ele precisava conversar com alguém, mas durante as primeiras semanas na faculdade de Direito ficou bastante isolado e conheceu poucos outros estudantes. Era distraído, distante, quase rude às vezes, e estava sempre na defensiva, porque esperava que a qualquer momento algum falastrão perguntasse sobre seu pai. Quase podia ouvir as pessoas cochichando pelas suas costas.

Três meses após a execução, as feridas que ela causou ainda estavam abertas e em carne viva. Joel tinha certeza de que ele era o único aluno da história da Ole Miss cuja família havia passado por uma situação tão vergonhosa quanto aquela.

Em 9 de outubro, ele matou aula e dirigiu até um lago, onde se sentou sob uma árvore e bebeu bourbon de um cantil. Um ano antes, seu pai havia assassinado Dexter Bell.

Joel estudava com afinco, mas achava as aulas entediantes. Aos sábados, quando não se falava em outra coisa a não ser futebol, ele ia até Whitfield para ficar com a mãe ou dirigia até a fazenda para saber como Florry estava e observar os pés de algodão. Sua casa havia se tornado um lugar horrível e vazio, com apenas Nineva para conversar. Mas ela também estava deprimida e andava de um lado para outro na cozinha, com pouca coisa para fazer. Que inferno, parecia que todo mundo estava deprimido. Na maioria das tardes de sexta-feira, Joel passava no escritório de John Wilbanks para tratar das questões legais da família ou para lhe devolver uma petição ou um memorando que havia aprimorado. Wilbanks ficava impressionado com o jovem Joel e mencionou mais de uma vez que seu talento seria bem-vindo no escritório dali a alguns anos. Joel era educado e dizia que não tinha ideia de onde queria viver e praticar a advocacia.

"O último lugar seria Clanton", pensava consigo mesmo.

QUANDO AS FESTAS de fim de ano se aproximaram, Florry começou a dar indiretas sobre uma outra viagem de carro a Nova Orleans. No entanto, seus planos pareceram desmoronar quase tão logo ela os fez. Joel e Stella suspeitaram de que o motivo fosse dinheiro. Com as finanças da família tão incertas, eles tinham notado alguns cortes aqui e ali. A safra de algodão de 1947 havia sido boa, mas não ótima, e, sem Pete, a colheita perdera intensidade e eficiência.

Stella chegou em casa no dia 21 de dezembro, e naquela noite eles decoraram a árvore enquanto ouviam canções de Natal na vitrola. E estavam bebendo, um pouco mais que o normal. Bourbon para Joel e Stella, gim para Florry. Nada para Marietta, que se escondeu no porão, convencida de que estavam todos enlouquecendo e que iriam para o inferno.

Por mais tristes que as coisas fossem, fizeram o melhor possível para deixar aflorar o espírito natalino, com presentinhos, refeições fartas e muita música. Os dois processos que enfrentavam e ameaçavam seu futuro não foram mencionados em momento algum.

Na manhã de Natal, mais uma vez se meteram no Lincoln de Florry e foram para Whitfield. Haviam feito aquela viagem um ano antes, para no fim das contas não serem autorizados a ver Liza. Aqueles dias tinham ficado para trás, porque Pete estava definitivamente fora do caminho deles e Joel era o novo tutor da mãe. Eles se sentaram junto dela em um canto de um grande salão de atividades e lhe deram presentes e chocolates enviados por Nineva e Marietta. Liza sorriu muito, falou mais do que o normal e pareceu gostar da atenção.

Em cada canto havia uma pequena família amando silenciosamente um ente querido, um paciente com pele pálida e rosto encovado. Alguns eram idosos e pareciam quase mortos. Outros, como Liza, eram muito mais jovens, mas também pareciam não estar indo a lugar nenhum. Aquele era realmente o futuro dela? Será que em algum momento ela estaria bem o suficiente para voltar para casa? Estariam eles destinados a passar décadas fazendo aquelas visitas deploráveis?

Embora o Dr. Hilsabeck afirmasse que estava satisfeito com o progresso dela, eles haviam notado pouca melhora durante os quatro últimos meses. Ela não havia ganhado um único quilo, e as enfermeiras a mantinham em uma cadeira de rodas para que ela não queimasse calorias caminhando. Ela costumava passar longos períodos sem dizer uma palavra. Eventualmente seus olhos pareciam brilhar, mas nunca durava muito.

No caminho de volta para casa, eles debateram se as viagens a Whitfield valiam a pena.

DEPOIS DO NATAL, a música cessou e as chuvas frias começaram. Celebrar se tornou uma tarefa árdua, e até o chalé cor-de-rosa, com suas excentricidades, estava tomado pela melancolia. Stella precisou subitamente retornar a Hollins para terminar uns projetos. Florry passou mais tempo em seu quarto lendo e ouvindo ópera.

Para fugir da tristeza, Joel voltou para Oxford um dia antes do previsto. Quando a faculdade de Direito abriu as portas, ele correu ansioso para checar suas notas e ficou satisfeito com os resultados do primeiro semestre.

No fim de janeiro, ele se viu de volta ao tribunal federal como representante legal da família. Um juiz havia agendado uma audiência preliminar e todos os advogados estavam presentes. Florry, como testamenteira de Pete Banning, deveria comparecer, mas, como era de se esperar, ela disse que não poderia ir em razão de uma gripe. Além disso, Joel já estava em Oxford e, definitivamente, poderia lidar com a situação.

Nervoso, Joel se sentou a uma mesa entre John e Russell Wilbanks, e ficou de olho em Burch Dunlap e seu colega na outra mesa. O simples fato de estar na mesma arena jurídica que Dunlap era aterrorizante.

O juiz percorreu a lista de todas as possíveis testemunhas naquele julgamento e pediu resumos do depoimento de cada um. Os advogados discutiram polidamente as provas, as listas de jurados e os detalhes habituais desse momento anterior ao julgamento. O juiz analisou seu calendário e anunciou o dia 24 de fevereiro como a data de julgamento: faltava menos de um mês. Ele então perguntou se havia alguma chance de o caso ser resolvido sem ir a julgamento. Os advogados se entreolharam, e ficou óbvio que eles ainda não tinham falado sobre o assunto.

Burch Dunlap se levantou e disse:

– Bem, Excelência, estou sempre pronto e disposto a resolver, em termos favoráveis, é claro. Como todos sabem, temos outro processo pendente no Tribunal da Chancelaria do Condado de Ford, no qual estamos pleiteando a anulação da transferência de uma seção de terra realizada pelo falecido a seus filhos. Isso aconteceu três semanas antes do homicídio. Solicitamos uma avaliação. – Ele pegou um fichário e meio que acenou para o juiz. – A terra vale 250 dólares por hectare, ou cerca de 65 mil dólares no total, e acreditamos piamente que ela pertence ao espólio de Pete Banning e, portanto, está sujeita ao pedido de nossa cliente, a Sra. Jackie Bell. A casa é avaliada em 30 mil dólares e há ainda outros bens.

John Wilbanks se levantou, sorrindo e balançando a cabeça como se Dunlap fosse um idiota.

– Esses números são altos demais, Excelência, e não estou disposto a discutir o assunto nesses termos. Qualquer debate sobre um acordo é prematuro. Esperamos vencer a ação no condado de Ford e proteger a área cultivada. E quem pode afirmar o que o júri fará nesse caso? Vamos permitir que o processo siga seu curso; aí, sim, poderemos ter essa conversa.

– Pode ser tarde demais, Dr. Wilbanks – disse o juiz.

Ouvir Burch Dunlap falar de forma tão indiferente sobre a terra que tinha sido comprada, capinada e arada por seu tataravô fez o sangue de Joel ferver. Como esse vigarista talentoso se atreve a falar daquela maneira sobre quanto vale um patrimônio construído com tanto suor, sobre quantias de dinheiro de uma outra pessoa, como se estivesse participando de um leilão ou apostando em um jogo de cartas? Ele realmente pretendia de alguma forma arrancar dos Bannings tudo o que eles possuíam? E, da quantia arrebatada, de quanto é que seus dedos pegajosos iam se apossar?

Os advogados trocaram algumas palavras, mas não fizeram nenhum avanço. O juiz chamou o caso seguinte em sua pauta. Do lado de fora do tribunal, Joel e John Wilbanks andavam pela praça enquanto Russell entrava em uma lanchonete.

– Nós devíamos pelo menos debater a possibilidade de um acordo – disse Wilbanks.

– Ok. Estou te escutando – respondeu Joel.

– Dunlap costuma jogar os números pra cima, mas não tão alto assim. Poderíamos oferecer 20 mil dólares em dinheiro e ver o que acontece. Já seria muito dinheiro, Joel.

– Com certeza. Onde íamos conseguir tanto dinheiro assim?

– Há cerca de 15 mil dólares em dinheiro na propriedade. Você e Stella poderiam hipotecar a fazenda. A minha família é dona do banco, lembra? Tenho certeza de que posso conseguir um pequeno empréstimo.

– Então você quer oferecer 20 mil dólares?

– Fale sobre isso com a Florry. Não preciso lembrar a você que os fatos não são favoráveis pra gente nesse caso. Seu pai fez o que fez e não existe justificativa pra isso. O júri terá empatia pela família Bell, e a empatia é a nossa maior inimiga.

39

Errol McLeish deu risada diante da suposição de que Jackie aceitaria um acordo de valor tão baixo. Eles não levariam em consideração nem mesmo uma proposta de 25 mil dólares. McLeish queria tudo – as terras, a casa, o gado, as pessoas que trabalhavam lá –, e ele tinha um plano para conseguir isso.

No fim de fevereiro, ele e Jackie foram para Oxford e se hospedaram em um hotel localizado na praça. Ficaram no mesmo quarto, embora ainda não tivessem se casado.

O julgamento começou na manhã do dia 24. Jackie, a autora da ação – muito atraente, toda vestida de preto –, sentou-se com Dunlap e seus advogados. Florry, à base de calmantes, sentou-se entre John e Russell Wilbanks, com Joel logo atrás dela.

Quando teve a oportunidade, Joel cumprimentou Jackie, apertou sua mão e tentou ser educado. Ela, não. Era uma viúva de luto, ansiando por justiça e vingança. Florry a abominava e nunca se dirigia a ela.

Enquanto o juiz Stratton cumpria os procedimentos preliminares junto aos cerca de cinquenta jurados pré-selecionados, Joel se virou e encarou as pessoas que estavam assistindo ao julgamento. Havia alguns repórteres na primeira fila. As portas se abriram e, para seu espanto, uma turma de estudantes de Direito do terceiro ano entrou com o professor. Era uma aula de processo civil em âmbito federal e, como o caso vinha sendo bastante comentado, precisava ser estudado. Ele notou alguns outros estudantes de

Direito na multidão, assistindo atentamente. Naquele momento, desejou ter escolhido estudar em outra faculdade de Direito, em um campus de outro estado.

A seleção do júri se estendeu pela manhã inteira, e ao meio-dia seis haviam sido escolhidos. Um sétimo ficaria como suplente. Como se tratava de um caso civil, seriam necessários quatro votos para se chegar a um veredito. Um resultado de três a três representaria um empate e levaria a um novo julgamento.

Após o almoço, Burch Dunlap caminhou até o púlpito em frente à bancada do júri, endireitou sua bela gravata de seda, abriu um enorme sorriso e deu as boas-vindas aos jurados. Joel observava cada movimento, assimilava cada palavra e, em sua opinião tendenciosa, Dunlap estava sendo um tanto piegas ao demonstrar gratidão pelo tempo e pelo serviço dos jurados, mas ele logo chegou ao que interessava. Expôs os fatos e disse que se tratava de um caso patente de responsabilidade civil. Um assassinato a sangue-frio que levou à justa execução de um homem que, por esse motivo, não teria como ser confrontado. O verdadeiro réu estava morto, portanto, de acordo com a lei, a requerente foi forçada a ajuizar a ação contra o seu patrimônio. Grande parte do julgamento giraria em torno do valor da vida de Dexter Bell, um valor que no fundo não tinha como ser mensurado. Dunlap não sugeriu nenhuma quantia; isso certamente seria feito mais tarde. Mas ele não deixou dúvidas de que o reverendo Bell era um homem extraordinário, ótimo pai, um pastor dedicado e assim por diante, e de que sua vida valia muito dinheiro, embora ele ganhasse pouco em seu ofício.

Enquanto Dunlap falava com eloquência, Joel quase podia sentir os bens da família se esvaindo. Várias vezes durante as alegações iniciais, Dunlap se referiu a Pete Banning como um "abastado fazendeiro" e um "rico dono de terras". Cada vez que Joel ouvia isso, seu corpo se contraía e ele olhava para os jurados. Ele e Stella não tinham sido criados acreditando que a família era rica, e era desconcertante ser descrito como tal por um orador com tanta lábia. Os jurados, todos no máximo de classe média, pareciam estar caindo naquela conversa. Fazendeiro rico mata humilde pastor de igreja. O argumento havia sido construído no início do julgamento e permaneceria na cabeça dos jurados até o fim.

As alegações iniciais de John Wilbanks foram breves. Ele perguntou aos jurados se era realmente justo fazer a família de um homem condenado por homicídio pagar o preço por seus pecados. A família de Pete Banning não fizera nada de errado, absolutamente nada. Seus filhos também tinham perdido o pai, mesmo sem terem culpa de nada. Por que eles deveriam ser punidos? A família Banning já não tinha sido punida o suficiente? O processo não passava de uma tentativa desmedida de pôr as mãos em um dinheiro ganho arduamente por uma família que se dedicara à lavoura durante décadas. Pessoas boas, honestas e trabalhadoras, que não eram ricas nem abastadas, não deveriam ser vítimas de tais alegações. Na opinião tendenciosa de Joel, John Wilbanks fez um trabalho excepcional ao retratar a autora da ação como uma pessoa oportunista e ávida por dinheiro. Ao se sentar, o advogado expressava indignação.

A primeira pessoa a ser chamada para depor foi Jackie Bell, e, exatamente como fizera treze meses antes em Clanton, ela subiu ao banco das testemunhas usando um vestido bastante justo e logo começou a chorar. Enquanto descrevia o momento em que encontrou seu marido morto, os jurados, todos homens, assimilavam cada palavra e demonstravam empatia pela viúva. John Wilbanks abriu mão do direito de interrogá-la.

Nix Gridley testemunhou em seguida. Ele descreveu a cena do crime como a encontrara, apresentou as mesmas fotos ampliadas do pobre Dexter se esvaindo em sangue, mostrou ao júri o revólver Colt calibre 45 de propriedade do réu e afirmou com segurança que Pete Banning, um homem que ele conhecia muito bem, de fato havia sido executado na cadeira elétrica. Nix testemunhou a execução e estava presente quando o legista declarou Pete morto.

Depois que Nix foi dispensado, Burch Dunlap apresentou, como evidências, cópias autenticadas da sentença que considerou Pete culpado pelo homicídio qualificado de Dexter Bell e da decisão da Suprema Corte do Mississippi ratificando a condenação.

Depois do primeiro longo dia de julgamento, ficou claro que Pete Banning havia assassinado Dexter Bell e pagara por isso com sua vida. "Finalmente", pensou Joel. Enquanto para ele se tratava apenas de uma velha e triste notícia, era tudo muito fascinante para os jurados.

Com a causalidade estabelecida, o julgamento avançou para a questão dos danos. Às nove da manhã de quinta-feira, Jackie Bell retornou ao banco das testemunhas e apresentou as declarações de impostos da família referentes aos anos de 1940 a 1945. Na época de sua morte, Dexter recebia um salário de 2.400 dólares por ano pela Igreja Metodista de Clanton, montante que permanecera inalterado desde 1942. Ele não tinha outra renda, nem ela. A família morava em uma casa ao lado da igreja, oferecida sem custo pela congregação, com todas as contas pagas. Nitidamente, viviam de forma frugal, mas essa era a vida que haviam escolhido e estavam bastante satisfeitos.

Ela foi dispensada, e Dunlap chamou ao banco um perito, professor de economia da Ole Miss, um tal de Dr. Potter. Ele tinha vários diplomas, era autor de alguns livros e imediatamente ficou claro que sabia mais sobre dinheiro e finanças do que qualquer outra pessoa no tribunal. John Wilbanks deu algumas alfinetadas, questionando sua área de especialização, mas teve o cuidado de não forçar demais e acabar sendo constrangido.

Sob a orientação de Burch Dunlap, o Dr. Potter analisou o histórico de rendimentos de Dexter Bell como pastor, comparou esse histórico com o de outros pastores com uma trajetória parecida com a dele e fez todos os cálculos. À época de sua morte, aos 39 anos, a remuneração total de Dexter era, na opinião de Potter, de 3.300 dólares por ano. Em uma perspectiva conservadora, considerando uma taxa anual de inflação de 2 por cento e supondo que Dexter trabalharia até os 70 anos, que era a regra para os pastores em 1948, então seus ganhos acumulados ao longo do tempo chegariam a 106 mil dólares.

Dunlap apresentava enormes tabelas e gráficos coloridos enquanto conduzia o Dr. Potter pelos números, e deu um jeito de fazer os jurados acreditarem que o dinheiro que estava sendo discutido era real, dinheiro vivo, que havia sido tomado da família Bell em razão da morte prematura de Dexter.

Durante o interrogatório da defesa, John Wilbanks bateu de frente com algumas das suposições apresentadas pelo Dr. Potter. Era justo presumir que Dexter trabalharia até os 70 anos? Presumir que ele sempre estaria empregado? Presumir uma taxa fixa de inflação? Aumentos eternos de salário? Era justo presumir que sua esposa não se casaria de novo com um marido que ganhasse muito mais? Wilbanks lançou algumas dúvidas e marcou alguns pontos, mas, pelo menos para Joel, ele estava atacando quantias muito modestas. Pastores ganhavam pouco. Por que tentar fazer aquele salário já tão baixo parecer ainda mais irrelevante?

A testemunha que veio em seguida era um avaliador imobiliário de Tupelo. Depois de anunciar as qualificações do homem, Dunlap lhe perguntou se ele havia avaliado a propriedade dos Bannings. Ele disse que sim e apresentou um fichário. John Wilbanks praticamente explodiu e se opôs imediatamente ao prosseguimento daquele depoimento. Esse conflito já era esperado e eles não haviam chegado a um acordo a esse respeito antes do julgamento.

Wilbanks argumentou vigorosamente que as terras não pertenciam a Pete Banning e não deveriam ser incluídas em seu espólio. Pete as dera de presente aos filhos, da mesma maneira que seus pais, avós e bisavós lhe haviam dado. Ele apresentou cópias autenticadas da transferência para o nome de Joel e Stella.

Dunlap reagiu dizendo que a transferência feita por Pete era fraudulenta, e isso irritou o juiz Stratton. Ele deu uma lição em Dunlap a respeito do uso de palavras prejudiciais como "fraudulenta" na ausência de provas. Wilbanks lembrou ao juiz e a Dunlap que havia outro processo pendente no Tribunal da Chancelaria do Condado de Ford que tratava da transferência das terras. O juiz Stratton concordou e decidiu que Dunlap não poderia tentar provar que Pete Banning era dono delas quando morreu. Não houve acordo sobre esse assunto.

Foi uma vitória crucial para a defesa, e Dunlap aparentemente havia se precipitado. No entanto, ele era um ator no palco e logo se recompôs. Depois que o avaliador deixou a sala de audiência, ele chamou Florry ao banco das testemunhas. Wilbanks previu que isso fosse acontecer e tentou prepará-la para o interrogatório. Ele lhe garantiu que ela não ficaria lá sentada por muito tempo, mas ela não estava mesmo em condições.

Depois de algumas questões preliminares, Dunlap perguntou se ela era a testamenteira de seu irmão. "Sim." E quando ela havia sido nomeada? Ignorando os olhares dos jurados e fixando-se no rosto amigável de seu sobrinho, Florry explicou que seu irmão, Pete, fez um novo testamento depois de ter sido condenado à morte. Dunlap apresentou uma cópia autenticada do testamento e lhe pediu que o identificasse, e assim ela fez.

– Obrigado – agradeceu Dunlap. – Agora, seguindo a lei e os aconselhamentos do Dr. Wilbanks aqui presente, você apresentou em juízo uma lista dos ativos e passivos que fazem parte do patrimônio de Pete Banning?

– Sim.

Wilbanks tinha pedido a ela que desse respostas curtas.

Dunlap pegou mais alguns papéis e os entregou a Florry.

– Você reconhece isso como a lista que juntou ao processo de partilha do patrimônio dele em novembro do ano passado?

– Sim.

– Depois de isso ter sido protocolado, se tornou registro público, certo?

– Acredito que sim. O advogado aqui é você.

– Tem razão. Agora, Srta. Banning, por favor, você poderia ler para o júri o que consta do parágrafo C, segunda página dessa lista?

– Eles não podem ler sozinhos?

– Por favor, Srta. Banning.

Florry fez um estardalhaço ao colocar os óculos de leitura, virar a página, localizar o parágrafo C, fazendo questão de deixar claro quanto estava contrariada. Por fim, disse:

– Bem, o número um é a conta-corrente pessoal de Pete no First State, com saldo de 1.800 dólares. O número dois é a conta da fazenda, no mesmo banco, com 5.300 dólares. O número três é a conta-poupança, mesmo banco, com 7.100 dólares. Mais alguma coisa?

– Por gentileza, continue lendo, Srta. Banning – respondeu Dunlap pacientemente.

– Uma caminhonete Ford modelo 1946, no valor aproximado de 750 dólares, que Pete comprou nova depois que voltou da guerra. Imagino que você queira levar isso também.

– Por favor, continue, Srta. Banning.

– O carro dele, um Pontiac modelo 1939, no valor de seiscentos dólares.

Joel se remexeu na cadeira ao cogitar a perda daquele carro, que ele vinha dirigindo desde o verão anterior.

Florry prosseguiu com o depoimento: o patrimônio de Pete incluía dois tratores John Deere, algumas carroças e arados e um conjunto variado de ferramentas agrícolas, todos avaliados em 9 mil dólares. Tratava-se de fato de uma fazenda completa, com os habituais porcos, galinhas, vacas, cabras, mulas e cavalos, e um leiloeiro avaliara os animais em 3 mil dólares.

– Talvez uma galinha a mais ou duas a menos, quem sabe – disse ela em tom de deboche. – E é isso. A não ser que vocês queiram também as botas e as cuecas dele.

Ela explicou que Pete não tinha dívidas quando morreu e nenhuma reivindicação foi apresentada em face de seu espólio.

– E qual é o valor da mansão da família? – perguntou Dunlap aumentando o tom de voz.

John Wilbanks ficou de pé e bradou:

– Protesto, Excelência! A casa não pode ser separada das terras, e as terras foram transferidas para os filhos dele. Nós acabamos de falar sobre isso.

– De fato falamos – disse o juiz Stratton, obviamente irritado com Dunlap, que resmungou algo como "Vou retirar a pergunta".

Retirada ou não, a palavra "mansão" pairava no ar. No momento em que Florry foi dispensada e descia do banco das testemunhas, Joel deu uma olhada na direção dos jurados e não ficou nada otimista. O cara rico que morava em uma mansão tinha matado um humilde servo de Deus, e a justiça estava sendo feita.

NO CURSO NORMAL de uma ação indenizatória em decorrência de morte, a defesa contestaria a responsabilidade apresentando uma série de testemunhas, todas atestando que o óbito não havia sido provocado pelo acusado, ou que o falecido teria sido ao menos parcialmente responsável, em razão de negligência. Não foi assim no caso Jackie Bell contra o espólio de Pete Banning. Não havia nada que John Wilbanks pudesse dizer para questionar a causa da morte, e qualquer tentativa nesse sentido colocaria em risco a pouca credibilidade que ainda tinha.

Em vez disso, ele optou por amenizar os danos e aliviar o impacto da condenação de Pete. Chamou sua única testemunha, outro perito em economia – vindo da Califórnia, o que era bastante inusitado. Wilbanks acreditava na velha máxima de que, pelo menos no caso de ações judiciais, a distância percorrida por um perito até o tribunal era diretamente proporcional ao peso de seu depoimento.

Seu nome era Dr. Satterfield e ele dava aula em Stanford. Era autor de vários livros e havia testemunhado em diversos julgamentos. A essência de seu depoimento era que a soma dos ganhos futuros de Dexter Bell, qualquer que fosse a quantia a ser definida pelo júri, deveria ser reduzida significativamente para equivaler a uma representação justa de seu valor atual. Usando um enorme gráfico colorido, ele tentou explicar aos jurados que, por exemplo, mil dólares pagos por ano durante dez anos consecutivos equivaleriam a 10 mil dólares. Simples assim. Mas se 10 mil fossem pagos em uma parcela única naquele momento, a requerente poderia sair dali e investir essa quantia, e os ganhos eventuais seriam muito maiores. Portanto, era no mínimo justo reduzir o pagamento imediato – ou seja, a quantia a ser definida na sentença – a um valor atual.

O Dr. Satterfield explicou que esse método tinha sido adotado por tribunais de todo o país em casos semelhantes. Ele deixou subentendido que talvez o Mississippi estivesse um pouco atrasado nesse sentido, o que não agradou aos jurados. Para concluir, ele disse que, diante da aplicação de uma taxa de inflação mais próxima da realidade, o valor referente aos ganhos futuros perdidos pela família do reverendo Bell seria de 41 mil dólares.

John Wilbanks acreditava que qualquer decisão que estabelecesse um valor abaixo de 50 mil dólares era plausível para os Bannings. A fazenda poderia ser hipotecada para que eles arcassem com a despesa. A maioria dos agricultores estava sempre atolada em dívidas e, com trabalho duro, o clima apropriado e bons preços – o pedido rogado a Deus diariamente em todas as fazendas –, eles conseguiriam em algum momento quitar a hipoteca. Wilbanks também contava com o tradicional conservadorismo dos júris formados por pessoas do campo. Indivíduos sem um tostão no bolso não costumavam atribuir grandes somas em decisões como aquela.

Ao ser interrogado pela acusação, Burch Dunlap debateu com o Dr. Satterfield os números que este havia apresentado e, em questão de minutos, todos ficaram confusos em relação a valores atuais, descontos, taxas projetadas de inflação e depósitos estruturados. Os jurados, em especial, pareciam atônitos, e à medida que os via se embaralhando com as informações, Joel notou que Dunlap estava intencionalmente tornando a situação cada vez mais confusa.

No fim da tarde, depois que o depoimento terminou e os advogados finalizaram seus pedidos e fundamentações jurídicas, Burch Dunlap se ergueu para se dirigir ao júri. Sem nenhuma anotação na mão e aparentando não ter preparado o discurso com antecedência, ele falou sobre a magnitude daquele pedido de indenização, decorrente de uma morte que não havia sido causada por negligência. "Todo mundo é negligente eventualmente, então somos capazes de entender por que certos acidentes acontecem. Somos todos humanos. Mas isso não foi um acidente. Esse foi um homicídio planejado com cuidado, premeditado e a sangue-frio. Uma investida fatal de um soldado que sabia matar contra um homem desarmado."

Joel não conseguia tirar os olhos dos jurados, e eles estavam hipnotizados por Dunlap.

"Os danos de um ato tão monstruoso? Vamos esquecer as pessoas que morreram – o reverendo Bell e Pete Banning – e vamos falar sobre as que foram deixadas para trás." Ele, Dunlap, não estava muito preocupado com a família Banning. Joel e Stella estavam muito bem, se dedicando aos estudos na universidade. Florry, bem, ela possuía sua própria seção de terra, livre de hipotecas. Eles tiveram vidas privilegiadas. E quanto a Jackie Bell e seus três filhos?

Nesse ponto, Dunlap fez uma digressão para uma história paralela que era simplesmente brilhante. Quase chorando, ele contou ao júri que seu pai havia morrido quando ele tinha apenas 6 anos, e sobre quão devastador e desolador aquilo fora para sua mãe e seus irmãos. Ele prosseguiu, e no momento em que começou a descrever o enterro e o instante em que viu o caixão do pai desaparecer no túmulo, John Wilbanks finalmente se levantou e disse:

– Por favor, Excelência, isso não tem nada a ver com o nosso caso.

O juiz Stratton deu de ombros e respondeu:

– São alegações finais, Dr. Wilbanks. Costumo dar mais abertura.

Dunlap agradeceu ao juiz e imediatamente depois se tornou desagradável e ridicularizou os Bannings, que, "apesar de ricos", tentavam se passar por falidos. Eles eram proprietários de "centenas de hectares de terras produtivas", ao passo que seus clientes, os Bells, não tinham nada. "Não se deixem enganar pelos Bannings e por seus advogados."

Ele ridicularizou o professor Satterfield, de Stanford, e perguntou aos jurados quem na opinião deles tinha melhor compreensão da vida na zona rural do Mississippi – algum professor liberal e sabichão da Califórnia ou o Dr. Potter da Ole Miss?

Dunlap fizera uma performance brilhante, e quando ele se sentou, Joel sentia-se nauseado.

John Wilbanks não falou sobre responsabilidade, optando por discutir cifras. Ele tentou desesperadamente reduzir todos os valores, mas os jurados pareciam indiferentes.

Durante a réplica, Burch Dunlap foi ainda mais agressivo e exigiu o pagamento de danos morais, invocados apenas nos casos mais graves. Danos que cabiam naquele caso em razão da insensibilidade e do desprezo demonstrados por Pete Banning pela vida humana e sua total responsabilidade pelo ocorrido.

O JUIZ STRATTON havia presidido muitos julgamentos e teve o pressentimento de que aquela deliberação não levaria muito tempo. Os jurados tinham se retirado da sala de audiência às seis da tarde e a sessão havia sido suspensa. Uma hora depois, o júri estava pronto.

Em um veredito unânime, Pete Banning e seu patrimônio foram considerados responsáveis pela morte de Dexter Bell, tendo sido definido o valor da indenização em 50 mil dólares em danos materiais e outros 50 mil em danos morais. Pela segunda vez em menos de um ano, Burch Dunlap definiu um novo valor recorde em um tribunal federal do norte do Mississippi.

40

Conforme o ritmo do primeiro ano do curso de Direito desacelerava, Joel ia se tornando mais recluso, até mesmo antissocial. A sentença no caso referente ao espólio de seu pai se tornou famosa no meio jurídico, sem contar sua infame execução. A família Banning estava em absoluto declínio, e Joel tinha a impressão de que as pessoas falavam dele pelas costas. Sentiu inveja de Stella, morando a mais de mil quilômetros dali.

Dirigiu até Whitfield para passar um longo fim de semana com a mãe. Antes, porém, o Dr. Hilsabeck queria ter uma conversa com ele, e os dois passearam pelo jardim, em um glorioso dia de primavera, com azaleias e cornisos florescendo. Hilsabeck acendeu um cachimbo, entrelaçou as mãos às costas e andou devagar, como se estivesse gravemente preocupado.

– Ela não tem progredido muito – disse ele com pesar. – Faz dois anos que ela está aqui e não estou contente com seu estado.

– Obrigado por ser sincero sobre isso – respondeu Joel. – Percebi que ela melhorou muito pouco nos últimos oito meses.

– Ela coopera até certo ponto, depois sai do ar. Alguma coisa traumática aconteceu com ela, Joel, algo que ela não consegue, ou não quer, enfrentar. Pelo que sabemos, sua mãe era uma mulher saudável, com uma personalidade forte, que nunca apresentou indícios de qualquer instabilidade emocional ou de depressão. Ela sofreu vários abortos, mas isso não é incomum. Em cada um deles, ela se fechou e passou por períodos de sofrimento, provavelmente uma tristeza temporária, mas sempre se recuperou. A notícia de que seu pai estava desaparecido e foi dado como morto foi terrível pra ela, e nós já falamos sobre isso diversas vezes. Eu, você, a Stella, a Florry, nós sabemos disso. Isso foi em maio de 1942. Quase três anos se passaram e, como você disse, sua família fez a única coisa que era possível fazer: sobreviveu. Mas alguma coisa aconteceu com ela, Joel, nesse período. Algo traumático, e eu simplesmente não consigo fazer com que ela fale sobre isso.

– Você está sugerindo que eu tente?

– Não. Foi algo tão terrível que eu não tenho certeza se ela vai querer falar. E enquanto ela não falar sobre isso vai ser difícil haver melhora.

– Você acha que essa história envolve Dexter Bell?

– Sim. Se não tem a ver com ele, por que seu pai faria o que fez?

– Essa é a grande questão. Eu sempre achei que tinha algo a ver com o reverendo, mas a incógnita é: como meu pai descobriu? Agora ele está morto, Dexter está morto e ela não diz nada. Parece um beco sem saída, doutor.

– Parece mesmo. As pessoas que trabalham pra sua família, você já perguntou a elas?

– Na verdade, não. Nineva trabalha lá desde sempre e nada passa batido por ela. Ela é extremamente leal e nunca deixaria escapar uma única palavra. Ela praticamente criou a gente, então eu e Stella a conhecemos bem. Ela nunca fala nada.

– Mesmo que ela possa nos ajudar?

– Ajudar como?

– Pode ser que ela saiba de alguma coisa, tenha visto ou ouvido algo. Se ela lhe confiasse isso, você poderia contar pra mim e isso poderia me dar a oportunidade de confrontar a Liza. Talvez seja um choque pra ela, e isso pode ser bom. Ela precisa ser confrontada. Estamos diante de um impasse aqui, Joel, e as coisas precisam avançar.

– Acho que vale a pena tentar. Não temos nada a perder, certo?

Passaram por um velho senhor sentado em uma cadeira de rodas à sombra de um olmo. Ele os olhou desconfiado, mas não disse nada. Ambos o cumprimentaram com um aceno de cabeça e sorriram, e Hilsabeck disse "Olá, Harry", mas ele não respondeu, porque havia dez anos que Harry não falava. Joel sempre dizia olá para Harry também. Infelizmente, Joel sabia os nomes de muitos dos internos permanentes do Edifício 41. Ele rezava fervorosamente para que sua mãe não se tornasse um deles.

– Tem mais uma coisa – disse Hilsabeck. – Há um novo medicamento chamado clorpromazina, que aos poucos está chegando ao mercado. É um antipsicótico que está sendo usado para tratar esquizofrenia, depressão e alguns outros distúrbios. Eu acho que a Liza é uma boa candidata pra esse tratamento.

– Está pedindo minha aprovação?

– Não, só queria que você soubesse. Vamos começar a administrá-lo na próxima semana.

– Tem algum efeito colateral?

– Até agora o mais comum é o ganho de peso, o que no caso dela seria bem-vindo.

– Então por mim tudo bem.

Eles caminharam até a beira de um pequeno lago e encontraram um banco em um local fresco, à sombra das árvores. Sentaram-se e observaram alguns patos batendo as asas na água.

– Ela costuma falar sobre ir pra casa? – perguntou Joel.

Hilsabeck pensou por alguns segundos, deu uma tragada no cachimbo e disse:

– Não acontece todo dia, mas com certeza ela tem isso em mente na maior parte do tempo. A Liza é jovem demais pra que a gente pense em mantê-la aqui como uma interna permanente, então a tratamos considerando que um dia ela vai estar saudável o suficiente pra ir pra casa. Ela não fala sobre isso, mas supõe, como nós também supomos, que esse dia vai chegar em algum momento. Por que a pergunta?

– Porque a casa está em risco. Já contei a você sobre os processos movidos pela família de Dexter Bell. Acabamos de perder o primeiro. Vamos recorrer e lutar até o fim. Outro julgamento se aproxima, e pode ser que a gente perca esse também. Estamos falando de possíveis penhoras, indenizações, ordens judiciais, até mesmo de uma falência. Muitos procedimentos judiciais ainda estão por vir, mas há uma possibilidade real de que, quando a poeira baixar, a gente acabe perdendo a fazenda e toda a propriedade.

– E quando você acha que a poeira vai baixar?

– Difícil dizer. Este ano, não, e provavelmente não vai ser no próximo. Mas dentro de dois anos todos os processos e recursos podem já ter chegado ao fim.

Hilsabeck bateu o cachimbo na beira do banco e raspou fora o tabaco queimado. Ele habilmente o preencheu de novo com tabaco fresco retirado de uma pequena bolsa, acendeu um fósforo, o aproximou do fornilho e deu uma longa tragada.

– Isso seria catastrófico pra ela – disse ele por fim. – Ela sonha estar em casa, junto com você e Stella. Fala sobre trabalhar com Amos na horta, montar os cavalos, colocar flores no túmulo de seu pai, cozinhar e preparar conservas com Nineva. – Ele deu outra longa baforada. – Pra onde ela iria?

– Não faço a menor ideia, doutor. Ainda não falamos sobre isso. Estou apenas me antecipando. Temos bons advogados, mas a família de Dexter Bell também tem. E, além de bons advogados, eles têm os fatos e a lei a favor deles.

– Seria devastador, simplesmente devastador. Não consigo imaginar como seria possível tratar sua mãe caso ela soubesse que perdeu a casa.

– Bem, então comece a pensar sobre o assunto. Enquanto isso, vamos brigar na justiça.

EM UMA SEXTA-FEIRA de manhã, quando deveria estar em Oxford, Joel saiu da cama cedo, correu para a cozinha e pôs água para ferver, tomou banho e se vestiu enquanto o café estava passando, depois se sentou diante da mesa, com uma xícara cheia nas mãos, à espera de Nineva, que chegou às sete em ponto. Eles trocaram um "Bom dia" e Joel disse:

– Vamos tomar um café, Nineva. Precisamos conversar.

– Você não quer comer nada? – perguntou ela, colocando um avental.

– Não, mais tarde belisco alguma coisa quando for ao centro. Não ligo muito pra café da manhã.

– Nunca ligou, nem quando era pequeno. Umas duas garfadas de ovo mexido e você já não queria mais. O que está perturbando você?

– Pegue uma xícara de café pra você.

Ela lentamente se serviu de café com bastante leite – e ainda mais açúcar – e por fim se sentou, apreensiva, do outro lado da mesa.

– Precisamos conversar sobre a Liza – disse ele. – O médico não está nada contente com o progresso dela lá em Whitfield. Ela guarda muitos segredos, Nineva, pequenos enigmas que não batem. Se a gente não souber o que aconteceu com ela, existem grandes riscos de ela nunca mais voltar pra casa.

Nineva já tinha começado a fazer que não com a cabeça, como se não soubesse de nada.

– O Pete se foi, Nineva. Pode ser que isso aconteça com a Liza também. Há uma chance de o médico ajudá-la, mas só se a gente souber a verdade. Quanto tempo ela passou com Dexter Bell na época em que todo mundo achava que o papai tinha morrido?

Ela segurou a xícara com ambas as mãos e deu um pequeno gole. Apoiou-a de volta no pires, pensou por um segundo e disse:

– Ele vivia por aqui. Não era segredo pra ninguém. Eu estava sempre por perto, assim como Amos, e até mesmo o Jupe. Às vezes a Sra. Bell vinha com ele. Eles se reuniam no escritório do seu Banning e liam a Bíblia, faziam orações. Ele nunca ficava por muito tempo.

– Eles ficavam sozinhos?

– Às vezes, eu acho, mas, como falei, eu estava sempre aqui. Nada aconteceu entre eles, não nesta casa.

– Tem certeza, Nineva?

– Olha, Joel, eu não sei tudo. Eu não ficava com eles. Você acha que ela teve um caso com o reverendo?

– Bem, Nineva, ele está morto, não está? Me dê outra boa razão pro Pete matar ele. Eles se encontravam quando você não estava por perto?

– Se eu não estava por perto, como ia ficar sabendo?

Como sempre, seu raciocínio era lógico.

– Então não tinha nada suspeito? Nada mesmo?

Nineva fez uma cara feia e esfregou as têmporas como se algo muito doloroso estivesse sendo relembrado.

– Teve uma vez – disse ela baixinho.

– Pode falar, Nineva – disse Joel, sabendo que estava prestes a fazer um avanço.

– Ela disse que tinha que ir pra Memphis, disse que a mãe dela estava em um hospital de lá e que estava muito mal de saúde. Disse que ela tinha câncer. Enfim, ela queria que o reverendo fosse junto, passar os últimos dias da mãe do lado dela. Disse que a mãe dela tinha se afastado da igreja e que, agora que estava nas últimas, ela realmente queria falar com um pastor pra, sabe como é, acertar as contas com Deus. E como a Liza gostava muito do Dexter, ela queria que ele fizesse isso pela mãe dela lá em Memphis. A Liza odiava dirigir, como você sabe, e então um dia ela me disse que ela e o reverendo sairiam cedo no dia seguinte, depois que você e a Stella fossem pra escola, e iriam pra Memphis. Só os dois. Foi o que eles fizeram. E eu não achei que tinha nada de errado nisso. O reverendo Bell veio naquela manhã, sozinho, eu servi uma xícara de café pra ele e nós três sentamos bem aqui, e ele até fez uma pequena oração pedindo a Deus que fizessem uma viagem segura e que ele pudesse curar a mãe da Liza. Lembro que eu fiquei muito emocionada. Eu não vi nada de mais naquilo. A Liza me disse pra não contar pra vocês sobre isso porque ela não queria que vocês se preocupassem com a sua avó, então eu não falei nada. Eles saíram e ficaram fora o dia todo, voltaram quando já estava escuro. A Liza disse que tinha ficado enjoada com as curvas da estrada e estava com dor de estômago, e foi pra cama. Ela ficou se sentindo mal durante alguns dias depois disso, disse que achava que tinha pegado alguma coisa no hospital em Memphis.

– Eu não me lembro disso.

– Você estava ocupado com as tarefas da escola.

– Quando foi isso?

– Quando? Eu não fico anotando, Joel.

– Está bem, quanto tempo depois de a gente ter recebido as notícias sobre o papai? Um mês, seis meses, um ano?

– Muito tempo. Quando que ficamos sabendo do seu Banning?

– Maio de 1942.

– Certo, entendi, então fazia frio; estavam colhendo algodão. Pelo menos um ano depois que recebemos a notícia.

– Outono de 1943, então?

– Acho que sim. Não sou muito boa com datas.

– Bem, isso é estranho, porque a mãe dela não morreu. A vovó Sweeney está viva e saudável, lá em Kansas City. Recebi uma carta dela na semana passada.

– Pois é. Eu perguntei pra Liza como sua avó estava e tudo, e ela nunca quis falar sobre a mãe dela. Mais tarde ela disse que a visita do reverendo Bell deve ter sido boa porque o Senhor tinha curado ela.

– Então eles passaram o dia juntos e a Liza voltou para casa se sentindo mal. Alguma vez você suspeitou dessa história?

– Eu nunca pensei sobre isso.

– Duvido, Nineva. Nada que acontece aqui passa batido por você.

– Eu cuido da minha vida.

– E da de todo mundo também. Onde a mulher do reverendo estava naquele dia?

– Não faço ideia.

– Mas ninguém falou no nome dela esse dia?

– Eu não perguntei. Eles não disseram nada.

– Bem, em algum momento você já parou pra pensar nesse episódio e achou que alguma coisa não fazia sentido?

– Tipo o quê?

– Bem, existem muitos pastores em Memphis e muitos entre aqui e lá. Por que a mãe de Liza precisaria de um pastor de Clanton? Ela frequenta uma igreja episcopal em Memphis, uma que Stella e eu visitamos algumas vezes antes de eles se mudarem. Por que a Liza não diria pra Stella e pra mim que a mãe dela, nossa avó, estava muito doente e internada em um hospital de Memphis? A gente costumava ir visitá-la de vez em quando. Ninguém nunca disse pra gente que ela tinha câncer e ela com certeza não morreu por causa disso. Essa história inteira cheira mal, Nineva, e você nunca suspeitou de nada?

– Acho que sim.

– Suspeitou de quê, então?

– Está bem, eu vou te contar. Eu nunca entendi por que isso era um segredo tão grande, essa viagem deles pra Memphis. Lembro que pensei que, se a mãe dela estava mesmo doente, ela devia levar os filhos junto. Mas não, ela não queria que vocês soubessem de nada. Isso foi estranho. Era como se ela e o reverendo quisessem passar o dia fora e precisassem me dar algum motivo. Sim, é verdade, eu fiquei desconfiada depois, mas pra quem eu ia contar? Amos? Eu falo as coisas pra ele e ele esquece tudo. Desmemoriado, aquele homem.

– Você contou pro Pete?

– Ele nunca me perguntou.

– Você contou pro Pete?

– Não. Eu nunca contei pra ninguém, só pro Amos.

Joel a deixou sozinha à mesa e foi dar uma volta de carro pelas estradas secundárias do condado de Ford. Sua cabeça estava girando e ele tentava organizar os pensamentos. Sentia-se como um detetive particular que acabara de descobrir a primeira pista importante de um mistério que parecia permanentemente sem solução.

Ainda que estivesse confuso, também estava convencido de que Nineva não havia lhe contado tudo.

41

Além de estudar para as provas do fim do período, Joel escreveu os memoriais e aprimorou o texto das razões de apelação apresentadas no processo em trâmite no tribunal federal. Como embromar era uma de suas estratégias, ele e John Wilbanks esperaram até o último dia possível e apresentaram a petição que faltava ao Tribunal de Apelações do Quinto Circuito em 1º de junho de 1948.

Dois dias depois, em 3 de junho, o juiz Abbott Rumbold finalmente encontrou tempo para o segundo processo movido por Jackie Bell, seu pedido de anulação da transferência de titularidade das terras realizada por Pete Banning a favor de seus filhos, que ela alegava ser fraudulenta.

Havia meses que Burch Dunlap vinha exigindo que o julgamento fosse agendado, e a pauta de Rumbold não estava tão lotada assim. No entanto, a pauta dependia exclusivamente do juiz, e havia décadas que ele fazia o que bem entendia em relação a ela. Com bastante frequência, Rumbold agia de acordo com os pedidos de John Wilbanks, e, além disso, o juiz tinha enorme simpatia pela família Banning. Se Wilbanks quisesse atrasar o julgamento, então o processo definitivamente estava no tribunal certo.

Dunlap sabia que o time da casa estava sendo favorecido. Ele estava disposto a engolir alguns sapos, passar por cima deles, bater mais uma vez o próprio recorde histórico e apelar para a Suprema Corte do estado, onde a lei tinha muito mais valor do que velhas amizades.

Não havia júri no Tribunal da Chancelaria. Os juízes regiam como monarcas e, em geral, se tornavam mais dogmáticos quanto maior o tempo de casa. Os procedimentos variavam de um distrito para outro e eram frequentemente alterados conforme lhes conviesse.

Rumbold assumiu a tribuna sem ser anunciado e disse olá. A estridente chamada protagonizada por Walter Willy se reservava apenas para o tribunal do júri. Rumbold não tinha esse privilégio.

Ele notou a simpática multidão e deu as boas-vindas a todos. Estavam presentes os frequentadores habituais do tribunal – aposentados entediados, funcionários do condado no intervalo do almoço, secretárias dos gabinetes localizados no fim do corredor, Ernie Dowdle, Hop Purdue e Penrod no alto da galeria com alguns outros negros –, junto com dezenas de espectadores.

Três meses antes, a notícia da indenização de 100 mil dólares atribuída em uma sentença do tribunal federal não havia sido bem recebida na cidade, e as pessoas ficaram curiosas. A história de Pete Banning continuou a crescer no condado de Ford, e a maioria das pessoas tinha a impressão de que Jackie Bell estava tentando roubar as terras que pertenciam a uma mesma família havia mais de cem anos.

Na condição de réus naquele processo, Joel e Stella eram obrigados a comparecer. Sentaram-se à mesa da defesa com um Wilbanks de cada lado e tentavam ignorar Jackie Bell na mesa vizinha. Tentavam ignorar um monte de coisas – a multidão atrás deles, os olhares dos escrivães e dos advogados, o medo de serem processados e perseguidos –, mas o verdadeiro horror que sentiam naquele momento se dava ao fato de estarem sentados a cerca de 6 metros do local onde o pai tinha sido eletrocutado onze meses antes. A sala de audiência – e o tribunal inteiro, aliás – era um lugar sombrio e deplorável que eles sonhavam em não ver nunca mais.

Rumbold franziu o cenho para Burch Dunlap e disse:

– Permitirei alguns breves comentários iniciais. Para o autor.

Burch se levantou segurando um bloco de anotações.

– Obrigado, Excelência. Bem, já estamos de acordo em relação à maioria dos fatos e eu não tenho muitas testemunhas. Em 16 de setembro de 1946, cerca de três semanas antes da lamentável morte do reverendo Dexter Bell, falecido marido da minha cliente, o Sr. Pete Banning transferiu uma seção de terras, referente a todos os seus 260 hectares, em partes iguais para seus filhos, Joel e Stella Banning, ora réus. Uma cópia da escritura foi juntada como prova.

359

– Eu li o documento – resmungou Rumbold.

– Pois bem, senhor. E nós provaremos que essa escritura é a primeira a ser utilizada pelos Bannings com o intuito de transferir terras para seus descendentes desde 1818. Na família Banning, as terras sempre foram herdadas por meio de testamentos, nunca por transferência. O objetivo de Pete Banning ao recorrer a esse expediente foi claramente o de protegê-las, diante de seu plano de assassinar o reverendo Dexter Bell. Simples assim.

Dunlap se sentou e John Wilbanks já estava de pé.

– Com a devida vênia, Excelência, não tenho certeza se a inteligência do Dr. Dunlap é suficiente para nos explicar no que Pete Banning estava pensando quando fez a transferência. Ele tem razão, por um lado, ao afirmar que essas terras estão na família desde 1818, quando o tataravô de Pete Banning, Jonas Banning, começou a construir a fazenda. A família sempre manteve a posse das terras e adquiriu outras ao redor sempre que possível. Francamente, é chocante que um sujeito que nem sequer mora no Mississippi, ou qualquer outra pessoa, aliás, agora queira tomá-las da família. Obrigado.

– Chame sua primeira testemunha – ordenou Rumbold a Dunlap. – Você tem o ônus de dar seguimento.

– O ilustríssimo advogado Dr. Claude Skinner.

Skinner se levantou de um dos bancos da área reservada ao público, andou em direção à tribuna, jurou falar a verdade e sentou-se no banco das testemunhas.

– Por favor, diga seu nome e sua profissão – pediu Dunlap.

– Claude Skinner, advogado. Meu escritório fica em Tupelo e trabalho primordialmente com direito imobiliário.

– E quando esteve com Pete Banning?

– Ele foi ao meu escritório em setembro de 1946 e pediu que eu redigisse uma escritura para ele. Pete Banning tinha a titularidade plena de uma seção de terra aqui no condado de Ford, bem como da casa construída no terreno, e queria transferi-la para seus dois filhos.

– Você já o havia visto antes daquele dia?

– Não, senhor, nunca. Ele tinha em mãos uma planta cartográfica e um relatório completo da propriedade e da casa, e perguntei quem era responsável por cuidar de seus assuntos legais aqui no condado. Ele disse que era o escritório dos Wilbanks, mas preferia não os envolver nesse assunto.

– Ele deu uma razão para não envolver o escritório dos Wilbanks?

– Não, e não perguntei. Notei que o Sr. Banning era um homem de poucas palavras.

– E você redigiu o documento conforme ele solicitou?

– Sim. Ele retornou uma semana depois para assinar. A minha secretária autenticou a escritura e depois a enviou, com a respectiva taxa administrativa, ao escrivão do Tribunal da Chancelaria que fica no fim do corredor. Eu cobrei quinze dólares pelo trabalho e ele me pagou em dinheiro.

– Em algum momento você perguntou a Pete Banning por que ele estava transferindo a propriedade para os filhos?

– Bem, mais ou menos. Depois de rever a cadeia de sucessão, percebi que a família nunca tinha realizado transferências antes. A propriedade sempre havia sido herdada por meio de testamentos. Fiz um comentário a esse respeito, e o Sr. Banning disse, palavras dele: "Estou apenas protegendo meus ativos."

– Protegendo de quê?

– Ele não disse. Eu não perguntei.

– Sem mais perguntas.

John Wilbanks parecia bastante irritado quando se levantou e franziu o cenho para Skinner.

– Quando você se deu conta de que o meu escritório vinha representando o Sr. Banning por muitos anos, não lhe ocorreu que telefonar para mim talvez fosse apropriado?

– Não, senhor. Era bastante evidente que o Sr. Banning não queria envolver o seu escritório ou qualquer outro advogado deste condado no assunto. Por isso ele foi até Tupelo para me contratar.

– Então você nem sequer considerou isso uma cortesia profissional.

– Não era necessário, na minha opinião.

– Sem mais perguntas.

– Você pode se retirar – disse Rumbold. – Chame sua próxima testemunha.

Dunlap se levantou e disse:

– Excelência, gostaríamos de chamar o Sr. Joel Banning, como testemunha adversa.

– Alguma objeção? – Rumbold perguntou a John Wilbanks.

Aquele movimento era esperado e Joel estava absolutamente preparado para prestar depoimento.

– Nenhuma – respondeu Wilbanks.

Joel jurou dizer a verdade e se sentou no banco das testemunhas. Deu um sorriso amarelo para a irmã, observou a sala de audiência de um ponto de vista único, acenou com a cabeça para Florry, que estava na primeira fila, depois se preparou para as perguntas de um dos melhores advogados do estado.

– Sr. Banning, onde você estava quando ouviu a notícia de que seu pai havia sido preso pelo assassinato de Dexter Bell? – começou Dunlap.

– Por que isso é relevante para as questões envolvidas neste caso? – indagou Joel instintivamente.

– Por favor, responda à pergunta, senhor – devolveu Dunlap, um pouco surpreso com a resposta de Joel.

– E por que você não responde à minha? – reagiu Joel, debochado.

John Wilbanks ficou de pé.

– Excelência, a testemunha tem razão. A pergunta feita pelo Dr. Dunlap é completamente irrelevante para as questões que envolvem este caso. Portanto, protesto.

– Aceito – disse Rumbold, em alto e bom som. – Não vejo nenhuma relevância.

– Tudo bem, então – resmungou Dunlap.

Joel queria sorrir na cara dele como se dissesse "Um a zero para mim", mas conseguiu manter o semblante sério.

– Bem, antes de transferir as terras, em setembro de 1946, seu pai discutiu o assunto com você?

– Não.

– E com a sua irmã?

– Você vai ter que perguntar pra ela.

– Você não sabe?

– Não acho que ele tenha feito isso, mas não tenho certeza.

– Onde você estava na ocasião?

– Na faculdade.

– E onde ela estava?

– Na faculdade.

– E, depois desse dia, o seu pai falou sobre essa escritura com você?

– Não até um dia antes de morrer.

– E quando foi isso?

Joel se deteve por um momento, pigarreou e disse lentamente em voz alta:

– Meu pai foi executado neste tribunal no dia 10 de julho do ano passado.

Depois daquele momento dramático, Dunlap pegou uma pasta da qual começou a retirar vários documentos. Uma por uma, ele entregou a Joel cópias de antigos testamentos assinados por seus antepassados e pediu a ele que confirmasse a autenticidade de cada um deles. O lote inteiro já tinha sido juntado aos autos como prova, mas Dunlap precisava de um depoimento ao vivo para dar peso a seu caso. Suas intenções eram claras; seus argumentos, bem elaborados: a família Banning havia religiosamente passado adiante suas terras, de geração em geração, por meio de testamentos cuidadosamente redigidos. Pete tornou-se dono de seus 260 hectares e da casa em 1932, quando sua mãe morreu. Ela havia se tornado a proprietária três anos antes, quando o marido morreu. Lenta e meticulosamente, Joel apresentou a cadeia de sucessões, junto com uma boa dose da história da família. Ele sabia tudo aquilo de cor e tinha praticamente memorizado todos os testamentos. Em todas as gerações, os homens – todos muito jovens, o que era bastante perturbador – morreram primeiro e deixaram as terras para as esposas, que nunca se casaram de novo.

– Então seu pai foi o primeiro homem na história de sua família a passar por cima da esposa em favor dos filhos, certo? – perguntou Dunlap.

– Sim, correto.

– Isso parece incomum a você?

– Não é segredo pra ninguém, doutor, que minha mãe está passando por algumas dificuldades. Prefiro não me aprofundar nesse assunto.

– Eu não pedi que fizesse isso.

Conforme as horas passaram, Dunlap aos poucos conseguiu comprovar sua tese. A atitude de Pete era suspeita em diversos aspectos. Joel, Stella, Florry e até mesmo John Wilbanks admitiram, em particular, que Pete assinou a transferência para proteger suas terras enquanto planejava matar Dexter Bell, e isso havia ficado claro.

Ao meio-dia, não havia mais testemunhas. Os advogados fizeram alguns comentários rápidos, e Rumbold disse que iria proferir a sentença – em algum momento.

– Quando podemos contar com uma decisão, Excelência? – perguntou Dunlap.

– Eu não tenho prazos, Dr. Dunlap – retrucou Rumbold irritado. – Vou reler os autos e minhas anotações e publicar a sentença no devido tempo.

Dunlap, aproveitando a presença de outras pessoas, decidiu impor algum limite.

– Excelência, é certo que não há razão para demora. A audiência durou menos de quatro horas. Os fatos e as questões estão claros. Qual seria o motivo para um suposto atraso?

Rumbold ficou vermelho de raiva.

– Quem decide as coisas aqui sou eu, Dr. Dunlap – disse, apontando um dos dedos para o advogado. – Eu não preciso de conselho nenhum sobre como fazer o meu trabalho. Você já falou o bastante.

Dunlap estava ciente de algo que já era de conhecimento geral entre os advogados da região. Rumbold poderia se sentar sobre um caso para sempre. A lei não estipulava prazo para que os juízes decidissem a respeito de seus casos, e a Suprema Corte estadual, que sempre contava com vários ex-juízes do Tribunal da Chancelaria, nunca esteve disposta a implementar um prazo.

– Caso encerrado – disse Rumbold, ainda encarando Dunlap, e bateu o martelo.

JACKIE BELL E Errol McLeish deixaram a sala de audiência sem dizer uma palavra a ninguém e foram direto para o carro. Eles se dirigiram para uma casa a alguns quilômetros da cidade e almoçaram com a melhor amiga de Jackie, da época em que ela morava em Clanton. Myra era sua fonte de fofocas e informações sobre quem estava dizendo o que na igreja e na cidade, e ela não gostava do pastor que substituíra Dexter. Poucos da congregação gostavam dele, e Myra tinha uma lista de reclamações a seu respeito. A verdade é que todo mundo sentia falta de Dexter, mesmo agora, quase dois anos após sua morte.

Myra também não gostava de Errol McLeish. Ele tinha um olhar evasivo e um aperto de mão suave, e uma maneira discreta de manipular Jackie. Ainda que ele fosse um advogado com posses e agisse como se não se importasse com dinheiro, Myra suspeitava de que o verdadeiro objetivo dele fosse Jackie e o que quer que ela pudesse arrancar dos Bannings.

Ele exercia muita influência sobre Jackie, que, na opinião de Myra, ainda estava fragilizada por conta da tragédia. Myra manifestara essa preocupação – confidencialmente, é claro – para outras mulheres da igreja. Já havia rumores de que Jackie estava de olho grande nas terras e na bela casa dos Bannings e que McLeish estaria dando as cartas.

Uma fonte que estava no hotel Bedford vazou o boato de que os dois deram entrada em um quarto como Sr. e Sra. Errol McLeish, embora Jackie tivesse assegurado a Myra que não tinha planos de se casar.

Dois adultos desimpedidos no mesmo quarto de hotel no centro de Clanton. E um deles era a viúva do pastor.

42

A viagem de trem de Memphis até Kansas City demorava sete horas e meia, com tantas paradas que eles até perderam a conta. Mas não se importaram. Era verão. Eles estavam de recesso na faculdade, longe da fazenda, viajando na primeira classe, onde o serviço de bordo contava com vinho à vontade. Stella lia os contos reunidos de Eudora Welty enquanto Joel se digladiava com o romance *Absalão, Absalão!*. Ele vira Faulkner duas vezes em Oxford, onde sua presença praticamente não era notada. Não era segredo que o escritor gostava de jantar tarde da noite em um restaurante chamado Mansion, que ficava próximo à praça, e Joel havia se sentado perto dele uma vez, enquanto Faulkner fazia as refeições sozinho. Antes de terminar a faculdade de Direito, Joel estava determinado a reunir forças para abordá-lo. Sonhava tomar um bourbon na varanda junto daquele grande homem e contar a trágica história de seu pai. Talvez Faulkner a tivesse ouvido. Quem sabe ele não a usaria em um romance?

Da estação de Kansas City, pegaram um táxi para uma casa modesta no centro da cidade. Os avós maternos, os Sweeneys, tinham se mudado de Memphis para lá depois da guerra, e desde então nem Joel nem Stella os haviam visitado. A verdade é que eles tinham passado pouco tempo com os pais de Liza porque, conforme perceberam à medida que cresciam, Pete não se importava com eles, e vice-versa.

Os Sweeneys não tinham dinheiro, mas sempre procuraram estar entre os mais abastados. Esse era um dos motivos pelos quais Liza passava tanto

366

tempo no Peabody na época do ensino médio. Seus pais a obrigavam. No entanto, em vez de fisgar um garoto rico de Memphis e se casar com ele, ela engravidou de um fazendeiro do Mississippi, entre tantos lugares possíveis.

Como a maior parte das pessoas de Memphis, os Sweeneys desprezavam qualquer um que viesse do Mississippi. Eles tinham sido educados com Pete quando Liza o levou em casa, torcendo em segredo para que ele não fosse o escolhido, independentemente de sua boa aparência e da formação na Academia Militar de West Point. E antes que pudessem se opor de fato, ele a levou para longe de repente para embarcar em um casamento que os deixou traumatizados. Não tinham certeza se ela estava grávida quando fugiu, mas o pequeno Joel nasceu logo depois. Durante anos, foram forçados a garantir aos amigos que o menino tinha nascido nove meses depois do "casamento".

Quando Pete foi dado como morto, os Sweeneys deram pouco apoio a Liza, pelo menos na opinião dela. Quase nunca visitavam a fazenda e, toda vez que se aventuravam pela roça, ficavam ansiosos para partir assim que chegavam. Particularmente, sentiam vergonha de a filha ter escolhido viver em um lugar tão atrasado. Como gente ignorante da cidade, eles não davam nenhum valor à terra, ao algodão, ao gado ou a ovos, verduras e legumes frescos. Ficavam chocados com o fato de os Bannings terem negros trabalhando em suas casas e na lavoura. Quando Pete voltou do mundo dos mortos, eles mostraram pouco interesse pelo fato, e passaram-se meses até que fossem visitá-lo.

Quando a guerra acabou, o Sr. Sweeney foi transferido para Kansas City, uma mudança descrita como uma grande promoção, mas que na realidade era um esforço desesperado para salvar seu emprego. A nova residência era ainda menor do que a de Memphis, mas suas duas filhas já tinham saído de casa e os dois não precisavam de muito espaço. Então Liza teve um colapso nervoso e foi enviada para Whitfield. Os Sweeneys não contaram a ninguém que a filha mais nova havia sido internada em um sanatório no interior do Mississippi. Eles a visitaram uma vez e ficaram horrorizados com seu estado de saúde e o ambiente.

Então Pete foi preso, julgado e executado, e os Sweeneys sentiram-se gratos por terem se mudado para um lugar ainda mais distante de Clanton.

O único contato que mantinham se dava por meio das eventuais cartas de Joel e Stella, que vinham crescendo com o passar dos anos, e talvez tivesse chegado a hora de fazer uma visita. Eles os receberam em sua casa e pareciam genuinamente emocionados diante do fato de os netos terem percorrido toda aquela distância até Kansas City. Durante um demorado jantar, com uma comida incrivelmente insossa, porque a vovó nunca tinha gostado de cozinhar, eles conversaram sobre a faculdade de Stella, o curso de Direito de Joel e os planos para o futuro. Conversaram sobre Liza. Stella e Joel tinham acabado de passar dois dias com ela e alegaram ter notado uma melhora. Seus médicos estavam otimistas de que alguns novos medicamentos estariam dando resultado. Ela tinha ganhado alguns quilos. Os avós queriam lhe fazer uma visita, mas o trabalho do vovô consumia todo o tempo.

Não houve qualquer menção à montanha de questões legais enfrentadas pelos Bannings, não que vovô e vovó se importassem, de qualquer maneira. Eles preferiam falar sobre si mesmos e sobre todos os amigos maravilhosos e ricos que tinham feito em Kansas City. Havia sido um grande avanço em relação a Memphis. Os netos, definitivamente, não estavam pensando em viver no Mississippi.

Stella dormiu no quarto de hóspedes, enquanto Joel ocupou o sofá. Após uma noite agitada, ele acordou com barulhos na cozinha e cheiro de café. Vovô estava à mesa, comendo torradas e folheando apressadamente o jornal matutino, enquanto vovó preparava massa de panqueca. Depois de alguns minutos conversando, vovô pegou sua pasta e saiu apressado, ansioso para chegar ao escritório para uma reunião importante.

– Ele só trabalha, o tempo inteiro – disse vovó assim que ele saiu. – Vamos sentar e conversar um pouco.

Stella logo se juntou a eles, e os três desfrutaram de um longo café da manhã com panquecas e salsichas. No meio da conversa, Stella puxou assunto sobre um artigo no qual estava trabalhando para uma das disciplinas na faculdade. Ela precisava reunir o máximo de informação possível sobre os históricos médicos de seus parentes imediatos. Os perfis seriam estudados em sala de aula, com o objetivo de traçar a estimativa da longevidade de cada aluno. No lado dos Bannings, o prognóstico era bastante sombrio. O pai de Pete tinha morrido de parada cardíaca aos 49 anos; a mãe, de pneumonia, aos 50. Tia Florry tinha 50 anos e parecia razoavelmente bem de saúde, mas nenhum Banning, homem ou mulher, no século anterior, chegara aos 70.

Joel disse que estava ajudando a irmã com o projeto e começou a fazer algumas anotações. Eles falaram sobre os pais da vovó, ambos já falecidos, assim como os do vovô.

A Sra. Sweeney tinha 66 anos e afirmava ter uma saúde excelente. Não apresentava nenhuma enfermidade e não tomava remédios. Nunca tivera câncer, problemas cardíacos ou qualquer outra doença grave. Havia sido hospitalizada duas vezes em Memphis em razão do nascimento das filhas, nada além disso. Ela odiava hospitais e tentava evitá-los. Joel e Stella ficaram aliviados ao saber que tinham herdado genes mais promissores do lado dos Sweeneys.

SE NINEVA HAVIA contado a verdade, como quase sempre fazia, por que Liza e Dexter Bell teriam mentido e inventado uma desculpa sobre visitar a mãe dela, que estaria morrendo de câncer em um hospital de Memphis? Por que esconder aquilo dos filhos e de todo mundo?

O que levava à pergunta seguinte: o que eles realmente fizeram naquele dia?

DUAS NOITES EM Kansas City foram suficientes. Vovó os levou de carro até a estação de trem e todos se abraçaram. Foram feitas promessas de que se veriam em breve e de que manteriam contato. De volta ao vagão-restaurante, Joel e Stella respiraram fundo e pediram taças de vinho.

Pararam em Saint Louis e se hospedaram em um hotel no centro da cidade. Joel queria assistir a um jogo do Cardinals no Sportsman's Park e insistiu que a irmã fosse com ele. Ela não se interessava nem um pouco por beisebol, mas no fundo não tinha escolha. O time estava em segundo lugar. O jogador Stan Musial estava arrebentando e era o líder da liga em número de rebatidas e *home runs*, e isso tinha grande importância para Joel. Ambos se divertiram no jogo.

De Saint Louis, eles seguiram para o leste, mudaram de trem em Louisville e em Pittsburgh e finalmente chegaram à Union Station, em Washington, D.C., na noite de 17 de junho. O estágio de dois meses que Stella faria em uma editora começava na segunda-feira seguinte, e ela precisava encontrar um quarto barato para ficar.

O estágio não remunerado que Joel fazia no escritório dos Wilbanks durante o verão seria retomado quando ele voltasse para Clanton. Ele não estava ansioso por isso. Estava farto do direito e da faculdade, e cogitava trancar o curso por um ano, talvez dois. Queria fugir, ir atrás de alguma aventura no Oeste do país, onde poderia se esconder de toda aquela merda com a qual estava lidando. Por que ele não podia passar alguns meses pescando trutas em riachos ao pé da montanha, em vez de ficar sentado assistindo a aulas maçantes, de ir até Whitfield para outra visita deprimente à mãe, de se preocupar com que artimanhas legais Burch Dunlap poderia estar tramando, ou ainda de ir até o chalé cor-de-rosa para segurar a mão de Florry enquanto uma ópera lamuriosa tocava ao fundo?

Estava com pouco dinheiro, então abriu mão de viajar na primeira classe e comprou uma passagem comum para Memphis. Estava sentado ao balcão de um bar tomando uma cerveja na Union Station quando ela passou. Cabelo preto curto, olhos escuros, feições impecáveis. Talvez 20 anos, realmente deslumbrante, e ele não foi o único homem no bar a notá-la. Alta, magra, de proporções perfeitas. Quando ela saiu de seu campo de visão, Joel voltou para sua cerveja e seus problemas, e achou difícil acreditar que havia dispensado a primeira classe por uma questão de dinheiro.

Esvaziou o copo, caminhou em direção ao local de embarque e lá estava ela novamente. Ele deu um jeito de se aproximar e desejou que ela estivesse indo para o mesmo lugar que ele. Ela estava, e ele notou outros dois homens a olhando de cima a baixo. Embarcou logo atrás dela e conseguiu pegar o assento ao seu lado. Ele se sentou e a ignorou, enfiando a cara em uma revista. Com os cotovelos quase se tocando, ele deu um jeito de dar outra olhada para ela quando o trem sacudiu e começou a se mover. Ela tinha traços que Joel nunca havia visto antes, e ficou encantado. Era o rosto mais bonito que ele tinha visto em toda a sua vida. Ela lia um livro e agia como se estivesse sozinha em um trem vazio. "Deve ser um mecanismo de defesa", pensou ele. "Provavelmente tem sempre alguém tentando se aproximar toda vez que ela sai de casa."

Quando já haviam deixado Washington e a temperatura começou a subir, ele se levantou e tirou o casaco. Ela olhou para cima. Ele sorriu; ela não. Ele se sentou e perguntou:

– Pra onde você está indo?

Ela deu um sorriso que deixou as pernas dele bambas.

– Jackson.

Havia vários lugares com aquele nome ao sul e, felizmente, todos estavam a pelo menos 1.500 quilômetros de distância. Se ele tivesse sorte, passaria horas ao lado dela.

– Mississippi?

– Sim.

– Conheço bem. Você é de lá?

– Não, sou de Biloxi, mas vou passar uma ou duas noites em Jackson.

Uma voz suave e sensual, uma pitada de sotaque da costa do Golfo. Para o restante do Mississippi, a costa era um mundo à parte. Extremamente católica, influenciada por franceses, espanhóis, *créoles*, indianos e africanos, havia se tornado um caldeirão cultural com muitos italianos, iugoslavos, libaneses, chineses e, como sempre, irlandeses.

– Eu gosto de Jackson – disse Joel. Aquilo era verdade apenas em parte, mas estava na vez dele de dizer alguma coisa.

– Dá pro gasto – disse ela, e abaixou o livro, um sinal claro para ele de que queria conversar. – Que lugares você costuma frequentar em Jackson?

"Whitfield, porque minha mãe está internada no hospício." Ele diria apenas seu nome, mas não o sobrenome. Seria seu mecanismo de defesa.

– Tem um barzinho clandestino atrás do hotel Heidelberg que eu gosto muito. Meu nome é Joel.

– O meu é Mary Ann. Mary Ann Malouf.

– De onde vem o Malouf?

– Meu pai é libanês; minha mãe é irlandesa.

– Vitória dos genes dominantes. Você é muito bonita. – Ele não podia acreditar que tinha acabado de dizer aquilo. Que imbecil!

Ela sorriu, e novamente o coração de Joel parou por um segundo.

– Pra onde você está indo? – quis saber ela.

– Vou descer em Memphis. – "Mas com você aqui eu vou até Marte e volto se for o caso." – Eu estudo na Ole Miss. Direito.

Um dos motivos para continuar na faculdade de Direito era que as garotas gostavam de conversar com rapazes que estavam prestes a se tornar advogados. Já no seu primeiro ano na Ole Miss, ele logo havia aprendido essa jogada e se utilizava dela sempre que apropriado.

– Há quanto tempo você está na Ole Miss? – perguntou ela.

– Vou começar agora o segundo ano.

– Eu nunca vi você por lá.

– Por lá? Lá onde?

– Lá pelo campus. Também estou indo pro segundo ano de faculdade.

A faculdade tinha 4 mil alunos e apenas 15 por cento eram do sexo feminino. Como é que ela havia passado despercebida? Ele sorriu e disse:

– Que mundo pequeno. Mas acho que os estudantes de Direito tendem a ficar mais isolados.

Joel estava maravilhado diante de tamanha sorte. Não apenas a tinha só para ele pelas dez horas seguintes, mas os dois estariam no mesmo campus dentro de alguns meses. Por um breve momento, ele teve uma razão para sorrir.

– O que trouxe você a Washington? – perguntou ela.

– Estava ajudando minha irmã com a mudança; um estágio temporário agora durante o verão. Somos de uma cidadezinha não muito longe de Oxford. E você?

– Visitando meu noivo. Ele trabalha em um comitê do Senado.

E foi assim que, em um piscar de olhos, o sonho de Joel acabou. Ele torceu para que não tivesse feito uma cara estranha ou feia, ou para que não desse a impressão de que poderia começar a chorar. Torceu para conseguir manter a mesma expressão agradável e parecer minimamente interessado, algo de que duvidava diante de tamanha calamidade.

– Legal – conseguiu dizer. – Quando vai ser o casório?

– Ainda não sabemos. Depois que eu me formar. Não estamos com pressa.

Depois de descartados uma história de amor e um futuro juntos, eles falaram sobre seus planos para o resto do verão, a faculdade e o que esperavam fazer após a formatura. Por mais deslumbrante que ela fosse, Joel acabou perdendo o interesse e adormeceu.

43

Depois que Rumbold passou três meses sentado sobre o caso sem dizer uma palavra, Burch Dunlap entrou em ação, embora sua manobra fosse ineficaz e destinada apenas a constranger o juiz. No início de setembro, ele apresentou junto à Suprema Corte estadual uma petição exigindo que Rumbold se manifestasse dentro de trinta dias. Tal solicitação não era autorizada nem sequer mencionada por nenhum código, e Dunlap sabia disso. No texto, ele alegou estarem diante de um caso de suspeição e enfatizou que Rumbold deveria ter se retirado do caso. Ele resumiu os depoimentos prestados e as provas apresentadas durante o julgamento, que durara apenas algumas horas. Apresentou de forma eficaz os fundamentos legais, demonstrando como se tratava de um caso nada complexo, e resumiu a situação afirmando: "A pauta do Vigésimo Segundo Distrito da Chancelaria é bastante tranquila. Mesmo uma análise superficial revela que a carga de trabalho do juiz não é vultosa. É inconcebível que um magistrado tão sábio, respeitado e experiente como o Excelentíssimo Abbott Rumbold não tenha conseguido chegar a uma decisão e consequentemente publicado uma sentença em questão de dias. Uma espera de três meses – e que ainda não chegou ao fim – é injusta com as partes. Justiça atrasada é justiça negada."

John Wilbanks admirava a audácia de Dunlap e achou sua manobra brilhante. A Suprema Corte negaria o pedido sumariamente, mas de algum modo ela também estava sendo avisada, de maneira não muito convencional,

373

de que um caso importante estava a caminho e que talvez o juiz estivesse favorecendo uma das partes. Wilbanks apresentou uma resposta de uma página na qual lembrou o tribunal de que as normas processuais não autorizavam tais petições, nem permitiam que os advogados tentassem criar novas regras de acordo com a própria vontade.

A Suprema Corte ignorou o pedido de Dunlap e se negou solenemente a respondê-lo.

Um mês depois, ainda sem um pio do velho Rumbold, Dunlap deu entrada em outra petição, idêntica à anterior. A resposta de John Wilbanks apontou que as irrelevantes petições de Dunlap estavam fazendo com que os litigantes incorressem no pagamento de custas desnecessárias. Dunlap atirou de volta. Wilbanks respondeu. A Suprema Corte não estava achando graça naquilo. Rumbold continuava a fingir que nada estava acontecendo.

A ÚLTIMA AULA de Joel às quartas-feiras terminava ao meio-dia, e ele adquiriu o hábito de ir de carro até a fazenda para almoçar. Marietta sempre preparava algo delicioso, e ele e sua tia Florry comiam na varanda dos fundos do chalé cor-de-rosa, com os pássaros grasnando ao longe. Para além do viveiro, os campos estavam tomados de algodão e a colheita começaria assim que o tempo esfriasse. Eles tinham sempre as mesmas conversas sobre Stella, Liza e o curso de Direito, mas não se debruçavam nos processos nem nas questões legais que enfrentavam. Nunca falavam sobre a possibilidade de perder as terras.

Depois de um longo almoço, Joel passou em casa para ver Nineva e Amos – e se certificar de que nada havia mudado. Não havia, de fato. Ele costumava se encontrar com Buford para falar sobre o algodão. Por fim, foi à cidade, onde estacionou na praça e entrou no escritório dos Wilbanks para trabalhar por algumas horas. John e Russell o haviam encarregado de fazer algumas pesquisas e escrever petições durante seu tempo livre na Ole Miss. No fim do dia, tomariam um bourbon rápido na varanda; então Joel juntaria suas coisas e voltaria para Oxford.

Depois de algumas tentativas, ele aceitou o fato de que não conseguia passar a noite na fazenda. O lugar era silencioso, solitário e deprimente demais. Havia muitas fotografias dos bons tempos da família, muitas coisas que traziam lembranças. No escritório do pai, na parede ao lado de sua mesa, havia uma enorme foto de Pete tirada no dia em que ele se formou em West Point. Joel a admirara a vida toda. Naquele momento, tudo era tão doloroso que ele não conseguia mais olhar para ela.

Ele e Stella haviam falado sobre retirar todas as fotos, os livros e as medalhas e guardar tudo em caixas em um depósito, mas não conseguiram reunir forças para a tarefa. Além disso, Liza poderia voltar um dia e tentar recomeçar sua vida, e essas lembranças seriam importantes para ela.

Então aquela bela casa continuava triste, escura e vazia, com apenas Nineva passando pelos cômodos todos os dias, tirando a poeira aqui e ali e fazendo o mínimo possível.

A cada visita à fazenda, Joel se via mais ansioso para ir embora. Sua vida lá nunca mais seria a mesma. Seu pai estava morto. O futuro de sua mãe era incerto. Stella iria para a cidade grande, levar uma vida bem longe do condado de Ford. Os irmãos Wilbanks lhe davam cada vez mais indiretas sobre ele se juntar à equipe do escritório depois que se formasse, mas isso não ia acontecer. Em Clanton, ele sempre seria "o filho de Pete Banning", o filho do cara que tinham fritado na cadeira elétrica bem no meio da principal sala de audiência do tribunal.

Sério? Eles realmente esperavam que Joel exercesse a advocacia dentro da sala de audiência onde executaram seu pai? Realmente esperavam que ele levasse uma vida normal e bem-sucedida em uma cidade onde metade das pessoas via o pai dele como um assassino e a outra metade suspeitava de que sua mãe tinha tido um caso com um pastor?

Clanton era o último lugar onde ele queria viver.

Biloxi, por outro lado, parecia um lugar promissor. Ele não estava perseguindo Mary Ann Malouf, mas sabia onde ficava seu dormitório e quais eram os horários de suas aulas. Dispondo dessas informações, deu um jeito de esbarrar com ela algumas vezes no campus. Ela parecia gostar desses encontros. Vez ou outra ele a observava de longe e ficava irritado com a quantidade de outros rapazes fazendo o mesmo. Quando o time de futebol americano da Universidade de Kentucky chegou à cidade para uma partida, no dia 1º de outubro, Joel a convidou para sair. Ela recusou o convite e o lembrou de que era comprometida. Seu noivo também tinha estudado na Ole Miss e ainda tinha amigos no campus. Ela não podia ser vista com outra pessoa.

Ela não disse que não queria sair com outra pessoa, apenas que não poderia ser vista saindo com outra pessoa. Joel notou essa importante distinção. Ele respondeu que, pelo menos em sua opinião, não era justo que uma mulher bonita como ela tivesse a vida social tão restrita enquanto seu noivo não estava lá, sem dúvida se divertindo bastante em Washington. Ele perguntou por que ela não usava um anel de noivado. Ela não tinha um.

Joel insistiu e Mary Ann por fim concordou em jantar com ele. Não seria um encontro, apenas sairiam para comer. Ele a encontrou do lado de fora do edifício Lyceum depois do anoitecer; eles seguiram para o centro da cidade, estacionaram em frente à loja de departamentos Neilson's e caminharam um quarteirão por South Lamar até chegar ao Mansion, o único restaurante que ficava aberto até tarde. Quando entraram, Joel viu William Faulkner à mesa de sempre, sozinho, comendo e lendo uma revista.

Ele acabara de publicar *O intruso*, seu décimo quarto romance. Um crítico que escrevia para o *Memphis Press-Scimitar* fez uma crítica controversa, porém, mais importante que isso, outra notícia do mesmo jornal revelara que Faulkner tinha vendido os direitos do filme para a MGM. Joel havia comprado o livro em uma lojinha em Jackson quando foi visitar a mãe. Naquela época, não havia nenhuma livraria em Oxford e os habitantes locais pouco se importavam com o que sua cria mais famosa estava escrevendo e publicando. Em geral, Faulkner os ignorava e eles o ignoravam.

Em um sacola de papel, Joel levava dois exemplares de capa dura: *O intruso*, que estava novinho em folha e ainda não havia sido lido, e a já gasta edição de seu pai de *Enquanto agonizo*.

O restaurante estava vazio àquela hora, e Joel e Mary Ann sentaram-se o mais perto possível dele sem violar sua privacidade. Joel tinha esperanças de que Faulkner notasse aquela belíssima moça e pensasse em flertar com ela, algo que ele era propenso a fazer, mas estava por demais absorto em suas leituras. Parecia completamente indiferente a tudo ao redor.

Pediram chá gelado e pratos de legumes, e conversaram em voz baixa enquanto aguardavam alguma abertura. Joel estava entusiasmado por ao mesmo tempo estar olhando para o adorável rosto da garota com quem sonhava e por estar tão perto de Faulkner, determinado a ir cumprimentá-lo.

Quando Faulkner estava quase terminando seu frango assado, ele empurrou o prato para o lado, deu uma garfada em sua torta de pêssego e depois sacou um cachimbo. Olhou ao redor, finalmente, e notou Mary Ann. Joel achou graça do jeito que ele olhou para ela, com óbvio interesse. Faulkner a olhou de cima a baixo enquanto colocava fumo no cachimbo. Joel se levantou. Ele se aproximou, pediu desculpas pela intrusão e perguntou ao ídolo se ele faria a gentileza de autografar o exemplar de *Enquanto agonizo* (que Joel adorava) que pertencera ao pai e também sua própria edição de *O intruso*.

– Claro – disse Faulkner, de forma educada, em uma voz estridente. Ele tirou uma caneta do bolso do casaco e pegou os dois livros.

– Meu nome é Joel Banning, sou aluno da faculdade de Direito.

– Prazer em conhecê-lo, garoto. E sua amiga? – perguntou Faulkner, sorrindo para ela.

– Mary Ann Malouf, também aluna da Ole Miss.

– Elas parecem mais jovens a cada ano.

Ele abriu o primeiro livro, não escreveu nada além de seu nome em letras pequenas, fechou-o, sorriu, devolveu-o e depois autografou o segundo.

– Obrigado, Sr. Faulkner – disse Joel.

E, quando não conseguiu pensar em mais nada para dizer, e estava óbvio que Faulkner tinha concluído sua parte da conversa, Joel recuou e voltou ao seu lugar. Não conseguiu dar um jeito de lhe dar um aperto de mão e tinha certeza de que Faulkner jamais se lembraria de seu nome.

No entanto, Joel havia tido aquele encontro, sobre o qual falaria pelo resto da vida.

EM NOVEMBRO, BURCH apresentou sua terceira petição e, em dezembro, a quarta. Depois de ficar seis meses sentado sobre o caso, o juiz Rumbold decidiu que era hora de trabalhar. Em uma sentença de duas páginas, ele considerou que a transferência das terras realizada por Pete Banning em favor de seus dois filhos era legítima e que não havia qualquer indício de fraude. Ele negou a concessão de qualquer assistência a Jackie Bell.

Como aquela decisão já era esperada, Burch Dunlap fez os ajustes necessários no texto de sua apelação quase da noite para o dia, deu entrada na petição e apressou a remessa dos autos para Jackson, para um tribunal que já estava bastante familiarizado com os fatos.

Durante as festas de fim de ano, Joel se hospedou na casa de Florry e passou os dias no escritório dos Wilbanks escrevendo a resposta à apelação apresentada por Dunlap. A pesquisa, em grande parte já realizada, era exaustiva, minuciosa e preocupante. De modo geral, em todas as jurisdições a jurisprudência não se opunha à transferência de terras entre membros de uma família. No entanto, a lei também olhava com reprovação os envolvidos em atividades criminosas que transferiam seus ativos para evitar pedidos de indenização de suas vítimas. Não havia muita dúvida de que Pete tinha tentado se livrar de sua propriedade antes de matar Dexter Bell.

Enquanto passava horas trabalhando na pesquisa e na petição, Joel muitas vezes sentia como se várias gerações de seus antepassados estivessem presentes na sala com ele. Eles tinham capinado aquelas terras, as tornaram produtivas, araram o solo com bois e mulas, perderam safras inteiras por conta de inundações e pragas, expandiram a propriedade quando conseguiram, pegaram dinheiro emprestado, suportaram anos de escassez e pagaram seus empréstimos após boas colheitas. Eles haviam nascido naquela terra e sido enterrados lá, e agora, depois de mais de um século, tudo estava nas mãos do jovem Joel e suas habilidades jurídicas.

No Old Sycamore, eles descansavam sob lápides cuidadosamente alinhadas. Estariam seus fantasmas observando Joel e rezando por uma vitória?

Algumas perguntas eram difíceis de responder, e Joel passou o dia todo com um nó na garganta. A família já havia sido humilhada o suficiente. Perder a terra iria atormentá-los para sempre.

Ele também estava sobrecarregado em razão de algo bastante óbvio: o fato de que ele e Stella tinham passado muitos anos contando com aquela renda. Os dois seguiriam com suas carreiras e seriam bem-sucedidos, mas haviam crescido acreditando que a fazenda da família sempre garantiria algum sustento. Tendo sido criados dentro da propriedade, eles sabiam que havia anos bons e ruins, safras abundantes e inundações, altos e baixos no mercado, e que nada era garantido. Mas eles não tinham dívidas nem hipotecas a pagar: as terras eram deles e por isso eram capazes de suportar as safras exíguas. Perdê-las seria algo difícil de aceitar.

Também tinha Liza. Ela falava cada vez mais sobre voltar para casa, retomar sua vida na fazenda. Ela alegou ter saudades de Nineva, algo de que Joel duvidava. Mas ela sentia falta dos seus hábitos, da horta, de seus cavalos, de seus amigos. Se tudo aquilo desaparecesse, as consequências poderiam ser catastróficas. A cada visita, o Dr. Hilsabeck perguntava sobre os processos e seus recursos e também a respeito de toda aquela confusão judicial que para ele era indecifrável.

Joel continuou a pesquisar e a escrever. John Wilbanks revisou seus rascunhos, editou-os e fez alguns comentários. Ele apresentou a resposta à apelação em 18 de janeiro, e o jogo da espera começou. A Suprema Corte poderia levar três meses para analisar o caso. Ou doze.

Naquela tarde, Joel juntou seus papéis, limpou a mesa e arrumou o pequeno escritório onde passara tantas horas. Ele já havia se despedido de Florry e planejava ir para Oxford naquela noite a fim de começar seu quarto semestre na faculdade de Direito. Ele se juntou a John Wilbanks na varanda para tomar algo. O tempo estava excepcionalmente quente e primaveril.

John acendeu um charuto e ofereceu outro a Joel, que recusou. Eles bebericaram Jack Daniel's e falaram sobre o tempo.

– Nós odiamos ver você ir embora, Joel – disse Wilbanks. – É bom tê-lo no escritório.

– Eu gosto de estar aqui – disse Joel, embora fosse um exagero.

– Gostaríamos que você voltasse no verão para mais uma temporada de estágio.

– Obrigado. Agradeço muito, mesmo. – Ele não tinha planos de voltar no verão, nem no ano seguinte, nem depois, mas era cedo demais para dizer aquilo a John Wilbanks. – Pode ser que eu fique por lá durante o verão. Terminar o curso dezembro que vem.

– Por que a pressa? É melhor aproveitar a época da faculdade, filho.

– Estou cansado da faculdade. Quero terminar logo e começar minha carreira.

– Bem, espero que você leve em consideração a nossa oferta de se tornar sócio do escritório.

Por que ficar de rodeios? Seu pai nunca mediu as palavras e era admirado por sua franqueza. Joel deu um longo gole no uísque e disse:

– Dr. Wilbanks, eu não acho que seja possível, pra mim, advogar nesta cidade. Quando olho pra esse tribunal, e é bem difícil não vê-lo, penso nos últimos momentos do meu pai. Penso nele andando de cabeça erguida pela rua, uma multidão de cada lado, todos os veteranos aqui para homenageá-lo, para apoiá-lo, e só consigo vê-lo entrando no prédio e subindo as escadas em direção à morte. Sua longa caminhada até o túmulo. E quando eu entro naquele tribunal, só consigo pensar em uma única imagem. Meu pai sendo amarrado àquela cadeira.

– Eu entendo, Joel.

– Estou convencido de que nunca vou conseguir apagar essa imagem da mente. Como eu poderia representar alguém nesse tribunal?

– Eu entendo.

44

Em 28 de março, treze meses depois do julgamento em Oxford, o Tribunal de Apelações do Quinto Circuito em Nova Orleans confirmou a condenação ao pagamento do valor de 100 mil dólares em danos. A decisão foi rápida e unânime. Os juízes ficaram alarmados com a grandiosidade do valor, ao mesmo tempo que eram completamente avessos aos interesses de um homem de posses que tão descaradamente tinha assassinado seu próprio pastor. O crime havia sido calculado. A família da vítima sofrera muito. Os jurados tomaram ciência do caso, ouviram as testemunhas, revisaram os documentos e deliberaram cuidadosamente. Os juízes não substituiriam a opinião dos jurados pela deles. A decisão foi ratificada em todos os aspectos.

Para os Bannings, a sentença foi devastadora. Os irmãos Wilbanks e Joel estavam convencidos de que a decisão pelo pagamento seria mantida, mas que o valor certamente seria reduzido. Cinquenta mil dólares apenas em danos morais era algo inédito. Dado o valor das terras de Pete e de seus outros bens, era possível que seu patrimônio pudesse suportar uma indenização menor, algo em torno de 50 mil dólares no total. Tanto Joel quanto Stella, os então proprietários das terras, poderiam levantar essa quantia com uma hipoteca – o que também poderia ser feito em nome do espólio de Pete – e resolver a questão. Mas conseguir uma no valor de 100 mil dólares parecia impossível.

O futuro da propriedade agora dependia apenas da Suprema Corte do Mississippi. Se a decisão de Rumbold de que a transferência era legítima fosse mantida, então Joel e Stella ficariam com as terras. Burch Dunlap e seu agora fiel escudeiro, Errol McLeish, seriam forçados a atacar outros bens de Pete – contas bancárias, ferramentas agrícolas, gado, automóveis – para extrair o que quer que fosse possível. Mas, se o tribunal se opusesse a Rumbold, as terras seriam revertidas para o patrimônio de Pete e ficariam sujeitas à decisão do júri. Tudo, incluindo a casa e seus móveis, seria perdido.

Com a ajuda de Joel, John Wilbanks recorreu da decisão do Quinto Circuito junto à Suprema Corte dos Estados Unidos, uma total perda de tempo. No entanto, a apelação manteria Dunlap ocupado e eles ganhariam alguns meses. Dunlap fez o registro da sentença que determinava o pagamento da indenização de 100 mil dólares – valor sobre o qual agora incorriam juros – junto ao condado de Ford. Wilbanks correu ao Tribunal da Chancelaria, acordou o velho Rumbold e requereu uma liminar com o intuito de impedir que Dunlap tentasse pôr as mãos nos bens antes da apreciação da apelação. Após uma breve e contenciosa audiência, Rumbold voltou a decidir a favor dos Bannings. Dunlap apresentou uma petição à Suprema Corte do Mississippi requerendo uma sessão urgente. Wilbanks contestou o pedido.

Joel acompanhou os ataques e contra-ataques da segurança de seu apartamento-garagem em Oxford. Por dez dólares mensais, ele alugava o andar térreo da garagem e, usando a caminhonete Ford de seu pai, começou a sorrateiramente carregar móveis e mais móveis de sua casa para lá. Nineva não gostava nada daquilo, mas não podia falar nada.

Em meados de maio, Joel e Florry pegaram o Lincoln modelo 1939 dela e começaram uma longa viagem até a Virgínia. Deram entrada no hotel Roanoke, onde organizaram um coquetel para Stella e suas amigas de Hollins. Em um glorioso dia de primavera, eles se reuniram com uma multidão de outros pais e familiares orgulhosos para ver Stella receber seu diploma em literatura inglesa. No dia seguinte, enquanto as mulheres tomavam chá, Joel pegou as caixas e sacolas do dormitório de Stella e as levou até o carro. Quando o veículo estava cheio e Joel, exausto, Stella se despediu da universidade, do curso que amava e de suas amigas. Joel nunca tinha visto tantas lágrimas, nem mesmo em um velório.

Com as mulheres sentadas no banco de trás tagarelando e a visão dos retrovisores bloqueada pelas malas e caixas, eles deixaram Hollins para trás e se dirigiram para o norte. Três horas depois, estavam perdidos em Richmond, mas mesmo assim decidiram fazer uma pausa para comer em uma churrascaria em uma parte qualquer da cidade. Um morador os ajudou dando algumas orientações e, depois de um rápido almoço, eles pegaram a estrada novamente, em direção a Washington.

O grande plano de Stella ainda era morar em Nova York, trabalhar em uma revista e, paralelamente, escrever romances. Para concretizá-lo, porém, ela levaria mais tempo do que imaginava. Empregos em revistas eram escassos, mas todo colégio precisava de jovens professores. A Saint Agnes, em Alexandria, era escola e internato episcopal para meninas, e lhe fizera uma proposta de trabalho: ensinar inglês a alunas do nono ano e ser uma das professoras responsáveis pelas internas. Enquanto ela e Florry desfrutavam mais uma xícara de chá com a diretora, Joel carregou suas malas e caixas até um dormitório sufocante, ainda menor do que o anterior.

A escola permitiu que ele deixasse o carro estacionado lá, em um local seguro. Por dez dólares, um zelador concordou em manter os pneus cheios e ligar o motor uma vez ao dia. Eles chamaram um táxi e atravessaram o Potomac para chegar a Washington. Na Union Station, pegaram o trem para Nova York.

ANTES QUE BURCH Dunlap e seus gananciosos clientes conseguissem pôr as mãos no dinheiro, eles decidiram gastar um pouco do que ainda restava. As mensalidades da faculdade de Stella eram águas passadas, e ela agora tinha um emprego. Joel tinha só mais um ano de faculdade de Direito à frente e logo começaria a trabalhar. A seção de terras que pertencia a Florry estava a salvo dos abutres, e ela possuía algum dinheiro guardado. O verão de 1949 poderia ser o último verão dos três juntos, então por que não o passar em grande estilo?

No porto da parte baixa de Manhattan, embarcaram em um transatlântico com destino a Londres e, durante duas semanas, aproveitaram muito, descansando, lendo e tentando esquecer todos os problemas que os aguardavam em casa. Foi quando estavam a bordo que Joel e Stella notaram pela primeira vez que Florry estava andando muito lentamente. Ela estava sobrecarregada, como sempre, mas costumava ser enérgica e atarefada. Agora, no entanto, vinha perdendo o ritmo e parecia ficar sem fôlego mesmo depois de uma curta caminhada. Ela estava com 50 anos, apenas, mas estava envelhecida e parecia cansada.

Em Londres, passaram uma semana no hotel Saint Regis e foram a todos os pontos turísticos; depois, viajaram para Edimburgo, onde embarcaram no Royal Scot para passar uma semana nas Highlands. Quando se cansaram de visitar castelos, mansões, locais históricos e destilarias, voltaram a Londres, a fim de descansar por dois dias antes de seguir para Paris.

Stella e Joel estavam tomando café no saguão do hotel Lutetia quando receberam a notícia. Florry não estava se sentindo bem e tinha decidido descansar pela manhã em vez de passear pela cidade, que àquela altura estaria a todo vapor. Um porteiro se aproximou e entregou a Joel um cabograma. Era de John Wilbanks. Com um resultado de sete a dois, a Suprema Corte do Mississippi tinha decidido reverter a decisão de Rumbold. A transferência das terras para Joel e Stella era nula e sem efeito. A propriedade passaria a fazer parte do espólio de Pete e, portanto, estaria sujeita a ser objeto das reivindicações da viúva do reverendo.

– A sentença foi revertida e os autos foram devolvidos para o tribunal – disse Joel, incrédulo.

– O que isso quer dizer? – perguntou Stella.

– Significa que o caso foi encerrado. Significa que a Suprema Corte não teve dúvidas de que Rumbold estava errado e decidiu encerrar o assunto sem a necessidade de novas audiências.

– Dá pra recorrer?

– Sim, vamos apresentar outro recurso à Suprema Corte federal pra tentar ganhar algum tempo. Wilbanks e eu vamos alegar falência.

Eles bebericavam o café e observavam as pessoas que transitavam pelo luxuoso saguão.

– Tenho uma pergunta e quero uma resposta honesta – disse Stella. – Isso significa que a Jackie e os filhos podem vir a morar na nossa casa algum dia?

– É possível, mas ainda não consigo acreditar nisso. Em algum momento, o Wilbanks vai se reunir com o advogado dela e fazer pressão pra tentar chegar a um acordo.

– E como isso funciona?

– A gente oferece dinheiro.

– Eu achava que já tínhamos feito isso antes.

– Sim, e eles recusaram 25 mil dólares. Vai ter que ser mais dessa vez.

– Mais quanto?

– Não sei. Vai depender de quanto ainda tem no banco e de quanto a gente consegue pegar emprestado dando a fazenda como garantia.

– Você realmente quer hipotecar a fazenda, Joel? Você sabe muito bem que papai odiava bancos.

– Talvez seja a única opção.

EM SUA DECISÃO, a Suprema Corte estadual considerou a conduta de Pete fraudulenta em vários aspectos. Em primeiro lugar, ele se beneficiou das terras vivendo na propriedade, cultivando-a e lucrando com ela. Em segundo, ele não recebeu nada em troca por conta da transferência a seus filhos. Em terceiro, a transferência de propriedade havia sido para membros da família, o que era sempre suspeito. E, quarto, na época em que assinou a escritura, ele tinha motivos para acreditar que um dia seria perseguido por credores em razão de suas atitudes.

John Wilbanks releu a decisão dezenas de vezes, e os argumentos eram coerentes. Ele seguiu o inútil protocolo de recorrer junto ao único tribunal que restava, a Suprema Corte dos Estados Unidos, mas sabia que não havia chance de o caso ser apreciado. Consultara um amigo próximo em Memphis, um especialista em falências, mas não ficara muito otimista. Decretar falência do patrimônio de Pete seria uma boa tática de adiamento, mas era improvável obter algum sucesso a partir disso.

Wilbanks voltou ao Tribunal da Chancelaria a fim de dar entrada em outra liminar para tentar impedir a execução da sentença, e, é claro, Rumbold lhe concedeu. Dunlap engoliu mais um sapo e entrou com um recurso. Contudo, em breve nem mesmo um juiz altamente tendencioso como Rumbold conseguiria evitar o inevitável.

Depois da audiência, um Dunlap sereno e bastante confiante procurou Wilbanks e propôs um acordo. Era hora de parar de acumular dívidas legais e encarar o óbvio. Os recursos não iam funcionar, nem mesmo a falência. Por que não simplesmente transferir a fazenda, todos os 260 hectares, mais a casa e os móveis, para Jackie Bell? Se os Bannings concordassem com isso, então Jackie abriria mão de todos os demais pedidos relacionados às contas bancárias.

Wilbanks se irritou com a proposta e disse, enquanto se afastava:

– Os Bannings botariam fogo na casa e na plantação inteira antes de assinar uma escritura.

– Ótimo, mas, por favor, lembre aos seus clientes que incêndio doloso também é crime, e punível com uma longa pena de prisão – devolveu Dunlap.

NO FIM DE julho, quando Joel e Florry cruzaram a fronteira do estado do Mississippi, começaram a notar, como sempre, o algodão – e isso não era animador. As chuvas fortes da primavera haviam atrasado o plantio e, nos dois meses em que estiveram curtindo na Inglaterra e no resto da Europa, o tempo obviamente não tinha colaborado. Em um ano bom, o algodão brotava no início de julho, e, na primeira semana de setembro, já estava na altura do peito.

Fazia anos que não viam pés de algodão tão feios, e, quando passaram pelas plantações no norte do Mississipi, a situação estava ainda pior. Não havia flores. Os caules mal passavam da altura dos joelhos. Em áreas mais baixas, hectares inteiros haviam sido lavados pela chuva.

Nineva preparou um bule de café e quis saber como havia sido a viagem. Eles perguntaram sobre o tempo e ouviram um sermão. Enquanto estavam fora, tinha chovido todos os dias, e mesmo quando não estava chovendo o céu permanecia nublado. O algodão precisava de dias e mais dias de tempo seco e sol quente, e, bem, era óbvio que as condições climáticas estavam matando a plantação. Amos estava lutando para salvar a horta, mas a produção estava muito abaixo do normal.

Como se a vida na fazenda dos Bannings já não fosse deprimente o bastante.

Joel levou a tia até o chalé cor-de-rosa e tirou suas malas do carro. Tomaram uma bebida na varanda, contemplaram os lamentáveis pés de algodão e sonharam em estar na Escócia novamente.

JOHN WILBANKS QUERIA vê-lo, e não importava quanto Joel quisesse evitar o escritório de advocacia, o tribunal e tudo mais que ficava no centro de Clanton, ele não tinha escolha. Eles se encontraram na grande sala de reuniões no térreo, sinal de que o assunto era de suma importância. Russell também se juntou a eles, outro sinal evidente.

Os irmãos imediatamente se puseram a fumar – um charuto curto para John e um cigarro para Russell. Joel recusou e disse que se juntaria a eles apenas respirando o mesmo ar.

John recapitulou o processo. Eles tinham apresentado dois recursos inúteis junto à Suprema Corte dos Estados Unidos, e podiam presumir que ambos seriam rejeitados dentro de alguns meses, assim que um escrivão tomasse conhecimento do caso. Não havia nem uma única razão para que a Corte demonstrasse interesse em qualquer um dos casos. Burch Dunlap já havia feito o registro da sentença que determinava o pagamento da indenização no valor de 100 mil dólares, e esperaria pacientemente que os Bannings e seus advogados se cansassem das manobras legais inúteis e jogassem a toalha.

– E a falência? – perguntou Joel.

– Não vai funcionar, porque o patrimônio não está insolvente. Poderíamos fazer isso e enrolar mais um pouco, mas Dunlap logo conseguiria uma audiência junto à vara de falências. E, lembre-se, se decretarmos a falência da fazenda, um tutor assume o controle da propriedade. Não somos nós que nomeamos esse tutor. Quem faz isso é o juiz.

Russell soltou uma nuvem de fumaça e disse:

– Há grandes riscos de o tutor determinar que a testamenteira, no caso a Florry, entregue todos os ativos à credora, Jackie Bell.

– Nada disso me surpreende – disse Joel.

– E tem mais uma coisa – acrescentou Russell. – Precisamos ser pagos. Os honorários já passaram dos 7 mil dólares e não tenho certeza se vocês têm o suficiente pra pagar essa conta. A gente vem peticionando a torto e a direito, esperando por um milagre, e isso tem tomado muito tempo. Usar a falência como uma tática pra protelar seria só perda de tempo.

– Entendo.

– Estamos no fim da linha, Joel – disse John. – Não há mais nada a fazer a não ser um ato de boa-fé para chegar a um acordo com essa gente. Temos uma ideia, e é a única que pode salvar a fazenda. Exige a hipoteca das duas seções, a do seu pai e a da Florry. Todos os 520 hectares. Vocês pegam emprestado o máximo que puderem e oferecem a Dunlap pra resolver isso de uma vez.

– Quanto, exatamente? – perguntou Joel com cautela.

– A casa está avaliada em 30 mil. As terras valem cerca de 250 dólares por hectare, no máximo, mas vocês teriam dificuldade de conseguir tanto assim nesse mercado. Como você sabe, apenas cerca de 400 hectares são cultivados. Nenhum banco vai emprestar o valor total, por causa do risco. Pense nisso. Pete conseguiu não ficar em débito ou ter lucro na maioria dos anos porque não tinha hipotecas, e além disso trabalhava feito um louco, seus trabalhadores idem, e ele acompanhava de perto para onde ia cada centavo. Hipotecar uma propriedade faz com que de repente você esteja fazendo negócio com um banco. Algumas colheitas ruins, como essa agora, e você fica pra trás. Antes que você se dê conta, o banco começa a falar sobre executar a hipoteca. Acontece todo ano por aqui, mesmo nos anos bons.

Russell aproveitou a deixa e disse:

– Nós conversamos com nosso irmão no banco e ele não está muito a fim de fazer negócio. Se o Pete estivesse vivo e à frente da fazenda, ela atrairia mais valor. Mas ele não está mais aqui, você não é fazendeiro e a Florry é louca de pedra. Já posso até ver os bancos fugindo de vocês.

– Quanto seu irmão emprestaria? – perguntou Joel.

– No máximo 75 mil – respondeu John.

– E não tenho certeza se isso seria possível – acrescentou Russell. – Existe um outro problema que é bastante óbvio. Nós representamos sua família e representamos o banco. E se houver inadimplência? O escritório de repente vai estar diante de um enorme conflito de interesses, que pode trazer sérios problemas.

– E ainda não discutimos isso com o outro banco da cidade – complementou John. – Como vocês sabem, existe uma boa dose de rivalidade entre as famílias. Duvido que eles topem, mas ainda poderíamos tentar com um banco maior em Tupelo.

Joel se levantou e caminhou pela sala.

– Não posso pedir que Florry hipoteque a parte dela. Seria demais. É tudo o que ela tem, e se ela perdesse isso, eu não sei pra onde ela iria. Eu não posso fazer isso. Não vou pedir isso a ela.

John bateu as cinzas em um cinzeiro e disse:

– Eu tenho um plano. Me diz o que você acha. Vou me reunir com Dunlap e negociar. Provavelmente há uma cláusula *quota litis* no contrato e ele ainda não recebeu um centavo de honorários, então pode ser que ele tenha interesse em fazer um acordo em dinheiro. Vou começar com 50 mil e vamos ver em quanto ele está pensando. Cinquenta é possível pra vocês, certo?

– Acho que sim – disse Joel. – Mas só de pensar em dever tanto dinheiro fico enjoado.

– Com certeza, mas é uma maneira de você e Stella manterem as terras e a casa de vocês.

– E se eles quiserem muito mais do que isso?

– Vamos ver. Vamos fazer a primeira rodada de negociações. Vou tentar ser o mais humilde possível.

45

No calor asfixiante de agosto, o pequeno quarto de Liza estava insuportável. Não havia janelas por onde pudesse entrar uma brisa, nada para amenizar a umidade sufocante, apenas um fraco circulador de ar que Joel lhe trouxera no verão anterior. Depois de alguns minutos, os dois estavam suando e decidiram procurar um lugar com sombra. Ela andava bem naqueles dias; estava em melhores condições, ao menos fisicamente. Tinha ganhado alguns quilos, embora ainda comesse pouco. Às vezes, a clorpromazina lhe dava algum apetite. O medicamento definitivamente a deixou mais tranquila e ela não ficava o tempo todo inquieta, literalmente arrancando os cabelos, como antes. Ela os havia cortado curtos e os lavava com mais frequência, e tinha abandonado de vez as camisolas de hospital, sem cor e sempre cheias de manchas, passando a usar os vestidos de algodão simples que Stella lhe enviava. Uma conquista havia sido alcançada um mês antes, quando Stella levou três batons para Liza, e ela ficou bastante empolgada. Agora, cada visitante era recebido com um sorriso vermelho e brilhante.

O Dr. Hilsabeck continuou dizendo que estava satisfeito com o progresso dela, mas Joel tinha perdido a esperança de que a mãe se recuperaria o suficiente para receber alta. Depois de três anos lá, o sanatório se tornara sua casa. Sim, ela estava melhor, mas ainda tinha um longo caminho pela frente.

Eles saíram do prédio e caminharam até o lago, onde se sentaram a uma mesa de piquenique à sombra de um carvalho. O calor era violento, o ar estava extremamente pesado e não corria nenhum vento. Ao contrário do que aconteceu na maioria das visitas, dessa vez Joel estava ansioso, porque tinha muito sobre o que conversar. Com riqueza de detalhes, ele contou para a mãe a respeito de suas viagens a Nova York, Londres, Paris e Escócia.

Liza o escutou com um belo sorriso, que partiu o coração de Joel porque era o melhor que ela poderia lhe dar. Sua mãe não voltaria para casa, e casa era um assunto que ele não podia abordar.

ELE ARRUMOU UM quarto empoeirado em um hotelzinho barato perto da praia em Biloxi e saiu para procurar por Mary Ann Malouf, que não estava mais noiva do cara que morava em Washington. No ano anterior ela estivera bastante na companhia de Joel, sobretudo porque ele simplesmente não desistia. Na Ole Miss, viviam escapando para jantar juntos, tarde da noite. Haviam feito duas viagens a Memphis, onde não seriam vistos. Ele a pressionara a abandonar o cara de Washington e ficar com um homem de verdade.

Durante o verão, Mary Ann trabalhava algumas horas por semana em uma loja de roupas na rua principal, e quando Joel apareceu por lá ela ficou agradavelmente surpresa. Ele ficou tempo suficiente para receber uns olhares atravessados do chefe dela e depois saiu. Encontraram-se para tomar um refrigerante horas depois e falaram sobre ele conhecer a família dela. Joel insistia nisso. Ela estava hesitante. Seus pais gostavam de seu noivo e não iriam entender a presença de um novo pretendente.

Sentindo-se um pouco rejeitado, Joel ficou vagando pela costa por alguns dias, tentando evitar tanto retornar para casa quanto ir atrás de qualquer coisa que parecesse um emprego de verdade. Bateu à porta de vários escritórios de advocacia, conseguiu duas entrevistas rápidas, mas nenhuma oferta de emprego. Quanto mais ficava em Biloxi, mais gostava de lá, com sua diversidade cultural, restaurantes que serviam todos os tipos de frutos do mar frescos, bares que de alguma forma serviam álcool sem serem notados pela polícia, barcos balançando nos portos e a atmosfera descontraída normalmente encontrada no litoral. E quanto mais ele corria atrás de Mary Ann Malouf, mais determinado estava em ficar com ela.

BURCH DUNLAP PASSOU o mês de agosto em Montana, para fugir do calor. Evidentemente, as férias lhe fizeram bem. Ele voltou ao escritório na primeira semana de setembro cheio de energia e determinado a ganhar mais dinheiro. Seu alvo mais próximo era o caso Banning.

No Tribunal da Chancelaria, ainda sob o inquestionável comando do juiz Abbott Rumbold, ele deu entrada em uma petição requerendo a execução judicial da propriedade dos Bannings. Ele não tinha escolha a não ser peticionar no condado de Ford. A lei era clara. Na verdade, a lei era tão clara que Burch estava curioso para ver como o velho juiz seria capaz de manipulá-la para favorecer os Bannings.

Uma semana depois, ele se sentou em sua sala de reuniões para receber o colega John Wilbanks, que estava indo a Tupelo para negociar um acordo. Ou, como Dunlap havia confidenciado a seu fiel escudeiro, Errol McLeish, implorar por misericórdia.

E não haveria nenhuma.

Quando John chegou, ofereceram-lhe café e um assento diante de uma bela mesa. À sua frente estava sentado Dunlap, e à sua direita, McLeish, um homem que John rapidamente aprendeu a desprezar.

Dunlap acendeu um charuto e depois de um breve momento de conversa fiada disse:

– Você tem o dinheiro, John. Por que não conta pra gente o que está pensando?

– Claro. Obviamente, meus clientes gostariam de manter as terras da família. Eles também estão cansados de me pagar.

– Você fez um monte de trabalho desnecessário – retrucou Dunlap um tanto grosseiramente. – Estamos preocupados com seus honorários, para ser sincero. Esse dinheiro vai sair do patrimônio.

– Olha, Burch, por que não se preocupa com os seus honorários e eu me preocupo com os meus? Pode ser?

Depois da bronca, Burch deu uma gargalhada, como se seu amigo tivesse realmente contado uma piada muito boa.

– Pode, pode. Prossiga.

– O patrimônio não conta com muito dinheiro vivo, então qualquer que seja o valor oferecido a vocês vai ser fruto de empréstimo, tendo a casa e a fazenda como garantia.

– Quanto, John?

– Depende do lucro que a fazenda pode ter por ano para quitar a hipoteca. Este ano está sendo um desastre. Como você sabe, é um negócio arriscado. Minha família tem cultivado algodão há décadas e muitas vezes me pergunto se vale a pena.

– Sua família está indo bem, John.

– Em alguns empreendimentos, sim. Os Bannings acham que conseguem obter um empréstimo de 50 mil e ainda sobreviver à hipoteca. É o melhor que podem fazer.

Dunlap deu um sorriso irônico, como se de fato tivesse gostado daquele primeiro round, e disse:

– Por favor, John, eles são donos exclusivos de 520 hectares de terras, e 400 deles são terras férteis. A casa é uma das melhores do condado. Eles têm meia dúzia de outras construções no terreno, todas de ótima qualidade, mais as ferramentas agrícolas, gado. E quantos negros?

– Pelo amor de Deus, Burch, eles não são donos dessas pessoas.

– Na prática são, sim. Cinquenta é realmente uma mixaria, John. Eu achava que tínhamos acertado esta reunião para uma conversa séria.

– Bem, você não me parece estar falando sério ao incluir aqui as terras que pertencem a Florry Banning. Elas correspondem a metade da fazenda e Florry não está envolvida no litígio. Ela está totalmente protegida de tudo isso.

– Não é bem assim, John. Pete Banning cultivava as terras da irmã, exatamente como fazia com as dele, e repassava a ela os lucros. Tanto a parte dela quanto a dele vieram da mesma fonte... os pais, os avós e assim por diante.

– Isso é um absurdo, Burch. Florry não teve nada a ver com o assassinato de Dexter Bell e você sabe disso. Insinuar que a parte dela está em jogo é ridículo. Se você acha mesmo isso, tente tomar as terras, então.

– Não vamos conseguir tomar nada enquanto o velho Rumbold fizer as suas vontades.

John sorriu e disse:

– Ele é um juiz brilhante. Um dos melhores.

– Talvez, mas lá em Jackson os membros da Suprema Corte não acham ele tão bom assim. Cinquenta mil não dá, John.

– Eu dei um valor. Agora é sua vez.

– Pelo menos cem mil – disse McLeish friamente. – Na verdade, Jackie merece mais que isso, já que ainda temos que pagar ao Dr. Dunlap.

– Cento e vinte, John. Meus honorários só vão ser pagos ao fim dos processos, e eu os venci com louvor. Fiz um trabalho impecável pra minha cliente e não quero que meu pagamento seja descontado do acordo.

– Você fez um excelente trabalho, Burch, sem dúvida. Mas suas cifras estão muito acima do que podemos pagar. Nenhum banco vai emprestar mais de 75 mil dólares tendo as terras e a casa de Pete como garantia. A parte da Florry está fora de cogitação.

– Você está oferecendo 75 mil? – perguntou Dunlap.

– Ainda não, mas vocês aceitariam 75 mil se essa fosse a oferta?

McLeish balançou a cabeça e disse:

– Não.

Os dois advogados eram bons negociadores, mas era óbvio que John estava em desvantagem. Nessas ocasiões, ele sabia que uma forma de tentar marcar alguns pontos era embolar o meio de campo.

– Olha, Burch, os filhos realmente gostariam de salvar a casa, a única que eles tiveram na vida. Você conhece Liza e os problemas que ela vem enfrentando. Existe a chance de ela voltar pra casa um dia e é crucial que ela tenha um lar. Podemos discutir a possibilidade de separar a casa e os anexos da fazenda em si? Estamos falando de um terreno que corresponde a menos de 2 hectares e que inclui a casa, a horta, os celeiros e por aí vai, e sua cliente ficaria com o resto.

– A escritura da fazenda, menos esses 2 hectares? – perguntou Dunlap.

– Algo assim. Estou só estudando as nossas opções.

– Quanto eles estão dispostos a pagar pelos 2 hectares?

– A casa é avaliada em 30 mil, o que definitivamente é muito. Eles são pessoas boas que estão tentando se agarrar a alguma coisa.

– Como eles vão pagar a hipoteca da casa?

– Boa pergunta. Vamos descobrir. Quem sabe a Florry pode ajudar.

O maior obstáculo a essa proposta não seria mencionado. Jackie Bell queria a casa. Na verdade, ela queria a casa muito mais do que queria a fazenda. O namorado dela se considerava um nobre fazendeiro e já estava fazendo as contas do dinheiro que passaria a ter, mas Jackie só queria uma casa bonita.

McLeish balançou a cabeça e disse:

– De jeito nenhum. Esses 2 hectares valem quase tanto quanto a terra. Não podemos aceitar. – Ele falava com o ar de um homem que tinha alguma prerrogativa em relação àquelas recompensas, neste caso o solo precioso de algumas das melhores pessoas que John Wilbanks já conhecera. Ele des-

393

prezava McLeish por sua arrogância e por aquela ideia de que tinha direito a alguma coisa.

– Bem, então me parece que não temos mais nada a debater.

NO FIM DE setembro, em dias consecutivos, a Suprema Corte dos Estados Unidos rejeitou uma série de infundados requerimentos de audiências. Em um único dia, colocaram o último prego no caixão da apelação apresentada pelos Bannings face à sentença do tribunal federal e, no dia seguinte, indeferiram o recurso relativo à decisão do juiz Rumbold que havia sido revertida.

O caminho agora estava livre para a audiência solicitada por Dunlap para que fosse realizada a execução judicial – ou deveria estar, pelo menos em tese. Impedindo a passagem estava ele mesmo, o velho Rumbold, que se tornava mais inconveniente a cada mês. Dunlap esbravejava, gritava e exigia que fosse marcada uma data o mais rápido possível. Rumbold, praticamente surdo, não ouvia nada.

E então ele morreu. Em 9 de outubro de 1949, Abbott Rumbold sucumbiu à velhice e faleceu aos 81 anos. Ele morreu em paz enquanto dormia, ou, como os negros preferiam dizer, "acordou morto". Com 37 anos de magistratura, ele era o juiz mais antigo do estado. Joel saiu da Ole Miss para ir a seu velório na Primeira Igreja Batista, junto com John e Russell Wilbanks.

O velório foi uma homenagem a um homem que viveu uma vida longa, feliz e produtiva. Houve poucas lágrimas, muito bom humor e a sensação calorosa de que um dos filhos de Deus simplesmente tinha voltado para casa.

O próximo enterro a que Joel compareceria seria muito diferente.

46

Para fugir da monotonia e tornar a rotina de alguns dos pacientes mais saudáveis mais próxima da normalidade, os médicos e administradores de Whitfield organizavam visitas semanais ao Paramount Theater, na rua East Capitol, no centro de Jackson. Para cada matinê, um ônibus sem identificação parava em uma rua lateral a um quarteirão do cinema e vinte ou mais pacientes desciam. Eles eram acompanhados por vigias e enfermeiras, e, uma vez fora do ônibus, se esforçavam para agir como se tivessem simplesmente chegado lá como qualquer outra pessoa. Eles usavam as próprias roupas e se misturavam à multidão. Um olhar desatento nunca suspeitaria de que eram submetidos a tratamento por inúmeros e severos sofrimentos mentais.

Liza amava os filmes e se candidatava a ir em todas as oportunidades que tinha. Ela ajeitava o cabelo, se maquiava, caprichava no batom e usava um dos vestidos que Stella havia mandado para ela.

O Paramount estava exibindo *A costela de Adão*, uma comédia com Spencer Tracy e Katharine Hepburn, e o saguão estava cheio à uma da tarde. A enfermeira-chefe comprou os ingressos e os guiou até duas fileiras de assentos. À esquerda de Liza estava uma senhora mais velha chamada Beverly, uma conhecida que estava internada havia anos, e, à sua direita, Karen, uma jovem triste que geralmente dormia durante as exibições.

Quinze minutos depois que o filme começou, Liza sussurrou para Beverly que precisava ir ao banheiro. Ela foi até o corredor, sussurrou a mesma coisa para uma enfermeira e saiu do auditório. Depois, saiu do cinema.

Caminhou dois quarteirões ao longo da East Capitol até a rua Mill e entrou na Estação Central de Illinois, onde comprou uma passagem de segunda classe para o trem das 13h50 em direção a Memphis. Sua mão tremia quando pegou a passagem, e ela precisava se sentar. A estação estava praticamente vazia e ela encontrou um lugar vago longe de todo mundo. Ela respirou fundo, se recompôs e, de um bolsinho, tirou uma folha de papel dobrada. Era uma lista de "O que fazer a seguir", que ela vinha organizando havia semanas. Temia que aquilo tudo pudesse logo se tornar coisa demais para ela e precisava de alguma orientação. Ela leu o papel, dobrou-o novamente e o recolocou no bolso. Saiu da estação, andou um quarteirão ao longo da rua Mill até uma loja de departamentos e comprou uma bolsa barata, um chapéu de palha ainda mais barato e uma revista. Enfiou na bolsa o dinheiro que havia sobrado, um pequeno frasco de comprimidos e um batom e correu de volta para a estação. Enquanto esperava, releu a lista mais uma vez, sorriu para si mesma pelo sucesso atingido até ali e ficou de olho na entrada, caso alguém do hospital aparecesse. Ninguém apareceu.

A enfermeira estava gostando tanto da comédia que se esqueceu de Liza e de sua ida ao banheiro feminino. Quando ela finalmente se lembrou, saiu na mesma hora para dar uma olhada. Como não a encontrou, ela cercou dois vigias e eles começaram a vasculhar o cinema, que estava praticamente lotado. No saguão, ninguém se lembrava de ter visto uma senhora magra de vestido amarelo sair depois que o filme começou. Eles continuaram procurando, mas logo já não havia mais onde procurar. Os dois vigias começaram a rondar as ruas do centro de Jackson, e um deles por fim chegou à estação de trem. A essa altura, Liza já estava a uma hora de distância da cidade, rumando para o norte, sentada sozinha a uma janela, segurando sua lista, olhando fixamente para os campos por onde passava e tentando lidar com todos aqueles estímulos visuais e sonoros do mundo real. Havia passado três anos e meio internada.

A polícia foi acionada e o Dr. Hilsabeck, avisado. Todos ficaram alarmados, mas não entraram em pânico. Liza não era considerada uma ameaça para ninguém, e ela se encontrava estável o suficiente para cuidar de si mesma, ao menos por algumas horas. O Dr. Hilsabeck não queria alarmar a família nem queria que sua equipe parecesse incompetente, por isso esperou um pouco antes de telefonar para Joel, Florry ou para o xerife Nix Gridley.

Liza tinha comprado a passagem com dinheiro e não havia qualquer registro da identidade dos passageiros. No entanto, uma atendente se lembrou de uma senhora que se encaixava na descrição de Liza e disse que ela tinha ido em direção a Memphis. Isso havia sido por volta das três da tarde. O filme tinha acabado e o ônibus precisava voltar para Whitfield.

Quando o trem chegou a Batesville, que era sua sexta parada, às 16h15, Liza decidiu descer. Ela deduziu que haveria alguém procurando por ela e suspeitou de que pudessem estar de olho nos trens e nos ônibus. Do lado de fora da estação havia dois táxis, ambos antigos modelos de sedãs anteriores à guerra que pareciam ainda menos confiáveis do que os dois motoristas apoiados nos capôs. Ela perguntou ao primeiro se ele a levaria para Clanton, a uma hora e meia de distância. Ela lhe ofereceu dez dólares, mas ele estava preocupado com os pneus de seu carro. O segundo disse que faria a viagem por quinze dólares. Os pneus desse pareciam ainda piores, mas ela não tinha muitas opções.

– Quer ajuda com as malas? – perguntou o motorista assim que ela se sentou no banco de trás.

– Não, obrigada. Não tenho nenhuma.

O motorista ligou o carro e eles saíram da estação. Ele olhou pelo retrovisor e disse:

– Muito bonito o seu vestido.

Liza levantou a bolsa e respondeu:

– Eu sempre carrego um revólver Colt na bolsa quando viajo, e sei bem como usá-lo. Se você fizer alguma gracinha, vai se arrepender amargamente.

– Desculpe, senhora.

Já fora da cidade, ele tomou coragem para falar de novo:

– Gostaria de ouvir alguma coisa, senhora?

– Claro, o que você quiser.

Ele ligou o rádio, girou o botão e sintonizou em uma emissora rural de Memphis.

JÁ TINHA ESCURECIDO quando o Dr. Hilsabeck finalmente fez contato com Joel. Ele explicou o que tinha acontecido e admitiu que estavam procurando em vão. Joel ficou chocado ao imaginar que a mãe estava livre e fazendo algo que sem dúvida havia planejado. Ficou paralisado pelo medo e não sabia ao certo para onde ir. Deveria dirigir até Jackson e ajudar na busca?

Até Memphis, para onde acreditavam que ela estava indo? Ou Clanton? Ou deveria apenas sentar e esperar? Ele ligou para Stella e assegurou que tudo ficaria bem. Ele precisava ligar para Florry, mas achou melhor esperar. O telefone dela ainda estava conectado à linha comunitária, junto com dezenas de outros, e os bisbilhoteiros iriam à loucura com a notícia de que Liza Banning escapara de Whitfield.

Durante uma hora, Joel andou de um lado para outro em seu apartamento, confuso, esperando uma ligação com o aviso de que sua mãe havia sido encontrada e estava bem. Telefonou para o gabinete do xerife em Clanton, mas ninguém atendeu. Presumiu que o velho Tick Poley estivesse em sono profundo. Uma rebelião poderia estar em andamento e Tick nem saberia.

Por fim, conseguiu falar com Nix Gridley em sua linha residencial privada e lhe contou o que havia acontecido com Liza. Nix se colocou à disposição e disse que iria até a fazenda para dar a notícia a Florry.

QUANDO O TÁXI saiu da autoestrada e entrou no longo caminho que dava na fazenda dos Bannings, Liza pediu ao motorista que parasse. Ela pagou os quinze dólares, agradeceu e desceu do carro. Quando ele desapareceu na estrada escura e deserta, ela começou a caminhar lentamente em meio ao breu, mal conseguindo enxergar o caminho de cascalho à sua frente. Não havia uma única luz acesa na casa, nos celeiros, em qualquer uma das dependências. Ao longe, um brilho fraco emanava de uma janela na casinha onde Nineva e Amos moravam desde sempre. À medida que se aproximava da entrada, começou a ver o contorno da casa. Atravessou o gramado da frente, depois a varanda, e girou a maçaneta. A porta estava trancada, o que não era comum na região. Ninguém trancava as portas.

Ela queria conferir os canteiros de flores e os arbustos, para ver quanto tinham mudado em três anos e meio, mas não havia luz, tampouco lua no céu naquela noite nublada. Passou pela lateral da casa e viu o caminhão de Pete estacionado exatamente onde ele o havia deixado. Ela sabia que Joel tinha se tornado o novo dono do Pontiac. No quintal, avançou pela grama seca. Uma brisa soprou do oeste; ela sentiu um calafrio e esfregou os braços. A porta da cozinha, nos fundos, estava destrancada. Ela entrou em casa e se deteve na cozinha, paralisada por um cheiro tão intenso e familiar que a invadiu: uma mistura de fumaça de cigarro e café, gordura de bacon, do aroma das tortas de frutas e bolos e dos densos ensopados de carne que Nineva cozinhava em fogo baixo durante dias, do vapor da panela com os potes de conserva de tomate e de uma dúzia de outros legumes, do couro molhado das botas de Pete em um canto, do doce cheiro de sabão da própria Nineva. Liza ficou abalada com aqueles odores encorpados e precisou se apoiar no balcão.

Na escuridão, ela conseguia ouvir as vozes de seus filhos enquanto eles riam no café da manhã e eram enxotados do fogão por Nineva. Podia ver Pete sentado à mesa da cozinha com seu café e seus cigarros lendo o jornal de Tupelo. Uma nuvem se moveu em algum lugar e um raio de luar entrou por uma das janelas. Ela estreitou os olhos e por fim conseguiu divisar a cozinha. Respirava o mais lentamente possível, absorvendo os doces aromas de sua antiga vida.

Liza enxugou algumas lágrimas e decidiu permanecer no escuro. Ninguém sabia que ela estava ali e as luzes só iriam chamar atenção. Ao mesmo tempo, ela queria averiguar se Nineva vinha fazendo seu trabalho direito. Os pratos estavam todos lavados e empilhados em seus devidos lugares? Havia uma camada de poeira nas mesinhas de centro? O que eles tinham feito com as coisas de Pete – as roupas no armário, seus livros e a papelada do escritório? Ela conseguia se lembrar vagamente de uma conversa com Joel a esse respeito, mas não recordava os detalhes.

Ela entrou na saleta e deixou-se cair no sofá de couro macio, que tinha exatamente o mesmo cheiro de que ela se recordava. A primeira lembrança que lhe veio à mente foi talvez o pior momento que vivera ali. Joel à sua direita, Stella à sua esquerda, os três em pânico absoluto, encarando o capitão do exército que lhes dava a notícia de que Pete estava desaparecido e tinha sido dado como morto. Dia 19 de maio de 1942. Uma outra vida.

A luz de faróis atravessou as janelas e Liza se assustou. Ela espiou de trás das cortinas e observou uma viatura do condado de Ford subir pela entrada de sua casa, depois virar na estrada secundária que levava à casa de Florry. O veículo desapareceu, e ela teve certeza de que estavam procurando por ela. Esperou, e vinte minutos depois o carro retornou, passou novamente pela casa e se dirigiu para a autoestrada.

Lembrou a si mesma que estava sentada em sua própria casa e não havia cometido nenhum crime. Se a encontrassem, o pior que poderiam fazer era mandá-la de volta para Whitfield. Eles não teriam essa chance.

Liza começou a se balançar, os ombros sacudindo para a frente e para trás, um hábito cansativo que muitas vezes a afligia mas que ela não conseguia controlar. Quando ficava preocupada, ou sentia medo, começava a se balançar, a murmurar e a arrancar fios de cabelo. Muitos dos internos de Whitfield se comportavam dessa maneira – balançando-se, sacudindo os braços e gemendo – sempre que estavam sozinhos no refeitório ou à beira do lago, mas ela sempre soube que não ficaria igual a eles. Ia melhorar, e em breve retomaria o controle de sua vida.

Depois de mais ou menos uma hora – já havia perdido totalmente a noção de tempo –, Liza percebeu que não estava mais se balançando e que também havia parado de chorar. Havia um enorme fardo para ser descarregado.

Foi até a cozinha, em direção ao único telefone, e ligou para Florry. Para confundir os bisbilhoteiros, disse:

– Florry, estou aqui.

– Quem? O quê? – Florry ficou surpresa, e com razão.

– Estou em casa – disse Liza antes de desligar.

Foi até a varanda dos fundos e esperou. Apenas alguns minutos se passaram até ela ver os faróis refletindo na paisagem. Florry estacionou na lateral da casa.

– Estou aqui, Florry – disse Liza. – Na varanda.

Florry passou por trás do carro, quase tropeçando no escuro, e disse:

– Por que você não acende essas malditas luzes? – Ela parou nos degraus, olhou para Liza e perguntou: – Que diabo você está fazendo aqui, Liza?

– Vem cá me dar um abraço, Florry.

"Bem, ela deve estar mesmo maluca se quer um abraço meu", pensou Florry, mas não ousou dizer. Ela subiu os degraus e as duas se abraçaram.

– Vou perguntar mais uma vez: o que está fazendo aqui? – insistiu Florry.

– Eu só queria voltar pra casa. O médico disse que não tinha problema.

– Isso é mentira e você sabe muito bem. Os médicos estão preocupados. As crianças estão fora de si. A polícia está procurando por você. Por que está fazendo isso?

– Estou cansada de Whitfield. Vamos entrar.

Elas entraram na cozinha e Florry disse:

– Acenda as luzes. Eu não consigo ver um palmo à frente do nariz.

– Eu gosto do escuro, Florry. Além disso, não quero que Nineva saiba que estou aqui.

Florry encontrou um interruptor e acendeu as luzes da cozinha. Ela havia visitado Liza em Whitfield e, como Stella e Joel, sempre se sentira incomodada com sua aparência. Liza tinha melhorado um pouco, mas ainda estava lamentavelmente magra, abatida e com o rosto encovado.

– Você parece bem, Liza. É bom ver você.

– É bom estar em casa.

– Agora a gente precisa ligar pro Joel e avisar que você está bem, ok?

– Eu acabei de falar com ele. Ele vai chegar em uma hora.

Florry relaxou e disse:

– Que bom. Você comeu? Você parece com fome.

– Eu não tenho comido muito, Florry. Vamos para a saleta conversar.

"O que você quiser, querida." Florry a acalmaria até Joel chegar e então decidiriam o que fazer.

– Não deveríamos ligar pros seus médicos? – perguntou Florry. – Eles precisam saber que você está bem.

– Eu pedi pro Joel ligar pra eles. Ele vai cuidar disso. Está tudo bem, Florry.

Elas entraram na saleta e Liza acendeu um pequeno abajur. Uma luz fraca dava ao cômodo um ar misterioso e sombrio. Florry queria um pouco mais de luz, mas não disse nada. Ela se sentou em uma das pontas do sofá. Liza ajeitou algumas almofadas na outra e se reclinou sobre elas. Elas se encararam em meio à penumbra.

– Você gostaria de um café? – perguntou Liza.

– Na verdade, não.

– Nem eu. Praticamente parei de tomar café. A cafeína não cai bem com todos os remédios que eu tomo e me dá dor de cabeça. Você não ia acreditar no tanto de remédio que eles tentam me enfiar goela abaixo. Às vezes eu tomo; às vezes não engulo e cuspo fora. Por que você não tem ido me visitar, Florry?

– Não sei. É uma viagem longa até lá e não é exatamente um lugar inspirador para se visitar.

– Inspirador? Você espera ser inspirada quando entra em um hospício? Não tem a ver com você, Florry, tem a ver comigo, a paciente sou eu. A mulher maluca. Sou eu que estou doente e você deveria me visitar e me dar algum apoio.

As duas nunca tinham sido muito próximas e Florry se lembrou do porquê. No entanto, naquele momento ela estava disposta a ouvir alguns desaforos, se fosse servir para alguma coisa. Com sorte a buscariam no dia seguinte e a levariam de volta.

– Nós vamos brigar, Liza, é isso?

– Nós sempre brigamos, não é mesmo?

– Não. Nós brigamos no começo, e então nos demos conta de que a melhor forma de conviver era respeitando o espaço uma da outra. É disso que eu me lembro, Liza. Sempre mantivemos a cordialidade, pelo bem da família.

– Se você acha isso… Eu quero que você me conte uma história, Florry, uma que eu nunca tenha ouvido.

– Talvez.

– Eu quero ouvir a sua versão do que aconteceu no dia em que Pete matou o Dexter Bell. Eu sei que você provavelmente não quer falar sobre isso, mas todo mundo sabe o que aconteceu, todo mundo menos eu. Por um bom tempo eles não me contavam nada lá dentro. Eu acho que na cabeça deles isso só ia piorar as coisas, que já iam mal, e eles estavam certos, porque quando por fim me contaram eu fiquei em coma por uma semana e quase morri. Mas, de todo modo, eu gostaria de ouvir a sua versão.

– Por quê, Liza? Não é uma boa história.

– Por quê? É uma parte muito importante da minha vida, você não acha? Meu marido mata o pastor da cidade, é executado por causa disso, e eu não sei os detalhes. Por favor, Florry, eu tenho o direito de saber. Me conte.

Florry deu de ombros e começou a contar.

UM ACONTECIMENTO LEVAVA ao seguinte. A vida na cadeia; as audiências no tribunal; as reações por toda a cidade; as matérias nos jornais; o julgamento; a execução; o enterro; os veteranos que ainda visitavam o túmulo.

Às vezes Liza chorava e enxugava as lágrimas com as costas das mãos. Às vezes ela escutava com os olhos fechados, como se estivesse assimilando todo aquele horror. Ela gemia ocasionalmente e se balançava um pouco. Ela fez algumas perguntas e apenas uns poucos comentários.

– Você sabe que ele foi me ver um dia antes de ser executado, não sabe?

– Sim, eu me lembro disso.

– Ele disse que ainda me amava, mas que nunca seria capaz de me perdoar. Que tal isso, Florry? Amor demais, mas não o suficiente para perdoar. Mesmo diante da certeza da morte, ele não foi capaz de me perdoar.

– Perdoar o quê? – E foi então que Florry conseguiu fazer a grande pergunta.

Liza fechou os olhos e encostou a cabeça em uma das almofadas. Seus lábios estavam se movendo como se ela estivesse murmurando algo que só ela era capaz de entender. Então ela ficou completamente imóvel e em silêncio.

– Perdoar o quê, Liza? – repetiu Florry com delicadeza.

– Nós temos muito o que conversar, Florry, e quero fazer isso agora, porque não vou viver muito mais tempo. Tem alguma coisa errada comigo, Florry, e não tem só a ver com maluquices. Meu corpo está com alguma doença muito grave e está piorando. Pode ser câncer, pode ser outra coisa, mas eu sei que está aqui e está crescendo. Os médicos não conseguem encontrar, mas eu sei que está aqui. Eles podem me dar remédios para aliviar as crises nervosas, mas não têm nada pra minha doença.

– Eu não sei o que dizer, Liza.

– Não diga nada. Só escute.

Horas se passaram, e nenhum sinal de Joel. Liza pareceu ter se esquecido dele, mas Florry sabia que ele já deveria ter chegado.

Liza se pôs de pé e disse:

– Acho que vou trocar de roupa, Florry. Eu tenho pensado em um pijama de linho e em um roupão de seda que Pete sempre amou.

Ela foi até a porta do quarto enquanto Florry se levantava e alongava as pernas.

Florry foi até a cozinha e se serviu de um copo d'água. Um relógio de parede marcava as horas: 23h40. Ela pegou o telefone para ligar para Joel e deparou com o problema. O fio que ia do rodapé até o telefone tinha sido cuidadosamente cortado, como se tivessem usado uma tesoura. O telefone não tinha utilidade e provavelmente não havia sido usado naquela noite em alguma ligação feita para Joel.

Ela voltou à saleta e esperou. Liza estava em seu quarto, com a porta aberta, chorando cada vez mais alto. Estava deitada na cama que dividira com Pete, vestindo o pijama de linho branco sob um roupão de seda cor de creme. Os pés descalços.

Florry se inclinou sobre ela e disse:

– Tudo bem, Liza. Eu estou aqui com você. O que está acontecendo, querida?

Liza apontou para uma cadeira e disse:

– Por favor.

Ela enxugou o rosto com um lenço de papel e lutou para retomar a calma. Florry se sentou e esperou. Liza não tinha ligado para Joel. Joel não ligara para os médicos nem para Stella. Todos estavam em pânico, esperando alguma notícia, e ali estava Liza em sua própria cama, na própria casa.

Florry queria perguntar por que ela tinha cortado o fio do telefone, mas essa conversa não chegaria a lugar algum. Liza estava prestes a falar e talvez revelar segredos que eles achavam que jamais viriam à tona. Era melhor não distraí-la. Ela não queria Joel por perto naquele momento.

– O Pete conversou com você antes de morrer? – perguntou Liza por fim.

– Claro. Nós discutimos vários assuntos. As crianças, a fazenda, coisas que a gente espera de uma pessoa que está prestes a morrer.

– Ele falou sobre nós dois e sobre os nossos problemas?

Na verdade, ele tinha falado, sim, mas Florry não ia morder a isca. Ela queria ouvir tudo da fonte mais segura.

– Claro que não. Você sabe como ele era fechado. Que tipo de problemas?

– Ah, Florry, são tantos segredos, tantos pecados… Eu realmente não posso culpar Pete por não me perdoar.

Ela começou a chorar de novo, depois, a soluçar. Os acessos de choro se tornaram uma espécie de lamento, um gemido alto, sofrido e agonizante que assustou Florry. Ela nunca ouvira um pranto tão pungente. O corpo de Liza passou a sofrer espasmos, como se ela fosse vomitar descontroladamente, então ela soltou um suspiro e começou a se sacudir enquanto soluçava de modo incontrolável. Aquilo continuou por algum tempo, e por fim Florry não conseguiu mais só ficar olhando. Foi até a cama, deitou-se ao lado dela e a abraçou com força.

– Tudo bem, Liza. Tudo bem, querida. Você está bem.

Florry a abraçou; sussurrou, dizendo-lhe que ficaria tudo bem, e a acariciou. Ela a embalou suavemente em seus braços e sussurrou mais um pouco, e Liza começou a relaxar. Sua respiração ficou mais controlada, seu corpo franzino pareceu se retrair e ela começou a chorar baixinho. Em um sussurro, ela disse:

– Tem algumas coisas que você precisa saber.

– Eu estou te ouvindo, Liza. Estou aqui com você.

LIZA ACORDOU EM um quarto escuro, sob as cobertas, a porta aberta. A casa estava escura; a única luz vinha do pequeno abajur da saleta. Ela silenciosamente afastou as cobertas, se levantou e saiu do quarto. Florry estava no sofá, debaixo de uma manta, completamente apagada. Sem fazer barulho, Liza passou por ela e entrou na cozinha, cruzou a porta, atravessou a varanda e desceu os degraus. O ar estava frio; seus pés estavam descalços e logo ficaram molhados. Ela deslizou sobre a grama até a trilha que levava aos celeiros, com seu roupão de seda esvoaçando às costas.

A lua aparecia e desaparecia entre as nuvens, com sua luz azulada iluminando as dependências e os campos antes de sumir novamente. Ela sabia aonde estava indo e não precisava da luz. Ao passar pelo último celeiro, viu as silhuetas de seus cavalos em um cercado. Ela nunca passara por lá sem falar com eles, mas dessa vez não tinha nada a dizer.

Seus pés estavam molhados, enlameados e congelados, mas ela não se importava. A dor não tinha importância naquele momento. Ela tremia por conta do frio e caminhava com um propósito. Uma ligeira subida até o Old Sycamore e ela logo estaria entre os mortos – todos aqueles falecidos Bannings de quem ela tanto ouvira falar. A lua estava escondida e ela não podia ler os nomes nas lápides, mas sabia onde ele havia sido enterrado porque sabia onde os outros estavam. Ela passou os dedos pelo calcário e identificou o nome dele.

Havia encontrado o marido.

Embora dilacerada pela tristeza, pela culpa e pela vergonha, ela estava cansada de chorar. Estava congelando e rezando para que o fim chegasse.

Dizem que as pessoas estão em paz quando chegam a esse ponto. Não é verdade. Ela não sentia paz, nem sensação de conforto, nem acreditava que o que estava fazendo seria considerado algo além de um ato desesperado de uma mulher louca.

Abaixou-se e se sentou recostada na lápide dele, o mais perto que conseguiu. O corpo dele estava poucos metros abaixo do dela. Ela disse que o amava e que o veria em breve, e rezou para que, quando estivessem juntos de novo, ele finalmente pudesse perdoá-la.

De um dos bolsos do roupão, ela tirou um pequeno frasco de comprimidos.

47

Amos a encontrou ao amanhecer e, ao chegar perto o suficiente das lápides para se certificar de que não estava vendo coisas, entrou em pânico e disparou de volta para casa, gritando e correndo o mais rápido que podia. Quando Florry soube que ela estava morta, desmaiou na varanda. Quando voltou a si, Nineva a ajudou a chegar até o sofá e tentou consolá-la.

Nix Gridley e Roy Lester chegaram para ajudar na busca, e quando Amos descreveu o que tinha encontrado no cemitério, eles o deixaram falando sozinho e foram para lá de carro. O frasco de comprimidos vazio era prova suficiente. Não havia nenhuma cena de crime a preservar. Caía uma leve garoa e Nix achou que ela não deveria se molhar. Ele e Lester colocaram Liza no banco de trás da viatura e foram em direção à casa. Nix desceu, para lidar com a família, enquanto Lester a levou para a funerária.

Por volta das cinco da manhã, Florry havia acordado e percebido que Liza tinha ido embora. Ela entrou em pânico e correu até a casa de Nineva, onde Amos acabara de se sentar para tomar o café da manhã. Ele e Nineva a procuraram freneticamente pela casa e pelos celeiros enquanto Florry foi até o chalé cor-de-rosa para usar o telefone. Ela ligou para Joel e para o Dr. Hilsabeck e descreveu resumidamente a situação.

Joel estava chegando em casa, vindo de Oxford, quando cruzou com o carro do xerife. Quando entrou, ficou sabendo o restante da história. Florry estava destruída, não parava de se culpar pelo ocorrido e mal conseguia respirar. Depois que finalmente conseguiu falar com Stella pelo telefone, Joel insistiu para que a tia fosse com ele ao hospital. Ela foi internada com dores no peito e foi necessária a prescrição de calmantes. Joel a deixou lá e foi até o gabinete do xerife para usar o telefone de Nix em uma linha particular. Conversou com o Dr. Hilsabeck, que estava desesperado. Reuniu forças para ligar para os avós em Kansas City, dando-lhes a notícia de que a filha deles se fora. Em seguida, ligou para Stella novamente, e os dois tentaram avaliar como seriam os dias seguintes.

Ele deixou o gabinete do xerife e foi até a Funerária Magargel. Em uma sala fria e escura em alguma parte dos fundos do prédio, olhou para o belo rosto da mãe pela última vez. E escolheu um caixão.

Conseguiu voltar para o carro antes de desabar. Sentado no estacionamento, olhando fixamente para o nada enquanto os limpadores de para-brisa estalavam de um lado para outro, Joel foi completamente tomado pela dor e chorou por um bom tempo.

O VELÓRIO FOI na igreja metodista, aquela construída pelo avô de Pete, onde Joel e Stella foram batizados quando crianças. O pastor era novo por lá; tinha sido designado para o posto havia bem pouco tempo. Ele conhecia a história, mas não a havia testemunhado, e estava determinado a unir os dois grupos novamente e curar seu rebanho.

De início, Joel e Stella pensaram em fazer uma cerimônia privada, semelhante à que Pete planejara para si mesmo no Old Sycamore, mas os amigos os convenceram de que Liza merecia um enterro adequado. Eles cederam e foram falar com o pastor.

Havia muita gente, o dobro da quantidade de assentos disponíveis, e as pessoas ficavam sentadas em seus carros no estacionamento à espera de uma chance de espiar o caixão. Os amigos e conhecidos a quem havia sido negada a chance de se despedir de Pete fizeram questão de chegar cedo para dizer adeus a Liza.

O Sr. e a Sra. Sweeney se sentaram entre Joel e Stella e encararam o caixão fechado a 1,5 metro de distância. A mãe de Liza estava inconsolável e não parava de enxugar as lágrimas. O pai estava impassível, quase com raiva, como se jogasse sobre aquele lugar atrasado a culpa pela morte da filha. Joel e Stella estavam cansados de chorar; atordoados e incrédulos, ficaram sentados aguardando desesperadamente o tempo passar. A situação era macabra demais para qualquer esforço de torná-la minimamente agradável. Não houve elegias calorosas, recordando os momentos bons e divertidos junto à falecida. Nenhuma menção a Pete, não dentro daquela igreja. O pesadelo dos Bannings continuava, e quem via de fora não tinha como fazer nada por eles.

Alguns hinos fúnebres, um breve sermão, alguns trechos das Escrituras, e tudo terminou em menos de uma hora, conforme prometido pelo pastor. Quando a Srta. Emma Faye Riddle começou a tocar sua última música, todos se levantaram e o caixão fechado foi empurrado ao longo do corredor central da igreja, seguido por Joel e Stella, de braços dados. Atrás deles, o Sr. e a Sra. Sweeney se abraçavam e tentavam conter as emoções. A seguir estavam outros membros da família Sweeney, mas nenhum Banning. Florry estava em casa, de cama. O que restava daquela pequena família estava morrendo depressa. Naturalmente, nenhum dos negros teve permissão para entrar na igreja.

Enquanto Joel empurrava o caixão, o órgão ressoava e as mulheres chora-vam, pôde notar os muitos olhares sobre ele. Já quase nos fundos da igreja, olhou de relance para a direita, e na última fileira estava o rosto mais bonito que já vira. Mary Ann Malouf tinha vindo de Oxford com uma companheira de fraternidade para prestar suas condolências. Vê-la foi o único momento agradável do dia. Ao sair da igreja, ele disse a si mesmo que um dia se casaria com aquela garota.

Uma hora depois, uma pequena multidão se reuniu no Old Sycamore para o enterro. Apenas a família, alguns amigos, Amos e Nineva, Marietta e uma dúzia de outros negros que viviam na propriedade. Florry teimou em ir, mas Joel insistiu para que ela não saísse do chalé. Ele estava totalmente à frente da situação naquele momento, tomando decisões que não tinha nenhuma vontade de tomar. Depois de uma oração, alguns trechos das Es-crituras e a mesma versão perturbadora de Marietta para "Amazing Grace", quatro homens baixaram o caixão de Liza para dentro da cova, a menos de 30 centímetros daquela que continha os restos mortais de seu marido. Lado a lado, eles agora podiam descansar juntos pela eternidade.

Ela era tão responsável pela morte dele quanto ele era pela dela. No chão acima deles tinham deixado para trás dois lindos filhos, que não mereciam ser punidos pelos pecados dos pais.

O DIA DE Ação de Graças foi uma semana após o velório. Joel precisava desesperadamente retornar à faculdade e começar a estudar para as provas do fim do período, embora, na condição de aluno do terceiro ano, seu horário estivesse muito mais tranquilo. Na segunda-feira, ele e Stella foram para Oxford. Ele se encontrou com o reitor e expôs tudo. Alguns assuntos familiares complicados tinham que ser resolvidos, e ele precisaria se ausentar por mais alguns dias. O reitor sabia o que estava acontecendo, entendia a situação e lhe garantiu que poderiam fazer alguns arranjos. Joel estava entre os melhores de sua turma e se formaria em maio do ano seguinte.

Já que estava em Oxford, Joel convidou Mary Ann para almoçar no Mansion a fim de apresentá-la a Stella. Na ida para lá, ele havia confessado à irmã seus sentimentos pela moça, e Stella ficou encantada por ele ter enfim se envolvido em um relacionamento sério. Desde o colapso da mãe e a morte do pai, os dois vinham conversando com mais frequência e mais abertamente. Eles se apoiaram um no outro e reprimiram muito pouca coisa. Como membros da família Banning, haviam sido criados para não falar sobre quase nada, mas esses dias tinham ficado para trás. Sempre tinha havido segredos demais na família.

As duas jovens ficaram amigas logo de cara. Na verdade, elas se conectaram tão depressa e conversaram e riram tanto que Joel ficou surpreso. Ele falou muito pouco durante o almoço, porque praticamente não teve chance. Voltando para casa, Stella disse a ele que seria melhor colocar logo um anel no dedo dela antes que alguém o fizesse. Joel disse que não estava preocupado. O almoço os deixou animados, mas assim que chegaram ao condado de Ford voltaram a pensar na mãe e a conversa morreu. Ao seguir pela entrada da garagem, Joel avançou pelo caminho de cascalho, mas parou no meio. Desligou o motor e eles ficaram olhando a casa.

Por fim, Stella quebrou o gelo.

– Eu nunca pensei que diria isso, mas eu realmente não gosto mais desse lugar. As lembranças felizes não existem mais, foram despedaçadas pelo que aconteceu. Eu não quero pisar lá nunca mais.

– Eu acho que a gente devia tacar fogo nessa casa – disse Joel.

– Deixa de ser idiota. Está falando sério?

– Meio que sim. Não consigo engolir a ideia de a Jackie, junto com os filhos dela e aquele bizarro do McLeish, morarem aqui. Ele vai virar um grande fazendeiro, o dono de tudo isso. É difícil de aceitar.

– Mas você nunca mais vai morar aqui, né?

– Não.

– Nem eu. Então, que diferença isso faz? Vamos vir aqui quando for necessário e visitar a Florry, mas depois que ela se for eu nunca mais vou voltar.

– E o cemitério?

– O que tem o cemitério? Que proveito vamos ter em ficar olhando aquelas lápides velhas e chorar? Eles morreram, e isso dói porque eles não deveriam ter morrido, mas eles se foram, Joel. Eu estou tentando esquecer como eles morreram e pensar em como eles viveram. Vamos tentar nos lembrar dos bons momentos, se é que isso é possível.

– Parece impossível agora.

– Sim, parece.

– Nada disso importa mais, Stella. Nós vamos perder tudo de qualquer jeito.

– Eu sei. Assine aquela escritura e acabe com isso. Eu vou voltar pra cidade.

A DIRETORA DA Saint Agnes também foi bastante compreensiva e disse a Stella que ela estava dispensada aquela semana. Estariam à sua espera no domingo depois do Dia de Ação de Graças.

Joel e Stella ficaram no chalé cor-de-rosa, longe da casa deles. Marietta assou um peru e preparou todos os acompanhamentos e tortas, e eles se esforçaram bastante para passar aquele dia com algum sentimento de gratidão. Florry estava se recuperando e tentando aproveitar o tempo com eles.

No início da manhã de sexta-feira, Joel pôs as malas de Stella no Pontiac e eles se despediram da tia. Fizeram uma parada no Old Sycamore e choraram um pouco. Quando passaram pela casa, Stella correu para dentro a fim de dar um abraço em Nineva; depois disso, foram embora.

Ela tinha insistido em pegar o trem para Washington, mas Joel não aceitou. A irmã estava frágil demais – qual deles não estava? –, e ele não queria que ela ficasse sozinha em um trem por horas a fio. Eles precisavam passar algum tempo juntos, então uma viagem cairia bem. Quando deixaram a fazenda e entraram na autoestrada, Stella olhou para sua casa e para os campos ao redor deles. Ela esperava nunca mais voltar ali.

E de fato jamais voltaria.

QUANDO UM JUIZ morria, cabia ao governador indicar um substituto até a rodada seguinte de eleições. O governador Fielding Wright, que havia testemunhado a execução de Pete dois anos e meio antes, foi soterrado pelos habituais pedidos de apadrinhamento depois da morte do juiz Rumbold. Um dos maiores apoiadores de Wright no norte do Mississippi era ninguém menos que Burch Dunlap, que estava fazendo lobby pesado para a indicação de um companheiro de Tupelo chamado Jack Shenault. Dunlap tinha um plano para receber o mais rápido possível uma bela quantia em honorários do caso Banning, e precisava de Shenault na tribuna.

No início de dezembro, enquanto Joel estava dando tudo de si nas provas do fim do período na Ole Miss, o governador Wright nomeou Shenault como juiz interino para substituir Rumbold. John Wilbanks e a maioria dos outros advogados não gostaram da escolha, principalmente porque Shenault não morava no distrito. Ele dizia que planejava se mudar para lá.

Wilbanks estava tentando empurrar outro candidato, mas ele e o governador Wright nunca tinham jogado no mesmo time.

Por respeito à família, Dunlap esperou um mês após o enterro de Liza antes de entrar em ação. Ele convenceu Shenault a convocar uma reunião em Clanton com John Wilbanks e Joel Banning, que estava em casa por conta das festas de fim de ano e havia sido nomeado testamenteiro substituto de seu pai no lugar de Florry. Eles se reuniram no gabinete do juiz, um lugar do qual Joel jamais seria capaz de gostar.

Na pauta estava o processo de Dunlap, que visava à execução judicial da terra que até então era de propriedade de Pete Banning, o único que restava naquela duradoura guerra por conta das terras, e ficou evidente que o novo juiz pretendia agir logo.

Shenault era conhecido como um advogado de escritório e não de audiências, e em geral tinha uma boa reputação. Ele certamente estava preparado para a reunião, e John Wilbanks suspeitava de que ele e Burch Dunlap haviam ensaiado bastante.

De acordo com Sua Excelência – e Shenault até vestiu a toga para a ocasião –, era melhor que fossem direto ao ponto. A audiência que trataria da execução duraria apenas uma hora, mais ou menos, com ambos os lados apresentando documentos e ordens judiciais, e talvez uma testemunha ou duas, mas não havia quase nada a ser contestado. Ele, Shenault, provavelmente determinaria a alienação judicial da propriedade, o que implicaria um leilão realizado na escadaria localizada na frente do tribunal. O maior lance seria aceito, e a quantia iria diretamente para Jackie Bell, que vencera o processo dos 100 mil dólares. Ninguém esperava uma oferta tão alta, e o valor remanescente devido ficaria registrado como garantia contra a propriedade.

No entanto, de acordo com o Dr. Dunlap, a autora, Jackie Bell, estava disposta a aceitar uma escritura da propriedade referente ao terreno, à casa e aos outros ativos no lugar do que havia sido determinado judicialmente.

Além disso, se Shenault decidisse em favor de Jackie Bell, como ele obviamente pretendia fazer, a família Banning poderia apelar para a Suprema Corte do Mississippi, mas essa tática de tentar ganhar tempo já havia sido usada antes. Tal recurso seria infrutífero, em sua opinião.

Joel também sabia disso, assim como John Wilbanks. Era o fim da linha. Um novo recurso só adiaria o inevitável e elevaria os honorários dos advogados.

Quando por fim chegaram a um consenso, Shenault concedeu aos advogados trinta dias para trabalhar nos pormenores e agendou uma nova reunião para o dia 26 de janeiro de 1950.

INFLUENCIADOS PELO ESPÍRITO natalino, e com a promessa de um futuro melhor, Jackie Bell e Errol McLeish se casaram em uma pequena cerimônia dois dias antes do Natal. Os três filhos dela estavam bem vestidos e muito orgulhosos, e alguns amigos se juntaram a eles na pequena capela atrás de uma igreja episcopal.

Os pais de Jackie não foram convidados. Eles não aprovavam o casamento, porque desconfiavam de Errol McLeish e suas intenções. O pai tinha insistido para que ela consultasse um advogado antes do casamento, mas ela se negou. McLeish estava totalmente envolvido com as ações judiciais e com o dinheiro dela, e, segundo o pai de Jackie, o novo marido estaria aprontando alguma e em breve ela estaria vivendo uma verdadeira tragédia financeira.

E ela parara de frequentar a igreja, o que incomodava muito os pais. Jackie tinha tentado lhes explicar que vinha passando por uma crise em relação a sua fé, mas eles não quiseram ouvir. Ou a pessoa ia para a igreja ou não ia, e aqueles que ficassem do lado de fora enfrentariam a ira divina.

Jackie estava entusiasmada com o plano de deixar Rome e voltar para Clanton. Precisava ficar longe dos pais, e, mais importante, estava ansiosa para assumir a casa dos Bannings. Estivera lá inúmeras vezes e jamais poderia sonhar que um dia aquilo tudo pertenceria a ela. Depois de passar uma vida pagando aluguel ou morando nas minúsculas casas destinadas aos pastores, uma vida em que toda casa era apertada demais e temporária demais, ela, Jackie Bell, estava prestes a se tornar dona de uma das melhores casas do condado de Ford.

48

E m uma manhã gelada, dois dias depois do Natal, Joel passeava pelos campos de algodão na sequência de uma visita ao Old Sycamore. Minúsculas pedras de gelo começaram a cair em torno dele. Estava chovendo granizo, e havia uma boa chance de nevar no fim da tarde. Ele correu para casa e estava prestes a sugerir uma viagem de carro para algum lugar ao sul, quando sua tia Florry anunciou que havia decidido passar alguns meses em Nova Orleans como hóspede da Srta. Twyla. Ela vinha dando indícios de que estava pensando em sair dali. Estava muito mal com tudo – a morte de Liza e seu envolvimento no incidente, o clima frio, a melancolia dos campos e da paisagem e, é claro, a perda das terras de Pete, que ela precisava cruzar para chegar até a própria casa. Havia nuvens escuras por toda parte, e ela só queria sair dali.

Eles partiram uma hora depois, com as condições da estrada cada vez piores, e avançaram muito pouco rumo ao sul atravessando o condado de Polk antes que o granizo diminuísse. Na altura de Jackson, o clima e as estradas estavam melhores.

Ao longo do caminho, falaram sobre diversos tópicos importantes. Joel planejava pedir Mary Ann em casamento mais para a frente, durante a primavera. Tinha comprado um anel de noivado em Memphis e mal podia esperar para dá-lo a ela. Estava determinado a morar em Biloxi e achava que conseguiria um emprego em um pequeno escritório de advocacia lá. Não havia nada definido, mas ele estava otimista. Ele e a tia se preocupavam com Stella e seu persistente humor deprimido. Ela estava passando as festas de fim de ano com amigos em Washington, pois não queria se sentir na obrigação de voltar para casa. A família inteira parecia mesmo deprimida. A questão mais urgente era o que fazer com as terras de Florry durante a próxima primavera. Nenhum deles tinha estômago para fazer contato com McLeish e tentar um acordo. Florry queria, de fato, estar ausente nos meses seguintes para evitar aquele homem. Os dois finalmente decidiram que Joel tentaria arrendar as terras para Doug Wilbanks, primo de John. Ele era responsável pelo cultivo de milhares de hectares em vários condados e não seria intimidado por McLeish. Eles não tinham certeza do que aconteceria com os negros que viviam e trabalhavam na propriedade, mas aquelas pobres pessoas sempre davam um jeito de sobreviver. McLeish precisaria deles como mão de obra. Ninguém passaria fome.

E eles não tinham como se preocupar com todo mundo, não é mesmo? Suas vidas haviam mudado drasticamente desde o assassinato do reverendo, e não era possível trazer o passado de volta. Eles tinham que cuidar de si mesmos. Florry admitiu que ao longo dos dois anos anteriores vinha falando com a Srta. Twyla, uma querida e velha amiga dos anos de Memphis, sobre viver por um tempo em Nova Orleans. Twyla era mais velha que ela, sentia-se cada vez mais sozinha, e sua mansão tinha espaço de sobra.

Eles conversaram durante horas, sempre sobre o presente ou o futuro, e não sobre o passado. Mas, ao sul de Jackson, cerca de quatro horas depois de iniciada a viagem, Joel disse:

— Eu e Stella estamos desconfiados de que você sabe muito mais do que as coisas que já contou pra gente.

— Sobre o quê?

— Sobre Pete e Dexter, sobre a mamãe. Sobre o que aconteceu. Você sabe de alguma coisa, não sabe, tia Florry?

— Que diferença isso faz agora? Os três estão mortos.

— Na noite em que papai morreu, você foi encontrar com ele na prisão. Sobre o que vocês conversaram?

— Nós realmente precisamos voltar a esse assunto? Essa foi uma das piores noites da minha vida.

— Uma resposta típica dos Bannings, tia Florry. Ouvem a pergunta, se esquivam dela e saem pela tangente sem dar uma resposta. Onde você e o Pete aprenderam a ser tão evasivos?

– Não seja debochado, Joel.

– Não estou sendo. Só responda à pergunta.

– O que você quer saber?

– Por que papai matou o Dexter?

– Ele nunca me deu um motivo e, acredite, eu o pressionei muito. Ele era um homem muito teimoso.

– Você jura mesmo? Olha, eu suspeito que a mamãe teve um caso com o Dexter e que de alguma forma o papai descobriu quando voltou da guerra. Ele botou ela contra a parede, ela não conseguiu suportar a culpa e a vergonha. Ela surtou, ou sei lá, e ele queria ela fora de casa. O Wilbanks convenceu o juiz Rumbold de que ela precisava passar um tempo internada e o papai levou ela pra Whitfield. Depois que isso aconteceu, o papai nunca foi capaz de aceitar o fato de que a esposa dele tinha sido infiel, principalmente depois de todo o pesadelo que ele viveu na guerra. Imagina, tia Florry, ele lá, praticamente morrendo de fome, lutando contra a malária e a disenteria, sendo torturado e maltratado, depois lutando na selva, e ela em casa dormindo com o pastor. Ele pirou, e foi por isso que ele matou o Dexter Bell. Alguma coisa deu errado na cabeça dele. Ainda estou esperando sua resposta, tia Florry.

– Você acha que seu pai pirou?

– Sim, você não acha?

– Não, acho que o Pete sabia exatamente o que estava fazendo. Ele não era maluco. Eu até concordo com o restante da história, mas seu pai estava raciocinando perfeitamente.

– E ele nunca te contou essa história?

Ela respirou fundo e olhou pela janela. Aquela breve pausa guardava a resposta verdadeira, mas ela não a revelou.

– Não, nem uma palavra.

Joel sabia que ela não estava dizendo a verdade.

NÃO HAVIA PREVISÃO de neve em Nova Orleans. A temperatura estava por volta dos 10 graus, o ar límpido e fresco. A Srta. Twyla os recebeu com uma enxurrada de abraços apertados e saudações entusiasmadas e lhes serviu bebidas enquanto sua empregada descarregava as bagagens. A mala de Florry tinha sido feita com alguma pressa, mas era suficiente para que ela passasse

416

um ano inteiro lá. Joel comentou que pretendia hospedar-se em um quarto no hotel Monteleone, na rua Royal, mas Twyla não admitiria isso. Sua elegante mansão tinha muitos quartos e ela precisava de companhia. Eles se sentaram no pátio ao lado de uma velha fonte de cimento em formato de tigre, da qual escorria água, e conversaram sobre amenidades. Assim que Florry se retirou por alguns instantes, Twyla sussurrou para Joel: "Ela está péssima."

– Tem sido um período difícil. Ela se culpa pela morte da minha mãe.

– Eu sinto muito, Joel. A Florry ficou um tempo no hospital, não foi?

– Sim, alguns dias. Sentia dores no peito. Eu fico preocupado com ela.

– Ela está pálida e também emagreceu.

– Bem, acho que ela precisa de um pouco de *gumbo*, *jambalaya*, e de umas ostras fritas. Eu já trouxe ela até aqui; agora, você trate de fazer ela comer.

– Pode deixar. E os médicos aqui são melhores. Vou arranjar um pra dar uma olhada nela. Os genes da família de vocês não são, como vou dizer, muito promissores.

– Obrigado. Mas, sim, tendemos a morrer jovens.

– E como está Stella?

– Bem. Não queria voltar tão cedo, então ficou em Washington. Tem sido um período difícil.

– Tem mesmo. Vocês precisam de um pouco de sorte.

Florry estava voltando, com seu enorme e esvoaçante vestido em forma de tenda. Ela já estava um pouco mais alegre só de estar com Twyla na cidade grande. Sobre uma velha mesa de madeira que supostamente tinha vindo de uma casa de fazenda em algum lugar da França, uma empregada serviu um prato de ostras cruas e vinho gelado.

Eles comeram, beberam e riram até tarde da noite. Mais uma vez, o condado de Ford parecia estar em outro planeta.

NO DIA SEGUINTE, Joel deixou seu quarto no fim da manhã com a cabeça doendo e a boca seca. Ele encontrou água, saciou sua sede e precisava muito de um café. Uma empregada lhe mostrou discretamente a porta da frente e ele mergulhou na luz do sol de mais um dia perfeito no French Quarter. Ele se aprumou, se recompôs e caminhou a passos lentos pela rua Chartres até a praça Jackson, onde ficava sua cafeteria favorita, que preparava um café forte e misturado com chicória. Tomou uma xícara, comprou mais uma para viagem, atravessou a rua Decatur, passou pelo French Market, subiu os degraus que davam na calçada de frente para o rio e se sentou em um banco. Era o seu lugar favorito na cidade, e ele adorava ficar lá por horas a observar o tráfego no rio.

Em casa, na biblioteca do falecido pai, havia um livro de fotos de Nova Orleans. Em uma foto da década de 1870, dezenas de barcos a vapor estavam ancorados lado a lado no porto, todos carregados de fardos de algodão oriundos das fazendas e plantações do Arkansas, do Mississippi e da Louisiana. Joel era uma criança que fantasiava bastante, e colocou na cabeça que o algodão da fazenda Banning estava em um daqueles barcos e havia sido enviado a Nova Orleans para ser exportado. O algodão deles era importante e necessário para o mundo. As pessoas que trabalhavam nos barcos e nas docas garantiam seu sustento graças ao algodão.

Naquela época, as docas eram barulhentas e caóticas, com os barcos a vapor subindo na contracorrente e centenas de estivadores correndo para descarregá-los. Nada disso existia mais. O grandioso rio ainda estava lotado, mas os barcos a vapor tinham sido substituídos por barcas baixas e planas, transportando grãos e carvão. Ao longe, navios descansavam depois da guerra.

Joel foi absorvido pelo rio e começou a se perguntar para onde cada embarcação estaria indo. Algumas iam mais para o sul, em direção ao Golfo; outras estavam voltando. Ele não tinha vontade de ir para casa. Ir para casa significava o maçante último semestre da faculdade de Direito. Ir para casa significava ter reuniões com advogados e juízes, e pôr um ponto final nos tristes negócios do pai. Ir para casa significava dizer adeus à fazenda, à casa, a Nineva e a Amos e aos outros negros que ele conhecia desde pequeno.

Joel passou três dias enrolando em Nova Orleans e, quando por fim ficou entediado, deu um abraço de despedida em Florry e foi embora da cidade. Ela estava bem acomodada e parecia se sentir em casa.

Ele dirigiu até Biloxi e conseguiu surpreender o pai de Mary Ann em seu escritório. Joel pediu desculpas pela invasão, mas não queria que ela soubesse que ele estava na cidade e não havia outra maneira de fazer isso. Ele pediu ao Sr. Malouf a mão dela em casamento. Encurralado, o homem de fato não tinha outra escolha senão dizer sim.

Naquela noite, Joel jantou com sua futura noiva e dormiu no sofá da família.

49

O ano de 1950 começou tão melancólico quanto esperado. Em 26 de janeiro, na deslumbrante sala de reuniões de John Wilbanks, ele e Joel assumiram um dos lados da mesa, enquanto Burch Dunlap e Errol McLeish ocuparam o outro. O juiz Shenault, sem a toga, sentou-se à cabeceira e assumiu o comando das negociações.

Joel, como testamenteiro substituto, assinou a escritura que transferiu a titularidade dos 260 hectares de terra mais a casa para Jackie Bell, agora oficialmente Jackie Bell McLeish. Para evitar qualquer mal-entendido com Florry, a terra havia sido inspecionada e separada com uma cerca, de modo que as partes envolvidas soubessem seus limites. Todas as construções haviam sido identificadas e listadas em uma escritura separada: estábulos, galinheiros, celeiros de tratores, celeiros de vacas, chiqueiros, a casa de Nineva e Amos, a casa do capataz, ora usada por Buford Provine, e catorze barracos localizados na floresta que eram habitados pelos trabalhadores da fazenda. Um recibo listava os bens pessoais: a caminhonete Ford modelo 1946 de Pete, os tratores John Deere, carroças, arados, plantadeiras, todas as ferramentas agrícolas, inclusive ancinhos e pás, além dos cavalos e do gado. McLeish tinha conseguido tudo. Ele permitiu que Joel comprasse o Pontiac modelo 1939 por trezentos dólares.

Outro documento listava os móveis da casa – o que restava deles, na verdade. Joel tinha dado um jeito de sair de lá com livros, suvenires, armas, roupas, joias, *memorabilia*, roupa de cama e os melhores móveis.

McLeish não deu muita importância ao que tinham em dinheiro. Ele pressupunha, com razão, que a maior parte havia sido gasta ou estava escondida. Usando o relatório que Wilbanks tinha apresentado no outono de 1947, ele concordou em receber a quantia de 2.500 dólares, em nome de sua esposa, é claro.

Joel odiava aquele homem havia tanto tempo que chegava a ser difícil conseguir odiá-lo ainda mais. McLeish era a um só tempo presunçoso e detestável por ter cogitado se apropriar de dinheiro e bens conquistados e construídos com o suor alheio. Ele agia como se realmente acreditasse que ele e sua nova esposa merecessem as terras dos Bannings.

A reunião foi um pesadelo e, em alguns momentos, Joel se sentiu nauseado. Ele saiu o mais rápido que pôde sem dizer uma palavra, bateu a porta e deu o fora do escritório. Dirigiu até a fazenda, e tinha os olhos cheios de lágrimas ao estacionar o carro.

Nineva e Amos estavam sentados na varanda dos fundos – jamais se sentavam na da frente –, com a expressão confusa das pessoas que correm o risco de perder tudo. Eles tinham nascido naquele lugar e jamais o haviam deixado. Quando viram as lágrimas nos olhos de Joel, começaram a chorar também. De alguma forma, os três conseguiram extravasar as emoções, se despediram e se separaram. Quando Joel partiu, Nineva caiu no choro e Amos a abraçou. Joel foi até o celeiro, onde Buford estava à espera, no frio. Joel transmitiu a mensagem do novo dono; ele, McLeish, gostaria de falar com Buford naquela tarde. Ele provavelmente manteria seu emprego. Joel dissera muitas coisas boas sobre seu capataz e seria um erro substituí-lo. Buford agradeceu, apertou a mão dele e enxugou uma lágrima.

Enfrentando um vento lancinante, Joel caminhou por quase 1 quilômetro sobre o solo congelado até o Old Sycamore e se despediu de seus pais. Por um golpe de sorte, o cemitério da família ficava na parte de Florry e, portanto, estaria acessível para sempre, ou pelo menos por um futuro próximo. Era difícil, agora, saber o que "para sempre" significava. Seu destino era supostamente ser dono de suas terras para sempre.

Joel passou um bom tempo olhando para as lápides de Pete e Liza, e se perguntou pela milésima vez como suas vidas haviam se tornado tão complicadas e trágicas. Os dois eram jovens demais para morrer e tinham deixado para trás mistérios e fardos que assombrariam aqueles que amavam. Ele olhou para as outras lápides e se perguntou quantos outros segredos sombrios os Bannings tinham carregado consigo para a cova.

Caminhou pelas estradinhas que cortavam os campos, a floresta e a fazenda pela última vez, e quando retornou ao carro seus dedos estavam dormentes. Ele estava congelando até os ossos e seu corpo inteiro doía. Ao sair de lá, recusou-se a olhar para a casa e desejou que tivesse ateado fogo nela.

NO FIM DA tarde, Errol McLeish apareceu em sua nova casa e se apresentou a Nineva. Nenhum dos dois tentou ser educado. Ele não confiava nela, porque ela trabalhara desde sempre para os Bannings, e ela o considerava nada mais do que um ladrão invasor.

– Você gostaria de manter seu emprego? – perguntou ele.

– Na verdade, não. Tô muito velha, senhor. Muito velha pro trabalho doméstico. Vocês não têm uma porção de crianças?

– Três.

– Pois então. Tô velha demais pra lavar, limpar, cozinhar e passar pra três filhos, além de uma esposa. Eu e o Amos, a gente precisa se aposentar. A gente tá muito velho.

– Se aposentar onde?

– A gente não pode ficar aqui? É só uma casa pequena, mas é tudo o que a gente tem. A gente tá aqui há mais de cinquenta anos. Não tem valor nenhum pra mais ninguém.

– Vamos ver. Ouvi dizer que o Amos ordenha as vacas e cuida da horta.

– Isso mesmo, mas ele tá ficando velho também.

– Quantos anos ele tem?

– Uns 60, eu acho.

– E você?

– Por aí também.

– Vocês têm filhos?

– Um monte, mas foi todo mundo pro Norte. Só eu e Amos na nossa casinha.

– Onde está o Sr. Provine?

– O Buford? Ele tá lá no celeiro dos tratores, esperando.

McLeish passou pela cozinha e atravessou a varanda. Apertou o cachecol em volta do pescoço, acendeu um charuto e cruzou o quintal, passando pelos celeiros e galpões, contando o gado, se deliciando com sua boa sorte. Jackie e as crianças chegariam na semana seguinte, e eles dariam início ao maravilhoso desafio de se tornarem pessoas a quem o condado de Ford deveria respeito e reconhecimento.

COM A TIA distante e segura no calor de Nova Orleans, as questões referentes ao patrimônio do pai encerradas e sua antiga casa agora ocupada por outras pessoas, Joel não tinha motivos para voltar ao condado de Ford. Na verdade, ele queria ficar bem longe de lá. A maior parte do dinheiro que sobrou foi para o escritório dos Wilbanks, por seu fiel e leal trabalho representando a família Banning. Suas conversas telefônicas semanais com John Wilbanks cessaram, mas não antes de o advogado lhe dar a notícia de que McLeish havia demitido Nineva e Amos e os despejado. Ele lhes dera 48 horas para que saíssem de lá, e eles estavam morando com parentes em Clanton. De acordo com Buford Provine, que vivia de fofoca com o capataz dos Wilbanks que trabalhava nas terras de Florry, McLeish estaria planejando cobrar o valor referente ao aluguel dos barracos dos trabalhadores da fazenda, além de fazer um corte nos salários.

Joel ficou chocado e furioso diante da expulsão de Nineva e Amos da fazenda. Não conseguia imaginar os dois vivendo em outro lugar ou sendo forçados a encontrar um novo lar naquela idade. Ele jurou ir até Clanton, encontrá-los e lhes dar algum dinheiro. E os outros trabalhadores estavam sendo maltratados sem motivo. Estavam acostumados a ser tratados de forma justa por seu pai e seu avô, mas agora um idiota tinha assumido o comando. Crueldade não inspira lealdade. Ele se sentiu mal só de pensar naquilo tudo, e este foi mais um motivo para deixar a fazenda para lá.

Se não fosse pelos encantos de Mary Ann, ele teria sido um estudante de Direito de 24 anos triste e deprimido, diante de um futuro sombrio. Ela tinha aceitado seu pedido de casamento, e eles estavam planejando uma singela festa em Nova Orleans após a formatura, em maio. Quando a primavera chegou, com esplendor e grandes expectativas, Joel afastou o desânimo e tentou desfrutar seus últimos dias como estudante. Ele e Mary Ann eram inseparáveis. Durante as férias da primavera, pegaram o trem para Washington e passaram uma semana com Stella.

Ao longo do caminho para Washington – e também na volta –, passaram horas falando em encontrar uma vida melhor em algum lugar distante do Mississippi. Joel queria fugir para bem longe, como a irmã, para alguma cidade grande no Norte, onde as oportunidades pareciam ilimitadas e as memórias, mais distantes. Mary Ann não estava tão desesperada assim, mas, como neta de imigrantes, ela não se opunha à ideia de começar de novo em outro lugar. Eles eram jovens, loucamente apaixonados, prestes a se casar, então por que não explorar o mundo?

EM 19 DE abril, Florry acordou de madrugada com dores no peito. Ela estava fraca, mal conseguia respirar, mas teve tempo de acordar Twyla antes de desmaiar em uma cadeira. Uma ambulância a levou ao Hospital Mercy, onde os médicos conseguiram estabilizá-la. Eles diagnosticaram o episódio como um ataque cardíaco de grau leve e estavam preocupados com seu estado de saúde geral. No dia seguinte, Twyla ligou para Joel na Ole Miss, e um dia depois, na sexta-feira, ele faltou à última aula do dia e dirigiu sem parar até Nova Orleans. Mary Ann estava preocupada com as provas e não pôde acompanhá-lo.

No hospital, Florry ficou feliz em vê-lo – já haviam se passado três meses e meio – e não poupou esforços em demonstrar quanto toda aquela preocupação a incomodava. Ela alegou estar bem, entediada com a rotina do hospital e pronta para ir para casa a fim de começar a escrever um novo conto. Joel ficou abismado com a aparência da tia. Ela tinha envelhecido bastante e parecia pelo menos dez anos mais velha, estava muito pálida e com os cabelos grisalhos. Também havia emagrecido consideravelmente. Respirava com dificuldade e muitas vezes parecia ofegante.

No corredor, Joel dividiu suas preocupações com a Srta. Twyla.

– Ela parece muito mal – sussurrou ele.

– A Florry tem insuficiência cardíaca, Joel, ela não vai melhorar.

A morte de Florry nunca tinha passado pela cabeça dele. Depois que tantas pessoas se foram, Joel tinha criado um bloqueio em relação à possibilidade de perder também a tia.

– Isso não tem tratamento?

– Os médicos estão fazendo o possível, uma porção de remédios e tal, mas não é possível regredir o quadro nem impedir que ele evolua.

– Mas ela só tem 52 anos.

– Isso é bastante idade pra um Banning.

"Nossa, agora me sinto até melhor", pensou Joel.

– Estou impressionado com quanto ela envelheceu.

– Ela está muito fraca e debilitada; ela queria conseguir comer mais, mas está comendo muito pouco. Acho que a cada dia o coração dela fica mais fraco. Ela vai ter alta amanhã, e seria bom se você ficasse aqui durante o fim de semana.

– Claro, sem problema. Eu já estava pensando nisso.

– E você precisa ter uma conversa franca com Stella.

– Acredite, Srta. Twyla, Stella e eu somos as únicas pessoas da nossa família que falam abertamente sobre as coisas.

Uma ambulância levou Florry para casa no sábado pela manhã e ela se recuperou consideravelmente. Um delicioso almoço foi servido no pátio. Era um clássico dia de primavera, com a temperatura chegando aos 25 graus, e Florry estava feliz por se sentir viva novamente. Contra as ordens de seus médicos, ela tomou vinho e comeu um prato inteiro de feijão-vermelho e arroz. Quanto mais ela falava, comia e bebia, mais forte parecia. Sua mente ficou alerta, assim como sua língua, e sua voz voltou ao volume máximo. Foi um excelente retorno para casa, e Joel parou de pensar em outro velório.

Depois de um longo cochilo durante a tarde de sábado, ele saiu e vagou pelo French Quarter, do qual sempre gostou, embora se sentisse triste longe de Mary Ann. A praça Jackson fervilhava de turistas, e os músicos de rua ocupavam todas as esquinas. Ele pediu uma bebida em seu café favorito, posou para uma caricatura ruim que lhe custou um dólar, comprou uma pulseira barata para Mary Ann, ouviu uma banda de jazz do lado de fora do mercado e acabou indo na direção do rio, onde encontrou um banco de ferro fundido para se sentar e observar os barcos indo e vindo.

Nas cartas que trocavam semanalmente, Joel e Florry vinham discutindo se ela iria à sua formatura na faculdade de Direito no fim de maio. Três anos antes, quando seu pai estava prestes a ser executado e toda a família era um completo caos, Joel deixara de ir à cerimônia de formatura em Vanderbilt. Tampouco planejava ir à da Ole Miss, mas Florry discordava. Os três tinham vivido um momento glorioso em Hollins quando Stella se formou, e passariam pelo mesmo na Ole Miss, ao menos nos planos de Florry.

A discussão foi retomada na manhã de domingo durante o café da manhã no pátio. Florry insistiu que iria a Oxford para a cerimônia, e Joel disse que seria um desperdício de tempo, porque ele não estaria lá. O tom da conversa era bem-humorado. Twyla revirou os olhos algumas vezes. Florry não iria a lugar nenhum; no máximo, de volta para o hospital.

Florry tinha dormido pouco durante a noite e logo se sentiu cansada. Twyla havia contratado uma enfermeira, que a levou de volta a seu quarto.

– Ela não vai estar aqui por muito tempo, Joel – sussurrou Twyla. – Você entende isso?

– Não.

– Você precisa se preparar pra esse momento.

– Quanto tempo? Um mês? Um ano?

– Não tem como saber. Quando acabam as suas aulas?

– Dia 12 de maio. A formatura é uma semana depois, mas eu não vou.

– E a Stella?

– Deve ser mais ou menos nessa época também.

– Sugiro que os dois venham pra cá imediatamente e passem o tempo que puderem com a Florry. Vocês são bem-vindos aqui.

– Obrigado.

– Na verdade, podem ficar aqui o verão inteiro, antes e depois do casamento. Ela só fala de vocês dois. É importante tê-los aqui.

– É muito gentil da sua parte, Twyla. Obrigado. Ela nunca mais vai voltar pra casa, né?

Twyla deu de ombros e desviou o olhar.

– Eu duvido. Duvido que os médicos concordem com isso. Sinceramente, Joel, ela não quer ir pra casa, não tão cedo.

– Eu entendo muito bem.

50

A Crescent Limited oferecia duas opções de horário por dia, no percurso de Nova York até Nova Orleans, uma viagem de mais de 2.200 quilômetros e trinta horas. Às duas da tarde do dia 4 de maio, uma quinta-feira, Stella embarcou no trem na Union Station, em Washington, e se acomodou em um confortável assento para uma jornada que não seria nada agradável. Para ajudar a passar o tempo, ela tirou o relógio de pulso, tentou cochilar, leu revistas e um romance, não comeu nada além dos lanches que levara consigo e tentou dar sentido à viagem. A diretora da Saint Agnes não ficou satisfeita com o pedido dela de partir. Em razão de suas complicadas questões familiares, ela já tinha faltado muitos dias e, bem, as aulas terminariam dali a uma semana. Será que ela não podia esperar?

Não. De acordo com a Srta. Twyla, não havia tempo. Florry estava no fim. Para Stella, estar lá com a tia era muito mais importante do que qualquer emprego. A diretora entendeu em alguma medida e acertou com ela que discutiriam um novo contrato mais adiante. Stella tinha se tornado uma professora popular e a Saint Agnes não queria perdê-la.

Segundo Twyla, Florry havia sido levada às pressas para o Hospital Mercy pela segunda vez, depois pela terceira, e seus médicos não tinham muito mais a fazer a não ser medicá-la e ficarem preocupados com sua condição. Naquele momento ela estava de volta à casa, acamada, muito fraca e desejando ver os sobrinhos. Joel já estava lá. Ele perderia algumas provas, mas não estava preocupado.

Em razão de alguns atrasos, o trem chegou a Nova Orleans na tarde de sexta-feira. Joel a esperava na estação e eles pegaram um táxi para a mansão da Srta. Twyla, que ficava na rua Chartres. Ela os recebeu à porta e os conduziu ao pátio, onde havia uma mesa com queijo, azeitonas, pão e vinho à espera deles. Enquanto beliscavam a comida e sorriam, ela lhes disse que Florry estava descansando, mas deveria acordar logo.

Twyla pediu que uma das empregadas se retirasse e baixou a voz.

– Florry quer conversar com vocês antes que seja tarde demais. Ela tem alguns assuntos importantes para discutir, alguns segredos que quer contar. Eu a convenci de que este é o momento. Amanhã pode ser tarde demais.

Joel respirou fundo e olhou apreensivo para Stella.

– Ela contou pra você? – perguntou Stella.

– Sim, ela me contou tudo.

– E essas histórias são sobre os nossos pais, não são? – perguntou Joel.

Twyla respirou fundo e tomou um gole de vinho.

– Na noite em que seu pai morreu, poucas horas antes da execução, Florry passou uma hora com ele na prisão e, pela primeira vez, ele falou sobre qual era o motivo daquilo tudo. Ele a fez jurar solenemente que ela nunca contaria pra ninguém, principalmente pra vocês dois. Seis meses atrás, na noite em que a sua mãe morreu, ela e a Florry estavam sozinhas em casa, no quarto, e a Liza estava fora de si, sem nenhuma medicação. Ela contou uma outra história pra Florry, uma que seu pai nunca soube. Liza a fez prometer nunca contar a ninguém. E ela de fato não contou, até algumas semanas atrás, quando estava no hospital. Nós achamos que ela fosse morrer. Os médicos disseram que não tinha mais jeito. Ela finalmente quis falar, disse que não podia levar a verdade pro túmulo.

– Na nossa família é bem raro as pessoas falarem a verdade – comentou Joel.

– Bem, isso está prestes a acontecer, e não vai ser fácil pra vocês. Ela está convencida a contar a verdade. Vocês vão ficar decepcionados. Vão ficar chocados. Mas só desse jeito, sabendo a verdade, é que vocês vão poder entender exatamente o que aconteceu e seguir em frente. Sem isso, vão carregar um fardo, dúvidas e suspeitas pra sempre. Assim podem deixar o passado pra trás de uma vez por todas, recolher o que sobrou e encarar o futuro. Vocês precisam ser fortes.

– Estou tão cansada de ter que ser forte... – disse Stella.

– Por que será que estou com um mau pressentimento? – Joel tomou um gole de vinho.

– Nós diminuímos um pouco a dose dos remédios pra que ela consiga articular melhor, mas ela fica cansada muito rápido.

– Ela está sentindo dor? – perguntou Stella.

– Não muita. O coração está desistindo aos poucos. É muito triste.

Do outro lado do pátio, uma enfermeira saiu do quarto de Florry e acenou para Twyla, que disse:

– Ela está acordada agora. Vocês podem entrar.

Florry estava sentada em sua cama, recostada em alguns travesseiros e sorrindo quando eles entraram e começaram a se abraçar. Ela usava um de seus vários robes coloridos, provavelmente para disfarçar o fato de que havia emagrecido tanto. Suas pernas estavam cobertas por uma manta. Por alguns minutos ela falou sem parar, tagarelando sobre o iminente casamento de Joel e o que planejava vestir. Ela parecia ter se esquecido da formatura na faculdade de Direito, que ocorreria dentro de algumas semanas.

Uma onda de fadiga a atingiu com força e ela fechou os olhos. Stella se sentou na beira da cama e fez carinho nos pés dela. Joel se sentou em uma cadeira junto à cama.

– Tem algumas coisas que vocês precisam saber – disse ela ao abrir os olhos.

– QUANDO O Pete voltou da guerra, ele estava todo machucado, as duas pernas imobilizadas, vocês se lembram. Ele passou três meses no hospital em Jackson, se recuperando. Quando voltou pra fazenda, ele andava com uma bengala, fazia uma série de exercícios e passou a se movimentar cada vez melhor. Isso foi no começo do outono de 1945. A guerra tinha acabado e o país estava tentando fazer as coisas voltarem ao normal. Ele comeu o pão que o diabo amassou, mas nunca disse uma palavra sobre o assunto. É óbvio que seus pais logo retomaram as atividades conjugais, vamos dizer assim. A Nineva uma vez disse pra Marietta, muito antes da guerra, que sempre que ela virava as costas eles davam um jeito de se enfiar no quarto.

– Eles tiveram que se casar, Florry – disse Joel. – A gente sabe disso. Eu já vi a minha certidão de nascimento e também a certidão de casamento deles. Não somos idiotas.

– Não foi o que eu quis dizer. Eu desconfiava, mas nunca tive certeza.

– Papai mexeu uns pauzinhos e foi enviado pra Alemanha antes de eu nascer. Eles estavam longe de casa e ninguém nunca ia poder confirmar o boato.

– Então esse assunto está resolvido.

Florry fechou os olhos e respirou fundo, como se estivesse cansada. Joel e Stella se olharam, apreensivos. Depois, Florry reabriu os olhos, piscou e sorriu, perguntando:

– Bem, onde estávamos?

– Na Alemanha, séculos atrás. Nossos pais tinham um relacionamento bastante animado.

– É, podemos dizer assim. Eles gostavam um do outro e logo que o Pete voltou pra casa, ele já estava pronto pra agir. Mas tinha um problema. A Liza não demonstrava interesse. No começo, o Pete pensou que era porque o corpo dele estava coberto de cicatrizes, maltratado pela guerra, e não era mais igual a antes. Mas ela não falava sobre o assunto. Por fim, eles tiveram uma grande briga e ela contou uma história, a primeira de várias. Ela inventou uma história sobre ter tido um aborto não muito tempo depois de ele deixar a fazenda, em 1941. Ela passou por essa situação três vezes, vocês sabem disso.

– Quatro – corrigiu Stella.

– Tudo bem, quatro, e quando o Pete foi pra guerra, eles estavam convencidos de que ela nunca mais ia poder ter filhos. Bem, supostamente, ela estava grávida quando ele partiu, mas eles não sabiam. Quando ela se deu conta, não contou pra ninguém porque estava com medo de perder outro bebê e não queria preocupar seu pai. Ele estava em Fort Riley, esperando para ser mandado pra fora. Então ela sofreu um aborto, ou pelo menos foi o que ela disse, e por causa do aborto ela passou a ter alguns problemas femininos crônicos. Ela tinha corrimentos desagradáveis. Tinha ido a vários médicos. Estava tomando remédios. O corpo dela fazia coisas que ela não conseguia controlar, e ela tinha perdido o desejo por sexo. Fico constrangida de dizer essa palavra na frente de vocês.

– Por favor, tia Florry – disse Joel. – A gente sabe tudo sobre sexo.

– Vocês dois? – perguntou ela, olhando para Stella.

– Sim, nós dois.

– Ah, céus.

– Deixa disso, Florry. Somos todos adultos aqui.

– Está bem. Sexo, sexo, sexo. Pronto, falei. Então, como ela nunca estava disposta, ele ficava chateado. Imaginem só. O coitado passou três anos na floresta, praticamente morto, sonhando com comida e água, e também com a linda esposa que esperava por ele em casa. Foi aí que o Pete ficou desconfiado. De acordo com a história de Liza, ela engravidou pouco antes de ele partir pra Fort Riley, no início de outubro de 1941. Mas no fim de agosto daquele ano, o Pete tinha dado um jeito nas costas puxando um tronco de árvore e sentia uma dor terrível. Sexo estava fora de cogitação.

– Eu me lembro disso – disse Stella. – Ele mal conseguia andar quando foi pra Fort Riley.

– Na verdade, as costas dele estavam tão ruins que os médicos de Fort Riley quase o dispensaram por isso. Pete tinha certeza de que eles não tinham transado em setembro porque havia pensado nisso um milhão de vezes quando estava preso. De acordo com a história que a Liza contou, ela tinha engravidado no começo de outubro, guardou segredo por alguns meses e planejava contar pro Pete por carta se ela conseguisse chegar ao terceiro mês. Mas não conseguiu. Ela sofreu um aborto no início de dezembro, dois meses depois, e nunca contou pra ninguém. O Pete sabia que isso não era verdade. Se ela de fato engravidou, foi no fim de agosto. Pra ele, a questão era que ela já estava com mais de três meses quando disse ter abortado. Ele contou os dias no calendário e montou uma linha do tempo. Então um dia ele pegou a Nineva desprevenida e perguntou pra ela sobre o aborto. Ela não sabia de nada, o que, como vocês sabem, era praticamente impossível. Ela não sabia nada sobre aborto nem gravidez nenhuma. O Pete tinha certeza de que, se a Liza estivesse grávida de três meses, a Nineva ia saber. Ela botou mais de cem bebês no mundo, incluindo eu e o Pete. Assim que ficou convencido de que a Liza estava mentindo sobre o aborto, mais os corrimentos, mais a total falta de interesse por sexo, ele realmente começou a desconfiar. Ela estava obcecada por lavar as próprias roupas íntimas, e isso a Nineva confirmou. Ele deixou passar um tempo e esperou o momento certo pra confirmar os tais corrimentos. Havia umas pequenas manchas nas calcinhas dela. E a Liza estava tomando um monte de remédios que vivia tentando esconder. Pete queria conversar com os médicos dela, mas ela era terminantemente contra. De qualquer maneira, as evidências aumentavam, as mentiras estavam vindo à tona. Tinha alguma coisa acontecendo com o corpo da esposa dele e não era por causa de um aborto. Ele tinha passado por aquilo três vezes, lembram?

– Quatro – corrigiu Stella novamente.

– Isso. A Nineva tinha dito umas coisas sobre o Dexter e sobre quanto tempo ele tinha passado com a Liza depois da notícia de que o Pete estava desaparecido e tinha sido dado como morto. Todos nós lembramos quanto isso foi terrível, e o Dexter ia frequentemente à casa de vocês. Acontece que o Pete nunca tinha de fato confiado no Dexter, achava que ele estava sempre cobiçando outras mulheres. Circulava um boato na igreja, do qual eu nunca tinha ouvido falar, sobre o Dexter ter se aproximado demais de uma jovem, acho que ela tinha 20 anos. Era só um boato, mas o Pete ficava desconfiado.

Florry respirou fundo e pediu um copo com água. Ela limpou a boca com as costas da mão e sua respiração ficou pesada por alguns instantes. Fechou os olhos e continuou:

– Bem, o fato é que o Pete estava muito desconfiado. Ele foi pra Memphis e contratou um detetive particular, pagou uma boa quantia em dinheiro e entregou a ele fotos da Liza e do Dexter. Na época, ele encontrou três médicos, se é que eram médicos de verdade; eu não tenho certeza do que eles eram, e eles provavelmente ainda estão na ativa, mas, bem, eles faziam abortos.

Stella balançou a cabeça, incrédula. Joel respirou fundo. Florry manteve os olhos fechados e prosseguiu:

– Como vocês podem imaginar, o detetive particular encontrou um médico que reconheceu os dois pelas fotos, mas ele queria alguma compensação pra dar mais informações. Pete não teve escolha. Pagou 2 mil dólares em dinheiro pro sujeito, e ele confirmou que em 29 de setembro de 1943 fez o aborto em Liza.

– Deus do céu – grunhiu Joel.

– Bem, isso explica a história que Nineva conta sobre quando a mamãe e o Dexter passaram o dia em Memphis.

– Aham.

– Desculpe, não sei nada dessa história – disse Florry.

– São tantas, né? – disse Stella. – Continue contando, depois voltamos pra essa.

– Certo. Bom, não preciso nem dizer que o Pete ficou muito mal. Ele tinha uma prova da traição dela, e não havia sido só um flerte, mas uma gravidez que fora interrompida nos fundos de alguma clínica barata em Memphis. Ele ficou furioso, arrasado, e se sentiu completamente traído pela mulher que sempre venerou. – Ela fez uma pausa e enxugou uma lágrima. – Isso tudo é tão terrível. Eu nunca quis contar essa história, nunca.

– Você está fazendo a coisa certa, tia Florry – disse Stella. – Nós conseguimos encarar a verdade.

– E aí ele colocou ela contra a parede, foi isso? – perguntou Joel.

– Foi. Ele escolheu o momento certo e a pegou de surpresa. O resultado foi um colapso generalizado. Colapso nervoso, colapso emocional, qualquer nome que os médicos queiram dar. Ela admitiu tudo: o caso, o aborto, a infecção que não passava nunca. Ela implorou por perdão, várias e várias vezes. Na verdade, ela nunca parou de pedir, e ele nunca perdoou. Ele nunca superou isso. Ele tinha chegado muito perto da morte diversas vezes, mas jamais desistiu, por causa dela e de vocês. Imaginar que durante esse tempo ela estava tendo um caso com o Dexter Bell era mais do que ele podia suportar. Ele marcou uma reunião com John Wilbanks. Eles foram até o juiz. Ela foi internada em Whitfield e não resistiu em momento algum. Ela sabia que precisava de ajuda e que tinha que se afastar dele. Depois que ela foi pra lá, ele tentou cuidar dos negócios, mas chegou num ponto em que isso se tornou impossível.

– E aí ele matou o Dexter – concluiu Stella.

– Me parece um bom motivo – disse Joel.

Houve um longo e pesado silêncio durante o qual os três tentaram reorganizar os pensamentos. Joel se levantou, abriu a porta, foi até o pátio, se serviu de uma taça de vinho e trouxe a garrafa consigo.

– Alguém quer?

Stella balançou a cabeça negativamente. Florry parecia estar dormindo.

Ele se sentou e tomou um gole, depois outro. Por fim, disse:

– Acho que ainda tem mais coisa nessa história.

– Muito mais – sussurrou Florry com os olhos fechados. Ela tossiu e pigarreou, se ajeitando na cama novamente. – Vocês conhecem o Jupe, o neto da Nineva. Ele trabalhava na casa e na horta.

– A gente cresceu junto, Florry, brincava junto e tudo – comentou Joel.

– Exato. Ele foi embora de casa muito jovem, foi pra Chicago, voltou. Pete o ensinou a dirigir, o deixava usar a caminhonete pra resolver as coisas, tratava o garoto de um jeito especial. O Pete gostava muito do Jupe.

Ela engoliu em seco e respirou fundo mais uma vez.

– E a sua mãe também.

– Não – grunhiu Joel, atordoado demais para dizer qualquer outra coisa.

– Não é possível – disse Stella.

– É verdade. Quando seu pai colocou a Liza contra a parede por conta do aborto, ele exigiu que ela falasse se o filho era do Dexter. Naquele momento terrível, ela teve que tomar uma decisão. Precisava escolher. Dizer a verdade ou mentir. E sua mãe mentiu. Ela não podia admitir que tinha tido um caso com o Jupe. Era uma coisa impensável, inimaginável.

– Como isso aconteceu? – perguntou Joel.

– Ele forçou alguma coisa? – quis saber Stella.

– Não. Na noite em que a mãe de vocês morreu, ela obviamente sabia o que estava prestes a fazer. Eu não sabia. Eu estava com ela, e ela estava nas últimas. Ela falava sem parar e me contou tudo. Às vezes ela parecia lúcida, às vezes fora de si, mas não parou de falar em nenhum momento. Ela me contou que a Nineva tinha caído de cama com alguma doença e ficou em casa por uma semana. O Jupe estava trabalhando na casa. Um dia ele estava na casa, sozinho com Liza, e simplesmente aconteceu. Isso foi um ano depois de ela ter recebido a notícia sobre Pete, e deu alguma coisa nela. Não foi planejado. Não houve sedução, ninguém foi forçado a nada, foi tudo consensual. Apenas aconteceu. E aconteceu de novo.

Joel fechou os olhos e bufou. Stella olhava para o chão, boquiaberta e atordoada.

– Sua mãe sempre odiou dirigir, então o Jupe virou motorista dela, e pra fugir da Nineva eles iam pra cidade – prosseguiu Florry. – Eles tinham alguns esconderijos pelo caminho, nos arredores do condado. Aquilo acabou se tornando um passatempo e ela se permitiu viver a própria vida. Queridos, relações inter-raciais não são novidade pra ninguém. Ela achava que tinha ficado viúva, não estava comprometida com ninguém. Era só uma brincadeira inofensiva, ou pelo menos foi o que ela pensou.

– Impossível – grunhiu Joel.

– Não me parece uma brincadeira nada inofensiva – disse Stella.

– Aconteceu; não há nada que a gente possa fazer pra mudar isso. Estou apenas contando o que a mãe de vocês me falou. É claro, ela estava fora de si naquela noite, mas o que ela ganharia inventando essa história? Ela queria que alguém soubesse antes de ir pro túmulo. Foi por isso que ela me contou.

– Você estava lá e nunca suspeitou de nada? – perguntou Joel.

– Nunca, nem por um minuto. Eu nunca suspeitei de Dexter Bell, nunca suspeitei de ninguém. Todos nós estávamos tentando tocar a vida depois do que achávamos que tinha acontecido com o Pete. Nunca passou pela minha cabeça que Liza estivesse tendo um caso.

– Podemos acabar logo com essa história horrorosa? – perguntou Stella.

– Vocês sempre quiseram saber a verdade – disse Florry.

– Não estou mais tão certo disso – retrucou Joel.

– Continue, por favor – disse Stella.

– Eu estou fazendo meu melhor, queridos. Não está sendo nada fácil. Bem, de todo modo, a brincadeira chegou ao fim quando a Liza percebeu que estava grávida. Ela passou mais ou menos um mês em negação, mas depois começou a não conseguir esconder e se deu conta de que a Nineva ou qualquer outra pessoa poderia desconfiar de alguma coisa. Ela estava em pânico, como vocês podem imaginar. A primeira ideia que ela teve foi fazer o que as mulheres brancas sempre fizeram ao ser pegas: alegar estupro. Isso afasta a culpa e torna mais fácil cuidar da gravidez. Ela já não sabia mais o que fazer quando decidiu confidenciar tudo ao Dexter, um homem em quem podia confiar. Ele nunca tocou nela de modo negativo. Sempre foi pra ela o pastor bondoso e solidário que ofereceu conforto. O Dexter convenceu a Liza a não levar adiante a história do estupro e, ao fazer isso, salvou a vida do Jupe. O garoto teria sido enforcado em um piscar de olhos. Mais ou menos na mesma época, chegou aos ouvidos da Nineva e do Amos que o neto deles e a patroa estavam tendo um caso. Os dois ficaram apavorados e o mandaram pra fora da cidade.

Joel e Stella estavam sem palavras. A porta se abriu alguns centímetros e Twyla olhou para dentro.

– Como estamos?

– Estamos bem – sussurrou Florry, e a porta se fechou.

A situação estava tudo, menos boa.

Em determinado momento, Joel se levantou, com a taça de vinho na mão, e caminhou até a pequena janela com vista para o pátio.

– A Nineva sabia que ela estava grávida? – perguntou ele.

– A Liza estava convencida de que ela não sabia. Ninguém sabia, nem mesmo o Jupe. Tiraram ele da cidade na mesma época em que a Liza percebeu que estava grávida.

– Como a Nineva ficou sabendo do caso deles?

Florry fechou os olhos novamente e respirou como se esperasse que suas energias recarregassem. Sem abri-los, ela tossiu e continuou:

– Um menino negro estava pescando no riacho e viu uma coisa. Ele correu pra casa e contou pra mãe. A fofoca acabou chegando até a Nineva e o Amos; eles ficaram horrorizados e se deram conta do perigo. Colocaram o Jupe no primeiro ônibus pra Chicago. Acredito que ele ainda esteja por lá.

Uma longa e pesada pausa se instalou no quarto. Minutos se passaram e nada foi dito. Florry abriu os olhos, mas evitou fazer contato visual. Joel voltou ao seu lugar, colocou a taça de vinho na mesa e passou os dedos pelos cabelos grossos.

– Bem, então acho que o Pete matou o homem errado, não é, Florry? – disse ele por fim.

Ela não respondeu à pergunta dele. Apenas continuou:

– Eu tenho pensado com frequência em como a Liza se sentiu no momento terrível em que o Pete a questionou sobre o aborto. Ela teve que fazer uma escolha, e não teve tempo pra se preparar. O Pete supôs que o bebê fosse do Dexter, e foi muito mais fácil pra ela dizer sim do que parar pra pensar por um segundo. Uma decisão, tomada em meio a um estado de completa confusão e sob uma pressão extrema, e vejam só as consequências.

– É verdade, mas mesmo que ela tivesse tido tempo pra pensar, nunca teria admitido a verdade. Nenhuma mulher branca no lugar dela faria isso.

– Não pense mal da sua mãe. Se ela achasse que havia a menor chance de seu pai estar vivo, ela nunca teria tido um caso. Liza era uma mulher maravilhosa, que amava demais o seu pai. Eu estava com ela na noite em que ela morreu, e ela sofria absurdamente por conta dos pecados que cometeu. Implorava por perdão. Ansiava por ter de volta a vida dela junto da família. Estava muito debilitada, em um estado deplorável. Vocês têm que se lembrar dela como uma mãe boa, gentil e amorosa.

Joel se levantou e saiu do quarto sem pronunciar uma palavra. Atravessou o pátio, não disse nada à Srta. Twyla, que estava sentada em sua cadeira de vime, e saiu da casa. Desceu pela rua Chartres até a praça Jackson, onde se sentou nos degraus da catedral e passou um tempo observando artistas de rua, músicos, vendedores ambulantes, charlatães, batedores de carteira, cafetões e turistas. Para ele, qualquer homem negro era Jupe, cheio de más intenções. Qualquer mulher branca com a cara pintada era sua mãe, cheia de desejo. Tudo havia se tornado um borrão, nada fazia sentido. Sua respiração estava penosa e seu olhar, perdido.

De repente ele estava na beira do rio, embora não se lembrasse de ter caminhado até lá. As barcas passavam à sua frente, e ele olhava para elas sem prestar atenção. Maldita verdade. Ele teria sido muito mais feliz sem saber da verdade. Todos os dias, nos três anos e meio anteriores, ele havia se torturado com perguntas sobre por que seu pai tinha feito o que fez, e inúmeras vezes ele se resignou diante do fato de que jamais saberia. Bem, agora ele sabia, e sentia falta dos dias em que ignorava tudo aquilo.

Por um bom tempo, Joel ficou perdido em seu próprio mundo, mal conseguindo se mover, em alguns momentos balançando ligeiramente a cabeça, incrédulo. Então percebeu que o ritmo de sua respiração havia desacelerado, seus sentidos tinham voltado ao normal. Ele decidiu que ninguém jamais saberia daquilo – ninguém além dele mesmo, de Stella e da Srta. Twyla. Florry logo estaria morta e, como todos os Bannings, levaria seus segredos para o túmulo. Ele e Stella acabariam seguindo o exemplo. Uma família tão destruída e afundada em desgraça não sofreria mais nenhuma humilhação.

E qual era a relevância disso? Nem ele, nem Stella, nem Florry voltariam a viver entre aquelas pessoas do condado de Ford. Que a verdade ficasse enterrada lá, no Old Sycamore. Ele jamais voltaria para lá.

A mão de alguém tocou seu ombro e Stella se sentou ao seu lado, bem perto dele. Joel passou o braço por cima dos ombros dela e a puxou com força mais para perto. Eles não deixaram escapar nenhum sentimento. Estavam atordoados demais para isso.

– Como ela está? – perguntou ele.

– Não vai demorar muito.

– Ela é tudo que a gente tem.

– Não, Joel, a gente tem um ao outro, então, por favor, não morra cedo.

– Vou tentar.

– Uma pergunta, senhor advogado – disse ela. – Se a mamãe tivesse dito a verdade, o que o papai teria feito?

– Eu não tenho pensado em outra coisa. Tenho certeza de que o papai teria se divorciado dela e a expulsaria do condado. Ele teria jurado se vingar do Jupe, mas ele está em segurança em Chicago. As leis são diferentes no Norte.

– Mas ela estaria viva, não é?

– Acho que sim. Quem sabe?

– Mas o papai com certeza estaria.

– Sim, ele e Dexter Bell. E a gente ainda teria a fazenda.

Ela balançou a cabeça e murmurou:

– Que péssima decisão ela tomou.

– Ela realmente tinha escolha?

– Não sei. Eu sinto muito por ela. E pelo papai. E pelo Dexter. Por todos nós, eu acho. Como foi que acabamos nesta situação?

Stella tremia e Joel a abraçou com mais força. Ele beijou o topo de sua cabeça quando a irmã começou a chorar.

– Que família – disse ele baixinho.

Nota do autor

Muitos anos atrás, exerci dois mandatos como parlamentar na Assembleia Legislativa do Mississippi. Não tive nenhum apreço pelo serviço público, e seria necessário usar uma lupa para encontrar provas de que eu estive lá em algum momento. Não deixei nenhum registro; na verdade, saí correndo de lá. O emprego envolvia longos períodos de tempo jogados fora, e para preencher essas horas nós nos reuníamos em torno de inúmeros bules de café e garrafas de água e ouvíamos histórias longas, cheias de detalhes, e muitas vezes hilárias, contadas por nossos colegas, todos políticos veteranos oriundos de todo canto do estado e acostumados a acrescentar ou omitir detalhes. Duvido que a verdade de fato tivesse tanta importância.

Em algum momento durante minha curta carreira por lá, ouvi a história de dois homens proeminentes que moravam em uma cidadezinha do Mississippi na década de 1930. Um deles matou o outro sem nenhuma razão aparente, e nunca deu nenhuma pista sobre a motivação. Uma vez julgado e condenado à morte por enforcamento, ele recusou uma oferta do governador para que sua sentença de morte fosse comutada caso ele expusesse seus motivos. Ele se recusou e foi enforcado no dia seguinte no gramado do tribunal, enquanto o governador, que nunca tinha visto um enforcamento antes, assistia à execução da primeira fila.

Então eu roubei essa história. Acredito que ela seja real, mas não consigo me lembrar de quem me contou, de onde aconteceu, nem quando. Há grandes chances de que tudo tenha sido mera ficção desde o início, e, depois de enfeitá-la abundantemente a meu modo, não me sinto encabulado por publicá-la em forma de romance.

No entanto, caso algum leitor reconheça essa história, por favor me avise. Eu adoraria poder checar os fatos.

Como sempre, contei com a generosidade de amigos que me ajudaram na busca pelos fatos. Muito obrigado a Bill Henry, Linda e Tim Pepper, Richard Howorth, Louisa Barrett e aos Bus Boys – Dan Jordan, Robert Khayat, Charles Overby e Robert Weems. E um agradecimento especial a John Pitts, pelo título.

Dezenas de livros, se não centenas, foram escritos sobre a Marcha da Morte de Bataan. Os que eu encontrei e li são todos fascinantes. É difícil imaginar o sofrimento e o heroísmo daqueles soldados, seja na época ou já nos dias de hoje, cerca de 75 anos depois.

Recolhi informações dos seguintes títulos:

Shadows in the Jungle, de Larry Alexander; *Bataan Death March*, do tenente-coronel William E. Dyess; *American Guerrilla: The Forgotten Heroics of Russell W. Volckmann*, de Mike Guardia; *Lapham's Raiders*, de Robert Lapham e Bernard Norling; *Some Survived*, de Manny Lawton; *Escape from Davao*, de John D. Lukacs; *Lieutenant Ramsey's War*, de Edwin Price Ramsey e Stephen J. Rivele; *My Hitch in Hell*, de Lester I. Tenney; e *Escape from Corregidor*, de Edgar D. Whitcomb.

Tears in the Darkness, de Michael Norman e Elizabeth M. Norman, é uma história completa e envolvente sobre a Marcha da Morte de Bataan, contada tanto do ponto de vista americano quanto do japonês. *The Doomed Horse Soldiers of Bataan*, de Raymond G. Woolfe Jr., é um relato convincente do famoso Vigésimo Sexto Regimento de Cavalaria e sua derradeira carga. Recomendo ambos os livros.

CONFIRA AS PÁGINAS INICIAIS DE

O dossiê pelicano
de John Grisham

1

Ele parecia incapaz de criar tamanho caos, mas muito do que via lá de cima podia ser considerado sua responsabilidade. E tudo bem. Ele tinha 91 anos, estava paralisado da cintura para baixo, preso a uma cadeira de rodas e a um balão de oxigênio. O segundo derrame, sete anos antes, quase o havia matado, mas Abraham Rosenberg ainda estava vivo e, mesmo com tubos no nariz, sua autoridade jurídica era maior do que a dos outros oito juízes. Ele era uma lenda viva no tribunal, e o fato de ainda estar respirando irritava a maior parte da multidão reunida lá embaixo.

Ele estava sentado em uma cadeira de rodas em um gabinete no primeiro andar do prédio da Suprema Corte. Estava próximo ao parapeito da janela e se inclinou para a frente à medida que o barulho aumentou. Detestava policiais, mas a imagem daquelas fileiras numerosas e bem organizadas era de alguma forma reconfortante. Eles mantinham a postura reta e formavam uma barreira enquanto a multidão de pelo menos cinquenta mil pessoas clamava por sangue.

– Maior público da história! – gritou Rosenberg na direção da janela.

Ele era praticamente surdo. Jason Kline, seu principal assessor, estava atrás dele. Era a primeira segunda-feira de outubro, início do novo mandato, e celebrar a Primeira Emenda naquele dia havia se tornado uma tradição. Celebrar de forma gloriosa. Rosenberg estava emocionado. Para ele, liberdade de expressão significava liberdade para se rebelar.

– Os índios estão lá fora? – perguntou ele em voz alta.

– Estão! – respondeu Jason Kline, bem próximo à sua orelha direita.

– Pintados pra guerra?

– Sim! Vestidos pra guerra.

– Eles estão dançando?

– Estão!

Indígenas, negros, brancos, pardos, mulheres, gays, ativistas ambientais, cristãos, defensores da legalização do aborto, arianos, nazistas, ateus, caçadores, protetores dos animais, supremacistas brancos, supremacistas negros, militantes anti-impostos, madeireiros, fazendeiros – um gigantesco mar de manifestantes. E a tropa de choque empunhava seus cassetetes.

– Os índios deveriam me amar!

– Tenho certeza de que eles amam o senhor – afirmou Kline, sorrindo para aquele homenzinho frágil de pulso firme.

A ideologia de Rosenberg era simples: o governo acima dos negócios, o indivíduo acima do governo, o meio ambiente acima de tudo. E aos índios, deem a eles tudo o que quiserem.

As interrupções, as orações, as músicas, os cânticos e os gritos foram ficando cada vez mais altos, e a tropa de choque se aproximou. A multidão era maior e estava mais agitada do que nos anos anteriores. O clima estava mais tenso. A violência havia se tornado algo comum. O ódio era então o passatempo favorito dos Estados Unidos.

E o tribunal, claro, era um alvo fácil. O número de ameaças graves contra os magistrados havia aumentado dez vezes desde 1990. O efetivo da polícia da Suprema Corte triplicara de tamanho. Pelo menos dois agentes do FBI eram designados para proteger cada juiz, e outros cinquenta estavam bastante ocupados investigando ameaças.

– Eles me odeiam, não é? – perguntou ele em voz alta, olhando pela janela.

– Alguns deles, sim – respondeu Kline de forma jocosa.

Rosenberg adorava ouvir aquilo. Ele sorriu e respirou profundamente. Oitenta por cento das ameaças de morte eram direcionadas a ele.

– Deveríamos dar Runyan de comer aos índios – disse Rosenberg com uma risadinha.

O presidente da Suprema Corte era John Runyan, um conservador durão que havia sido indicado por um republicano, e que era odiado pelos índios e pela maior parte das demais minorias. Sete dos nove juízes haviam sido nomeados por presidentes republicanos. Havia quinze anos que Rosenberg esperava que um democrata chegasse à Casa Branca. Ele queria se aposentar, precisava se aposentar, mas não conseguia suportar a ideia de que um sujeito de direita tipo Runyan ocupasse seu precioso lugar.

Rosenberg podia esperar. Podia ficar sentado ali em sua cadeira de rodas, respirando oxigênio de um balão, e proteger os índios, os negros, as mulheres, os pobres, as pessoas com deficiência e o meio ambiente até chegar aos 105 anos. E ninguém na face da Terra poderia fazer absolutamente nada em relação àquilo, a menos que o matassem. E isso também não seria uma má ideia.

Aquele era um grande homem. Sua cabeça pendeu para a frente, balançou e então repousou sobre o ombro. Ele tinha caído no sono de novo. Kline silenciosamente se afastou e retomou sua pesquisa na biblioteca. Ele voltaria em meia hora para verificar o nível do oxigênio e dar a Abe seus medicamentos.

O GABINETE DO PRESIDENTE da Suprema Corte fica no primeiro andar e é maior e mais ornamentado do que os outros oito. Há um salão externo, usado para pequenas recepções e reuniões formais, e um interno, onde o presidente trabalha.

A porta do salão interno estava fechada e no recinto se encontravam o presidente, seus três assessores, o capitão da polícia da Suprema Corte, três agentes do FBI e K.O. Lewis, vice-diretor do FBI. O clima estava tenso, e eles faziam um grande esforço para ignorar o barulho que vinha da rua. Era difícil. Lewis e o presidente do tribunal falavam sobre a mais recente sequência de ameaças de morte, e os demais apenas ouviam. Os assessores faziam anotações.

Ao longo dos últimos sessenta dias, o FBI tinha registrado mais de duzentas ameaças, um novo recorde. Havia a cota de "Vamos explodir o tribunal!" de sempre, mas muitas ameaças traziam informações específicas – como nomes, casos e disputas judiciais.

Runyan não fazia esforço algum para esconder sua ansiedade. De uma compilação de documentos confidenciais do FBI, ele leu os nomes de indivíduos e grupos suspeitos de ter feito as ameaças. A Klan, os arianos, os nazistas, os palestinos, os separatistas negros, os pró-vida, os homofóbicos. Até o IRA. Todo mundo, ao que parecia, exceto os membros do Rotary e os escoteiros. Um grupo do Oriente Médio apoiado pelos iranianos ameaçara derramar sangue em solo americano em retaliação à morte de dois ministros da Justiça em Teerã. Não havia absolutamente nenhuma evidência de que os assassinatos tivessem qualquer relação com os Estados Unidos. Uma nova unidade de terrorismo doméstico, que recentemente tinha se tornado famosa e era conhecida como Underground Army, matara um juiz federal no Texas com um carro-bomba. Nenhuma prisão havia sido feita, mas a UA assumiu a responsabilidade. Eles também eram os principais suspeitos de dezenas de ataques a bomba nos escritórios da ACLU, a União Americana pelas Liberdades Civis, mas seu trabalho era muito limpo.

– E esses terroristas porto-riquenhos? – perguntou Runyan sem erguer os olhos.

– Pesos-leves. Não estamos preocupados – respondeu K.O., despreocupado. – Há vinte anos que eles fazem ameaças.

– Bem, talvez agora eles façam alguma coisa. O momento é oportuno, você não acha?

– Esqueça os porto-riquenhos, presidente.

Runyan gostava de ser chamado de "presidente". Não de "presidente da Corte", nem "senhor presidente". Apenas "presidente".

– Eles só estão fazendo ameaças porque todo mundo está.

– Muito engraçado – disse Runyan sem sorrir. – Muito engraçado. Eu ia odiar que algum grupo fosse deixado de fora.

Jogou os papéis em cima mesa e esfregou as têmporas.

– Vamos falar de segurança – disse, fechando os olhos.

K.O. Lewis colocou sua cópia dos documentos na mesa do presidente.

– Bem, o diretor acha que devemos alocar quatro agentes pra cada juiz, pelo menos durante os próximos noventa dias. Vamos usar carros com motorista e batedores para levá-los e buscá-los no trabalho, e a polícia da Suprema Corte vai ficar responsável por fornecer reforço e pela segurança deste edifício.

– E no caso de alguma viagem?

– Viajar não é uma boa ideia, pelo menos por enquanto. O diretor acha melhor que os juízes permaneçam em Washington até o fim do ano.

– Você está maluco? Ele está maluco? Se eu pedir que os meus companheiros sigam essa ordem, todos eles vão deixar a cidade hoje à noite e ficar fora pelos próximos trinta dias. Isso é um absurdo.

Runyan franziu a testa para seus assessores, que balançaram a cabeça em sinal de descontentamento. Um verdadeiro absurdo.

Lewis não se abalou. Isso já era esperado.

– Como quiser. Era apenas uma sugestão.

– Uma sugestão idiota.

– O diretor não esperava mesmo a cooperação de vocês nesse sentido. Mas ele gostaria de ser notificado com antecedência de todos os planejamentos de viagem pra que a gente possa tomar medidas de segurança.

– Quer dizer então que vocês pretendem escoltar cada um dos juízes toda vez que eles saírem da cidade?

– Sim, presidente. É esse o plano.

– Isso não vai funcionar. Essas pessoas não estão acostumadas a ter babás.

– Sim, presidente. E também não estão acostumadas a ser perseguidas. Estamos só tentando proteger o senhor e seus honoráveis companheiros de trabalho. É claro que ninguém é obrigado a fazer nada. Até onde eu sei, presidente, foi o senhor que nos chamou aqui. Podemos nos retirar, se quiser.

Runyan se inclinou para a frente em sua cadeira, aproximando-se da mesa, e pegou um clipe de papel, desfazendo suas dobras e tentando deixá-lo perfeitamente reto.

– E por aqui?

Lewis suspirou e quase esboçou um sorriso.

– Não estamos preocupados com este edifício, presidente. É fácil mantê-lo seguro. Não achamos que vamos ter problemas por aqui.

– Onde, então?

Lewis apontou com a cabeça em direção à janela. O barulho estava ainda mais alto.

– Lá fora, em algum lugar. As ruas estão repletas de idiotas, maníacos e fanáticos.

– E todos eles odeiam a gente.

– Sem dúvida. Olha, presidente, nós estamos muito preocupados com o juiz Rosenberg. Ele ainda se recusa a autorizar que nossos homens entrem na casa dele; deixa os caras sentados dentro de um carro na rua a noite toda. Permite apenas que um de seus agentes favoritos da polícia da Suprema Corte... qual é mesmo o nome dele...? Ferguson. Permite apenas que Ferguson fique sentado na porta dos fundos, do lado de fora, mas só entre dez da noite e seis da manhã. Ninguém pode entrar na casa além do juiz Rosenberg e do seu enfermeiro. O lugar não tem segurança alguma.

Runyan, que cutucava as unhas com o clipe, sorriu discretamente consigo mesmo. A morte de Rosenberg, por qualquer meio ou método, seria um alívio. Não, seria um momento glorioso. Na condição de presidente da Corte, Runyan teria que usar preto e fazer um discurso elogioso, mas a portas fechadas ele e seus assessores dariam boas risadas. Esse pensamento o agradou.

– O que você sugere? – perguntou o presidente.

– O senhor acha que pode conversar com ele?

– Eu tentei. Expliquei que ele é provavelmente o homem mais odiado do país, que milhões de pessoas praguejam contra ele todos os dias, que quase todo mundo gostaria de vê-lo morto, que ele recebe quatro vezes mais mensagens de ódio do que todos nós aqui juntos e que ele seria um alvo perfeito e fácil pra um assassino.

Lewis esperou alguns instantes.

– E?

– Ele me mandou ir à merda e depois caiu no sono.

Os assessores deram uma risadinha discreta, então os agentes do FBI perceberam que estava autorizado expressar algum humor e também caíram na risada.

– Então o que vamos fazer? – perguntou Lewis, sem achar nenhuma graça.

– Proteja Rosenberg da melhor maneira possível, registre isso em algum lugar pra tornar oficial e deixe pra lá. Ele não tem medo de nada, nem da morte, e se ele não está preocupado, por que você deveria estar?

– O diretor está preocupado, então eu estou preocupado, presidente. É muito simples. Se um de vocês se machucar, pega mal pro FBI.

O presidente se balançou bruscamente na cadeira. O alvoroço do lado de fora era insuportável. Aquela reunião já havia se arrastado por tempo demais.

– Esqueça o Rosenberg. Pode ser que ele morra dormindo. Estou mais preocupado com o Jensen.

– O Jensen é um problema – disse Lewis, folheando as páginas.

– Eu sei que ele é um problema – confirmou Runyan pausadamente.

– Ele é uma vergonha pra Corte. Agora ele está achando que é liberal. Cinquenta por cento das vezes segue os votos do Rosenberg. Mês que vem ele vai ser um supremacista branco e apoiar a segregação das escolas. Depois disso ele vai se apaixonar pelos índios e vai querer dar Montana pra eles. É como ter um filho retardado.

– O senhor sabe que ele está tomando remédio pra depressão, não sabe?

– Eu sei, eu sei. Ele costuma falar comigo sobre isso. Ele me vê como um pai. O que ele está tomando?

– Fluoxetina.

O presidente cutucava as unhas.

– E aquela professora de aeróbica com quem ele estava saindo? Eles têm se visto?

– Não, presidente. Não acho que ele ligue muito pra mulheres.

Lewis estava se achando. Ele sabia de mais coisa. Olhou de relance para um de seus agentes, que aparentemente já tinha ouvido a fofoca também.

Runyan os ignorou, não queria ouvir nada daquilo.

– Ele está cooperando?

– Claro que não! Ele consegue ser pior que o Rosenberg em vários aspectos. Ele autoriza que a gente o acompanhe até em casa, depois faz a gente passar a noite no estacionamento. Ele mora no sétimo andar, veja. Nós não podemos nem ficar na portaria do prédio. Ele diz que a gente vai acabar irritando os vizinhos. Então ficamos dentro do carro. Existem dez maneiras diferentes de entrar e sair do prédio, e é impossível protegê-lo. Ele gosta de brincar de esconde-esconde com a gente. Vive saindo de fininho, o tempo todo, então a gente nunca sabe se ele está no prédio ou não. Pelo menos no caso do Rosenberg a gente sabe exatamente onde ele está a noite inteira. Com o Jensen, é impossível.

– Ótimo. Se vocês não conseguem acompanhá-lo, nenhum assassino vai conseguir.

Lewis não tinha pensado por esse lado. E não via graça nenhuma naquilo.

– O diretor está muito preocupado com a segurança do juiz Jensen.

– Ele não recebe tantas ameaças assim.

– Ele é o número seis na lista, uma posição abaixo do senhor, Excelência.

– Ah. Então estou em quinto lugar.

– Sim. Logo atrás do juiz Manning. A propósito, ele está cooperando. Totalmente.

– Ele tem medo até da própria sombra – disse o presidente, se precipitando. – Eu não deveria ter dito isso, me desculpem.

Lewis fingiu que não ouviu.

– Na verdade, o grau de cooperação tem sido satisfatório, exceto por Rosenberg e Jensen. O juiz Stone reclama muito, mas faz o que a gente pede.

– Ele reclama de tudo, então não leve pro lado pessoal. Pra onde você acha que o Jensen costuma ir quando sai escondido?

– Não faço ideia – respondeu Lewis, olhando de relance para um de seus agentes.

Uma enorme parcela da multidão de repente se uniu em um coro desenfreado, e pareceu então que o resto da rua se juntou a eles. O presidente não podia ignorar o barulho. As janelas tremiam. Ele se levantou e encerrou a reunião.

CONHEÇA OS LIVROS DE JOHN GRISHAM

Justiça a qualquer preço

O homem inocente

A firma

Cartada final

O Dossiê Pelicano

Acerto de contas

Tempo de matar

Tempo de perdoar

O júri

A lista do juiz

Para saber mais sobre os títulos e autores da Editora Arqueiro,
visite o nosso site e siga as nossas redes sociais.
Além de informações sobre os próximos lançamentos,
você terá acesso a conteúdos exclusivos
e poderá participar de promoções e sorteios.

editoraarqueiro.com.br